westermann

Grundkurs

Woyzeck / Lyrik: unterwegs sein / Der Trafikant / Kommunikation

schroedel Abitur

Schülerarbeitsbuch

ABITUR 2024 • DEUTSCH

NORDRHEIN-WESTFALEN

Jan Janssen Bakker
Sascha Spolders
Dieter Stüttgen

Der Band wurde erarbeitet von:

Jan Janssen Bakker
Sascha Spolders
Dieter Stüttgen

westermann GRUPPE

Druck A [1] / Jahr 2022
Alle Drucke der Serie A sind im Unterricht parallel verwendbar.

Redaktion: Nicola Birkner, Christiane Weber
Umschlaggestaltung: LIO Design GmbH, Braunschweig
Layout: Yvonne Konstanze Behnke, Berlin
Druck und Bindung: Westermann Druck Zwickau GmbH

ISBN 978-3-14-**169073**-6

Das erwartet Sie ...

Liebe Schülerinnen und Schüler,

die Qualifikationsphase hat nun endgültig die letzten beiden Jahre bis zum Abitur eingeläutet. Eine Zeit, in der Sie zunehmend mehr Verantwortung für Ihren eigenen Lernprozess übernehmen müssen. Auf diesem Weg zum Abschluss will Sie **Schroedel Abitur** begleiten und Sie dabei unterstützen, aufbauend alle Kompetenzen zu erlangen, die Sie für ein erfolgreiches Absolvieren der Prüfungen zur Allgemeinen Hochschulreife im Fach Deutsch benötigen.

Für Ihre abschließenden Abiturprüfungen gibt es in Nordrhein-Westfalen zwei Grundlagen:

- Zum einen den Kernlehrplan für die gymnasiale Oberstufe und
- zum anderen die spezifizierten Vorgaben für das Abitur, die konkretisieren, anhand welcher Inhalte die Kompetenzerwartungen des Lehrplans umgesetzt werden sollen. Über diese Vorgaben manifestieren sich zentrale Aspekte, die unbedingt den Kern der Vorbereitung auf das Zentralabitur darstellen müssen, nämlich die Fokussierungen auf:
  - Georg Büchners Drama **„Woyzeck“** als zentrales Vergleichswerk für „strukturell unterschiedliche Dramen aus unterschiedlichen historischen Kontexten“,
  - die lyrische Verarbeitung des Motivs **„unterwegs sein“** vom Barock bis zur Gegenwart,
  - den Roman **„Der Trafikant“** als zu fokussierender Text der Untersuchungen zu „strukturell unterschiedlichen Erzähltexten aus unterschiedlichen historischen Kontexten“ sowie
  - das Inhaltsfeld **Kommunikation** mit dem Augenmerk auf „rhetorisch ausgestaltete Kommunikation in funktionalen Zusammenhängen“ (**Sprache in politisch-gesellschaftlichen Verwendungszusammenhängen**).

Dieses Arbeitsbuch behandelt dementsprechend die zentralen Inhaltsfelder und konkretisierten Erwartungen der Vorgaben für das Zentralabitur Ihres Jahrgangs 2024 an den genannten inhaltlichen Beispielen, um Ihnen so einen Überblick über die Vielzahl der erwarteten Leistungen, Kompetenzen und deren Vernetzung zu ermöglichen.

Die Aufgaben zu den einzelnen Kapiteln sind den Anforderungsbereichen entsprechend aufgebaut und orientieren sich an den Operatoren des Landes NRW (vgl. hierzu die vordere Umschlaginnenseite), um gewährleisten zu können, dass Sie den Anforderungen, die Sie in der Abiturprüfung zu erwarten haben, gelassen entgegensehen.

Zu jedem einzelnen inhaltlichen Kapitel wird ein ausführliches **Klausurtraining** angeboten, das Sie schrittweise an die eigene Produktion verschiedener Textsorten heranführt.

In dem Kapitel **Auf einen Blick** finden Sie dann noch einmal eine Zusammenfassung dieser hilfreichen Tipps

- zum **Klausurwissen**,
- zur generellen **Methodik** und zu **Fachbegriffen**.
- Ebenfalls findet sich hier ein Überblick zur **Literaturgeschichte**, gut geeignet, um sich schnell einen Überblick über die zentralen Inhalte der einzelnen Epochen und Perioden der deutschen Literatur zu verschaffen.

Der Ansatz dieses Arbeitsbuches ist es, den „Kern“ der zu behandelnden Komplexe darzustellen, Sie nicht zu überfrachten mit Randnotizen und Querverweisen, Ihnen gleichzeitig aber auch zu zeigen, worin das Spannende, Aufregende und Begeisternde der Inhalte, Themen, Kompetenzen und Aspekte, mit denen Sie sich in den nächsten zwei Jahren auseinandersetzen werden, besteht.

In diesem Sinne wünschen wie Ihnen nun viel Erfolg und Spaß im Deutschunterricht der Qualifikationsphase!

Erzähltexte in zeitlicher Betrachtung

Robert Seethaler: Der Trafikant

„Moral, das ist, wenn man moralisch ist“

Texte

Strukturell unterschiedliche Dramen aus unterschiedlichen historischen Kontexten

Komplexe, auch längere Sachtexte

Sprache

Sprachvarietäten und ihre gesellschaftliche Bedeutung

Kommunikation

Sprachliches Handeln im kommunikativen Kontext

Rhetorisch ausgestaltete Kommunikation in funktionalen Zusammenhängen

Medien

Bühneninszenierung eines dramatischen Textes

Klausurtraining

III B Erörterung mit Bezug auf einen literarischen Text

Büchners „Woyzeck“ – Ein Fragment, seine Spannungsfelder und die Frage der Form

Kompetenzen

Im Rahmen dieser Veröffentlichung setzen Sie sich mit einem bedeutenden Werk der deutschen Literaturgeschichte auseinander, allerdings nicht allein das Werk wird dabei in den Fokus gerückt, sondern insbesondere auch die Schaffenszeit, die epochalen Einbindungen sowie formale und inhaltliche Abgrenzungen zu anderen bekannten und weniger bekannten dramatischen Werken. Auf diese Art und Weise werden Sie u. a. folgende Kompetenzen erwerben:

- strukturell unterschiedliche dramatische Texte unter besonderer Berücksichtigung der Entwicklung der gattungstypischen Gestaltungsform analysieren und interpretieren,
- literarische Texte in grundlegende literarhistorische und historisch-gesellschaftliche Entwicklungen – von der Aufklärung bis zum 21. Jahrhundert – einordnen und die Möglichkeit und Grenzen der Zuordnung literarischer Werke zu Epochen aufzeigen,
- sprachliches Handeln (in seiner Darstellung in literarischen Texten) unter besonderer Berücksichtigung des kommunikativen Kontextes – unter Einbezug von kommunikationstheoretischen Aspekten – analysieren
- in Ihren Analysetexten Ergebnisse textimmanenter und textübergreifender Untersuchungsverfahren darstellen und in einer eigenständigen Deutung zusammenführen,
- Textverständnis durch Formen produktionsorientierten Schreibens darstellen,
- eigene sowie fremde Texte sachbezogen beurteilen und überarbeiten,
- verbale, paraverbale und nonverbale Kommunikationsstrategien identifizieren und zielorientiert einsetzen.

Warum denn immer noch der „Woyzeck"?

„Ein guter Mord, ein echter Mord, ein schöner Mord, so schön als man ihn nur verlangen tun kann, wir haben schon lange so kein gehabt!" *(Gerichtsdiener in Büchners „Woyzeck")*

1 Das obige Zitat stammt aus dem Schlussteil des Dramenfragments „Woyzeck". Stellen Sie auf Grundlage des Zitats Hypothesen zum Handlungsverlauf des „Woyzeck" und zum dargestellten Gesellschaftsbild auf. Welche Art von Menschen, welche Form von Welt wird vermutlich im Drama gezeigt werden?

Inszenierung am Theater Basel, 2017

Inszenierung des Berliner Ensembles, 2017

„Das Theater ist bei Büchner, der ein Dramatiker war von Geburt, ein buntes erleuchtetes Loch, vor dem die Zuschauer mit weit aufgerissenen Augen sitzen, die lieben Leute, denen man es doch ein bisschen deutlich machen muss, wie es im Leben zugeht." *(Kurt Tucholsky)*

„Der Hass ist so gut erlaubt als die Liebe, und ich hege ihn im vollsten Maße gegen die, welche verachten." *(Georg Büchner)*

2 Die gezeigten Bilder sind Aufnahmen aus Inszenierungen des Dramas „Woyzeck" in den letzten Jahren. Beschreiben Sie die Bilder und erläutern Sie, inwieweit die Aussagen Tucholskys und Büchners selbst auf diese Inszenierungsaufnahmen übertragen werden können.

„Was ist das, was in uns lügt, mordet, stiehlt?" *(Georg Büchner)*

3 Das obige Zitat ist eine der berühmtesten Aussagen Büchners, gleichzeitig ist es eine wichtige Untersuchungsfrage für das Fragment „Woyzeck". Geben Sie in eigenen Worten kurz wieder, wonach Büchner hier fragt.

4 Und was glauben Sie? Was bringt Menschen dazu, zu lügen, morden und zu stehlen?

Inszenierung am Staatsschauspiel Dresden, 2019

Faszinosum Zeit? Biografie? Form?

Kontextualisierung des Dramenfragments „Woyzeck“

Für Deutschland ist das 19. Jahrhundert voller bedeutender Entwicklungen, gleichzeitig aber auch eine Phase des Rückzugs. In dieser Ambivalenz sind auch Büchner und sein „Woyzeck“ zu verorten. Wer das Drama verstehen möchte, muss auch die Zeit, aus der es stammt, verstehen. Um diese Zeit verstehen zu können, hilft es, Büchners Biografie zu betrachten. Wer das Drama analysieren will, der muss die Editionsproblematik kennen.
In den Worten Büchners ist „der dramatische Dichter [...] nichts, als ein Geschichtsschreiber“. Grund genug, auch für die Erarbeitung des Dramas mit der Geschichte zu beginnen.

1 Recherchieren Sie 1. die bedeutenden zeitgeschichtlichen Ereignisse in Deutschland von 1814/15 bis 1870/71 und 2. die bedeutenden biografischen Abschnitte in Georg Büchners Leben. Erstellen Sie auf dieser Grundlage einen Zeitstrahl, der die historischen Ereignisse aufzeigt und Büchners Lebensdaten mit der Entstehungszeit sowie der vermutlichen Zeit der Dramenhandlung in Beziehung setzt.

Christopher Jütte

Pauperismus (2015)

Leopold Bendix, Die Auspfändung (1846)

In der ersten Hälfte des 19. Jahrhunderts waren Armut und Hunger in Deutschland weit verbreitet. Das enorme Bevölkerungswachstum nach 1815 konnte durch einen nur sehr geringen Produktivitätsanstieg in der Landwirtschaft und der aufkommenden Industrie noch nicht aufgefangen werden. Wiederkehrende Missernten, Hungersnöte und der Niedergang des Heimgewerbes förderten das Aufkommen von Massenarmut. Die Zeitgenossen beschrieben diese Zustände mit dem Begriff „Pauperismus“, abgeleitet vom lateinischen Begriff pauper (dt.: „arm“). Über die Ursachen des Pauperismus waren sich die Zeitgenossen nicht einig. Ganze Schriften wurden über die möglichen Gründe der Massenarmut verfasst und bildeten den Zweig der „Pauperismusliteratur“. Konservativ-bürgerliche Publizisten sahen die Schuld bei den Armen selbst: Ein Verfall der Sitten, Faulheit und Spielsucht führten aus bürgerlicher Sicht in die Bedürftigkeit. Andere – wie Friedrich Engels – sahen die Gründe in der aufkommenden Industrialisierung, die die Arbeit mechanisierte und den Arbeitern ihre Beschäftigung und damit ihre Lebensgrundlage entzog. Im Bürgertum war die Angst vor einem sich unkontrolliert ausbreitenden Armenheer sehr ausgeprägt. Die Bürgerlichen fürchteten die Verbreitung revolutionärer Ideen unter den Mittellosen, die somit zu einem Träger eines gesellschaftlichen Umsturzes werden könnten.
Die größte Not herrschte in den Gebieten, in denen der Industrialisierungsprozess noch nicht eingesetzt hatte. Südwestdeutschland, Teile Nordwestdeutschlands, Hessen, Preußen und Schlesien waren besonders betroffen und Zentren des Pauperismus. In den zumeist ländlichen Gebieten arbeitete die Bevölkerung nicht in der Fabrik, sondern als Tagelöhner in der Landwirtschaft oder in Heimarbeit. Die Ar-

beitsbedingungen waren denkbar schlecht: Die Heimarbeiter, auch Frauen und Kinder, produzierten in feuchten, stickigen Kellern mit schlechter Lichtversorgung und unter schlimmsten Hygienebedingungen. Beispielhaft für den Verfall des Heimgewerbes stand der Aufstand der schlesischen Weber, der am 5. Juni 1844 blutig niedergeschlagen wurde.
Missernten und die daraus resultierenden Hungersnöte konnten die Situation der Armen noch erheblich verschärfen. Ein Mangel an Grundnahrungsmitteln trieb deren Preis in die Höhe. Tagelöhner mussten mehr arbeiten, um sich zu ernähren, wodurch es zu einem Mehrangebot an Arbeit kam, das wiederum zu einem Verfall der Löhne führte. Viele waren so trotz schwerster körperlicher Arbeit nicht in der Lage, sich selbst zu versorgen. [...]
Aus Verzweiflung flüchteten sich viele Arme in die „Notkriminalität". Durch den Diebstahl von Feldfrüchten und Holz, Wilderei und Schmuggel versuchten die Bedürftigen ihre Situation zu verbessern. Um sich zu betäuben und die Not einen Augenblick zu vergessen, griff die Unterschicht zum Alkohol. [...]
Getrieben durch Armut und Hunger suchten viele Menschen ihr Glück in den Städten, um dort von der voranschreitenden Industrialisierung zu profitieren.[...]

1 Erläutern Sie, was unter „Pauperismus" zu verstehen ist und welche Ursachen hierfür genannt werden.

Johannes F. Lehmann

Einladung zur Literaturwissenschaft: Georg Büchner (2009)

Georg Büchner hat in nur 23 Lebensjahren ein zwar schmales, aber zweifellos zur Weltliteratur zählendes Werk geschaffen. Jenseits vorgegebener Sinnsysteme erkundet es die Grenzen und Abgründe des Menschen: Melancholie, Wahnsinn, Verbrechen, Sexualität. Büchner gilt heute als einer der größten deutschen Autoren des 19. Jahrhunderts und als Bahnbrecher der Moderne.
Modern sind nicht nur seine Themen, sondern vor allem seine ästhetischen Verfahrensweisen (Zitat, Collage, Montage, Travestie) und seine metaphernreiche Sprache, die sich aus der grenzüberschreitenden Perspektive von Naturwissenschaft, Medizin, Philosophie und Psychiatrie ergibt. Büchner kommt nicht über die Teilnahme an literarischen Zirkeln zur Literatur, sondern von außen: Als Sohn eines Arztes kam Büchner früh mit Medizin und Naturwissenschaften in Kontakt. Er studierte zwischen 1831 und 1834 in Straßburg, Gießen und Darmstadt Medizin, während er gleichzeitig politisch agitierte und an der republikanischen Bewegung in Hessen teilnahm.
„Die politischen Verhältnisse", so schrieb er im Dezember 1833, „könnten mich rasend machen. Das arme Volk schleppt geduldig den Karren, worauf die Fürsten und Liberalen ihre Affenkomödie spielen." Neben der Gründung einer „Gesellschaft für Menschenrechte" verfertigte Büchner zusammen mit seinem Freund, dem Butzbacher Rektor Friedrich Ludwig Weidig, im Frühjahr 1834 die revolutionäre Flugschrift *Der Hessische Landbote*. Unter dem Motto: „Friede den Hütten, Krieg den Palästen" und gespickt mit statistischem Zahlenmaterial sowie den narrativen und sprachlichen Mustern vor allem der Bibel, versucht diese Schrift, die Landbevölkerung zur Revolution zu bewegen. Die Flugschrift wurde in etwa 1200–1500 Exemplaren gedruckt, konnte aber aufgrund einer Denunziation kaum verteilt werden. Dennoch entkam Büchner nur knapp einer Verhaftung und ging im September nach Darmstadt.

Friedrich Ludwig Weidig (1791–1837) Freund Büchners, Mitverfasser der Flugschrift „Der Hessische Landbote", evang. Theologe und Pädagoge

Denunziation Verrat

Neben weiterer politischer Tätigkeit vertiefte er sich hier in die Geschichte der französischen Revolution, worauf er Anfang 1835 in nur fünf Wochen sein Revolutionsdrama *Dantons Tod* schrieb. Wie auch bei der Novelle *Lenz* und dem Dramenfragment *Woyzeck* benutzt Büchner auch hier historische Quellen, die er zum Teil wörtlich, zum Teil modifiziert, in seinen Text montiert. [...] Das Stück, das man als Paradigma der offenen Form ansehen kann, kontrastiert Szenen, die in politischen Institutionen spielen, mit Volksszenen, in denen die politischen Reden freiwillig und unfreiwillig persifliert werden. Büchner analysiert so die Bedingungen und die Möglichkeiten der Sprache für politisches Handeln in und jenseits der Institutionen. [...]

Paradigma Beispiel, Muster

persiflieren auf geistreiche Art durch übertreibende Nachahmung verspotten

Im März 1835 floh Büchner nach Straßburg, da er in Deutschland wegen „Teilnahme an staatsverräterischen Handlungen" steckbrieflich gesucht wurde. [...] Büchner strebte nicht die Karriere eines freien Schriftstellers an, sondern eine Dozentur an der Universität Zürich, wohin er im Oktober 1836 übersiedelte. Hier entstand *Woyzeck*, sein letztes, Fragment gebliebenes, aber berühmtestes Werk. [...] Angelehnt an einen authentischen Fall und die psychiatrischen Gutachten über die Zurechnungsfähigkeit des Täters baut Büchner knappe, hochverdichtete Szenen, die Woyzeck als Opfer von Armut und gesellschaftlichen Verhältnissen zeigen.

1 Fassen Sie die Darstellung des Lebens und Schaffens Büchners in eigenen Worten zusammen und charakterisieren Sie auf dieser Grundlage den Menschen Georg Büchner.

2 Im obigen Text wird der *Hessische Landbote* bereits angesprochen. Recherchieren Sie Inhalt, Form und gesellschaftliche Situation des *Hessischen Landboten* und erstellen Sie auf dieser Grundlage ein kurzes Handout.

Michael Hofmann

Büchner Handbuch: Der Hessische Landbote (2015)

Die von Georg Büchner und von Friedrich Ludwig Weidig verfasste Flugschrift stellt den in der deutschen Literaturgeschichte recht einmaligen Fall dar, dass ein herausragender Literat und Schriftsteller gleichzeitig der Autor einer politischen Kampfschrift war, die anonym und illegal erschien und die ihrem Urheber die Androhung einer schweren Gefängnisstrafe (und dem Koautor den Tod in Polizeihaft) einbrachte. Wenn für die deutsche Literatur spätestens seit der Weimarer Klassik gewissermaßen a priori die Abkehr vom politischen Tagesgeschäft als Voraussetzung für die Erlangung literarischer und künstlerischer Autonomie angesehen wurde, wenn Literatur der Moderne von Schiller bis Adorno nur in der Abkehr von den entfremdeten gesellschaftlichen Verhältnissen ihren Zweck erfüllen können sollte, so musste Georg Büchner als Provokation wirken: Ein Autor, der sich der protestantischen Zwei-Reiche-Lehre und ihrer literarischen Säkularisierung widersetzte und politisches Engagement selbstverständlich mit Agitation und Propaganda verband, widersprach der etwa auch von Thomas Mann in seinem Frühwerk propagierten, im Exil dann aber explizit beklagten Trennung von Literatur und Gesellschaft, von Kunst und Leben, die den deutschen *Dichter* in typisierender Betrachtung vom französischen *Schriftsteller* und Intellektuellen unterschied. [...]

a priori von der Erfahrung oder Wahrnehmung unabhängig; aus der Vernunft durch logisches Schließen gewonnen; aus Vernunftgründen

1 Dieser erste Teil des komplexen Textes über den *Hessischen Landboten* greift viele Aspekte der deutschen Literaturgeschichte auf. Klären Sie zunächst folgende Begriffe und Persönlichkeiten: Weimarer Klassik, literarische/künstlerische Autonomie, Adorno, protestantische Zwei-Reiche-Lehre, Säkularisierung, Agitation/Propaganda, Thomas Mann.
Fassen Sie vor diesem Hintergrund die Kernaussage des ersten Abschnitts komprimiert zusammen.

Die Flugschrift bestand aus acht bedruckten Seiten; es ist keine definitive Aufteilung des Textes nach Partien Büchners und Weidigs möglich (auch wenn es an einzelnen Stellen Anhaltspunkte gibt). Büchners Grundüberzeugung lässt sich als sozial-revolutionär einstufen. Ihm ging es nicht primär um eine Veränderung der im engeren Sinne politischen Verhältnisse (als die etwa die Einführung einer echten konstitutionellen Monarchie angesehen werden könnte), sondern um eine Aufhebung der sozialen Ungleichheit und der ökonomischen Ausbeutung vor allem der armen Landbevölkerung. Die Liberalen kritisierte er als gesellschaftlich Begünstigte, die gegenüber den Armen keinerlei Engagement zeigten. Büchner erklärte in einem Brief an Gutzkow im März 1835: „das Verhältnis zwischen Arm und Reich ist das einzige revolutionäre Element in der Welt“ [...]. Weidig wiederum war mit Büchners Polemik gegen die Liberalen nicht einverstanden; für ihn ging es um eine breite anti-feudalistische Bewegung, in der alle oppositionellen Kräfte gegen das System des Hofes stehen sollten. Becker erklärte in seiner Darmstädter Aussage vom 4. Juli 1837, Weidig habe gesagt, „dass bei solchen Grundsätzen, wie Büchner sie proklamierte, kein ehrlicher Mann mehr bei uns aushalten werde“. (Er meinte damit die Liberalen.) [...]. Büchner habe sich gegen diese Haltung Weidigs gewehrt, indem er erklärt habe, „es sei keine Kunst, ein ehrlicher Mann zu sein, wenn man täglich Suppe, Gemüse und Fleisch zu essen habe.“ [...]. Aus diesen Meinungsverschiedenheiten ist die Grundtendenz zu erklären, welche die Veränderungen bestimmte, die Weidig an Büchners Text vornahm [...]. [...]

Resümierend lässt sich also feststellen: Büchner und Weidig waren Revolutionäre, die das Ziel hatten, die bäuerlichen Untertanen des Herzogtums Hessen-Darmstadt für eine Umwälzung der bestehenden Verhältnisse zu gewinnen. Dabei ging es Weidig primär darum, eben diese Bauern zu Anhängern der bürgerlichen Revolution und damit einer konstitutionellen Verfassung zu machen. Für Büchner dagegen hatte insbesondere aufgrund seiner Erfahrungen mit der aus der französischen Julirevolution hervorgegangenen konstitutionellen Monarchie – und damit dem „Geldaristokratismus [...] in Frankreich“ [...] – die Frage der parlamentarischen Vertretung der Bürger keine Priorität, sondern ihm ging es um eine radikale Veränderung der sozialen Verhältnisse. Auf der anderen Seite ist es wichtig zu unterstreichen, dass Büchner keineswegs eine Darlegung seiner eigenen politischen Meinung intendierte und dass er auch keineswegs zu einer romantischen Verklärung des politischen Potenzials der hessischen Bauern neigte. Laut Becker soll Büchner vielmehr von den Adressaten seiner Flugschrift gesagt haben, „dass sie eine ziemlich niederträchtige Gesinnung angenommen haben; und dass sie, es ist traurig genug, fast an keiner Seite mehr zugänglich sind, als gerade am Geldsack. Dies muss man benutzen, wenn man sie aus ihrer Erniedrigung hervorziehen will; man muss ihnen zeigen und vorrechnen, dass sie einem Staate angehören, dessen Lasten sie größtenteils tragen müssen, während andere den Vorteil davon beziehen“ [...].

Karl Ferdinand Gutzkow (1811–1878) deutscher Schriftsteller, Dramatiker und Journalist, einer der Stimmführer der jungdeutschen Bewegung und bedeutender Vertreter des Frührealismus in Deutschland; früher Förderer Büchners

Heinrich August Becker (1812–1871) deutscher Schriftsteller, Journalist, Politiker, Theologe sowie Freund Georg Büchners; nach der Märzrevolution 1848 an den revolutionären Ereignissen im Großherzogtum Hessen aktiv beteiligt, unter anderem als Publizist tätig

2 Erklären Sie auf Grundlage des zweiten Abschnitts des Textes die vertretenen Perspektiven bezüglich der politischen Haltung Büchners und Weidigs.

3 Verfassen Sie in einem Dreischritt, der sich an den folgenden Fragen orientiert, ein Resümee in wenigen Sätzen zum *Hessischen Landboten*: Was ist der *Hessische Landbote*? Welche politische Haltung und welche politischen Ziele kommen zum Ausdruck? Worin besteht die Bedeutung des *Landboten*?

Der Diskurs über die letztliche Fassung des unvollendet gebliebenen Dramenfragments bleibt bedeutungsvoll, auch wenn eine gewisse Einigkeit über die Abfolge der Szenen mittlerweile erzielt wurde. Besonders hervorzuheben ist die Diskussion über das Ende, die bei der später vorzunehmenden Zuordnung des Dramas zur offenen oder geschlossenen Form (s. S. 67) noch eine bedeutende Rolle spielen wird. Hier soll zunächst nur die grundlegende Editionsproblematik auf-

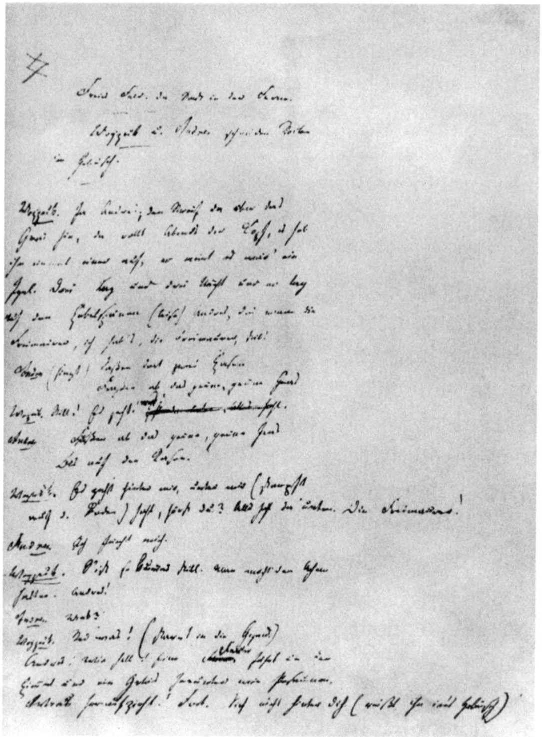
Erste Manuskriptseite des Dramas

gezeigt werden, um ein Verständnis für die Deutungsproblematik des „Woyzeck“ zu erzielen, bevor wir mit der Analyse des eigentlichen Werks beginnen.

Anne Steiner

Editionsgeschichte von *Woyzeck* (2014)

Büchner begann im Spätsommer 1836 in Straßburg mit der Arbeit an seinem Drama, konnte es aber zu Lebzeiten nicht mehr fertigstellen, sodass er *Woyzeck* nicht als vollständiges Werk, sondern nur als Fragment hinterließ. Dieses Fragment bestand aus vier Handschriften, die sich in den in ihnen jeweils enthaltenen Szenen und der jeweiligen Szenenabfolge unterschieden. Es lagen insgesamt 31 Szenen in diesen Entwurffassungen vor, deren geplante Anordnung und Reihenfolge nicht erkennbar war – es fehlten Seitenzahlen und eine Nummerierung der vorliegenden Szenen. [...]
1879 veröffentlichte [...] [Karl Emil Franzos, ein österreichischer Schriftsteller, Anm. d. Red.] das Fragment unter dem Titel *Wozzeck*, allerding in einer stark überarbeiteten Fassung. Er traf dabei auch die Entscheidung, das Stück mit der Rasierszene zu beginnen, nicht mit der Szene „Freies Feld“. Manche Ausgaben, die danach erschienen, halten sich an diese Einteilung, andere orientieren sich eher an der Reihenfolge der letzten Handschriftenfassungen Büchners [...]. Bis heute gibt es daher verschiedene Lese- und Bühnenfassungen des Stückes.

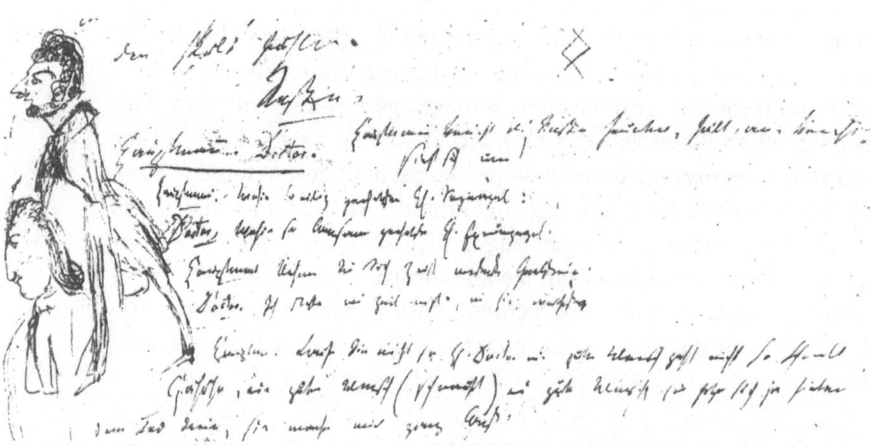
Aus dem *Woyzeck*-Manuskript

1 Lesen Sie den Text Anne Steiners und vergleichen Sie die Ausführungen mit Ihrer Textausgabe. Wie geht Ihre Textausgabe mit der Editionsproblematik um? (s. z. B. Textausgabe S. 6, 8, 20, 30, 31, 32, 36, 105 ff.)

2 Die Editionslage hat Konsequenzen für die Besprechung des Dramas, da dem Rezipienten immer bewusst sein muss, dass die vorliegende Fassung eine Möglichkeit der Abbildung eines unvollendet gebliebenen Dramas ist.
Diskutieren Sie im Plenum vor dem Hintergrund der Darstellung zur Editionsgeschichte, welche Möglichkeiten und Grenzen durch den Fragmentcharakter für 1. die Interpretation des Dramas und 2. die potenzielle Inszenierung des Dramas entstehen.

„Er ist ein guter Mensch!"
Den Protagonisten kennenlernen

Es ist nicht die erste Szene im „Woyzeck", zumindest nicht in der heute gängigen Fassung. Aber in früheren Editionen begann das Drama auch mit der sogenannten „Rasierszene". Warum? Das ist hier die Frage ...

Georg Büchner

Woyzeck – Beim Hauptmann (1836/37)

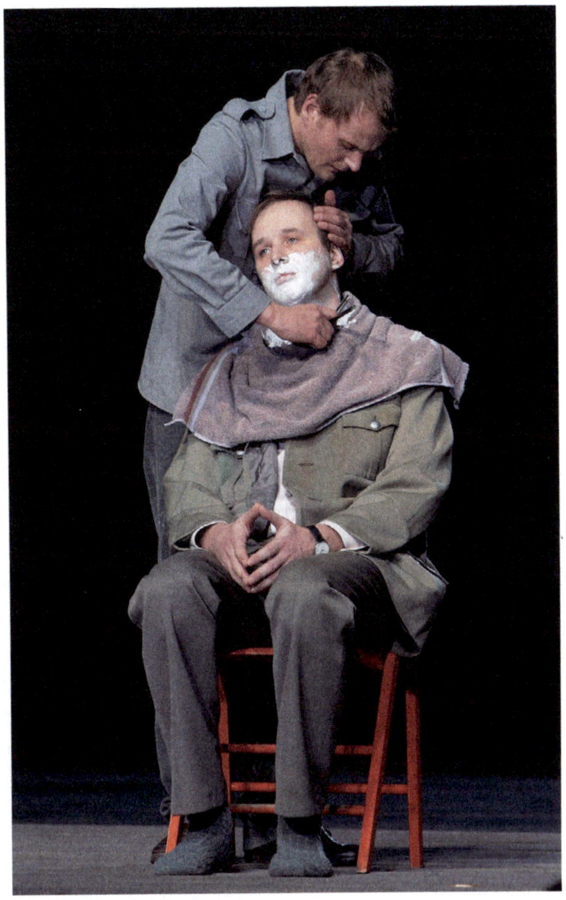
Deutsches Schauspielhaus, Hamburg 2005

Hauptmann auf dem Stuhl, Woyzeck rasiert ihn.

Hauptmann: Langsam, Woyzeck, langsam; eins nach dem andern! Er macht mir ganz schwindlig. Was soll ich dann mit den 10 Minuten anfangen, die Er heut zu früh fertig wird? Woyzeck, bedenk Er, Er hat noch seine schönen dreißig Jahr zu leben, dreißig Jahr! Macht dreihundertsechzig Monate! und Tage! Stunden! Minuten! Was will Er denn mit der ungeheuren Zeit all anfangen? Teil Er sich ein, Woyzeck!
Woyzeck: Jawohl, Herr Hauptmann.
Hauptmann: Es wird mir ganz angst um die Welt, wenn ich an die Ewigkeit denke. Beschäftigung, Woyzeck, Beschäftigung! Ewig: das ist ewig, das ist ewig – das siehst du ein; nur ist es aber wieder nicht ewig, und das ist ein Augenblick, ja ein Augenblick – Woyzeck, es schaudert mich, wenn ich denke, dass sich die Welt in einem Tag herumdreht. Was 'n Zeitverschwendung! Wo soll das hinaus? Woyzeck, ich kann kein Mühlrad mehr sehen, oder ich werd melancholisch.
Woyzeck: Jawohl, Herr Hauptmann.
Hauptmann: Woyzeck, Er sieht immer so verhetzt aus! Ein guter Mensch tut das nicht, ein guter Mensch, der sein gutes Gewissen hat. – Red er doch was Woyzeck! Was ist heut für Wetter?
Woyzeck: Schlimm, Herr Hauptmann, schlimm: Wind!
Hauptmann: Ich spür's schon. 's ist so was Geschwindes draußen: so ein Wind macht mir den Effekt wie eine Maus. – Pfiffig: Ich glaub', wir haben so was aus Süd-Nord?
Woyzeck: Jawohl, Herr Hauptmann.
Hauptmann: Ha, ha ha! Süd-Nord! Ha, ha, ha! Oh, Er ist dumm, ganz abscheulich dumm! – *Gerührt:* Woyzeck, Er ist ein guter Mensch – aber – *Mit Würde:* Woyzeck, Er hat keine Moral! Moral, das ist, wenn man moralisch ist, versteht Er. Es ist ein gutes Wort. Er hat ein Kind ohne den Segen der Kirche, wie unser hocherwürdiger Herr Garnisionsprediger sagt – ohne den Segen der Kirche, es ist nicht von mir.
Woyzeck: Herr Hauptmann, der liebe Gott wird den armen Wurm nicht drum ansehen, ob das Amen drüber gesagt ist, eh er gemacht wurde. Der Herr sprach: Lasset die Kleinen zu mir kommen.
Hauptmann: Was sagt Er da? Was ist das für eine kuriose Antwort? Er macht mich ganz konfus mit seiner Antwort. Wenn ich sag': Er, so mein' ich Ihn, Ihn –
Woyzeck: Wir arme Leut – Sehn Sie, Herr Hauptmann: Geld, Geld! Wer kein Geld hat – Da setz einmal einer seinsgleichen auf die Moral in der Welt! Man hat auch sein

Fleisch und Blut. Unsereins ist doch einmal unselig in der und der andern Welt. Ich glaub', wenn wir in Himmel kämen, so müssten wir donnern helfen.

Hauptmann: Woyzeck, Er hat keine Tugend! Er ist kein tugendhafter Mensch! Fleisch und Blut? Wenn ich am Fenster lieg', wenn's geregnet hat, und den weißen Strümpfen nachseh', wie sie über die Gassen springen – verdammt, Woyzeck, da kommt mir die Liebe! Ich hab' auch Fleisch und Blut. Aber, Woyzeck, die Tugend! Die Tugend! Wie sollte ich dann die Zeit rumbringen? Ich sag' mir immer: du bist ein tugendhafter Mensch – *gerührt:* –, ein guter Mensch, ein guter Mensch.

Woyzeck: Ja, Herr Hauptmann, die Tugend – ich hab's noch nit so aus. Sehn Sie: wir gemeine Leut, das hat keine Tugend, es kommt nur so die Natur; aber wenn ich ein Herr wär und hätt' ein' Hut und eine Uhr und eine Anglaise und könnt' vornehm rede, ich wollt' schon tugendhaft sein. Es muss was Schönes sein um die Tugend, Herr Hauptmann. Aber ich bin ein armer Kerl!

Hauptmann: Gut, Woyzeck. Du bist ein guter Mensch, ein guter Mensch. Aber du denkst zu viel, das zehrt; du siehst immer so verhetzt aus. – Der Diskurs hat mich ganz angegriffen. Geh jetzt, und renn nicht so; langsam, hübsch langsam die Straße hinunter!

Tipp zur Methodik: Das Format einer möglichen Klausur wird eine Interpretation einer Dramenszene sein. Bevor wir aber eine vollständige Interpretation verfassen, werden wir die einzelnen Schritte der Interpretation erarbeiten, sodass erst auf S. 29 die erste vollständige Interpretationsaufgabe vorkommen wird. Die Aufgaben 1–5 auf dieser Seite geben Ihnen dabei bereits ein Grundverständnis davon, was bei einer vollständigen Interpretation verlangt wird.

Ambivalenz Uneindeutigkeit, Mehrdeutigkeit

1 Stellen Sie im Kurs Hypothesen auf: Warum könnte dies die erste Szene in der ersten Ausgabe des „Woyzeck" (s. S. 16 f.) gewesen sein? Welche Funktion erfüllt diese Szene potenziell?

2 Geben Sie die Inhalte des Dialogs zwei der zentralen Figuren wieder. Berücksichtigen Sie dabei auch den Gesprächsverlauf.

3 Charakterisieren Sie auf dieser Grundlage die beiden Figuren Hauptmann und Woyzeck vorläufig. Wie treten sie auf? Was zeichnet sie aus? Wovon scheinen sie geprägt zu sein?

Bei jeder Dramenszenenanalyse und -interpretation sind nicht nur die Inhalte, Gesprächsverläufe und Figurenzeichnungen von Wichtigkeit, sondern auch die Bedeutung der Szene im Gesamtverlauf des Dramas: Welcher Konflikt, welche Konfliktlinien werden angedeutet oder ausgeführt? Zeichnen sich Thematiken für das Gesamtdrama ab?

4 Rekapitulieren Sie die Szenen 1–4 Ihrer Textfassung: Welche Informationen erhalten Sie über Woyzeck, Andres, Marie und den Tambourmajor? Welche Handlungsschritte führen zur Rasierszene? Werden bereits Konfliktlinien/Themen angedeutet? Sichern Sie Ihre Ergebnisse stichpunktartig.

5 Erläutern Sie auf Grundlage der Ergebnisse der ersten vier Aufgaben, welche Konflikte und Thematiken nach den ersten fünf Szenen des „Woyzeck" im Raum stehen.

„Die böse Gesellschaft trampelt auf dem Einzelnen rum – der Mensch ist gut und die Gesellschaft ist schlecht. Es ist ja üblich, dass Woyzeck als der arme Mensch und als Opfer gezeigt wird. Ich suche aber die Ambivalenz in diesem Stoff, ich bin an dem Täter Woyzeck wahnsinnig interessiert. [...] Ich entdecke ein unglaubliches Gewaltpotenzial bei Woyzeck, der mit seinem Elend andere Menschen terrorisiert und vergewaltigt. Und dieses Gewaltpotenzial ist von Vornherein gegeben. Die Figur irritiert. Sie macht mich nervös." *Michael Thalheimer*

6 Das obige Zitat von Michael Thalheimer ist Bestandteil eines Interviews anlässlich einer Woyzeck-Inszenierung aus dem Jahr 2003. Fassen Sie Thalheimers Sicht auf die Figur Woyzeck kurz zusammen und nehmen Sie vorläufig Stellung, inwieweit Sie bis hierher der Aussage Thalheimers zustimmen würden. Sehen Sie Gewaltpotenzial in der Figur Woyzeck? Irritiert er Sie? Macht er Sie nervös?

Inhalte, Inhalte, Inhalte

Eine tabellarische Übersicht zur inhaltlichen Erschließung des Dramas anlegen

Im weiteren Verlauf werden die Inhalte des Dramas „Woyzeck“ vertieft besprochen. Für Ihre Erarbeitung wird die folgende Tabelle genutzt, in die Sie Stichpunkte zu allen Szenen des „Woyzeck“ eintragen können. Somit erstellen Sie sich selber eine systematische Inhaltsübersicht.

Tipp zur Vorgehensweise: Füllen Sie die Tabelle parallel zu Ihrer eigenen Lektüre aus und kontrollieren Sie Ihre Eintragungen, wenn Szenen im Unterricht besprochen werden.

Szene des „Woyzeck“	Figuren und Ort(e)	Entscheidender Handlungsschritt	Thema/Motive/ Sprache
[1]	Freies Feld, Stadt in der Ferne; Woyzeck und Andres	– Woyzeck bei einer Tätigkeit (Stöcke schneiden) mit seinem Freund Andres, treten zum Appell an	– Andeutung des Wahns (Gefühl verfolgt/ beobachtet zu werden); Fokus Militär, Umgangssprache/Dialekt
[2]	In der Stadt, Maries Zimmer; Marie, Margareth, Kind, Tambourmajor, Woyzeck		
[3]			
[4]			
[5]			
[6]			
[7]			
[8]			
[9]			
[10]			
[11]			
[12]			

[13]			
[14]			
[15]			
[16]			
[17]			
[18]			
[19]			
[20]			
[21]			
[22]			
[23]			
[24]			
[25]			
[26]			
[27]			

Dramentheorie, die Erste! Die Gattungsspezifik

Sich mit der Frage, was das eigentlich Dramatische ist, auseinandersetzen

Die ersten Inhalte, die ersten Kontexte sind erarbeitet, aber eine wichtige Frage ist noch nicht aufgegriffen worden: Was ist eigentlich das Besondere am Dramatischen? Was ist ein Drama überhaupt? Die Beantwortung dieser Frage ist essenziell für die Interpretation eines Dramas.

Martin Esslin

Was ist ein Drama? (1976)

Im täglichen Leben sind die Situationen, mit denen wir konfrontiert werden, real; im Theater – oder bei anderen Formen des Dramas, im Hörfunk, Fernsehen und Film – sind sie vorgetäuscht, Schein, Spiel.

Der Unterschied zwischen Wirklichkeit und Spiel liegt darin, dass das, was in Wirklichkeit geschieht, unwiederbringlich vorbei, unwiederholbar ist, während man im Spiel immer wieder neu beginnen, den Vorgang variiert wiederholen kann. Spiel ist Nachahmung der Wirklichkeit. Doch das heißt keineswegs, dass Spiel nicht mehr ist als leichtfertiger Zeitvertreib. Im Gegenteil: Gerade in der Wiederholbarkeit liegt die immense Wichtigkeit des Spielens für das Wohl und die Entwicklung des Menschen.

Kinder spielen, um die Verhaltensweisen einzuüben, mit denen sie in ihrem Leben der Wirklichkeit begegnen werden, die sie meistern müssen. [...] Alle diese Spiele sind im Grunde dramatisch, denn sie beruhen auf Mimesis, Nachahmung wirklicher Situationen und Verhaltensweisen. Der Spieltrieb ist einer der Grundinstinkte des Menschen, ohne ihn könnte weder der Einzelne noch die Gesellschaft überleben. Drama ist daher mehr als bloßer Zeitvertreib. Es ist eine zutiefst mit der Natur des Menschen verbundene Erscheinung. [...] Die dramatische Darstellungsform ist eine der wichtigsten Methoden, derer sich die Gesellschaft bedient, um ihren Mitgliedern die Grundregeln ihres Verhaltens zu vermitteln. [...] Durch in der Fantasie nacherlebtes Spiel (denn das ist ja Drama für Erwachsene) werden positive oder negative Verhaltensweisen erlernt. [...] Drama ist nicht nur die konkreteste – das heißt die am wenigsten abstrakte – künstlerische Nachahmung menschlichen Verhaltens, es ist auch die konkreteste Art, in welcher wir über die Lage des Menschen in der Welt denken können. Je höher die Ebene der Abstraktion, desto weiter entfernt sich das Denken von der Wirklichkeit. Um nur ein Beispiel zu geben: Man kann darüber debattieren, ob die Todesstrafe zu rechtfertigen ist oder nicht. Weit schwieriger ist es jedoch, diesen abstrakten Gedankengang, auch wenn er durch Statistiken untermauert ist, auf die konkrete Wirklichkeit zu beziehen, auf die Auswirkung auf das einzelne Individuum. Das können wir nur tun, indem wir uns einen einzelnen Menschen vorstellen, der von der Todesstrafe betroffen ist, und die beste Art, das zu erreichen, ist, einen Fall zu dramatisieren und ihn so konkret nachzuerleben. Es ist kein Zufall, dass die entsprechenden Regierungsstellen Pläne für mögliche Ernstfälle, wie Epidemien oder Atomkriege, ausarbeiten, indem sie die verschiedenen Eventualitäten mittels eines Szenarios, also dramatisierter konkreter Situationen, durchexerzieren. Sie setzen so ihre abstrakten Statistiken, ihre Computer-Analysen in dramatische, konkrete Realität um, die es möglich macht, alle statistisch nicht erfassbaren Faktoren, wie die individuellen psychischen Reaktionen der Beteiligten, mit einzukalkulieren.

Und gerade das ist auch das eigentliche Anliegen aller bedeutenden dramatischen Weltliteratur, von der griechischen Tragödie bis Beckett. Drama auf diesem Niveau ist eine Art des Philosophierens, nicht in abstrakter, sondern in konkreter Form – um es in der heutigen Terminologie auszudrücken: eine existenzielle Denkmethode.

Samuel Beckett (1906–1989) irischer Schriftsteller, bedeutender Vertreter des absurden Theaters

1 Erläutern Sie das von Esslin dargestellte Verhältnis von Spiel und Wirklichkeit. Welche Funktion spricht Esslin dem Spiel in der menschlichen Entwicklung zu?

2 Definieren Sie auf dieser Grundlage den Begriff des Dramatischen nach Esslin und beschreiben Sie die Aufgabe der Dramatik.

Seit der griechischen Antike gilt „prodesse et delectare" (nutzen und erfreuen) als Aufgabe der Dramatik. Dabei gibt es ursprünglich zwei große Formen der Dramatik, die Komödie und die Tragödie, die der Formel auf unterschiedliche Art und Weise dienen sollten.

Elke Reinhardt-Becker

Einladung zur Literaturwissenschaft: Tragödie (2009)

Aristoteles
vgl. S. 23

Im Drama werden uns „handelnde Menschen" (Aristoteles' *Poetik*) auf der Bühne vorgestellt. Wer handelt, muss sich stets entscheiden („Tue ich dies oder jenes, was wird passieren, ist meine Entscheidung richtig?"). In diesem Zwang zur Entscheidung steckt eine grundsätzliche Spannung, denn die Entscheidungen können tragische Folgen haben und genau hierin liegt das Wesen der Tragödie: Der Protagonist der Tragödie befindet sich in einem Konflikt, in einer Grenzsituation, er ist zwischen Extremen gefangen und seine Gefangenschaft ist ohne Ausweg. Egal wie er sich verhalten wird, er wird scheitern. Diese faktische Unterlegenheit unter das Schicksal wird in der Tragödie kombiniert mit dem Wissen um diese Unterlegenheit. Der Held weiß, dass er scheitern muss, sein Aufbegehren gegen das Schicksal, denn er versucht ja zumindest, das Unglück abzuwenden, wird so besonders tragisch. Goethe schreibt dazu: „Alles Tragische beruht auf einem unausgleichbaren Gegensatz. Sowie Ausgleichung eintritt oder möglich wird, schwindet das Tragische."

Die Tragödie ist in der griechischen Antike modellhaft ausgebildet worden und wurde über Jahrtausende hinweg variiert. Oft galt sie als ‚höchste' Gattung im poetischen Spektrum [...].

Auslöser für tragische Konflikte kann a) eine tragische Schuld sein, die oft nicht durch eigene Handlungen des Protagonisten erworben wurde, aber trotzdem objektiv vorhanden ist (z. B. *Ödipus*), b) eine persönliche Schuld, die auf die Eigenverantwortlichkeit des Protagonisten zurückgeht (z. B. Schillers *Die Räuber*, 1781), c) das – wie immer auch geartete – Schicksal (z. B. Kleists *Die Familie Schroffenstein*, 1803) und d) Missverständnisse, Irrtümer und Lügen (z. B. Shakespeares *Othello*, 1603). Etwas konkreter formuliert: Die Protagonisten können in einen Konflikt geraten zu Göttern, anonymen Mächten oder der Gesellschaft mit ihren Beschränkungen (z. B. Standesschranken, die Liebesehen verhindern, ökonomische Einschränkungen, kulturelle Grenzen, etc.). Durch Darstellung von Menschen in tragischen Konflikten, in Extremsituationen vermag die Tragödie, die Möglichkeiten des Menschseins zu zeigen.

Tragisch? Traurig? Was bedeutet eigentlich Tragik?

Literarisch kann Tragik definiert werden „als die unausweichliche Notwendigkeit, so zu handeln, dass etwas Verhängnisvolles passiert". Damit können Unfälle, Tode, schwere Krankheiten traurig und mitleiderregend sein, im literarischen Sinne sind sie aber eben nicht tragisch. Tragik bezeichnet als Begriff die Unterlegenheit unter das Schicksal, dies können höhere Mächte, die Götter, (politische) Systeme und Ähnliches sein. Der Held, die Figur, kämpft gegen diese Unterlegenheit an, zumindest die Betrachter, oftmals auch der Held selber, wissen aber schon um Unausweichlichkeit des verhängnisvollen Endes.

Elke Reinhardt-Becker

Einladung zur Literaturwissenschaft: Komödie (2009)

Werden in der Tragödie „handelnde Menschen" (Aristoteles' Poetik zum Drama) in tragischen, unlösbaren Konflikten gezeigt, die in jeder Sekunde ihres Handelns um dessen Aussichtslosigkeit wissen, so werden in der Komödie Menschen gezeigt, die sich in einem lösbaren Konflikt befinden, aber nicht unbedingt von dieser Lösbarkeit wissen. Sie sind faktisch dem Schicksal überlegen, obwohl die dargestellten Konflikte ebenso aussichtslos erscheinen wie in der Tragödie. Wie gelingt die Lösung der Konflikte? a) durch Zufall, b) durch persönliche Schläue oder Dummheit des ‚Helden' oder c) durch persönliche Schläue oder Dummheit des Gegners des ‚Helden'. Warum ist die Komödie aber „komisch", wenn sie doch ähnlich ernste Konflikte zeigt wie die Tragödie? Einerseits natürlich durch die Zeichnung der Charaktere, denn weder ‚Schläue' noch ‚Dummheit' sprechen für einen besonders edlen Charakter, andererseits wird die Komödie komisch durch eine übertriebene, geradezu groteske Darstellung des Konflikts.

Bis in die Mitte des 18. Jahrhunderts informierte schon die Liste der [A]uftretenden [...] den Zuschauer darüber, ob er lachen oder weinen sollte. War das Drama mit bürgerlichen Figuren oder gar Bauern und Dienern bestückt, konnte es sich nur um eine Komödie handeln, war es mit adeligen Helden versehen, konnte es nur eine Tragödie sein. Diese sogenannte ‚Ständeklausel' geht zurück auf die Poetik Aristoteles', der die Darstellung der schlechteren Menschen der Komödie überließ, die Tragödie hingegen für die besseren Menschen reservierte. [...] Noch der Aufklärer Gottsched steht 1730 in dieser Tradition und erst Lessing lehnte die Ständeklausel endgültig ab und schuf das Bürgerliche Trauerspiel.

Johann Christoph Gottsched (1700–1766) deutscher Schriftsteller, Dramaturg und Literaturtheoretiker

Gotthold Ephraim Lessing (1729–1781) einer der bedeutendsten Dichter der deutschen Aufklärung, beeinflusste maßgeblich die Entwicklung des Dramas

1 ***Lernarrangement:***
Erarbeiten Sie im Kurs arbeitsteilig die Definitionen der beiden großen Gattungsunterscheidungen Komödie und Tragödie. Stellen Sie sich gegenseitig Ihre Ergebnisse vor und formulieren Sie abschließend einen Merksatz zu der Frage: Was ist typisch für die Tragödie/Komödie?

2 „Woyzeck" ist sicherlich keine typische Tragödie, eine Komödie ist er sicherlich auch nicht, Merkmale beider Gattungen sind aber durchaus vertreten.
Erläutern Sie auf Grundlage Ihrer bisherigen Kenntnisse des Werkes, inwieweit im „Woyzeck" sowohl tragische als auch komödiantische (im literaturwissenschaftlichen Sinne) Elemente vorkommen.

Aristoteles

Poetik (335 v. Chr.)

5. Komödie und Tragödie
[...]: die Tragödie versucht, sich nach Möglichkeit innerhalb eines einzigen Sonnenumlaufs zu halten oder nur wenig darüber hinauszugehen [...].
6. Die Tragödie
[...] Die Tragödie ist Nachahmung einer guten und in sich geschlossenen Handlung von bestimmter Größe, in anziehend geformter Sprache [...]. Die Nachahmung von Handlung ist der Mythos. [...] Der wichtigste Teil ist die Zusammenfügung der Geschehnisse. Denn die Tragödie ist nicht Nachahmung von Menschen, sondern von Handlung und von Lebenswirklichkeit. [...]
7. Die Teile der Tragödie
[...] Wir haben festgestellt, dass die Tragödie die Nachahmung einer in sich geschlossenen und ganzen Handlung ist, die eine bestimmte Größe hat [...]. Ein Ganzes ist, was Anfang, Mitte und Ende hat. Ein Anfang ist, was selbst nicht mit Notwendigkeit

Aristoteles (384–322 v. Chr.) machte als Erster die Dichtung zum Thema einer umfassenden und systematischen Untersuchung. Mit der Schrift des Aristoteles begann die Tradition der normativen Poetik; alle späteren Theoretiker mussten sich mit ihm auseinandersetzen.

auf etwas anderes folgt, nach dem jedoch natürlicherweise etwas anderes eintritt oder entsteht. Ein Ende ist umgekehrt, was selbst natürlicherweise auf etwas anderes folgt, und zwar notwendigerweise oder in der Regel, während nach ihm nichts anderes mehr eintritt. Eine Mitte ist, was sowohl selbst auf etwas anderes folgt als auch etwas anderes nach sich zieht. Demzufolge dürfen Handlungen, wenn sie gut zusammengefügt sein sollen, nicht an beliebiger Stelle einsetzen noch an beliebiger Stelle enden [...]. [...]

8. Struktur eines Stücks

Die Fabel des Stücks ist nicht schon dann – wie einige meinen – eine Einheit, wenn sie sich um einen einzigen Helden dreht. Denn diesem einen stößt unendlich vieles zu, woraus keinerlei Einheit hervorgeht. So führt der eine auch vielerlei Handlungen aus, ohne dass sich daraus eine einheitliche Handlung ergibt. [...] Demnach muss [...] auch die Fabel, da sie Nachahmung von Handlung ist, die Nachahmung einer einzigen, und zwar einer ganzen Handlung sein. Ferner müssen die Teile der Geschehnisse so zusammengefügt sein, dass sich das Ganze verändert und durcheinander gerät, wenn irgendein Teil umgestellt oder weggenommen wird. Denn was ohne sichtbare Folgen vorhanden sein oder fehlen kann, ist gar nicht ein Teil des Ganzen.

9. Aufgabe des Dichters

Aus dem Gesagten ergibt sich auch, dass es nicht Aufgabe des Dichters ist mitzuteilen, was wirklich geschehen ist, sondern vielmehr, was geschehen könnte, d.h. das nach den Regeln der Wahrscheinlichkeit oder Notwendigkeit Mögliche. [...] Unter den einfachen Fabeln und Handlungen sind die episodischen die schlechtesten. Ich bezeichne die Fabel als episodisch, in der die Episoden weder nach der Wahrscheinlichkeit noch nach der Notwendigkeit aufeinanderfolgen. [...]

Fabel
hier: roter Faden, Kern der Handlung

Basis dieser Ausführungen ist das aristotelische Prinzip der Einheit von Zeit (das Geschehen läuft in max. einem Sonnenumlauf ab), Ort (kein Ortswechsel in der Dramenhandlung) und Handlung (nur ein Handlungsstrang). Die Begriffe sind unter dem Oberbegriff „die drei Einheiten“ zum prägenden Bestandteil der dramenpraktischen Umsetzung und des dramentheoretischen Diskurses geworden.

1 Fassen Sie die Grundgedanken Aristoteles' zur Tragödie stichpunktartig zusammen.

2 Erläutern Sie, was Aristoteles für eine gelungene Fabel als notwendig erachtet.

3 Bei der weiteren Textlektüre: Markieren Sie Szenen des „Woyzeck“, bei denen Sie das Gefühl haben, dass sie nicht notgedrungener Bestandteil „einer einzigen, und zwar einer ganzen Handlung“ sind. Könnten Szenen weggelassen werden? Gibt es mehrere Handlungsstränge? Folgen Szenen nach Wahrscheinlichkeit oder nach Notwendigkeit aufeinander?

Woyzeck und die anderen

Die Figurenkonstellationen erarbeiten: Woyzeck und Marie

Volkstheater Wien, 2002

Die Figur Woyzeck an sich ist sicherlich schon interessant. So richtig spannend wird es aber erst, wenn man die Figur in ihren Beziehungsverhältnissen betrachtet, denn Woyzeck ist sehr vielen unterschiedlichen Erwartungshaltungen ausgesetzt. Schon auf den ersten Blick scheint die Beziehung zwischen Woyzeck und Marie dabei eine ganz zentrale Rolle einzunehmen. Und dabei darf man dann den Tambourmajor auch nicht vergessen.

1 Gehen Sie in Ihrer Textausgabe die Szenen durch, in denen Woyzeck und Marie zusammen auftreten. Geben Sie kurz und knapp die Handlungsschritte wieder, die in diesen Szenen dargestellt werden. Notieren Sie zudem, wenn möglich, einen zentralen Hinweis in den Szenen für die Charakterisierung der Figuren Woyzeck und Marie.

Nur in zwei Szenen, an denen nicht sowohl Woyzeck als auch Marie beteiligt sind, kommt der Tambourmajor noch vor, einmal mit Marie, einmal mit Woyzeck. Insgesamt hat der Tambourmajor wenig Handlungs-, noch weniger Redeanteil, er tritt nie unabhängig von den beiden anderen Figuren auf. Zumindest gedanklich präsent scheint er dennoch sehr häufig.

Berliner Ensemble, 2014

2 ***Lernarrangement:***
Lesen Sie die Szenen 6 und 15 in Ihrer Textausgabe noch einmal. Teilen Sie dann den Kurs in zwei Hälften. Die eine Hälfte beschäftigt sich mit Szene 6 (Marie und Tambourmajor), die andere mit Szene 15 (Woyzeck und Tambourmajor). Beide Szenen sollen unter folgender Aufgabenstellung bearbeitet werden: Ordnen Sie die Szene in den Handlungsverlauf ein (Was passiert vor, was passiert nach der Szene? Wie kommen die zentralen Figuren in diese Szene?) und geben Sie den Inhalt der Szene wieder. Erläutern Sie auf dieser Grundlage das Beziehungsverhältnis zwischen dem Tambourmajor und der weiteren zentralen Figur.
Stellen Sie sich Ihre Ergebnisse anschließend im Plenum vor.

3 Erläutern Sie auf Grundlage Ihrer bisherigen Erarbeitungen die Funktion des Tambourmajors für das Drama.

Klaus Kinski als Woyzeck in der Verfilmung von Werner Herzog, 1979

Und damit wieder zurück zu Woyzeck und Marie selber. Neben der Mordszene gibt es zwei weitere zentrale Szenen, in denen Woyzeck und Marie miteinander agieren. Beide befinden sich im ersten Viertel des Dramas und beide tragen auch dazu bei, Marie als Figur besser zu verstehen.

Georg Büchner

Woyzeck (1836/37)

[Szene 4]
Marie *sitzt, ihr Kind auf dem Schoß, ein Stückchen Spiegel in der Hand.*
bespiegelt sich. Was die Steine glänze! Was sind's für? Was hat er gesagt? – Schlaf Bub! Drück die Auge zu, fest, *(das Kind versteckt die Augen hinter den Händen)* noch fester, bleib so, still oder er holt dich *(singt)*
Mädel mach's Ladel zu
's kommt e Zigeunerbu
Führt dich an deiner Hand
Fort ins Zigeunerland.
spiegelt sich wieder. 's ist gewiss Gold! Unsereins hat nur ein Eckchen in der Welt und ein Stückchen Spiegel und doch hab ich einen so rote[n] Mund als die großen

Aufwertung wertvoll
versteckt etw. vor Woyzeck
Armut
zerbrochen; arm
Zukunft mit Tambourmajor -> Gang wachsen
Verniedlichung
träumt vom Reichtum
Ausdruck von Sexualität/ Attraktivität/ Weiblichkeit } sieht sich wieder so

Madamen mit ihren Spiegeln von oben bis unten und ihren schönen Herrn, die ihnen die Händ' küssen; ich bin nur ein arm Weibsbild. – *(Das Kind richtet sich auf.)* Still Bub, die Auge zu, das Schlafengelchen! wie's an der Wand läuft *(sie blinkt mit dem Glas)* die Auge zu, oder es sieht dir hinein, dass du blind wirst. [...]

1 Fassen Sie die Inhalte dieses ersten Abschnitts der Szene 4 zusammen und erläutern Sie die Situation, in der sich Marie an dieser Stelle befindet.

2 Charakterisieren Sie die Figur Marie. Gehen Sie dabei insbesondere auch auf diesen ersten Teil der Szene 4 ein.

Woyzeck *tritt herein, hinter sie. Sie fährt auf mit den Händen nach den Ohren.*
Woyzeck. Was hast du?
Marie. Nix.
Woyzeck. Unter deinen Fingern glänzt's ja.
Marie. Ein Ohrringlein; hab's gefunden.
Woyzeck. Ich hab so noch nix gefunden, zwei auf einmal.
Marie. Bin ich ein Mensch?
Woyzeck. 's ist gut, Marie. – Was der Bub schläft. Greif ihm unters Ärmchen der Stuhl drückt ihn. Die hellen Tropfen stehn ihm auf der Stirn; alles Arbeit unter der Sonn, sogar Schweiß im Schlaf. Wir arme Leut! Das is wieder Geld Marie, die Löhnung und was von mein'm Hauptmann.
Marie. Gott vergelt's Franz.
Woyzeck. Ich muss fort. Heut Abend, Marie. Adies.
Marie *allein nach einer Pause.* Ich bin doch ein schlecht Mensch. Ich könnt mich erstechen. – Ach! Was Welt? Geht doch alles zum Teufel, Mann und Weib.

3 Untersuchen Sie den Dialog Woyzecks und Maries im Hinblick auf den Gesprächsverlauf und das Gesprächsverhalten der beiden Figuren. Gehen Sie dabei auch auf sprachliche Besonderheiten im Gesprächsverhalten der beiden Figuren ein.

Elke Reinhardt-Becker

Einladung zur Literaturwissenschaft: Dialog (2009)

Georg Wilhelm Friedrich Hegel (1770–1831) deutscher Philosoph, gilt als wichtigster Vertreter des deutschen Idealismus

Das Drama besteht aus Handlung, Rede und Gegenrede. Vielfach wird der Dialog, das Gespräch als das Charakteristikum der dramatischen Form begriffen. So schreibt Hegel in seiner Ästhetik: „Die vollständige dramatische Form ist der Dialog." Das Wechselgespräch, das Zwiegespräch zwischen zwei oder mehreren Personen wird zum wichtigsten Element des Dramatischen. Aber kein Drama ohne Ereignisse [...], ohne Handlung. Deswegen ist der Dialog oft aktionaler Dialog, in ihm vollzieht sich ein situationsveränderndes Handeln. Jede Rede und Gegenrede verändert das Handlungsgeschehen, treibt es voran, so steigert der Dialog einen Streit zwischen Widersachern bis zum Kampf, der wiederum von Rede und Gegenrede begleitet wird, oder der Dialog vergrößert, wie in Shakespeares *Romeo und Julia*, die Verzweiflung von Liebenden über die feindliche Welt, die ihrer Liebe entgegenwirkt und sie bis zum Selbstmord treibt, damit sie im Tode vereint sind und ihre Liebe leben können. Aber es gibt im Drama auch den nichtaktionalen Dialog, der keine Handlungen auslöst, für sich steht und etwa einer Figur zum subjektiven Ich-Ausdruck verhilft.
Historisch geht der Monolog dem Dialog voraus, denn im antiken Drama gab es bis zur Einführung eines zweiten Schauspielers bei Aischylos nur die Wechselrede zwischen Chor und Protagonist. Die große Zeit des aktionalen Dialoges war theatergeschichtlich die Zeit des geschlossenen Dramas.

Elke Reinhardt-Becker

Einladung zur Literaturwissenschaft: Monolog (2009)

Der Monolog ist im Gegensatz zum Dialog ein ‚Selbstgespräch' und findet vor allem im Drama Verwendung. Er richtet sich nicht direkt an einen Zuhörer, sondern an eine imaginäre Person. Faktisch ist natürlich das Publikum Adressat des Monologisierenden. Eine Sonderform des Monologs ist der „Innere Monolog" in der Erzählprosa.

Die Funktionen des Monologs im Drama sind so vielfältig wie seine Erscheinungsweisen. Klassisch ist eine Kategorisierung, die die inhaltliche Seite betont. So wird ein Monolog, in dem sich der Held mit all seinen Gefühlen offenbart, als lyrischer Monolog bezeichnet. Der Reflexions-Monolog dagegen bietet den Figuren die Möglichkeit, das vergangene und das zukünftige Geschehen sowie die gegenwärtige Situation aus ihrer individuellen Perspektive zu bedenken. Damit übernimmt er die Funktion der vermittelnden Kommentierung des antiken Chors. Als epischen Monolog bezeichnet man die Darstellung von Nicht-Darstellbarem, die Zusammenfassung der bisherigen Handlung und die informierende Vorbereitung eines neuen Aktes oder des gesamten Stückes. Letzteres wird in der Literatur auch Expositionsmonolog genannt, der den Zuschauer vor allem in die historische Zeit des Dramas und in die Gefühlslagen der Handelnden einführen soll. Eine eher prosaische Monologform ist der Brücken- und Übergangsmonolog, der verhindern soll, dass die Bühne zu irgendeinem Zeitpunkt leer ist. Er ermöglicht also das Auf- und Abtreten von Personen. [...] Den dramatischsten und wahrscheinlich bekanntesten Monolog nennen wir zum Schluss: den Konflikt-Monolog. Er wird zumeist auf dem Höhepunkt der dramatischen Entwicklung vom Helden gesprochen. In ihm wägt er das Für und Wider bestimmter Handlungsmöglichkeit ab, bedenkt er Alternativen, verwirft sie wieder und kommt letztendlich zu einer Entscheidung. Diese Entscheidung führt entweder die Lösung eines Konfliktes herbei oder bereitet die Katastrophe vor. Ein berühmtes Beispiel ist der Monolog des Prinzen von Homburg aus Kleists gleichnamigen Drama, in dem dieser zur Einsicht seiner Schuld kommt und den großen Kurfürsten nun dazu zu bewegen beschließt, das Todesurteil gegen ihn aufrechtzuerhalten.

Ein anderes, eher struktural orientiertes Kategorisierungsschema unterscheidet nur zwei Monologformen: die aktionalen und die nicht-aktionalen Monologe. Manfred Pfister beschränkt sich in diesem Sinne auf die Differenz von situationsverändernden Monologen (Konflikt-Monolog) und informierenden oder kommentierenden Monologen, die keine direkte Handlungsauswirkungen haben. Hierzu können wir den informierenden epischen Monolog und den kommentierenden Reflexions-Monolog rechnen. Die Stellung des lyrischen und des Brückenmonologs in diesem Schema bleibt offen; die Entscheidung bleibt dem Einzelfall überlassen.

Festzuhalten ist, dass beide Ordnungsschemata in den dramatischen Werken nur selten ihre ideale Ausprägung erhalten. Wir begegnen vielmehr stets Mischformen. Es gibt weder den reinen nicht-aktionalen Monolog noch den reinen lyrischen Monolog.

1 Systematisieren Sie die beiden informierenden Texte zu den Gestaltungsmitteln des Dramas, indem Sie eine Strukturskizze zu den Aspekten des Monologs und des Dialogs im Drama erstellen.

2 Ordnen Sie auf dieser Grundlage die monologischen und dialogischen Teile der Szene 4 des „Woyzeck" begründet den jeweiligen Formen zu.

Georg Büchner

Woyzeck (1836/37)

[Szene 7]
Marie. Woyzeck.
Franz *sieht sie starr an, schüttelt den Kopf.* Hm! Ich seh nichts, ich seh nichts. O, man müsst's sehen, man müsst's greifen können mit Fäusten.
Marie *verschüchtert.* Was hast du Franz? Du bist hirnwütig Franz.
Franz. Eine Sünde so dick und so breit. (Es stinkt dass man die Engelchen zum Himmel hinaus räuchern könnt.) Du hast ein roten Mund, Marie. Keine Blase drauf? Adieu, Marie, du bist schön wie die Sünde – Kann die Todsünde so schön sein?
Marie. Franz, du red'st im Fieber.
Franz. Teufel! – Hat er da gestanden, so, so?
Marie. Dieweil der Tag lang und die Welt alt ist, können viel Menschen an einem Platz stehn, einer nach dem andern.
Woyzeck. Ich hab ihn gesehn.
Marie. Man kann viel sehn, wenn man 2 Augen hat und man nicht blind ist und die Sonn scheint.
Woyzeck. Mit seinen Armen.
Marie *keck.* Und wenn auch.

1 Ordnen Sie die Szene 7 in den Handlungsverlauf des Dramas ein (s. S. 19) und geben Sie die Inhalte des Dialogs wieder.

2 Untersuchen Sie den Dialog im Hinblick auf den Gesprächsverlauf und das Gesprächsverhalten Woyzecks und Maries. Gehen Sie dabei auch auf sprachliche Aspekte ein.

3 Erläutern Sie abschließend die Funktion der Szene für das Gesamtdrama. Berücksichtigen Sie dabei auch die Ausführungen zu den Formen des Dialogs.

Die Erarbeitung des Dramas ist jetzt an einen Punkt gelangt, an dem die erste vollständige Interpretation einer Dramenszene vorgenommen werden kann, vergleichbar einer Klausur. Da es die erste Interpretation ist, wird die Aufgabenstellung noch die Schritte der Vorgehensweise mit angeben. Im Zentralabitur wird der Arbeitsauftrag wahrscheinlich nur den Operator „Interpretieren" enthalten. Und: Zu einer Klausur in Deutsch gehört auch immer noch eine zweite Aufgabe ...

Georg Büchner

Woyzeck (1836/37)

[Szene 17]
[Marie. Das Kind. Der Narr.]
Marie *allein, blättert in der Bibel.* Und ist kein Betrug in seinem Munde erfunden. Herrgott. Herrgott! Sieh mich nicht an. *(Blättert weiter:)* Aber die Pharisäer brachten ein Weib zu ihm, im Ehebruche begriffen und stelleten sie ins Mittel dar. – Jesus aber sprach: So verdamme ich dich auch nicht. Geh hin und sündige hinfort nicht mehr. *(Schlägt die Hände zusammen).* Herrgott! Herrgott! Ich kann nicht. Herrgott gib mir nur so viel, dass ich beten kann. *(Das Kind drängt sich an sie.)* Das Kind, gibt mir einen Stich ins Herz. Fort! Das brüht sich in der Sonne!
Narr *liegt und erzählt sich Märchen an den Fingern.* Der hat die goldne Kron, der Herr König. Morgen hol ich der Frau Königin ihr Kind. Blutwurst sagt: Komm Leberwurst. *(Er nimmt das Kind und wird still.)*

[**Marie**]. Der Franz ist nit gekommen, gestern nit, heut nit, es wird heiß hie. *(Sie macht das Fenster auf.)* Und trat hinein zu seinen Füßen und weinete und fing an seine Füße zu netzen mit Tränen und mit den Haaren ihres Hauptes zu trocknen und küssete seine Füße und salbete sie mit Salben. *(Schlägt sich auf die Brust.)* Alles tot! Heiland, Heiland ich möchte dir die Füße salben.

1 Interpretieren Sie die vorliegende Szene des Dramenfragments „Woyzeck“, indem Sie ...
- eine aufgabenbezogene Einleitung verfassen,
- die Szene in den Handlungsverlauf des Dramas einordnen,
- den Inhalt der Szene strukturiert wiedergeben,
- die Szene in Bezug auf das Zusammenspiel von Inhalt, Form und Sprache untersuchen,
- die Figurenentwicklung Maries auf Grundlage dieser Szene erläutern
- und abschließend die Szene zum einen inhaltlich deuten und zum anderen in Bezug auf die Funktion der Szene für die Figurenzeichnung Maries und für das Gesamtdrama.

2 Für Peter von Matt, einen Literaturwissenschaftler, ist mit Büchners Stück das „alte Recht des Mannes“, seine Frau „als Besitz“ zu betrachten und „zu töten, wenn er sie mit einem andern erwischt“, nicht mehr gültig. Die Figur der Marie zeige vielmehr im Drama, „wie sehr hier die Frau, die Treulose, [...] das Recht der Anhörung eingeräumt bekommt“. Sie werde zwar „nicht kurzerhand gerechtfertigt“, aber „in ein paar wenigen, winzigen Szenen gewinnt sie eine Tiefe“ als individuelles Wesen.
Erläutern Sie die Aussage Peter von Matts auch in Bezug auf die Ergebnisse der Interpretation und nehmen Sie abschließend Stellung zu der Frage, inwieweit die Figur Marie eine größere Tiefe in der Figurenzeichnung erhält als bspw. der Tambourmajor.

Recht der Anhörung im Sinne von: Marie eine Chance auf Rechtfertigung geben und ihr eine Stimme verleihen.

Die Figurenkonstellationen erarbeiten: Woyzeck, Hauptmann und der Doktor

Den Hauptmann kennen Sie schon, aber er tritt in mehr als einer Szene auf, unter anderem auch zusammen mit dem Doktor, der sehr prägend ist für die Entwicklungen um Woyzeck herum. Welche Erwartungen werden von diesen beiden Figuren an Woyzeck herangetragen? Was ist ihre Funktion innerhalb des Dramenfragments?

Akademietheater, Wien 2019

1 Gehen Sie in Ihrer Textausgabe die Szenen durch, in denen entweder der Hauptmann oder der Doktor bzw. beide zusammen auftreten. Geben Sie kurz und knapp die Handlungsschritte wieder, die in diesen Szenen dargestellt werden, und notieren Sie stichpunktartig Charakterisierungsaspekte der beiden Figuren.

Den Hauptmann haben wir bereits zu Beginn der Erarbeitungen in den Blick genommen. Aber mitten im Drama spielt der Doktor eine sehr große Rolle.

2 ***Lernarrangement:***
Lesen Sie die Szenen 8 und 10 in Ihrer Textausgabe noch einmal. Teilen Sie dann den Kurs in zwei Hälften. Die eine Hälfte beschäftigt sich mit Szene 8, die andere mit Szene 10. Beide Szenen sollen unter folgender Aufgabenstellung bearbeitet werden:

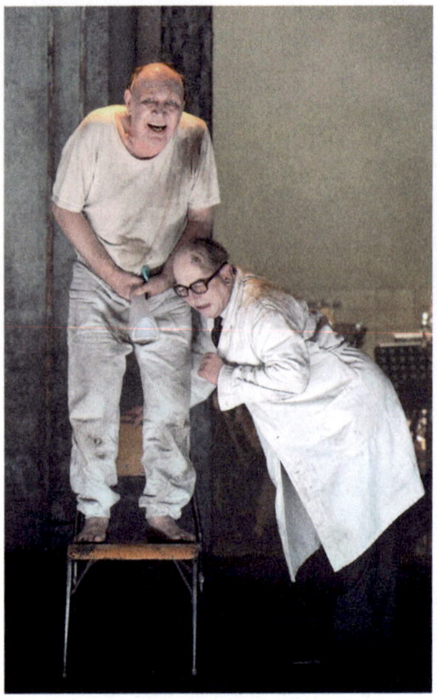

Volkstheater, Wien 2013

Volkstheater, Wien 2013

Ordnen Sie die Szene in den Handlungsverlauf ein (Was passiert vor, was passiert nach der Szene? Wie kommen die zentralen Figuren in diese Szene?) und geben Sie den Inhalt der Szene wieder. Erläutern Sie auf dieser Grundlage das Beziehungsverhältnis zwischen Woyzeck und dem Doktor. Berücksichtigen Sie dabei vor allem auch die Art und Weise, wie der Doktor mit Woyzeck redet und wie er sich sprachlich ausdrückt. Stellen Sie sich Ihre Ergebnisse anschließend im Plenum gegenseitig vor.

3 Die Szene 9 zeigt den Hauptmann und den Doktor gemeinsam, im zweiten Teil der Szene zusammen mit Woyzeck. Untersuchen Sie Szene 9 in Bezug auf die Gesprächsverläufe und -haltungen der beteiligten Figuren. Vergleichen Sie darauf aufbauend die Kommunikationsweisen des Doktors und des Hauptmanns miteinander mit der gegenüber Woyzeck.

4 ***Lernarrangement:***
Teilen Sie den Kurs in zwei Hälften. Gruppe A verfasst eine Charakterisierung des Hauptmanns, Gruppe B charakterisiert den Doktor. Sichern Sie Ihre Ergebnisse in Form eines Handouts.

Die Handlung linearisieren

Die bedeutenden Beziehungsverhältnisse sind textimmanent betrachtet worden. Damit sind fast alle Szenen des „Woyzeck“ Bestandteil der bisherigen Erarbeitungen gewesen. Es scheint also an der Zeit, ein Zwischenfazit zu ziehen.

1 ***Lernarrangement:***
Teilen Sie den Kurs in Gruppen ein und führen Sie Ihre bisherigen Ergebnisse zu den Figuren zusammen, indem Sie 1. Ihre verfassten Charakterisierungen überprüfen und ggf. erweitern und 2. eine Visualisierung der Beziehungsverhältnisse erstellen mit Woyzeck im Mittelpunkt. Wer wirkt auf Woyzeck in welcher Art und Weise mit welchen Erwartungen ein?

2 Bei der Dramenszeneninterpretation eines bekannten Gesamtwerkes ist immer eine Einordnung der Szene in den Handlungsverlauf notwendig (s. S. 25, Aufgabe 2 etc.). Dafür muss man die Handlungsschritte des „Woyzeck“, nicht nur die reine Szenenfolge, gut kennen. Erstellen Sie eine Handlungsübersicht über die entscheidenden Handlungsschritte des Dramenfragments: Wo/Womit beginnt die Handlung? Welcher Konflikt entwickelt sich auf welche Art und Weise? Über welche Schritte führt die Handlung zu welchem Ende?

Harald Neumeyer

Büchner Handbuch: Analysefelder (2015)

[Alfons] Glück hat in den 1980er-Jahren in einer Reihe ausführlicher Interpretationen, die er 1990 in einer Überblicksdarstellung bündelt, systematisch in die Vielzahl der im *Woyzeck* verhandelten Themenbereiche und Problemkomplexe eingeführt: Arbeit und Armut, das Militärsystem, die Präsenz philosophischer Theoreme wie Tugend und Freiheit sowie die Wirkkraft religiöser Wahrnehmungsparadigmen, der Menschenversuch des Doktors, die Frage nach der Zurechnungsfähigkeit im engeren und die nach der Pathologie Woyzecks im weiteren Sinne. Drei thematische Bereiche sind hierbei zu ergänzen: die durchlässige Grenze zwischen Mensch und Tier [...], der Konnex von Sexualität und Gewalt [...] und die poetologische Selbstreflexion des Dramas in der Jahrmarktschaubude [...] sowie im Experiment des Doktors [...]. Dass all diese Themen und Probleme sich vernetzen und überlagern, macht die Komplexität des Dramas aus.

Thalia Theater, Hamburg 2011

Alfons Glück (*1936) deutscher Germanist, Emeritus der Universität Marburg

Pathologie Lehre von den krankhaften Vorgängen und Zuständen im Körper

3 Erarbeiten Sie die aufgeführten Themenbereiche und Problemkomplexe, indem Sie diese zunächst benennen und inhaltlich erklären (Was ist z. B. mit dem Konnex von Sexualität und Gewalt gemeint? Was bedeutet Selbstreflexivität eines Dramas?). Ordnen Sie dann Szenen des „Woyzeck", Handlungen und Figurencharakterisierungen begründet den Themenbereichen zu und erklären Sie, in welcher Form sich die benannten Themenbereiche und Problemkomplexe im Drama widerspiegeln.

Der Fall Woyzeck – Faszinosum Stoff?

Die Stoffvorlage(n) kennenlernen und in Bezug zur Dramenhandlung setzen

Georg Büchner hat das Dramenfragment „Woyzeck" auf seiner Kenntnis mindestens eines historischen Falls begründet. Grundsätzlich ist Büchner ein Literat, der seine Werke oftmals, soweit man das bei Büchner sagen kann, in der Historie verankert sieht.

Michael Hofmann und Julian Kanning

Woyzeck: Voraussetzungen und Entstehung (2013)

Büchner begann mit der Arbeit an seinem letzten Drama, das er nicht mehr fertigstellen konnte, im Herbst 1836. [...] Genaueres über den konkreten Entstehungsprozess ist nicht bekannt, sehr wohl aber die realen Ereignisse und Vorbilder, auf die sich Büchner mit diesem Drama bezieht [...].
Da ist zunächst und vor allem der Fall des 1780 als Sohn eines Perückenmachers in Leipzig geborene Johann Christian Woyzeck, der im Winter 1818, nachdem er an auswärtigen Feldzügen teilgenommen hatte, in seine Heimatstadt zurückkehrte und dort Johanna Christiane Woost als Geliebte hatte. [...]
Folgende „Vergleichsfälle" wurden in der Forschung ebenfalls diskutiert: der „des Tabakspinnergesellen Daniel Schmolling, der am 25. September 1817 seine Freundin erstach, und der des Leinenwebers Johann Dieß, der im August 1830 seine

Geliebte mit einem Messer tötete" [...]. Und auch ein Darmstädter Vorbild ist überliefert: Der verschuldete Soldat Johann Philipp Schneider hatte am 13. April 1816 seinen Gläubiger mit einem Messer in einem Wald unweit von Darmstadt ermordet, war dann mit blutbefleckter Kleidung in ein Gasthaus eingekehrt, wo getanzt wurde, hatte nach einem Streit das Gasthaus verlassen und schließlich seine bluttränkte Kleidung in einem Teich zu reinigen versucht. [...]
Diese letzte, erst kürzlich entdeckte Quelle lieferte Büchner offenbar Einzelheiten für den Handlungsablauf.

Harald Neumeyer

Büchner Handbuch: Der historische Fall und die Geschichte seiner Auswertung (2015)

Der 1780 als Sohn eines Perückenmachers in Leipzig geborene Johann Christian Woyzeck kehrt im Winter 1818, nachdem er sich in unterschiedlichen Truppen verdingt hat, als verabschiedeter preußischer Soldat in seine Geburtsstadt zurück. Dort wird Johanna Christiane Woost zu seiner Geliebten. Bald jedoch kommt es zu heftigen Eifersuchtsszenen, da sich Woost weigert, ihren Umgang mit Leipziger Stadtsoldaten einzustellen. Aufgrund einer körperlichen Misshandlung seiner Geliebten wird Woyzeck zu Beginn des Jahres 1821 zu acht Tagen Arrest verurteilt. Seine ökonomische und soziale Situation gestaltet sich derweil verheerend: Der arbeitslose Woyzeck findet nicht einmal mehr Hilfsarbeiten, muss zeitweise im Freien übernachten und vom Betteln leben. Am 2. Juni 1821 ersticht er seine Geliebte mit einer abgebrochenen Degenklinge und wird sogleich gefangen gesetzt. Etwas über zwei Monate später, am 24. August, beauftragt man den Hofrat Dr. Johann Christian August Clarus damit, ein Gutachten über Woyzecks Gemütszustand zu erstellen, das dieser nach fünf Unterredungen mit dem Angeklagten am 16. September dem Gericht vorlegt. Clarus attestiert Woyzeck Zurechnungsfähigkeit. Denn erstens schließt er für das Verstandesvermögen des Delinquenten die dominante Wirkkraft einer „unrichtigen oder überspannten Vorstellung" bzw. einer „fixen Idee" aus. Zweitens konstatiert er, dass weder eine „Leidenschaft" noch eine „Phantasie" Woyzecks „Gemüt beherrsche und ihm die wirkliche Welt unter falschen Formen, Verhältnissen und Beziehungen vorspiegle" (Clarus 1826, 146). Drittens erklärt er, dass der Angeklagte in seiner Handlung keinem „unwillkürlichen, blinden oder wütenden Antriebe" gefolgt ist, „welcher alle Selbstbestimmung aufhebt". Stattdessen finden sich bei Woyzeck „die Kennzeichen von moralischer Verwilderung, von Abstumpfung gegen natürliche Gefühle und von Gleichgültigkeit" (ebd., 147). In der Folge dieses Gutachtens wird Woyzeck zum Tode durch das Schwert verurteilt. Der Einspruch der Verteidigung wird im Februar 1822 ebenso abgelehnt wie das Gnadengesuch des Prinzen Friedrich August im Sommer des gleichen Jahres. Nachdem das Gericht dann im November einen Brief des Privatgelehrten Dr. Bergk erhält, der durch den Verweis auf Woyzecks Gehörhalluzinationen und Verfolgungswahn dessen Zurechnungsfähigkeit in Frage stellt, wird die Urteilsvollstreckung aufgeschoben und Clarus mit einem zweiten Gutachten beauftragt. Dieses reicht er am 28. Februar 1823 beim Gericht ein. Ausführlich versucht er darin zu belegen, dass Woyzeck vor, während und nach der Tat mit Bewusstsein und Willensfreiheit handelte: Nichts zeigt an, dass sich der Delinquent „im Zustande einer Seelenstörung befunden, oder nach einem notwendigen blinden und instinktartigen Antriebe [...] gehandelt habe" (Clarus 1825, 90). Die medizinische Fakultät zu Leipzig bestätigt knapp ein Jahr später das Gutachten, worauf der sächsische König das Todesurteil bekräftigt, so dass die Hinrichtung Woyzecks schließlich am 27. August 1824 erfolgt. Was den historischen Fall betrifft, so beschäftigt sich die Büchner-Forschung v. a. mit den beiden Clarus-Gutachten und der sich anschließenden Diskussion zwischen Psychikern wie

Delinquent Straftäter

Psychiker Seit dem 19. Jhd. Bezeichnung für Psychologen und Psychiater, die die Auffassung vertreten, die Seele bzw. die Psyche (und nicht der Körper) würde psychische Probleme bzw. Geisteskrankheiten verursachen

Johann Christian August Heinroth [...], der den Befund von Clarus verteidigt, indem er von einer uneingeschränkten moralischen Freiheit des Menschen ausgeht, die ihn vom Tier unterscheidet und die ihn noch für seine ‚unfreien Zustände' verantwortlich macht, und Somatikern wie Carl Moritz Marc und Johann Christian August Grohmann, die die Zurechnungsfähigkeit Woyzecks anzweifeln, indem sie die Möglichkeit von Grenzfällen zwischen Anomalie und Normalität in Rechnung stellen.

Somatiker in der Geschichte der Psychiatrie (v. a. 19. Jh.) die Bez. für diejenigen, die im Ggs. zu den Psychikern die Auffassung vertraten, dass bei Psychosen nicht die „Seele“, sondern der Körper krank macht

1 Fassen Sie die Aussagen der beiden Texte zum historischen Fall Woyzeck in Form einer Strukturskizze zusammen.

2 Erläutern Sie potenzielle Bezüge/Parallelen des historischen Falls Woyzeck und der anderen Bezugsfälle zum Dramenfragment.

3 Lesen Sie in Ihrer Textausgabe (S. 61–63) das Vorwort zum Clarus-Gutachten. Fassen Sie die von Clarus geäußerten Gedanken abschnittsweise kurz zusammen und erläutern Sie seine Haltung.

4 *„Mögen endlich alle, mit dem festen Entschlusse, von dieser schauerlichen Handlung zurückkehren: besser zu sein, damit es besser werde.“* Erläutern Sie vor dem Hintergrund Ihrer Ergebnisse diese abschließende Aussage Clarus' im Vorwort und nehmen Sie Stellung zu der Frage, inwieweit diese Aussage auch auf das Dramenfragment „Woyzeck“ bzw. eine mögliche Wirkungsabsicht übertragen werden könnte.

Die überwachten Überwacher

Die Beziehungsverhältnisse Woyzecks systematisieren – Fokus Militär

Vor der Auseinandersetzung mit dem historischen Woyzeck haben Sie sich bereits mit den Analysefeldern des Fragments „Woyzeck“ beschäftigt. An dieser Stelle soll nun der Fokus zunächst auf das Militär und dessen Bedeutung für ein Verständnis des Dramas gelegt werden. Im Sinne des nachfolgenden Textes und in Bezug auf Michel Foucault könnte man hier die Frage stellen: Wer überwacht hier eigentlich wen?

Figurine des „Wozzeck“ für die Aufführung in Leningrad, 1927

Michel Foucault (1926–1984) französischer Philosoph, bedeutender Vertreter des Poststrukturalismus mit großem Einfluss auf Geistes- und Sozialwissenschaften des 20. Jahrhunderts, Begründer der macht- und wissenstheoretischen Diskursanalyse

Harald Neumeyer

Büchner Handbuch: Militär (2015)

Zwar ist der literarische wie auch der historische Woyzeck Soldat, doch nimmt Büchner eine signifikante Veränderung vor. Denn zum Zeitpunkt des Mordes war der historische Woyzeck arbeits- und obdachlos. Dass im Drama Woyzeck Soldat ist, der beflissen seinem Dienst nachkommt, um Marie und sein Kind zu ernähren, veranschaulicht, dass hier kein in der Folge einer Obdachlosigkeit moralisch Verwahrloster handelt, wie dies das Gutachten von Clarus betont. Dass Woyzeck Soldat ist, stellt zudem seine im Mord ausgeübte Gewalt in engen Konnex zu der Gewalt, zu deren Ausübung das Militär abgerichtet wird und die es, wie es im *Hessischen Landboten* heißt, zu „gesetzlichen Mördern“ [...] macht: Das dem Soldaten eignende Gewaltpotenzial wird verschoben in der Tötung der Geliebten ausagiert. Darüber hinaus präsentiert das Drama das Militärsystem als Disziplinarmacht, die durch reglementierte und reglementierende Abläufe Individuen formatiert, indem sie sie auf Reflexe festlegt. Dies wird sowohl im Trommelwirbel zum Zapfenstreich, der Woyzeck und Andres zur Stadt zurücklaufen lässt [...], als auch in dem mechanischen „Jawohl“ deutlich, mit dem Woyzeck nicht nur dem Hauptmann antwortet, sondern auch dem Doktor und seinem Kameraden Andres [...]. Der Trommelwirbel demonstriert zudem, dass die Militärmacht permanent gegenwärtig ist [...], um die Soldaten zu kontrollieren. Dieses für jedes Disziplinarsystem zentrale Moment einer „hierarchisierten Überwachung“ (Foucault 1977, 228), das, wie der Trommelwirbel veranschaulicht, nicht an Personen gebunden ist, sondern sich in einer Maschinerie festgelegter Regeln vollzieht, übertritt die Grenzen der militärischen Ordnung und schließt noch den privaten Raum ein: So beobachtet der Hauptmann Marie und gemeinsam mit dem Doktor Woyzecks Reaktion auf die ihm mitgeteilte Untreue der Geliebten; so beobachtet der Doktor den Hauptmann, weil er sich schon auf einen Schlaganfall desselben freut, und der Hauptmann den Doktor, wenn er aus Neugierde dem seinem Versuchsobjekt nacheilenden Wissenschaftler nacheilt; und so beobachtet Woyzeck Marie in deren Umgang mit dem Tambourmajor, in dem sie bereits von ihrer Nachbarin beobachtet wird. Alle – außer Marie, die im Falle des Tambourmajors auf den sexuellen Blick einer schamlosen „Jungfer“ [...], und im Falle ihres Kindes auf den fürsorglichen Blick einer Mutter festgelegt ist [...] – sind „pausenlos überwachte Überwacher“ (Foucault 1977, 228). Sollte das Kontrollsystem nicht greifen, um in ihren Verhalten und Handlungen disziplinierte Individuen zu formen, steht für die Soldaten das militärische Strafsystem bereit. Präsent ist es in der Drohung des Hauptmanns, Woyzeck zu erschießen, als er dessen Insubordination befürchtet; und präsent ist es in den Stöcken, die Andres und Woyzeck schneiden und die wahrscheinlich der Durchführung der Prügelstrafe dienen [...]. Hinsichtlich der Darstellung des Militärs im Drama fehlen noch Analysen, die verstärkt historische Materialien, etwa die militärischen Strafverordnungen oder die Exerzier- wie Dienstreglemente, berücksichtigen. Darüber hinaus sind das Militär, aber auch die im Doktor repräsentierte Wissenschaft noch pointierter unter dem Aspekt einer Disziplinarmacht zu betrachten, die Physis wie Psyche codieren und dadurch Individuen produzieren [...]. Dabei werden Woyzecks Physis und Psyche einer durchaus paradoxen Formatierung ausgesetzt: Denn während das Militär darauf abzielt, die Funktionstauglichkeit sicherzustellen, produziert das Ernährungsexperiment des Doktors körperliche wie seelische Dysfunktionen. Der Mord kann damit als ein Betriebsunfall innerhalb des Disziplinarsystems und der paradoxen Zurichtung Woyzecks gelesen werden, da sich in dessen Fall die im Namen dieses Systems zu bündelnden und zu verwertenden Kräfte in einem Akt der Delinquenz entladen. Die latente Gewaltbereitschaft des Hauptmanns verdeutlicht, dass seine tautologische Beschwörung der Tugend – „Moral das ist wenn man moralisch ist“ [...] – ihn nicht von physischen wie psychischen Sanktionen abhält. Dabei ist er nicht nur die Instanz, die sich andere zu disziplinieren anschickt, sondern er ist selbst noch dem Disziplinarsystem unterworfen, insofern er seine Lüste zu bändigen sucht: „Ich hab auch Fleisch und Blut. Aber Woyzeck, die Tugend, die Tugend! Wie sollte ich dann die Zeit herumbringen?“ [...]. Die Tugend fungiert damit zum einen als Belohnung für die beschwerliche Unterdrückung der Triebe [...], zum anderen dient sie dem Hauptmann dazu, seine Langeweile zu vertreiben. Zugleich oktroyiert der Hauptmann seine Vorstellung von Tugend allen anderen Personen: So hält er Woyzeck dessen uneheliches Kind vor, da dieses von einer mangelnden Triebbeherrschung zeugt, und so wirft er sowohl dem Doktor als auch Woyzeck deren Hetze vor, da sich in dieser ein schlechtes Gewissen artikuliert. Im ersten Fall ignoriert der Hauptmann die militärischen Konventionen, wonach

Zapfenstreich abendlicher Zeitpunkt, ab dem Soldaten in ihrem Quartier bleiben müssen; das Zitat Foucaults stammt aus dem Werk *Überwachen und Strafen. Die Geburt des Gefängnisses.* (1977)

Insubordination Ungehorsam

Dysfunktion gestörte Funktion

latent vorhanden, aber nicht unmittelbar erkennbar

Tautologie Sprachfigur, die etwas doppelt wiedergibt

diejenigen, die zu heiraten beabsichtigen, vor der Eheschließung ein feststehendes Kapitalvermögen nachzuweisen haben. Wenn Woyzeck in seiner Antwort von finanziellen Hindernissen spricht, dann bringt er eben diese historische Reglementierung ins Spiel [...]. Im zweiten Fall verkennt der Hauptmann zumindest mit Blick auf Woyzeck dessen Armut, die ihn zur Erfüllung unterschiedlichster Lohntätigkeiten zwingt [...]. Dass der Hauptmann unter Langeweile leidet, erweist sich damit als ein Privileg der sozial wie ökonomisch abgesicherten Schichten und resultiert aus jenem „langen Sonntag" der Reichen, von dem Büchner im *Hessischen Landboten* im Unterschied zum „langen Werktag" der Armen spricht [...].

1 Fassen Sie die Aussagen des Textes zum Analysefeld *Militär* zusammen und ziehen Sie vor diesem Hintergrund ein Fazit zu der Bedeutung des Militärs respektive der militärischen Lebenswelt für eine Interpretation des Dramenfragments.

2 Erläutern Sie die These der „überwachten Überwacher" (vgl. S. 34, Z. 35).

3 Stellt Marie wirklich eine Ausnahme dar? Nehmen Sie Stellung zu der Aussage, dass Marie „im Falle des Tambourmajors auf den sexuellen Blick einer schamlosen ‚Jungfer' [...]; und im Falle ihres Kindes auf den fürsorglichen Blick einer Mutter festgelegt ist" (S. 34, Z. 33 ff.) und nicht zu den „überwachten Überwachern" zu zählen sei.

Die Beziehungsverhältnisse Woyzecks systematisieren – Fokus Medizin

Einer der „überwachten Überwacher" ist der Doktor, der ein Ernährungsexperiment mit beziehungsweise an Woyzeck durchführt. Nicht nur mit der Figur des Doktors stellt sich die Frage der Moral für das Dramenfragment „Woyzeck", dennoch rücken aber gerade bei dieser Figur die Ideen von Ethik und Moral, auch über die Zeiten hinweg oder durch sie hindurch, in den Fokus.

„Versuchskaninchen": Eine Illustration aus dem Jahr 1891 zeigt, wie einer jungen Frau eine Ziegenbluttransfusion verabreicht wird. Magazin „L'Illustration" vom 7. März 1891

1 ***Lernarrangement:***
Teilen Sie den Kurs in Gruppen auf. Recherchieren Sie Definitionen zum Begriff der Ethik und zur Frage des moralischen Handelns und erstellen Sie auf dieser Grundlage eine eigene Definition, die auch Ihr Verständnis von Ethik und Moral abbildet. Präsentieren Sie die Ergebnisse der Gruppen im Plenum.

2 Recherchieren Sie den Begriff und die Geschichte der Menschenversuche in den Humanwissenschaften und erstellen Sie ein Handout, das einen kurzen Überblick über die Bedeutung, die Geschichte und die Beurteilung von Menschenversuchen ermöglicht.

Harald Neumeyer

Büchner Handbuch: Das Menschenexperiment (2015)

Das Ernährungsexperiment des Doktors wird in der Forschung entweder zumeist rein textimmanent betrachtet, so dass die zeitgenössischen Versuchsreihen keine Berücksichtigung finden [...]; oder aber der historische Kontext wird eingeholt, nicht jedoch selbst als ein zu Interpretierendes gesehen, sondern auf eine mögliche Quelle hin befragt [...]. Demgegenüber zeigt Neumeyer (2009) in einer Analyse der

Ernährungsexperimente der 1820er- und 30er-Jahre, dass Büchners Drama an den Rahmenbedingungen, Grundregeln und Problemlagen dieser Experimente partizipiert und zugleich über dieselben hinausgeht. Wie alle Ernährungswissenschaftler hat Büchners Doktor zwei Vorentscheidungen getroffen: Er experimentiert auf der Basis einer einseitigen Diät, der ausschließlichen Verabreichung von Erbsen, und mit Blick auf einen einzelnen physiologischen Prozess, den sich im Harn manifestierenden Stoffwechsel. Indem er Woyzeck aus der Ordnung einer ausgeglichenen Ernährung und einer ganzheitlichen Wahrnehmung herausnimmt, versetzt er ihn in einen Ausnahmezustand. Wenn der Doktor den Puls misst und den Urin analysiert, etabliert er sich zugleich als Instanz der Messung wie Beobachtung dieses Ausnahmezustandes. Die von ihm dabei erhobenen Daten werden notiert und klassifiziert, um sie vergleichbar zu machen [...]. [...] Darüber hinaus kontrolliert der Doktor den Ablauf des von ihm initiierten Experiments, und zwar durch Befragung des Probanden. Denn die Fragen, ob Woyzeck nach wie vor den Hauptmann rasiert, die Erbsen zu sich nimmt und seinen Dienst versieht, überprüfen, ob sich der Proband den vorgegebenen Regularien unterwirft und ob das Experiment nach wie vor unter den gleichen Umständen abläuft. Der Doktor folgt indes nicht nur den Rahmenbedingungen der zeitgenössischen Ernährungsexperimente – Schaffung eines Ausnahmezustandes, Etablierung einer Instanz der Beobachtung wie Kontrolle, Überprüfung des Verlaufs, Erhebung und Aufzeichnung von Daten. Er beherzigt auch deren Grundregeln. Zum einen setzt er für sein Experiment einen längeren Zeitraum an: „Seit einem Vierteljahr" [...] isst Woyzeck Erbsen. Zum anderen plant er sein Experiment auszuweiten, indem er an die Versuchsreihe mit Erbsen eine mit Hammelfleisch anschließen will. Dabei nimmt er wie die Ernährungswissenschaftler die Produktion pathologischer Symptome in Kauf: Im physischen Bereich, wenn er über Woyzecks Haare vermerkt: „Sie sind dir ja ganz dünn geworden" [...], und im psychischen Bereich, wenn er die apokalyptischen Visionen Woyzecks als „aberratio mentalis partialis" [...] klassifiziert. Diese physischen wie psychischen Anomalien machen den Probanden zum „interessanten Casus" [...]: Woyzeck, der seinen Alltagspflichten nachkommt und gleichzeitig Wahnsinnssymptome aufweist, ist ein anormaler Normaler, den es deshalb weiter zu beobachten gilt. Dass der Doktor an diesem Punkt eine Therapie unterlässt, führt in der Forschung zu einer kritischen Bewertung seiner medizinischen Praxis: Der Doktor ist ein „Menschenschinder" (Glück 1986d, 180) bzw. der „entmenschte Hauptschuldige von Woyzecks Verfall" (Kubik 1991, 174) und Repräsentant einer Wissenschaft, bei der im Namen des Fortschritts „ethische Fragestellungen zur Bedeutungslosigkeit herabsinken" (Kubik 1991, 185; vgl. auch Elm 1997, 147–150, sowie Knapp 2000, 203 f.). Damit wird jedoch ein Wertungsmaßstab ins Spiel gebracht, der den Wissenschaftlern im ersten Drittel des 19. Jahrhunderts, zu denen nicht zuletzt Büchner selbst zählt, fremd ist [...]. Gegenüber den ernährungswissenschaftlichen Experimenten nimmt Büchners Doktor eine minimale Veränderung vor, die eine maximale Differenz bedingt. Er verabreicht ausschließlich Erbsen und plant sodann eine Versuchsreihe mit ausschließlich Hammelfleisch. Damit setzt er Nahrungsmittel ein, bei denen die Psychologen [...] davon ausgehen, dass sie physische Dysfunktionen hervorrufen, die wiederum psychische Krankheiten bedingen können [...]. Durch die Wahl dieser spezifischen Nahrungsmittel verschaltet der Doktor das physiologische mit einem psychologischen Experiment. Ziel dieser Experimentalanordnung ist es zum einen, die Veränderungen des Stoffwechsels in der Folge einer einseitigen Diät zu erforschen, und zum anderen, die möglichen Auswirkungen von Nahrungsmitteln über den Körper auf die Seele festzustellen. Deshalb richtet sich die Wahrnehmung des Doktors, auch wenn er Woyzeck insofern partialisiert, als es ihm um die Analyse eines einzelnen physiologischen Prozesses zu tun ist, umfassend auf die Existenz seines Probanden. Denn wenn er bei seiner Befragung Woyzecks dessen Lohnarbeiten und Militärdienst auf einer Ebene mit der Einnahme der Erbsen verrechnet, dann schließt die Experimentalanordnung des Doktors nicht nur Urin und Puls, sondern sämtliche

aberratio mentalis partialis teilweise vorhandene geistige Verwirrung

Tätigkeiten und Verhaltensweisen des Probanden ein – eine Zeit und einen Raum außerhalb des Experiments gibt es für denselben nicht mehr. Ob der Doktor allerdings kontrolliert und systematisch die von ihm diagnostizierte psychische Anomalie generiert [...], ist fraglich. Denn zu offensichtlich ist seine freudige Überraschung, wenn er Woyzecks Geistesverwirrung als eine „köstliche" [...], als die „schönste" [...] bezeichnet. Diese freudige Überraschung belegt zum einen, dass der Doktor keineswegs einen schon Wahnsinnigen zu seinem Experiment ausgewählt hat [...], sondern den Bedingungen der zeitgenössischen Versuchsreihen auch darin folgt, dass dieselben an physisch wie psychisch Normalen durchzuführen sind. Und sie veranschaulicht zum anderen, dass der Doktor den partiellen Wahnsinn seines Probanden als das kontingente Resultat seiner Experimentalanordnung wahrnimmt, deren Verlauf wie Ergebnis er zwar nachträglich beschreiben, nicht jedoch vorausgreifend festsetzen kann. Doch auch wenn sich dem Doktor keine Intentionalität unterstellen lässt, ist in der von ihm arrangierten Experimentalanordnung sehr wohl der Wahnsinn angelegt, der schließlich zum Ausbruch kommt: Die experimentelle Wissenschaft stellt den Wahnsinn her, den sie sich dann zu erforschen anschickt. Dadurch dass im „Woyzeck" das ernährungswissenschaftliche Experiment, das primär im Bereich des Physischen spielt, zu einem Experiment mutiert, das den Bereich des Psychischen mit einbezieht, gelingt es dem Drama, die Verfügungsgewalt des Experimentators über den „ganzen Menschen" auszustellen: Physis wie Psyche sind durch die einseitige Verabreichung spezifischer Nahrung derart modellierbar, dass die Grenze zwischen physischer Gesundheit und Krankheit ebenso überschritten wird wie die Grenze zwischen psychischer Normalität und Anomalie. Der Experimentator, in dessen Macht es liegt, diese Grenzen zu übertreten, ist nicht nur Herr über den Körper, er ist auch Herr über die Psyche seines Probanden. Gegenüber den zeitgenössischen Experimenten nimmt das Drama noch eine zweite Modifikation vor. Der Doktor experimentiert nicht nur mit Woyzeck. Er beobachtet an sich selbst die Wirkungen der Sonnenstrahlen auf das Niesen und er beabsichtigt mit dem Hauptmann, sollte dieser einen Gehirnschlag erleiden, „die unsterblichsten Experimente" [...] durchzuführen. Dass jeder zum potenziellen Experimentalobjekt avancieren kann, bildet eine Grundregel der ernährungswissenschaftlichen Versuchsreihen, wonach das Experiment, um aussagekräftige Daten zu erzielen, personal ausgeweitet werden muss. Allerdings weitet der Doktor nicht ein Experiment, sondern das Experimentieren aus. Dafür hat er indes einen Grund: Seine Forschung zielt auf eine „Revolution in der Wissenschaft" und wird darin vom Begehren nach Unsterblichkeit gesteuert. Denn nicht nur verspricht er dem Hauptmann, mit ihm „die unsterblichsten Experimente" zu machen; auch als er bei Woyzeck eine „fixe Idee" diagnostiziert, fügt er sogleich hinzu: „ich werde unsterblich" [...]. Durch das Experimentieren und dessen totale Ausweitung hofft der Doktor, sich ins Stammbuch der Medizin einzuschreiben. Allerdings geht dieses Begehren mit dem Zwang einher, ununterbrochen experimentieren zu müssen.

kontingent
zufällig

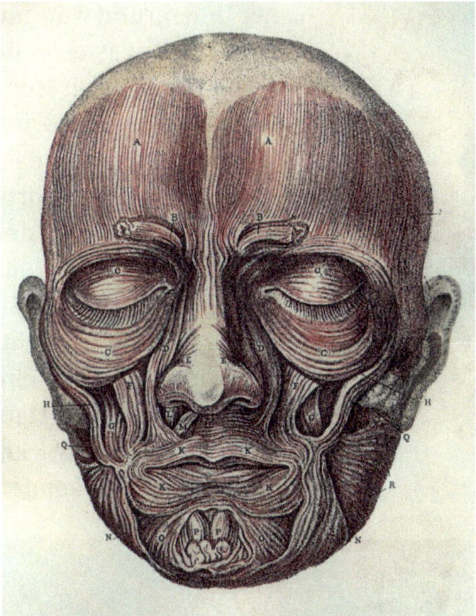

Charles Bell, Die Gesichtsmuskulatur. Lithografie, 1830

1 Beschreiben Sie auf Grundlage des Textes und Ihrer eigenen Kenntnisse des Dramenfragments das vom Doktor durchgeführte Menschenexperiment. Gehen Sie dabei auf die Versuchsanordnung, die Bedingungen der Durchführung sowie die (vermeintlichen) Folgen des Experiments für den Probanden ein.

2 Erläutern Sie die Aussagen des Textes zu Woyzeck als anormalem Normalen (vgl. S. 36, Z. 34 – 36).

3 Beurteilen Sie vor dem Hintergrund des Textes sowie Ihrer eigenen Charakterisierung (s. S. 30, Aufgabe 4) das Verhalten des Doktors. Beziehen Sie dabei Ihre Definition von Ethik und moralischem Handeln mit ein und berücksichtigen Sie die zeitlichen Ebenen der Entstehung des Werks und Ihrer eigenen Rezeption.

Analyseergebnisse in Bezug zu einer Theaterrezension setzen

Ein Drama ist, im Regelfall, für die Aufführung bestimmt. Im weiteren Verlauf der Erarbeitung werden Sie sich noch mit mehreren Rezensionen zu unterschiedlichen Inszenierungen des „Woyzeck" auseinandersetzen. Inwieweit spiegeln sich die Analyseergebnisse in den Inszenierungen und in den Rezensionen wider?

André Mumot

Der Aff ist Soldat (2014)

Es können nicht nur die Erbsen schuld sein. Diesmal nicht. Auch dieser Woyzeck bekommt sie eingeflößt, in grüner Suppenform, und an seiner Unterhose kann man die blutigen Durchfallspuren sehen, die das nach sich zieht. Nein, das ist nicht schön, aber es gibt noch andere Gründe für seinen Amoklauf. Und man muss auch nicht sehr lange nach ihnen suchen auf der Bühne des Berliner Ensembles.

Füsilier leicht bewaffneter Soldat der Infanterie

Denn während Franz Woyzeck, Füsilier im zweiten Regiment des zweiten Bataillons irgendeiner vierten Kompanie, noch einmal splitterfasernackt über seine untreue Marie herfällt, sie vergewaltigt und mit dem Messer absticht, wieder und wieder, erwacht die traute Mooslandschaft um ihn herum zum Leben. Was eben noch grüner Untergrund war, entpuppt sich als Ansammlung seiner perfekt getarnten Kameraden, und was eben noch die fatale Privatangelegenheit eines Einzelnen war, ist schon im nächsten Moment die zügellose Eskalation einer ganzen Truppe. [...]

Was hier geschieht, wird man so schnell nicht vergessen: Wie alles ineinandergreift, Drill und Mord, wie das „Subjekt Woyzeck" eintaucht ins Heer, in die Waffenübungen, dann zurückkehrt zur Marie und weiter auf sie einsticht, dann Liegestütze macht, dann wieder der längst Toten zu Leibe rückt, und wie sich schließlich die anderen um ihn herumstellen und ihn anfeuern, „Woyzeck!" rufen, immer wieder „Woyzeck" – zu jedem Stich.

Nichts ist leichter, nichts gedankenfauler, als Büchners „Hirnwütigen" heute noch zum simplen Opfer einer menschenverachtenden, ausbeuterischen Elite zu machen. Bei Leander Haußmann aber sind Hauptmann (Boris Jacoby) und Ärztin (Traute Hoess) keine knarzenden, bösartigen Autoritätsfiguren, sondern hilf- und planlose, traurig-komische Melancholiker. Nein, es sind nicht bloß die Erbsen, es ist die innere Logik des Soldatenberufs, die hier ihre ungewünschten Konsequenzen entfaltet – die kalkulierte, gut bezahlte Verrohung, die Notwendigkeit, nie ganz man selbst, immer Teil des größeren Ganzen sein zu müssen, die verordnete Gewaltbereitschaft. [...]

Um dies zu illustrieren, stehen dann auch tatsächlich rund dreißig Soldatinnen und Soldaten in authentischer Bundeswehrmontur auf der Bühne, marschieren mit donnernden Schritten, absolvieren ihre Übungen, umkreisen Johanna Grie-

Berliner Ensemble, 2014

bels schluchzende, verzweiflungslüsterne Marie, treiben ihr den Tambourmajor (Luca Schaub) zu und nehmen immer wieder den Woyzeck in ihre schützende Mitte. [...] Subtil ist das nicht, ganz und gar nicht, aber es hat eine Wucht, die immer wieder den Atem raubt. [...] Kein grüblerisches, schon gar kein ironisch distanziertes Gedankentheater ist die Folge, stattdessen eine furios aufregende Verlebendigung, ein ungebremstes Zeigen-, Fühlen-, Auskosten-Wollen von Figuren, Szenen, von Musik und Nebel und Tricks, von sich selbst aufblasenden Zelten, die Taschenlampen-Augen haben, von Körpern, Tränen, Schüssen, von allem, was sich selbst erklärt, weil es einfach da ist. Und wie es da ist!

Keinen kleinen Anteil daran hat Peter Miklusz, dessen Woyzeck jung und staunend in den Untergang stolpert, ein verlorener Schütze Arsch, der panisch, aber aufmerksam auf die Stimmen seiner Schizophrenie lauscht und sich schließlich mit fliegenden Fahnen in den eigenen Wahnsinn stürzt. Dann umtänzelt er zu Rossinis obligatorischer „Figaro“-Arie seinen Hauptmann, rasiert ihn nicht bloß, sondern macht ihn, wo er schon mal dabei ist, gleich noch einen Kopf kürzer, erwürgt und zerhackt ihn, was er aber achselzuckend überlebt, sodass auch der Zuschauer nicht mehr weiß, wo ihm in dieser grotesken Alptraumvision der Kopf steht, weil alles gleichzeitig zum Lachen und zum Wegschauen, zum Weinen und zum Haareraufen ist. [...]

Haußmann hat das unbarmherzige, gänzlich illusionslose Büchner-Fragment aufmerksam studiert und stets beim Wort genommen. Deshalb gehen in den stärksten Momenten auch Militär und Jahrmarkt fließend ineinander über. Deshalb saufen und lottern und prügeln sich die Soldaten, deren Seelen „nach Brandewein“ stinken, und lassen sich zu den Peitschenschlägen von Marktschreierin Traute Hoess auf der schwarz-schlichten Bühne wie dressierte Pferde im Kreis herumführen. Um noch eins draufzusetzen, hat sie den kleinwüchsigen Schauspieler Peter Luppa dabei, der in einem täuschend echten Affenkostüm steckt – ein hinreißend unbeeindruckter Wiedergänger Woyzecks, der gleichmütig aus seiner Bierdose trinkt, seine Banane isst, später auch in Uniform steckt und stolz sein Gewehr präsentiert, vor allem aber das Glück hat, sich nicht zu viele Gedanken machen zu müssen: „Geht aufrecht, hat Rock und Hosen, hat ein' Säbel! Der Aff ist Soldat.“

Grob und vordergründig kann das sein – aber auch das hat seine guten Gründe, da uns die Kriegseinsätze immer näher kommen und zwar in recht grober und vordergründiger Weise. Doch es geht auch anders, immer wieder: Dann steckt in diesem Abend eine Zärtlichkeit, die tiefer gar nicht gehen könnte. Ein ewiges, schmalzdickes „Blue Bayou“ fällt über die Welt, und die Soldaten besteigen bunte Ballontiere zu einer Karussellfahrt in Slow Motion – eine derart perfekt choreografierte Slow Motion hat das Theater selten, vielleicht noch nie gesehen. Die Marie jedenfalls lässt sich mit dem Tambourmajor davontreiben, und Woyzeck bleibt zurück. Und während ihm die Windmaschine seine zwei Portionen Zuckerwatte erbarmungslos zerfetzt, dreht sich im Berliner Ensemble die Bühne weiter, dreht sich auf die Katastrophe zu und macht großes, ja, wirklich großes Theater.

Schütze Arsch (im letzten Glied) Redewendung für eine Person, in der Regel einen Mann, der Demütigung, ungerechte oder schlechte Behandlung erfährt

Figaro Figur aus der beliebten Oper (Opera buffa) „Der Barbier von Sevilla“ von Gioachino Rossini (1792–1868)

Blue Bayou melancholischer Hit aus den 1960er-Jahren

Berliner Ensemble, 2014

1 Fassen Sie die Inhalte des Textes strukturiert zusammen, indem Sie die Aussagen des Autors zum Stück „Woyzeck“ und zur Inszenierung des Berliner Ensembles sowie zum Regisseur Leander Haußmann wiedergeben.

Vgl. Klausurtraining, S. 56 ff.

2 Erläutern Sie auf Grundlage der Rezension die Interpretationen, die die Inszenierung vorgenommen hat. Wie werden Marie und Woyzeck dargestellt? Wie wird die Rolle des Militärs verstanden? Was passiert mit dem Doktor?

3 Nehmen Sie vor dem Hintergrund Ihrer bisherigen Erarbeitungen Stellung zu der Frage, inwieweit die dargestellte Inszenierung Ihrer Auffassung nach das Dramenfragment „Woyzeck“ angemessen interpretiert.

Von der Aufklärung über die Klassik zum Vormärz

Epochenüberblick über die Entwicklungen von 1700–1840

Jedes literarische Werk steht im Kontext seiner Schaffenszeit und damit auch im Kontext literaturepochaler Entwicklungen. „Woyzeck“ als Drama zu erfassen bedingt auch, die literarischen Entwicklungen zu verstehen, die zu Büchners eigener Epoche geführt haben. Wenn Büchner in einem Brief an die Familie davon spricht, dass er wenig auf Schiller halte, so bezieht sich das nicht auf den Menschen Schiller, sondern dessen Literaturverständnis. Um die Abgrenzung verstehen zu können, muss aber zunächst das Schiller'sche Verständnis erfasst werden. Um Schiller verstehen zu können, muss man die Aufklärung verstanden haben. In diesem Sinne könnte man sagen: Ohne Aufklärung kein Vormärz!

1 Lesen Sie im Anhang des Arbeitsbuches (S. 332–336) die kurzen Texte zur Literaturgeschichte für die Epochen/Strömungen der Aufklärung, des Sturm und Drang, der Klassik, der Romantik, des Vormärz und des Biedermeier. Erweitern Sie auf dieser Grundlage Ihren Zeitstrahl zu den historischen Entwicklungen von 1818 bis 1870/71 (s. S. 12, Aufgabe 1) um die genannten Epochen, indem Sie versuchen, die jeweiligen Epochenbegriffe in ein oder zwei zentralen Gedanken zusammenzufassen.

2 Die nachfolgenden Bilder sind typische Darstellungen für die Aufklärung, die Romantik, die Klassik, den Vormärz und das Biedermeier. Ordnen Sie die Bilder begründet den Epochen zu.

Die Aufklärung – Eine Frage der Vernunft?

Kants Essay „Beantwortung der Frage: Was ist Aufklärung?“ analysieren

Um die unterschiedlichen zeitgeschichtlichen und literarischen Entwicklungen und deren Bedeutung für das Werk „Woyzeck“ zu verstehen, vor allem aber auch um die strukturelle Entwicklung der Dramatik als Gattung nachvollziehen zu können, muss sich mit den großen literarischen Strömungen des 18. Jahrhunderts und der ersten Hälfte des 19. Jahrhunderts im Zusammenhang mit Büchners kurzer Schaffensphase auseinandergesetzt werden.
Gerade die literarische Epoche der Aufklärung wurde im Laufe der Zeit in ihren Grundideen und Forderungen stark wieder aufgegriffen.

Immanuel Kant (1724–1804)

Immanuel Kant, der wohl berühmteste Philosoph seiner Zeit, gilt als der Aufklärer schlechthin und zugleich als einer der bedeutendsten Philosophen der Weltgeschichte. Prägend nach Kant ist dabei für die Philosophie die Beantwortung dreier Fragen, die dann in eine vierte münden, die sogenannten philosophischen Grundfragen: Was kann ich wissen? Was soll ich tun? Was darf ich hoffen? Was ist der Mensch? Diese Fragen legen den Grundstein für drei große Bereiche der Philosophie: die Erkenntnistheorie, also die Frage, wie der Mensch zur Erkenntnis kommt, die Ethik, die Frage nach dem moralisch wertvollen Verhalten, und die Religionsphilosophie, also die Frage der Möglichkeiten des Glaubens. Aus der Beantwortung der ersten drei Fragen und deren philosophischer Erkenntnis ergibt sich für Kant die Möglichkeit, die letzte Frage, „Was ist der Mensch?“, in philosophischer Hinsicht zu beantworten.

Kants Essay „Beantwortung der Frage: Was ist Aufklärung?“ (1784) erschien in der „Berlinischen Monatsschrift“. Bereits 1783 war in dieser angemahnt worden, dass sich noch niemand mit der Beantwortung dieser wichtigen Frage auseinandergesetzt habe. Einige Literaten und Philosophen reagierten auf diese Aufforderung und so entwickelte sich im Rahmen der Veröffentlichungen der Schrift eine Grundsatzdebatte über die Definition der Aufklärung.

Immanuel Kant

Beantwortung der Frage: Was ist Aufklärung? (1784)

Aufklärung ist der Ausgang des Menschen aus seiner selbstverschuldeten Unmündigkeit. Unmündigkeit ist das Unvermögen, sich seines Verstandes ohne Leitung eines anderen zu bedienen. Selbstverschuldet ist diese Unmündigkeit, wenn die Ursache derselben nicht am Mangel des Verstandes, sondern der Entschließung und des Mutes liegt, sich seiner ohne Leitung eines andern zu bedienen. Sapere aude! Habe Mut, dich deines eigenen Verstandes zu bedienen! ist also der Wahlspruch der Aufklärung. Faulheit und Feigheit sind die Ursachen, warum ein so großer Teil der Menschen, nachdem sie die Natur längst von fremder Leitung freigesprochen (naturaliter maiorennes), dennoch gerne zeitlebens unmündig bleiben; und warum es anderen so leicht wird, sich zu deren Vormündern aufzuwerfen. Es ist so bequem, unmündig zu sein. Habe ich ein Buch, das für mich Verstand hat, einen Seelsorger, der für mich Gewissen hat, einen Arzt, der für mich die Diät beurteilt usw., so brauche ich mich ja nicht selbst zu bemühen. Ich habe nicht nötig zu denken, wenn ich nur bezahlen kann; andere werden das verdrießliche Geschäft schon für mich übernehmen. Dass der bei weitem größte Teil der Menschen (darunter das ganze schöne Geschlecht) den Schritt zur Mündigkeit, außer dem, dass er beschwerlich ist, auch für sehr gefährlich halte, dafür sorgen schon jene Vormünder, die die Oberaufsicht über sie gütigst auf sich genommen haben. Nachdem sie ihr Hausvieh zuerst dumm gemacht haben und sorgfältig verhüteten, dass diese ruhigen Geschöpfe ja keinen Schritt außer dem Gängelwagen, darin sie sie einsperrten, wagen durften, so zeigen sie ihnen nachher die Gefahr, die ihnen drohet, wenn sie es versuchen, allein zu gehen. Nun ist diese Gefahr zwar eben so groß nicht, denn sie würden durch einige Mal Fallen wohl endlich gehen lernen; allein ein Beispiel von der Art macht doch schüchtern und schreckt gemeiniglich von allen ferneren Versuchen ab.

Es ist also für jeden einzelnen Menschen schwer, sich aus der ihm beinahe zur Natur gewordenen Unmündigkeit herauszuarbeiten. Er hat sie sogar liebgewonnen und ist vorderhand wirklich unfähig, sich seines eigenen Verstandes zu bedienen, weil man ihn niemals den Versuch davon machen ließ. Satzungen und Formeln, diese mechanischen Werkzeuge eines vernünftigen Gebrauchs oder vielmehr Missbrauchs seiner Naturgaben, sind die Fußschellen einer immerwährenden Unmündigkeit. Wer sie auch abwürfe, würde dennoch auch über den schmalsten Graben einen nur unsicheren Sprung tun, weil er zu dergleichen freier Bewegung nicht gewöhnt ist. Daher gibt es nur wenige, denen es gelungen ist, durch eigene Bearbeitung ihres Geistes sich aus der Unmündigkeit herauszuwickeln und dennoch einen sicheren Gang zu tun.

Dass aber ein Publikum sich selbst aufkläre, ist eher möglich; ja es ist, wenn man ihm nur Freiheit lässt, beinahe unausbleiblich. Denn da werden sich immer einige Selbstdenkende, sogar unter den eingesetzten Vormündern des großen Haufens finden, welche, nachdem sie das Joch der Unmündigkeit selbst abgeworfen haben, den Geist einer vernünftigen Schätzung des eigenen Werts und des Berufs jedes Menschen, selbst zu denken, um sich verbreiten werden. Besonders ist hierbei: dass das Publikum, welches zuvor von ihnen unter dieses Joch gebracht worden, sie hernach selbst zwingt, darunter zu bleiben, wenn es von einigen seiner Vormünder, die selbst aller Aufklärung unfähig sind, dazu aufgewiegelt worden; so schädlich ist es, Vorurteile zu pflanzen, weil sie sich zuletzt an denen selbst rächen, die oder deren Vorgänger ihre Urheber gewesen sind. Daher kann ein Publikum nur langsam zur Aufklärung gelangen. Durch eine Revolution wird vielleicht wohl ein Abfall von persönlichem Despotismus und gewinnsüchtiger oder herrschsüchtiger Bedrückung, aber niemals wahre Reform der Denkungsart zustande kommen; sondern neue Vorurteile werden, ebenso wohl als die alten, zum Leitbande des gedankenlosen großen Haufens dienen.

Zu dieser Aufklärung aber wird nichts erfordert als Freiheit; und zwar die unschädlichste unter allem, was nur Freiheit heißen mag, nämlich die: von seiner Vernunft in allen Stücken öffentlichen Gebrauch zu machen. Nun höre ich aber von allen Seiten rufen: Räsoniert nicht! Der Offizier sagt: Räsoniert nicht, sondern exerziert! Der Finanzrat: Räsoniert nicht, sondern bezahlt! Der Geistliche: Räsoniert nicht, sondern glaubt! [...] Hier ist überall Einschränkung der Freiheit. Welche Einschränkung aber ist der Aufklärung hinderlich, welche nicht, sondern ihr wohl gar beförderlich? – Ich antworte: Der öffentliche Gebrauch seiner Vernunft muss jederzeit frei sein, und der allein kann Aufklärung unter Menschen zustande bringen; der Privatgebrauch derselben aber darf öfters sehr enge eingeschränkt sein, ohne doch darum den Fortschritt der Aufklärung sonderlich zu hindern.

räsonieren
hier: nachdenken

Ich verstehe aber unter dem öffentlichen Gebrauche seiner eigenen Vernunft denjenigen, den jemand als Gelehrter von ihr vor dem ganzen Publikum der Leserwelt macht. Den Privatgebrauch nenne ich denjenigen, den er in einem gewissen ihm anvertrauten bürgerlichen Posten oder Amte von seiner Vernunft machen darf. [...] So würde es sehr verderblich sein, wenn ein Offizier, dem von seinen Oberen etwas anbefohlen wird, im Dienste über die Zweckmäßigkeit oder Nützlichkeit dieses Befehls laut vernünfteln wollte; er muss gehorchen. Es kann ihm aber billigermaßen nicht verwehrt werden, als Gelehrter über die Fehler im Kriegesdienste Anmerkungen zu machen und diese seinem Publikum zur Beurteilung vorzulegen. Der Bürger kann sich nicht weigern, die ihm auferlegten Abgaben zu leisten; sogar kann ein vorwitziger Tadel solcher Auflagen, wenn sie von ihm geleistet werden sollen, als ein Skandal, (das allgemeine Widersetzlichkeiten veranlassen könnte), bestraft werden. Ebenderselbe handelt dem ungeachtet der Pflicht eines Bürgers nicht entgegen, wenn er als Gelehrter wider die Unschicklichkeit oder auch Ungerechtigkeit solcher Ausschreibungen öffentlich seine Gedanken äußert. [...]

Die Menschen arbeiten sich von selbst nach und nach aus der Rohigkeit heraus, wenn man nur nicht absichtlich künstelt, um sie darin zu erhalten. [...]

1 Definieren Sie auf Grundlage des Auszugs in eigenen Worten Kants Auffassung von „Aufklärung“ und erläutern Sie, welche Hinderungsgründe Kant für den „Ausgang“ aus der selbstverschuldeten Unmündigkeit sieht. Wieso bedarf es des „Mutes“, um zur Aufklärung zu gelangen?

2 Klären Sie auf Grundlage des Textauszuges Kants Verständnis der Begriffe Vernunft, Mündigkeit, Erziehung und private sowie öffentliche Freiheit bzw. privater und öffentlicher Vernunftgebrauch.

3 Ziel der Aufklärung im Kant'schen Sinne ist die Erziehung zur Mündigkeit. Literarische Texte, die sich an den Leitideen der Aufklärung orientieren, wollen oder sollen zur Erziehung zur Mündigkeit beitragen. Überprüfen Sie auf Grundlage des Textes mit Hilfe der in Aufgabe 2 geklärten Begriffe, inwieweit und auf Grundlage welcher Merkmale Büchners „Woyzeck“ zur Erziehung zur Mündigkeit, also zur Aufklärung im Kant'schen Sinne, beiträgt.

Der Blick auf die zeitgenössische Literatur unterstützt das Verständnis der zeitgenössischen Sicht auf die Gesellschaft an sich. Das nachfolgende Gedicht ist ein typisches Beispiel für die Lyrik der Aufklärung, die in einem engen Zusammenhang mit der erziehenden Kinder- und Jugendliteratur steht. Die Literatur der Aufklärung gipfelt dabei oft in einem Lehrsatz, einem Wegweiser für die weitere Lebensgestaltung hin zu einem aufgeklärten Leben.

Christian Fürchtegott Gellert

Freundschaft (1754)

Der Freund, der mir den Spiegel zeiget,
Den kleinsten Flecken nicht verschweiget,
Mich freundlich warnt, mich ernstlich schilt,
Wenn ich nicht meine Pflicht erfüllt:
Der ist mein Freund,
So wenig er es scheint.

Doch der, der mich stets schmeichelnd preiset,
Mir Alles lobt und nichts verweiset,
Zu Fehlern gern die Hände beut
Und mir vergibt, eh' ich bereut:
Der ist mein Feind,
So freundlich er auch scheint.

Christian Fürchtegott Gellert (1715–1769)
deutscher Schriftsteller und Moralphilosoph; galt zu Lebzeiten als meistgelesener Schriftsteller.

1 Fassen Sie den Inhalt des Gedichts strophenweise zusammen und erläutern Sie die Intention von Gellerts Gedicht.

2 Erläutern Sie, inwieweit sich das im Gedicht dargestellte Verständnis von Freundschaft auch im „Woyzeck“ widerspiegelt.

Einen Epochenüberblick anhand eines pragmatischen Textes erstellen

Peter-André Alt

Aufklärung (2001)

Als gesamteuropäisches Phänomen stellt die Aufklärung trotz bestimmter übergreifender Ziele und Gedankenmotive keine einheitliche Epoche dar; sie zerfällt vielmehr in unterschiedliche Phasen, in denen heterogene Tendenzen vorherrschen, die eine möglichst differenzierte Periodisierung ratsam erscheinen lassen. Zu unterscheiden wären drei Hauptströmungen, die in einem gewissen zeitlichen Folgeverhältnis zueinander stehen:

- der Rationalismus als bestimmendes philosophisches System der ersten Phase zwischen 1680 und 1740,
- der Empirismus bzw. der (in Deutschland teilweise noch rationalistisch fundierte) Sensualismus der zweiten Phase zwischen 1740 und 1780,

- der zwischen 1780 und 1795 hervortretende Kritizismus, der sich vor allem mit der Transzendentalphilosophie Kants verbindet [...].

Das Zentrum des frühaufklärerischen Rationalismus bildet der Gedanke, dass die von Gott geschaffene Natur als Vernunftnatur und logisch gegründete Ordnung aufzufassen sei, die der Mensch mit den Mitteln des Verstandes, gestützt auf ein regelgeleitetes wissenschaftliches Verfahren systematisch zu erschließen vermöge. Die Durchsetzung eines neuen Wissensbegriffs soll es dem denkenden Individuum erlauben, mithilfe der Ratio die Geheimnisse der Natur zu durchdringen [...]. Die zweite Phase der Aufklärung steht unter dem Einfluss heterogener Faktoren und lässt sich nicht mehr einem einzigen Leitbegriff unterordnen. Durchgängig zeigt sich spätestens in der Mitte des 18. Jahrhunderts eine gewisse Distanz zum logozentrischen, allein auf die Möglichkeiten des Vernunfturteils gegründeten, rein verstandesorientierten Lehrsystem des Rationalismus. An seine Stelle tritt eine neue Philosophie der menschlichen Erfahrung [...]. Ebenso wie der frühaufklärerische Rationalismus lässt sich das erfahrungswissenschaftliche Denken vom Primat der Vernunft leiten, jedoch möchte es eine veränderte methodische Basis für die systematische Erforschung von Mensch und Natur schaffen [...]. [Der britische Empirismus gibt] dem Bereich der Empirie Vorrang vor einem allein theoretisch fundierten Vernunftdenken [...]. Der Sensualismus betrachtet das Feld der Wahrnehmungen, denen sich der Mensch überantworten kann, als einen der Vernunft korrespondierenden, durchaus rational analysierbaren Bereich [...].
Die dritte, abschließende Phase der Aufklärung hat ihr intellektuelles Zentrum fraglos in der Philosophie Kants, dessen Hauptwerk, die Kritik der reinen Vernunft (1781), sowohl die rationalistische Metaphysik der Frühaufklärung als auch den Empirismus der mittleren Strömung in einer neuen methodischen Synthese aufhebt. [...] Die entscheidende Konsequenz von Kants Theorie des Urteils liegt darin, dass die Erkenntnis der Wirklichkeit transzendental, das bedeutet im Hinblick auf die Bedingungen der theoretischen Möglichkeit dieser Erkenntnis, bestimmt wird. Der Mensch ist das, was er denkt; er wird zum Souverän der Wirklichkeit, insofern er sich im Akt des Denkens – des Urteils – seine Realität erst schafft. [...]
Drei Phasen sind mithin zu unterscheiden, die die Aufklärung als gesamteuropäisches Epochenphänomen bestimmen [...]. Jenseits der Gegensätze, die diese Perioden beherrschen, lassen sich durchaus Gemeinsamkeiten entdecken, die das intellektuelle Profil der Aufklärung übergreifend prägen [...]:
1. Aufklärung scheint beherrscht durch eine grundsätzliche Ermächtigung der Vernunft. [...] Die Arbeit des menschlichen Verstandes bildet den bevorzugten Gegenstand aufklärerischer Erkenntnis und zugleich das maßgebliche methodische Fundament, von dem diese ausgeht. [...]
2. Aufklärung versteht sich als Erziehung des Menschen, als Anleitung zum Gebrauch seiner Verstandeskräfte [...].
[3., eingefügt durch die Red.] Aufklärung erscheint als das Zeitalter des Wissens und der Wissenschaften, der Neuformulierung szientifischer Methoden und Denkansätze. Nie zuvor wurden die drängenden Fragen der Naturerkenntnis mit vergleichbarer Energie angegangen, nie zuvor mit ähnlichem Selbstbewusstsein theoretische Probleme diskutiert und wissenschaftliche Hypothesen erprobt. [...] An die Stelle des noch im 17. Jahrhundert gültigen Vorbehalts, dass der Mensch die Geheimnisse der Schöpfung letzthin nicht erschließen könne, weil allein Gott absolutes Wissen über sie besitze, tritt im Zeitalter der Aufklärung ein bis dahin unbekanntes Wahrheitspostulat wissenschaftlicher Verfahrensweisen. [...] Schaltstelle dieses konzeptionellen Veränderungsprozesses ist der Rationalismus, der davon ausgeht, dass die Natur von Gott nach Prinzipien der Vernunft geschaffen wurde, mithin auch durch eine auf Vernunftsregeln gegründete Wissenschaft vollständig zu erschließen ist. [...]
4. Aufklärung bedeutet stets auch Säkularisierung und schließt eine fortschreitende Verweltlichung im Zeichen der Verdrängung kirchlicher Autoritäten ein.

1 Lesen Sie den Text von Peter André Alt zur Aufklärung und markieren Sie die zentralen Aussagen. Erstellen Sie anschließend auf Grundlage Ihrer Markierungen ein Wortcluster der zentralen Begriffe.

2 Fertigen Sie anhand des Wortclusters einen Strukturbaum zum Text an, der die zentralen Zusammenhänge, Entwicklungsschritte und Konsequenzen der Aufklärung visualisiert.

3 Inwieweit spielt die Aufklärung eine Rolle für das Dramenfragment „Woyzeck“? Diskutieren Sie diese Frage im Plenum.

Vernunft, Herz und Ideal!

Die Programmatik der Klassik anhand eines lyrischen Textes nachvollziehen

Zusammen mit Friedrich Schiller gilt Johann Wolfgang von Goethe als bedeutendster Vertreter der deutschen Klassik. Gemeinsam haben sie beide, dass sie in ihren Jugendjahren ebenfalls zu den bedeutendsten Stürmern und Drängern gehörten. Das folgende Gedicht wurde nach der berühmten ersten Italienreise Goethes und während eines zweiten Aufenthalts in Venedig verfasst.

Johann Wolfgang Goethe

Natur und Kunst (1790)

Natur und Kunst, sie scheinen sich zu fliehen,
Und haben sich, eh' man es denkt, gefunden;
Der Widerwille ist auch mir verschwunden,
Und beide scheinen gleich mich anzuziehen.

Es gilt wohl nur ein redliches Bemühen!
Und wenn wir erst in abgemessnen Stunden;
Mit Geist und Fleiß uns an die Kunst gebunden,
Mag frei Natur im Herzen wieder glühen.

So ist's mit aller Bildung auch beschaffen:
Vergebens werden ungebundne Geister
Nach der Vollendung reiner Höhe streben.

Wer Großes will, muss sich zusammenraffen:
In der Beschränkung zeigt sich erst der Meister,
Und das Gesetz nur kann uns Freiheit geben.

Goethe, lesend (1790)

1 Fassen Sie zunächst die einzelnen Strophen des Gedichts inhaltlich zusammen und beschreiben Sie den formalen Aufbau (Strophen- und Versanordnung, Reim).

2 Erläutern Sie die Aussageabsicht des Goethe'schen Gedichts. Berücksichtigen Sie bei Ihren Ausführungen insbesondere auch die gewählte Form des Sonetts (s. Glossar S. 318). Wieso wird die gewählte Aussage ausgerechnet in der rigiden Form eines Sonetts vermittelt?

3 Lesen Sie den Informationskasten zur Weimarer Klassik und erörtern Sie vor diesem Hintergrund die Frage, inwieweit das literarische Werk Goethes die Ideen der Klassik widerspiegelt. Gehen Sie bei Ihren Ausführungen auf Inhalt, Form und Intention des Gedichts ein.

Die Weimarer Klassik (ca. 1785–1805/1832)

Wenn von klassischen Epochen gesprochen wird, dann ist eine literarische Phase gemeint, in der Werke entstanden sind, die retrospektiv als vorbildhaft für ein literarisches Wirken gesehen werden: In diesem Sinne entsteht in diesen Phasen eine Nationalliteratur. Für die deutschsprachige Literatur gilt die gemeinsame Wirkphase Goethes und Friedrich Schillers als vorbildhaft. Auf Grund der Tatsache, dass sie zu dieser Hochphase beide in Weimar lebten und sich zwischen ihnen eine enge Freundschaft entwickelte, wird die deutsche Klassik auch als Weimarer Klassik bezeichnet. Goethes Italienreise (1786–1788) und Schillers Umzug nach Weimar beziffern dabei zumeist den Beginn, strittiger ist der Zeitpunkt des Endes der Klassik: dieser Punkt wird entweder mit Schillers Tod 1805 oder Goethes Tod 1832 gesetzt.

Generell ist das Wirken dieser beiden Literaten zentral für die Epoche. Für beide Dichter stand die Verbindung der großen Schwerpunkte der vorherigen Phasen der deutschen Literatur im Mittelpunkt ihres literarischen Wirkens. Dominierten in der Aufklärung die Vernunft (ratio), im Sturm und Drang hingegen Herz und Gefühl (emotio), so sollten diese Gegensätze in der Klassik zu einem harmonischen Ausgleich geführt werden. Sowohl ratio als auch emotio sollen ausgedrückt werden, sie sollen resultieren in einer actio, die sich in der Verfeinerung der Seele eines jeden Einzelnen manifestiert. Diese Verfeinerung kann auch als Idealisierung der Seele verstanden werden und eben diese Idealisierung zeichnet sich als Schlagwort der Klassik aus: Das Ideal an Inhalt, das Ideal der Form sollte beim Rezipienten zur Erstellung einer idealen Seele führen. Goethe sah das Vorbild für dieses Wirken in der griechisch-römischen Antike, sodass sich viele seiner Werke auf die Mythologie der alten Griechen rückbeziehen. Schiller orientiert sich zudem in seinen Werken an der Geschichtsschreibung. Er bezieht sich insbesondere in seinen Dramen konkret auf historische Stoffe, die er dann künstlerisch überformt. Mit diesen Idealen geht auch eine starke Formgebundenheit in der Weimarer Klassik einher. Hatte sich der Sturm und Drang noch von literarischen Regeln befreit und das Originalgenie walten lassen, so orientiert sich die Klassik wieder an recht engen Regeln, in deren Einhaltung die Ästhetik eines Werkes gesehen wird, sodass durch die ästhetische Gestaltung Erziehung im Sinne eines angestrebten Idealzustandes vermittelt werden soll. Dies manifestiert sich auch in der Sprachverwendung, die dialektalen, umgangssprachlichen Elemente des Sturm und Drang und der Romantik weichen in den der Klassik zuzuordnenden Werken einer künstlerisch stark überformten Sprache.

Vertiefte Auseinandersetzung mit einem programmatischen Text der Klassik

Friedrich Schiller

Die Zeitschrift *Die Horen* war eines der prägenden Kommunikationsorgane der Künstler und Geistesgrößen der Weimarer Klassik. Ähnlich der *Berlinischen Monatsschrift* und der *Athenäums Zeitschrift* diente diese von Schiller herausgegebene Schrift der Diskussion aktueller literarischer und gesamtgesellschaftlicher Themen. Zu den Autoren zählt eine lange Liste der Intellektuellen der Zeit und auch Goethe, der zweite große Klassiker, veröffentlichte regelmäßig Essays in *Die Horen*. Der nachfolgende Auszug ist Teil der Ankündigung zur neu erscheinenden Zeitschrift.

Friedrich Schiller

Ankündigung aus „Die Horen" (1795)

Musen und Grazien Göttinnen der Künste und der Anmut

Zu einer Zeit, wo das nahe Geräusch des Kriegs das Vaterland ängstiget, wo der Kampf politischer Meinungen und Interessen diesen Krieg beinahe in jedem Zirkel erneuert und nur allzu oft Musen und Grazien daraus verscheucht, wo weder in den Gesprächen noch in den Schriften des Tages vor diesem allverfolgenden Dämon der Staatskritik Rettung ist, möchte es ebenso gewagt als verdienstlich sein, den so sehr zerstreuten Leser zu einer Unterhaltung von ganz entgegengesetzter Art einzuladen. In der Tat scheinen die Zeitumstände einer Schrift wenig Glück zu versprechen, die sich über das Lieblingsthema des Tages ein strenges Stillschweigen auferlegen und ihren Ruhm darin suchen wird, durch etwas anderes zu gefallen, als wodurch jetzt alles gefällt. Aber je mehr das beschränkte Interesse der Gegenwart die Gemüter in Spannung setzt, einengt und unterjocht, desto dringender wird das Bedürfnis, durch ein allgemeines und höheres Interesse an dem, was rein menschlich und über allen Einfluss der Zeiten erhaben ist, sie wieder in Freiheit zu setzen und die politisch geteilte Welt unter der Fahne der Wahrheit und Schönheit wieder zu vereinigen.

Dies ist der Gesichtspunkt, aus welchem die Verfasser dieser Zeitschrift dieselbe betrachtet wissen möchten. Einer heitern und leidenschaftfreien Unterhaltung soll sie gewidmet sein, und dem Geist und Herzen des Lesers, den der Anblick der Zeitbegebenheiten bald entrüstet, bald niederschlägt, eine fröhliche Zerstreuung gewähren. Mitten in diesem politischen Tumult soll sie für Musen und Charitinnen einen engen vertraulichen Zirkel schließen, aus welchem alles verbannt sein wird, was mit einem unreinen Parteigeist gestempelt ist. Aber indem sie sich alle Beziehungen auf den jetzigen Weltlauf und auf die nächsten Erwartungen der Menschheit verbietet, wird sie über die vergangene Welt die Geschichte und über die kommende die Philosophie befragen, wird sie zu dem Ideale veredelter Menschheit, welches durch die Vernunft aufgegeben, in der Erfahrung aber so leicht aus den Augen gerückt wird, einzelne Züge sammeln und an dem stillen Bau bessrer Begriffe, reinerer Grundsätze und edlerer Sitten, von dem zuletzt alle wahre Verbesserung des gesellschaftlichen Zustandes abhängt, nach Vermögen geschäftig sein. Sowohl spielend als ernsthaft wird man im Fortgange dieser Schrift dieses einige Ziel verfolgen, und so verschieden auch die Wege sein mögen, die man dazu einschlagen wird, so werden doch alle, näher oder entfernter, dahin gerichtet sein, wahre Humanität zu befördern. Man wird streben, die Schönheit zur Vermittlerin der Wahrheit zu machen und durch die Wahrheit der Schönheit ein daurendes Fundament und eine höhere Würde zu geben. Soweit es tunlich ist, wird man die Resultate der Wissenschaft von ihrer scholastischen Form zu befreien und in einer reizenden, wenigstens einfachen, Hülle dem Gemeinsinn verständlich zu machen suchen. Zugleich aber wird man auf dem Schauplatze der Erfahrung nach neuen Erwerbungen für die Wissenschaft ausgehen und da nach Gesetzen forschen, wo bloß der Zufall zu spielen und die Willkür zu herrschen scheint. Auf diese Art glaubt man zu Aufhebung der Scheidewand beizutragen, welche die schöne Welt von der gelehrten zum Nachteile beider trennt, gründliche Kenntnisse in das gesellschaftliche Leben und Geschmack in die Wissenschaft einzuführen.

Man wird sich, soweit kein edlerer Zweck darunter leidet, Mannigfaltigkeit und Neuheit zum Ziele setzen, aber dem frivolen Geschmacke, der das Neue bloß um der Neuheit willen sucht, keineswegs nachgeben. Übrigens wird man sich jede Freiheit erlauben, die mit guten und schönen Sitten verträglich ist.

Wohlanständigkeit und Ordnung, Gerechtigkeit und Friede werden also der Geist und die Regel dieser Zeitschrift sein; die drei schwesterlichen Horen Eunomia, Dike und Irene werden sie regieren. In diesen Göttergestalten verehrte der Grieche die welterhaltende Ordnung, aus der alles Gute fließt, und die in dem gleichförmigen Rhythmus des Sonnenlaufs ihr treffendstes Sinnbild findet. Die Fabel macht sie zu Töchtern der Themis und des Zeus, des Gesetzes und der Macht; des nämlichen Gesetzes, das in der Körperwelt über den Wechsel der Jahreszeiten waltet und die Harmonie in der Geisterwelt erhält.

Die Horen waren es, welche die neugeborene Venus bei ihrer ersten Erscheinung in Cypern empfingen, sie mit göttlichen Gewanden bekleideten und so, von ihren Händen geschmückt, in den Kreis der Unsterblichen führten: eine reizende Dichtung, durch welche angedeutet wird, dass das Schöne schon in seiner Geburt sich unter Regeln fügen muss und nur durch Gesetzmäßigkeit würdig werden kann, einen Platz im Olymp, Unsterblichkeit und einen moralischen Wert zu erhalten. [...]

Chariten
Dienende der Hauptgötter in der griech. Mythologie, entspr. den drei Grazien in der röm. Myth.

scholastisch
hier: schulgemäß, spitzfindig

1 Erläutern Sie die von Schiller intendierte Funktion der Zeitschrift, indem Sie kurz den Inhalt des Auszuges zusammenfassen und dann dezidiert die angestrebte Funktion der Zeitschrift erklären und an Beispielen verdeutlichen.

2 Recherchieren Sie den Mythos der Horen. Erläutern Sie auf Grundlage Ihrer Ergebnisse und unter Berücksichtigung der Ausführungen Schillers (vgl. Z. 47 ff.) die Aussageabsicht, die sich mit dem gewählten Titel der Zeitschrift verbindet.

3 Erläutern Sie das Bildungs- und Erziehungsverständnis, welches Schiller in diesem Auszug vertritt.

4 Vergleichen Sie das von Schiller geschilderte Erziehungs- und Bildungsverständnis mit der Auffassung der Aufklärung. Wo finden sich Gemeinsamkeiten? Worin unterscheiden sich die Konzepte?

Nacht, Sehnsucht und Fantasie!

Ideen der Romantik anhand eines lyrischen Textes nachvollziehen

Sie werden sich im Rahmen Ihrer weiteren Erarbeitungen noch intensiv mit Gedichten der Romantik auseinandersetzen. Hier lernen Sie zunächst ein sogenanntes Programmgedicht kennen, das die Ideen dieser Epoche aufzeigt, die in Teilen parallel zu und auch über die Schaffensphase Büchners hinaus verläuft.

Novalis (1722–1801) eigentlich Georg Philipp Friedrich Leopold Freiherr von Hardenberg, deutscher Lyriker

Novalis

Wenn nicht mehr Zahlen und Figuren (1800)

Wenn nicht mehr Zahlen und Figuren
sind Schlüssel aller Kreaturen,
wenn die, so singen oder küssen,
mehr als die Tiefgelehrten wissen,
wenn sich die Welt ins freie Leben
und in die Welt wird zurückbegeben,
wenn dann sich wieder Licht und Schatten
zu echter Klarheit werden gatten
und man in Märchen und Gedichten
erkennt die wahren Weltgeschichten,
dann fliegt vor *einem* geheimen Wort
das ganze verkehrte Wesen fort.

1 Das Gedicht von Novalis stammt aus dem Roman „Heinrich von Ofterdingen“ und zeigt in einem Konditionalgefüge Forderungen an den romantischen Menschen, eine romantisierte Welt auf. Fassen Sie den Inhalt des Gedichts in einer komprimierten Form zusammen, indem Sie selber das nachfolgende Konditionalgefüge vervollständigen:

*Wenn der Mensch ...*______________________________,

*dann wird die Welt ...*______________________________.

2 Charakterisieren Sie auf Grundlage des lyrischen Textes den idealtypischen „romantischen“ Menschen. Welches Menschenbild wird in diesem Gedicht deutlich?

3 Novalis kritisiert mit seinem Gedicht aufklärerische Auffassungen. Setzen Sie sich unter Rückgriff auf Ihre Kenntnisse der Epoche der Aufklärung mit der Position Novalis' auseinander. Berücksichtigen Sie dabei insbesondere die folgenden Verse: „Wenn nicht mehr Zahlen und Figuren / sind Schlüssel aller Kreaturen“ (Vers 1/2); „wenn dann sich wieder Licht und Schatten / zu echter Klarheit werden gatten / und man in Märchen und Gedichten / erkennt die wahren Weltgeschichten“ (Vers 7–10). Gehen Sie bei Ihren Ausführungen auch auf die gewählten sprachlichen Bilder ein.

Ideen der Romantik anhand eines pragmatischen Textes nachvollziehen

Bengt Algot Sørensen

Deutsche Romantik (2003)

Während sich die Klassiker um eine reinliche Scheidung der Gattungen, vornehmlich um das Wesen des Epos, des Dramas, der Lyrik bemühten, wie etwa der Briefwechsel zwischen Goethe und Schiller zeigt, so waren die Romantiker dagegen der Meinung, dass das Kunstwerk der Zukunft aus der Mischung der Gattungen hervorgehen müsse. Im Brief über den Roman (1800) behauptete Fr. Schlegel, dass „das Drama ... die wahre Grundlage des Romans ist", und anschließend gesteht er: „Ja, ich kann mir einen Roman kaum anders denken, als gemischt aus Erzählung, Gesang und anderen Formen." [...] Die künstlerische Praxis der Romantik entsprach weitgehend solchen und ähnlichen Theorien. So sind z. B. die zahlreichen eingelegten Lieder ein charakteristisches Merkmal des Romans dieser Periode. [...] Ähnlich verhält es sich mit den Dramen der Romantik. Hier kommt es sogar vor, dass [Figuren] sich in Sonetten, Stanzen oder Terzinen unterhalten. [...]

Wie der Roman wurde auch das Drama der Romantik weitgehend durch die Mischung der Gattungen bestimmt. Stimmung, Atmosphäre, „Klima, Duft und Ton" (Tieck); verbunden mit Träumen und Visionen, Personifikationen und Allegorien, dazu eine Vielfalt von metrischen und strophischen Formen, diese Mischung bewirkte eine Auflösung der festen Umrisse, eine Verwandlung der Wirklichkeit ins Traumhafte, die zwar genuin romantisch war, dem Wesen des traditionellen Dramas aber widersprach. Charakteristisch sind die Schlussworte des Prologs in Tiecks dramatisiertem Volksbuch *Kaiser Octavianus* (1804):

Mondbeglänzte Zaubernacht,
Die den Sinn gefangen hält,
Wundervolle Märchenwelt,
Steig auf in der alten Pracht.

Nicht das antike Drama konnte hier vorbildlich werden, sondern der katholische, dem Mittelalter verbundene Süden gab der Märchenwelt des romantischen Dramas wesentliche Anregungen. Besonders der spanische Dramatiker der Gegenreformation, Calderón (1600–1681), faszinierte die Romantiker. Die Brüder Schlegel haben ihn mehrfach – bewundernd – charakterisiert, A. W. Schlegel und nach ihm Eichendorff kongenial übersetzt.

Die Dramen der Romantiker wurden selten oder nie aufgeführt. Auch ihre Lustspiele waren ausgesprochene Lesekomödien. In Tiecks ersten Lustspielen wie z. B. *Der gestiefelte Kater* (1797), *Die verkehrte Welt* (1798) und *Prinz Zerbino* (1799) tritt der Bruch mit der Lustspieltradition der Aufklärung deutlich hervor: Der Handlungszusammenhang löst sich auf, die Bühne fängt an, mit sich selbst zu spielen, das Publikum wird einbezogen und zur Zielscheibe des Witzes und der Satire gemacht. Noch weiter ging Brentano in der Komödie *Ponce de Leon* (1803), in der sich die spielerische Fantasie ohne satirisches Ziel in einem poetisch-imaginären Raum frei entfaltet. [...]

Friedrich Schlegel (1772–1829)
deutscher Philosoph und Schriftsteller

Ludwig Tieck (1773–1853)
deutscher Dichter der Romantik

Pedro Calderón de la Barca (1600–1681)
spanischer Dichter und Dramatiker

1 Stellen Sie anhand des Textes von Sørensen Merkmale der Literatur der Romantik dar und gehen Sie dabei insbesondere auf Aspekte der Gattung der Dramatik ein.

2 „Woyzeck" ist sicher nicht romantisch. Aber es finden sich einzelne Stellen, die eine Form universalpoetischer Intertextualität aufweisen. Überprüfen Sie, wo und wie intertextuelle Bezüge/Aspekte anderer Gattungen in Büchners „Woyzeck" vorkommen.

Die Wirren des Vormärz

Die kulturellen und literarischen Strömungen der Zeit Büchners erfassen

Epochal ist die Schaffenszeit Büchners eher schwierig zu bestimmen, da neben der noch immer bedeutenden Romantik und der späten Schaffenszeit Goethes unterschiedliche Strömungen vorhanden sind, die sich sowie der Romantik und Goethes Auffassung teils kontrastiv gegenüberstehen. Die Wirren der Literatur sind sicherlich auch den Wirren der Zeit an sich geschuldet.

Sturm auf die Konstablerwache in Frankfurt, 3. April 1833

1 Rekapitulieren Sie anhand Ihres Zeitstrahls (vgl. S. 12 und 40) die bedeutenden zeitgeschichtlichen Entwicklungen nach 1818.

Helmut Koopmann

Biedermeierzeit (2006)

Die Welt des Biedermeier ist eine bewusst beschränkte Welt; geordnete Sozialverhältnisse, das Leben in der kleinen Gemeinschaft der Großfamilie, das Sich-Begnügen mit den Verhältnissen, so wie sie sind, auch die Hinnahme einer bürgerlichen oder kleinbürgerlichen Enge kennzeichnen die Welt des Biedermeier ebenso wie die stark protestantisch gefärbte Tugendlehre, die auf Erfüllung der Pflicht, auf Sparsamkeit, Fleiß, Arbeitswilligkeit, Verzicht auf eigene Wünsche zugunsten einer Gemeinschaft abzielt. Das Wirken im Alltag, die Beschränkung des eigenen Tuns und Handelns auf das Gegebene, die Freude auch am Unbedeutenden, eine ausgesprochene Abneigung gegenüber Konflikten und das Fehlen jeglicher Streitkultur bestimmten das Leben und gleichermaßen die Literatur, die dieses Leben beschrieb. Die Liebe zum Kleinen und Kleinsten führte dabei zu einem Realismus gerade in der Darstellung der kleinen Dinge, die allerdings häufig überzeichnet wurden und oft auch überzeitliche Bedeutung bekamen, im Gegensatz zu den Gegenständen und Themen der Zeitschriftsteller und der Beschäftigung mit der Tagespolitik bei den Jungdeutschen oder den Vertretern des Vormärz.

Karl Trost

Junges Deutschland (1990)

Literarische Bewegung mit politisch-zeitkritischer Tendenz, etwa 1820–50, Höhepunkt zwischen 1830 (Julirevolution) und 1835 (Bundestagsbeschlüsse). Die Bezeichnung „Junges Deutschland“ [...] erschien zum ersten Mal in Ludolf Wienbargs für das Junge Deutschland programmatischen „Aesthetischen Feldzügen“ (1834). Jedoch erst der Beschluss des Bundestages, die Schriften des Jungen Deutschlands als staatsgefährdend zu verbieten (10.12.1835 aufgrund einer Denunziation des Kritikers Wolfgang Menzel nach der Rezension von Gutzkows Roman „Wally die Zweiflerin“, 1835), spricht von einer „literarischen Schule“, der Henrich Heine, Karl Gutzkow, Heinrich Laube, Ludolf Wienbarg und Theodor Mundt zugerechnet wurden. Ihr wurde unterstellt, die christliche Religion anzugreifen, die bestehenden sozialen Verhältnisse herabzuwürdigen, die gesetzliche Ordnung zu untergraben und Zucht und Sittlichkeit zu zerstören. – Tatsächlich bildeten die genannten Schriftsteller [...] keine feste Schule. Bei großer persönlicher und programmatischer Differenz verband sie aber die grundsätzliche Ablehnung jeglichen Dogmatismus' (insbesondere der moralischen und gesellschaftlichen Ordnung der Restauration), des Adels, der Verbindung von Kirche und Staat, das Eintreten für den französischen Liberalismus, für die republikanischen Staatsordnung, für demokratische verfassungsmäßige Freiheiten, insbesondere die Presse- und Meinungsfreiheit, für staatliche Einheit, Weltbürgertum, die Emanzipation der Frau (und allgemein die „des Fleisches"), die Propagierung sozialistischer und kollektivistischer Ideen im Gefolge des Saint-Simonismus. Im literarischen Bereich verband sie die Forderung einer im aktuellen politischen-sozialen Leben, in der „Zeit", stehenden Dichtkunst. Das literarische Programm des Jungen Deutschland war bestimmt durch die Auseinandersetzung mit der (Weimarer) Klassik und Romantik, die sich als „Kunstperiode" vom politisch-sozialen Leben zurückgezogen habe. Als deren (zugleich verehrter und angefeindeter) Repräsentant galt Goethe, das „Zeitablehnungsgenie", mit dessen Tod im Bewusstsein der jungen Literaten eine ganze Epoche zu Ende ging. Dieser vergangenen aristokratisch-zeitentrückten, ästhetisch-idealistischen Kunstrichtung sollte ein demokratisches Prinzip der Literatur, eine historiografische Zeitliteratur entgegengesetzt werden, die formal durch Gegenständlichkeit und Detailtreue, inhaltlich durch neue, politisch-gesellschaftlich relevante, realistische Stoffe und kritische Reflexion die Wirklichkeit in ihrer Widersprüchlichkeit darstellen sollte.

Dogmatismus starres Festhalten an Anschauungen und Lehrmeinungen

Restauration Wiederherstellen alter politischer Ordnungen nach einem Umsturz

Liberalismus Eintreten für persönliche und politische Freiheit

Propagierung Werbung für politische Ansichten

Saint-Simonismus frühsozialistische Utopie, die eine Abschaffung des Eigentums forderte

Amnestie Straferlass

Reinhard Döhl

Vormärz (Auszug, 1990)

Vormärz, neben Jungem Deutschland und Biedermeier häufig gebrauchter, jedoch nicht unproblematischer literaturgeschichtlicher Epochenbegriff für eine literarhistorische Phase in der 1. Hälfte des 19. Jahrhunderts. Als Epochenbegriff datiert man den Vormärz 1. (den Historikern folgend) gelegentlich schon ab 1815; 2. häufiger von 1830 (Julirevolution) bis 1848 (Märzrevolution in Deutschland): Dieser das Junge Deutschland einbeziehende Epochenansatz erweist sich für die neuere Forschung als praktikabler als das umgekehrte Verfahren [...] und fasst mit Vormärz die politische progressive Spielart des konservativen Biedermeier, das mit 1815 bis 1848 ähnlich weitgreifend datiert wird. Neuerdings setzt sich 3. jedoch eine weitere Unterteilung in Junges Deutschland (ca. 1830 bis zum Verbot 1835), eine (unbenannte) Zwischenphase und den eigentlichen Vormärz (1840 bis 1848/49) durch, vor allem aus zwei Gründen:
1. historisch kam mit der Rheinkrise 1840 erneut ein starkes Nationalgefühl auf; man verband mit der Thronbesteigung Friedrich Wilhelms von Preußen (1840 politische Amnestie; 1841 Lockerung der Zensurbestimmungen) große politische Hoffnungen; [...]
2. vom Standpunkt der Vormärz-Dichter war das Junge Deutschland eine abgeschlossene Phase, deren Vertreter man ob ihres „illusionären Liberalismus" strikt ablehnte. So findet sich von den Jungdeutschen eigentlich nur H. Heine [...] im schärferen politischen Fahrwasser des Vormärz wieder.

1 ***Lernarrangement:*** Bilden Sie Arbeitsgruppen und erarbeiten Sie arbeitsteilig die drei Texte zu den Strömungen Biedermeierzeit, Junges Deutschland und Vormärz.
  a) Stellen Sie die zentralen Inhalte des jeweiligen Textes dar und recherchieren Sie darüber hinaus in geeigneten Quellen nach weiteren Informationen über die von Ihnen bearbeitete Strömung (Vertreter, Vorbilder, Gegner, Ziele, Gegner, Zentren etc.).
  b) Präsentieren Sie Ihre Ergebnisse im Plenum.

2 Diskutieren Sie auf Grundlage Ihrer Erarbeitungen, inwieweit sich Merkmale dieser Strömungen in Büchners „Woyzeck" widerspiegeln.

„und man in Märchen und Gedichten / erkennt die wahren Weltgeschichten“

Sich mit der Intertextualität des „Woyzeck“ auseinandersetzen

1 Was verbinden Sie mit dem Begriff Märchen? Sammeln Sie im Kurs Assoziationen.

Jakob (1785–1863) und Wilhelm (1785–1859) Grimm bekannt unter dem Begriff Brüder Grimm, oft auch Gebrüder Grimm; gelten als Gründungsväter der Germanistik; weltberühmt für die Veröffentlichung der „Kinder- und Hausmärchen“.

Jakob und Wilhelm Grimm

Die Sterntaler (1819)

Es war einmal ein kleines Mädchen, dem war Vater und Mutter gestorben, und es war so arm, dass es kein Kämmerchen mehr hatte, darin zu wohnen, und kein Bettchen mehr, darin zu schlafen, und endlich gar nichts mehr, als die Kleider auf dem Leib und ein Stückchen Brot in der Hand, das ihm ein mitleidiges Herz geschenkt hatte. Es war aber gut und fromm. Und weil es so von aller Welt verlassen war, ging es im Vertrauen auf den lieben Gott hinaus ins Feld. Da begegnete ihm ein armer Mann, der sprach: „Ach, gib mir etwas zu essen, ich bin so hungrig.“ Es reichte ihm das ganze Stückchen Brot und sagte: „Gott segne dir's“, und ging weiter. Da kam ein Kind, das jammerte und sprach: „Es friert mich so an meinem Kopfe, schenk mir etwas, womit ich ihn bedecken kann.“ Da tat es seine Mütze ab und gab sie ihm. Und als es noch eine Weile gegangen war, kam wieder ein Kind und hatte kein Leibchen an und fror: da gab es ihm seins; und noch weiter, da bat eins um ein Röcklein, das gab es auch von sich hin.

Endlich gelangte es in einen Wald, und es war schon dunkel geworden, da kam noch eins und bat um ein Hemdlein, und das fromme Mädchen dachte: „Es ist dunkle Nacht, da sieht dich niemand, du kannst wohl dein Hemd weggeben“, und zog das Hemd ab und gab es auch noch hin. Und wie es so stand und gar nichts mehr hatte, fielen auf einmal die Sterne vom Himmel, und waren lauter harte blanke Taler; und ob es gleich sein Hemdlein weggegeben, so hatte es ein neues an, und das war vom allerfeinsten Linnen. Da sammelte es sich die Taler hinein und war reich für sein Lebtag.

1 Fassen Sie den Inhalt des Märchens in eigenen Worten zusammen.

2 Erläutern Sie die Wirkungsabsicht und die mögliche gesellschaftliche Funktion des Märchens.

Johannes Merkel

Märchen und deren gesellschaftliche Bedeutung (1995)

Die Brüder Jacob und Wilhelm Grimm

„Märchen“ heißt im alltäglichen und noch mehr im Sprachgebrauch jener Kinder [...] jede erfundene „unechte“ Geschichte. Dieser Sprachgebrauch zeigt die bedeutende Rolle, die diese Gattung von Kinderlektüre in der Sozialisation des (bürgerlichen) Kindes spielt, und die einem erst dann richtig bewusst wird, wenn man sich vergegenwärtigt, dass das (Volks-)Märchen ursprünglich weder „märchenhaft“ noch auf das „Märchenalter“ beschränkt war. Denn die deutschen Volksmärchen, wie sie seit 1800 von den Brüdern Grimm und anderen aufgezeichnet wurden, waren erzählte, mündlich weitergegebene Literatur vor allem der ländlichen Unterschichten, und woher auch die einzelnen; oft sehr alten Stoffe und Motive hergenommen sein mochten, das Volksmärchen verknüpfte sie doch stets in einer Weise, die deutlich die soziale Lage der im Zusammenhang mit der zweiten Leibeigenschaft immer extremer ausgebeuteten ländlichen Unterschichten wiedererkennen lässt.
Für diese Schichten – abhängige Bauern, Knechte, Tagelöhner, Bettler –, die in ihrer Arbeit vereinzelt, geografisch weitverstreut und nicht wie die Handwerkergesellen in den Städten an einem Platz konzentriert waren, gab es keine Perspektive des Widerstands gegen die sich verschärfende Ausbeutung und keine Aussicht auf eine Änderung ihrer gesellschaftlichen Lage. Nur als Märchen war ein besseres Leben utopisch träumbar.
Das deutsche Volksmärchen reflektiert diese Situation in seiner Grundstruktur: Zu Beginn zeigt es seinen Helden in hoffnungsloser Lage, er ist der Jüngste, der Dummkopf, der Knecht, die Stieftochter usw. Die eigentliche Handlung verändert dann aber radikal seine Lage, um ihn unerwartet ins Märchenglück zu führen, wozu der Held zwar eine gute Eigenschaft besitzt, die ihn im entscheidenden Moment sich richtig, nämlich mitleidsvoller, gerechter usw. (als die Großen und die Herren) verhalten lässt, aber wobei die Veränderung zum Guten dann doch die magischen Helfer (Tiere, Zauberer usw.) für ihn verrichten. Die Veränderung ist auch niemals zeitlich noch örtlich zu konkretisieren oder zu lokalisieren, denn unter den gegebenen Umständen war Abhilfe nur als geheimnisvolle Hilfe von dritter Seite vorstellbar und das „Es war einmal“ bezeichnet ebenso eine diffuse, vielleicht glücklichere, Vergangenheit wie die Möglichkeit einer fernen, befriedigenderen Zukunft.

1 Entwerfen Sie auf der Grundlage des Textes von Merkel und der Erarbeitung des Märchens der Brüder Grimm einen Kriterienkatalog für Merkmale und Funktionen des traditionellen Märchens.

2 Lesen Sie in Ihrer Textausgabe des „Woyzeck“ das Märchen (Szene 19), das die Großmutter den Kindern auf Maries Aufforderung hin erzählt. Vergleichen Sie dieses sogenannte Anti-Märchen mit dem Märchen „Die Sterntaler“ in Bezug auf Gemeinsamkeiten und Unterschiede.

3 Erläutern Sie in Rückbezug auf den Kriterienkatalog die These, dass das Märchen der Großmutter ein sogenanntes Anti-Märchen ist.

4 Diskutieren Sie im Plenum: Welche Funktion hat das Märchen der Großmutter für das Drama?

Das Werk und seine Spannungsfelder

Die Textkenntnisse in Bezug setzen zu Analyseaspekten

Auf S. 31 dieses Arbeitsbuches haben Sie sich bereits systematisierend mit den Analysefeldern, den Themen und Problembereichen des Dramenfragments auseinandergesetzt. Die Aspekte Militär (S. 33) und Menschenexperiment (S. 35) sind zunächst fokussiert worden. Das Fragment weist aber noch weitere größere Analysefelder auf, die durchaus auch im Rückbezug zur epochalen Einordnung sowie zur Frage der Ethik und Moral (S. 35) stehen. Drei weitere Komplexe sollen nunmehr arbeitsteilig in den Blick genommen werden.

1 ***Lernarrangement:***
Lesen Sie alle der drei nachfolgenden Texte. Teilen Sie dann den Kurs in drei (oder sechs) Gruppen. **Gruppe A** beschäftigt sich mit dem Text „Armut und Arbeit“, **Gruppe B** mit dem Text „Philosophische und religiöse Paradigmen“ und **Gruppe C** mit dem Text „Sexualität“.

a) Alle Gruppen erstellen ein Thesenpapier zu Ihrem Text. Was sind die zentralen Aussagen des Textes zum genannten Analysefeld?
b) Alle Gruppen ordnen systematisch Szenen des Dramenfragments dem zu bearbeitenden Analysefeld zu. Welche Szenen werden im Text angesprochen? In welchen Szenen finden sich Bezüge zu den Thesen des Textes?
c) Die Gruppen stellen sich gegenseitig Ihre Ergebnisse vor, indem Sie in einem Vortrag 1. die Thesen ihres zu bearbeitenden Textes wiedergeben und 2. anhand geeigneter Textstellen/ Szenen des Dramenfragments erläutern.

Harald Neumeyer

Büchner Handbuch: Armut und Arbeit (2015)

Zentraler Ausgangspunkt des Dramas ist die materielle Armut Woyzecks, die ihn zum fortgesetzten Arbeiten zwingt. Schon dass Woyzeck überhaupt Soldat ist, resultiert daraus, dass er seinen Lebensunterhalt zu bestreiten sucht [...]. Mit Blick auf die Militärgeschichte ist anzunehmen, dass Woyzeck, der im Drama 30 Jahre alt, also älter als ein Militärpflichtiger ist, nach der Figur des *Einstehers* gestaltet ist, jener Soldaten, die gegen eine zu hinterlegende Einstandssumme den Dienst für einen begüterten Militärpflichtigen verrichten [...]. Da der damalige Lohn eines einfachen Soldaten jedoch nicht zur Sicherung des Existenzminimums ausreicht, sind sie dazu gezwungen, ihr Einkommen durch außerdienstliche Tätigkeiten aufzubessern [...]. So verrichtet auch Woyzeck nicht nur seinen Wachdienst, sondern schneidet Stöcke, rasiert seinen Hauptmann, für den er zudem Wein holt, und verpflichtet sich dem Doktor, für den er überdies Versuchstiere sammelt, vertraglich als Experimentalobjekt. Gleichwohl verdient Woyzeck, wie sich bei der Verteilung seiner wenigen Besitztümer zeigt, gerade so viel, dass er sich das zum Leben Notwendigste leisten kann: Er verdingt sich in „unterentlohnter Überbeschäftigung“ [...]. Derart stellt das Drama in der Figur Woyzecks das sich seit dem ersten Drittel des 19. Jahrhunderts ausprägende sozialökonomische Phänomen des Pauperismus dar: Aus Armut sind breite Schichten der Bevölkerung zur ununterbrochenen Arbeit genötigt, ohne dadurch ihre Armut mindern zu können. Das Drama entfaltet exemplarisch an Woyzeck die destruktiven Konsequenzen des Pauperismus, – „Ausbeutung, Unterdrückung und Entfremdung“ [...] – und führt [...] den „Mord durch Arbeit“ [...] an Körper und Seele eines Paupers vor. Dabei sind sowohl Physis als auch Psyche dem Determinationszusammenhang von Armut und Arbeit restlos unterworfen: Noch wenn Woyzeck uriniert, arbeitet er, und zwar im Dienste des Doktors [...]. Er selbst reflektiert diese Mechanismen, die ihn zum „Subject Woyzeck“ [...] im Wortsinne, zu einem seinen Arbeitgebern Unterworfenen machen, sehr wohl, sieht jedoch keinen Ausweg aus dem Kreislauf von Armut und Arbeit, der in seiner Wahrnehmung das irdische wie das jenseitige Leben umgreift: „Ich glaub' wenn wir in Himmel kämen, so müssten wir donnern helfen." [...].

Harald Neumeyer

Büchner Handbuch: Philosophische und religiöse Paradigmen (2015)

Im Gespräch zwischen dem Hauptmann und Woyzeck macht Letzterer auf die machttechnologischen Implikationen des Tugendbegriffs aufmerksam: Tugend „stellt einen ausgrenzenden Begriff dar" [...], insofern er die Grenze des Bürgertums nicht mehr zum Adel, sondern zum Pauper zu zementieren sucht. Der Freiheitsbegriff, den der Doktor vertritt, hat gleichfalls machttechnologische Implikationen, wenn er in Berufung auf einen freien Willen seinen Probanden zur Unterdrückung des Harndrangs auffordert. Das Freiheitskonzept des Doktors zielt genauso wie das Tugendkonzept des Hauptmanns darauf ab, die Bedürfnisse der menschlichen Natur zu domestizieren. Dies weist beide Konzepte als Strategien einer Disziplinarmacht aus, die die Individuen als sich selbst regulierende Systeme zu konstituieren versucht, bei denen der Einzelne als Subjekt und als Objekt seiner Reglementierung fungiert. Die ältere Forschungsliteratur hat vor allem aufgrund der *Testamentszene* [Szene 18], in der Woyzeck Andres ein pietistisches Kirchenlied aus der Bibel seiner Mutter vorliest, von einer Konversion des Protagonisten gesprochen und seine Figur mit Jesus Christus parallelisiert [...]. Diese These ist jedoch nicht haltbar. Die im Drama zirkulierenden religiösen Vorstellungen bilden primär ein „Arsenal von Bildern" [...], aus denen sich Woyzecks Wahnsinn speist. Dass es sich dabei vor allem um Visionen vom Jüngsten Gericht und vom Weltuntergang handelt, verdeutlicht zudem, dass Woyzeck allein einen strafenden Gott kennt, zu dem er sich selbst in der Mordtat stilisiert. Denn nicht nur qualifiziert er Marie aufgrund ihrer Untreue als Sünderin, sondern auch sich selbst als denjenigen, der sie durch die Tötung von dieser Sünde reinigt [...]. Die religiösen Straffantasien artikulieren sich demnach nicht nur in den Wahnsymptomen Woyzecks; sie bedingen noch die Mordtat mit. Die religiösen Trostversprechungen wiederum greifen bei den Figuren nicht. Marie bricht ihre Bibellektüre mit dem Ausruf „Alles tot!" [...] ab und markiert darin ihre Gottesferne. Woyzeck kann sich kein anderes Jenseits vorstellen als das einer fortgesetzten Ausbeutung seiner Arbeitskraft. Und das von der Großmutter erzählte Märchen berichtet von der Reise in einen Himmel, der weder Hoffnung noch Erlösung verbürgt [...]. So agieren alle Figuren unter einer entleerten Transzendenz.

Pietismus
Frömmigkeitsbewegung im deutschen Protestantismus, also eine Bewegung, deren erstes Anliegen die Förderung der Frömmigkeit war

Frömmigkeit
bezeichnet eine tief in einem Glauben wurzelnde Haltung, die sich in einer darauf ausgerichteten Lebensgestaltung im Sinne der Lehren und Kulte der entsprechenden Religion äußert

Transzendenz
jenseits der Erfahrung, des Gegenständlichen Liegendes

Harald Neumeyer

Büchner Handbuch: Sexualität (2015)

Dass sowohl philosophische als auch religiöse Paradigmen Sanktionen zeitigen können, die die Abweichung von den in ihnen angemahnten Normen bestrafen, verdeutlicht vor allem die Ermordung Maries. Während Woyzeck gegenüber dem Hauptmann und dessen repressiver Sexualmoral sich rechtfertigend auf „sein Fleisch und Blut", also auf seine sexuellen Bedürfnisse, beruft, bringt er eben diese Sexualmoral in der Mordszene selbst zur Anwendung [...], wenn er von Maries „heißem Hurenatem" [...] spricht und dadurch seine Tat legitimiert: Die sexuell aktive Frau, die gemäß der moralischen wie religiösen Normen als Hure wahrgenommen wird, muss und darf vom Mann abgestraft werden. Es ist dabei nur konsequent, dass es der Hauptmann ist, der Woyzeck von der Untreue Maries berichtet und damit das seinem Tugendkonzept und auch Woyzecks religiösen Vorstellungen inhärente Sanktionierungsverfahren in Gang setzt. Die Zurückweisung Woyzecks durch Marie und die Prügel, die Woyzeck von seinem Nebenbuhler einzustecken hat, motivieren die Mordtat zudem psychologisch: Sie stellt eine „narzisstische Heilung der auch buchstäblich beschädigten Männlichkeit“ [...] dar. Die Formulierung, mit der Marie ihre Zurückweisung formuliert – „Ich hätt lieber ei[n] Messer in den Leib, als dei[ne] Hand auf meiner“ –, konnotiert darüber hinaus die Mordtat als einen sexuellen Akt, als die Woyzeck einzig noch verbleibende Handlung, mit der er eine Nähe der Körper herstellen und über den Körper der Frau verfügen kann. Wie in *Danton's Tod* werden damit auch im *Woyzeck* Sexualität und Gewalt miteinander verknüpft [...]. Verstärkt wird dies zum einen durch das Motiv des Bluts [...]. Denn als der Narr über die tanzende Marie bemerkt, dass sie nach Blut riecht, übersetzt Woyzeck diese auf den Tod anspielende Aussage in ein Bild, das Eros und Thanatos verschmilzt: „Es ist mir als wälzten sie sich in einem Meer von Blut, all miteinander“ [...]. Und forciert wird dies zum anderen durch das Motiv des Tanzes. Denn im Tanz manifestiert sich die sexuelle Anziehung zwischen Marie und dem Tambourmajor, die hinfort Woyzeck im aufgeschnappten Ausruf „immer zu“ verfolgt und zum Mord auffordert, so dass nicht nur die Mordtat, sondern von Anfang an auch „seine Mordfantasien als zugleich sexuelle Fantasien [grundiert]“ [...] sind. Die Annäherung zwischen Marie und dem Tambourmajor vollzieht sich zwar selbst im Zeichen einer Lust auf den Körper des je anderen. Doch während der Mann die Frau auf die Fortpflanzungsfunktion festlegt, erhofft sich die Frau durch den militärischen Rang des Mannes einen sozialen Aufstieg [...].

Eros und Thanatos hier: Lebens- und Todestrieb

Ballett Vorpommern, 2012

An dieser Stelle ist die im Kern textimmanente Erarbeitung des „Woyzeck“ abgeschlossen. Nach dem anschließenden Klausurtraining wendet sich die Erarbeitung vor allem dramentheoretischen Aspekten und damit verbunden Vergleichsdramen zu. Damit bietet es sich an, an dieser Stelle ein Zwischenfazit zu ziehen ...

1 Rekapitulieren Sie Ihre bisherigen Erarbeitungen, indem Sie sich verdeutlichen, was die zentralen Inhalte, die historischen und epochalen Bezüge sowie die Themenfelder und Problembereiche des Dramenfragments „Woyzeck“ sind.
Verfassen Sie darauf aufbauend eine Rezension zum „Woyzeck“, die eine Leseempfehlung begründet (oder aber auch begründet von der Lektüre abrät).

Klausurtraining

Erörterung eines Sachtextes mit Bezug auf einen literarischen Text (Aufgabenart III B)

Sie haben sich bis hier mit dem Dramenfragment „Woyzeck“ von Georg Büchner und dessen epochaler wie ideengeschichtlicher Zuordnung auseinandergesetzt. Jetzt sollen Sie einen pragmatischen Text in Bezug setzen zu Ihren Kenntnissen der Literatur und Büchners Text im Allgemeinen.

1 Stellen Sie die Aussagen des Textes zu dem Charakter und einigen Details der Inszenierung Haußmanns dar und formulieren Sie schlussfolgernd, welche Haltung der Autor M. Laages zur Umsetzung der Dramenvorlage einnimmt.

2 Erörtern Sie vor dem Hintergrund Ihrer Kenntnisse über den Inhalt des Dramas und über die psychischen Befindlichkeiten des Protagonisten die Frage, inwieweit das zentrale Thema des Dramenfragments „Woyzeck“ zeitungebunden aufgefasst und inszeniert werden kann.
Nehmen Sie abschließend Stellung zu der Vorgehensweise von Leander Haußmann unter Bezugnahme auf die Äußerungen von Michael Laages.

K

Michael Laages

Woyzeck quält der Wahnsinn aus dem Schützengraben (2014)

Der Krieg hört in ihm nicht auf: Im Berliner Ensemble zeigt Leander Haußmann Büchners „Woyzeck" als ewigen Soldaten. Und erklärt den Mord an der Geliebten mit den Erkenntnissen der modernen Medizin.

Von PTBS, dem „posttraumatischen Belastungssyndrom", war noch lange nicht die Rede, als Georg Büchner kurz vor dem Tod mit 24 Jahren „Woyzeck" hinterließ, eines der bedeutendsten Fragmente der Theatergeschichte. Wer es aufführt, erfindet es ohnehin immer wie neu – Leander Haußmann [...] sucht in der Geschichte der geschundenen Kreatur, die praktisch willenlos zum Mörder wird, das Psychogramm des gedrillten Soldaten. Als ob er leiden würde am PTBS – diese Mensch-Maschine tötet und kann wohl gar nicht anders.

Im Gleichschritt, marsch! – fast drei Dutzend Statisten (und auch Statistinnen!), uniformiert in handelsüblicher Militär-Camouflage, drehen Runde um Runde auf der Drehbühne, um den Gruppendruck durchgängig aufrechtzuerhalten auf Woyzeck, dieses ziemlich haltlose Individuum. Der hat ja nur die Geliebte, die schöne Marie, die das Leben deutlich lockerer nimmt als der Vater des gemeinsamen Kindes und gemeinsam mit der besten Freundin Margret durchaus ganz gern die Rolle als erotisches Blitzmädel der Kompanie übernimmt. Ein paar blitzende Ohrringe als Geschenk reichen fast schon. Das Kind ist ihr so fremd wie Woyzeck, es stört eher; und als sie mit dem schicken Tambourmajor fremdgegangen ist und der eifersüchtige Woyzeck vom Uniformträger vermöbelt und erniedrigt worden ist, wird sie vom armen Teufel, der ihr Liebster war, hingemordet.

Sex und Tod sind dabei eins – in der letzten körperlichen Vereinigung dringt der nackte Mann auch mit dem Messer ein. Wo er es herhat in diesem Moment – nicht so wichtig. Eins ist eh wie das andere ...

So schwer sich Leander Haußmann auch tut mit diesem Material in der [...] Aufführung am Berliner Ensemble, so schlicht, aber komplex und überzeugend ist die Grundidee, die er der Ballade vom traurigen Mörder überstülpt – diese Inszenierung kommt einigen der ewigen Rätsel in Büchners sperrigem Klassiker ernstlich auf die Spur. Auch dank PTBS – all die Stimmen, die Woyzeck hört, überweltlich und untergründig, all die Albträumereien, die ihn plagen, könnten die des Heimkehrers sein: Schütze Arsch ist aus dem Krieg gekommen.

Dafür nimmt Haußmann die eher privat konstruierten Schindereien zurück: die vom Arzt, der mit chronischer Erbsenkost am Soldatenobjekt herumexperimentiert (hier gibt's Erbsensuppe aus dem Kübel, bis der Hintern blutet!); vom Hauptmann, den Woyzeck hier zunächst mit Mozarts „Figaro"-Musik sehr albern in Grund und Boden barbiert, bevor der sich zum liebessehnenden Tutu-Mädel in Schwarz verwandelt.

Haußmanns Bild-Erfindungen sind oft (und wie fast immer) stark überreizt, manchmal sogar richtig blöd – die Beschwörung des Rummelplatzes etwa bleibt vollkommen witzlos; bis die Soldaten-Statisten mit aufblasbaren Tieren zwischen den Schenkeln auf der Drehbühne Karussell spielen. Da kann Woyzeck mit viel Zuckerwatte für Marie gegen die Windmaschine angehen – und alle Watte fliegt ihm um die Ohren.

Aber das Finale zum Beispiel ist ganz märchenhaft und wirklich grandios – der Traum nach dem Mord. Die Bühne, vorher leer, ist jetzt eine Blumenwiese, Marie lebt noch und trägt Brautkleid; Oma erzählt Märchen. Woyzeck steht immer noch nackt in dieser Antiwelt – und gibt den Mord an unsere Fantasie zurück. [...]

Berliner Ensemble bekannte Bühne der deutschen Hauptstadt; berühmt durch Aufführungen der Werke seines Gründers Bertolt Brecht

Blitzmädel soldatensprachliche Bezeichnung für Wehrmachthelferin: Mädchen und junge Frauen, die während des Zweiten Weltkrieges Dienst bei der deutschen Wehrmacht taten.

Schütze Arsch (im letzten Glied) Redewendung für eine Person, in der Regel einen Mann, der Demütigung, ungerechte oder schlechte Behandlung erfährt

barbieren rasieren

Tutu Ballettkostüm in Form eines Rocks aus mehreren Schichten Tüll

Aufgabe 1

Beim Verfassen Ihrer Textuntersuchung ist die Vorbereitung nicht zu unterschätzen. Zunächst müssen Sie sich klar machen, was die Aufgabenstellung eigentlich von Ihnen verlangt. In der ersten Aufgabe geht es um Darstellung zweier unterschiedlicher Sachverhalte, die Sie aus dem vorliegenden Text herausdestillieren sollen. Bei diesem Text handelt es sich um die Rezension einer Theateraufführung. Diese Textsorte verfügt über einige charakteristische Merkmale: Zum einen wendet sie sich an das Publikum, das das Theaterstück bereits gesehen hat. Für diese Leserschaft müssen nur Andeutungen über das Stück gemacht werden, denn sie kennen es ja bereits; hier steht das durchdachte und wohl begründete Urteil im Vordergrund. Zum anderen wenden sich Theaterrezensionen an das Publikum, das das Stück erst noch sehen will bzw. soll. Für diese Leser/-innen dürfen die Details über das Stück nicht zu bruchstückhaft sein, weil sie sonst unverständlich wären. Anderseits darf nicht zu viel „verraten" werden, um die Vorfreude auf das Stück nicht zu schmälern. Daraus wird ersichtlich, dass von Rezensionen nicht eine umfassende Berichterstattung zu erwarten ist. Diese Überlegungen helfen Ihnen, den ersten Teil der Aufgabe erfolgreich zu bewältigen. Am besten nehmen Sie im Text Markierungen mit drei unterschiedlichen Farben vor: Farbe eins für die Details der Auffführung, Farbe zwei für ihren Charakter und Farbe drei für die Beurteilungen des Autors.

Im Gegensatz zur Aufgabenart II A (Analyse eines Sachtextes) müssen Sie bei der Aufgabenart III B die Analyse des Sachtextes nicht vollständig (mit Analyse der sprachlichen Mittel), sondern „nur" aspektgeleitet vollführen. Diese Aspekte sind in der Aufgabenstellung klar benannt.

Folgende vier Arbeitsschritte für die Erledigung der ersten Aufgabe bieten sich an:

Schritt 1: Formulierung eines aufgabenbezogenen Einleitungstextes

Schritt 2: Erarbeitung der Details und des Charakters der „Woyzeck"-Inszenierung von Leander Haußmann auf der Grundlage des Rezensionstextes

Schritt 3: Erarbeitung der Haltung, die der Autor M. Laages zur Inszenierung von L. Haußmann einnimmt.

Schritt 4: Formulierung einer bilanzierenden Schlussbemerkung

Schritt 1

Die **aufgabenbezogene Einleitung** erfüllt die Funktion, den Leser Ihrer Analyse über alle wichtigen Aspekte des Textes, der Aufgabe und der weiteren Vorgehensweise zu informieren. Klassischerweise muss diese Einleitung Angaben zu Autor (Michael Laages), Titel (Woyzeck quält der Wahnsinn aus dem Schützengraben), Textsorte (Rezension einer Theater-Inszenierung), Erscheinungsjahr (2014) und Thema (kritische Betrachtung einer Aufführung des Schauspiels „Woyzeck" von G. Büchner) enthalten.

Versuchen Sie nicht, immer alle diese Informationen in einem einzigen Satz unterzubringen. Dieser Teil wird als *aufgabenbezogene Einleitung* und nicht mehr als *Einleitungssatz* bezeichnet. Sie sollen in Verbindung mit der Angabe der wichtigsten Fakten den Gesamtzusammenhang anschaulich darstellen. Ihre weitere Vorgehensweise sollten Sie nun kurz benennen, indem sie der Logik des Aufgabentextes folgen: Angaben zur Inszenierung von L. Haußmann und Darstellung der Haltung des Autors dazu.

Schritt 2

Wie oben bereits erwähnt, sollten Sie im Text alle Angaben zu Einzelheiten der Inszenierung und alle Aussagen zu ihrem Charakter farblich markieren. Hier geht es um die Sammlung möglichst vieler Fakten. Achten Sie darauf, hier sachlich und neutral zu bleiben, und die Angaben über die Inszenierung von möglichen wertenden Einfärbungen seitens des Autors zu bereinigen. Als Beispiel mag hier folgende Formulierung dienen: *„Grundidee, die er der Ballade vom traurigen Mörder überstülpt"* (Zeile 27). Das Verb „überstülpen" vermittelt möglicherweise die Vorstellung, dass dem Stück etwas Unpassendes oder Unangemessenes hinzugefügt wurde. Eine neutrale Formulierung würde lauten: „Grundidee, die er der Ballade vom traurigen Mörder hinzufügt."

In der folgenden Aufstellung finden Sie alle Angaben, die die Haußmann-Inszenierung näher erläutern:

Auflistung aller Angaben, die die Inszenierung von Haußmann erkennbar werden lassen	
Z. 2:	Woyzeck ist ein ewiger Soldat.
Z.11:	Über 30 Statisten marschieren Runde um Runde.
Z.11:	Es gibt auch weibliche Statisten-Soldaten.
Z.12:	Die Soldaten sind in handelsüblicher Militär-Camouflage uniformiert.
Z. 16f.:	Marie und Margret verhalten sich gegenüber den Soldaten erotisch aufgeladen.
Z. 23:	Woyzeck ist in der Tötungsszene unbekleidet.
Z. 34:	Es gibt andauernd (für alle!?) Erbsensuppe, statt Erbsendiät nur für Woyzeck.
Z. 35f.:	Woyzeck rasiert den Hauptmann bei Musik aus Mozarts „Figaro"; ungezwungene Stimmung
Z. 36:	Der Hauptmann verkleidet sich mit einem schwarzen Tutu in ein liebessehnendes Mädchen
Z. 39f.:	Die Soldaten spielen Karussell mit aufblasbaren Tieren zwischen den Schenkeln.
Z. 40f.:	Eine Windmaschine bläst Woyzeck Zuckerwatte ins Gesicht.
Z. 43ff.:	In einer Traumszene lebt Marie, trägt ein Brautkleid und die Oma erzählt Märchen.

Die Aufstellung erfolgt hier schlicht nach der Abfolge der Hinweise im Text. In der nächsten Tabelle sind alle Hinweise aufgelistet, die als Hinweise dienen können, um den Charakter der Inszenierung in Berlin zu erläutern:

Hinweise auf den Charakter der Woyzeck-Inszenierung	
Z. 3:	Erkenntnisse der modernen Medizin werden verwendet.
Z. 6f.:	Mit jeder Aufführung wird der „Woyzeck" neu erfunden.
Z. 10:	Diese Mensch-Maschine tötet und kann wohl nicht anders.
Z. 11:	Die weiblichen Statisten weisen auf die Jetztzeit hin (letzte 30 Jahre).
Z. 13:	Der Gruppendruck auf Woyzeck soll durchgängig aufrechterhalten werden.
Z. 14:	Woyzeck ist ein ziemlich haltloses Individuum.
Z. 28ff.:	Mit der PTBS-Idee wird eines der ewigen Rätsel des Dramas deutlicher.
Z. 30f.:	Die Kriegshandlungen, die zu dem PTBS geführt haben, sind vorbei.
Z. 43ff.:	Am Schluss wird eine Traumszene ergänzt, in der eine konfliktfreie Welt dargestellt wird.

Nun müssen Sie die Aufgabe lösen, aus diesen Daten einen zusammenhängenden Text zu formulieren. Prinzipiell gibt es zwei unterschiedliche Herangehensweisen: Entweder Sie beginnen mit einer Darstellung des Charakters der Inszenierung und belegen diese Ausführungen mit Details. Oder Sie erarbeiten anders herum über die Darbietung der Details Ihre Aussagen über den Kern. Sie sollten einleitend darauf hinweisen, dass der Text der Rezension eben nur Bruchstücke enthält und man deshalb weit davon entfernt ist, die Gesamtheit des Geschehens auf der Bühne erfassen zu können. In sprachlicher Hinsicht müssen Sie beachten, dass Sie aus einem Text zitieren. Um die Modalität zu wahren, können Sie zwei unterschiedliche Wege gehen: Entweder Sie achten in allen Ihren Sätzen auf die korrekte Verwendung des Konjunktiv I oder Sie formulieren einen einleitenden Satz und fahren dann im Indikativ fort. Dieser einleitende Satz könnte lauten:

Modalität
hier: Ausdruck der Perspektive des Sprechers oder Schreibers auf das in einer Äußerung Gesagte.

Laut Text könnte die Haußmann-Inszenierung folgendermaßen charakterisiert werden:

Etwas schwieriger ist es, den zweiten Teil der ersten Aufgabe zu lösen. Es gibt Textstellen, aus denen sehr eindeutig hervorgeht, welche Auffassung der Autor von der Inszenierung hat, z. B.: „Haußmanns Bild-Erfindungen sind [...] manchmal sogar richtig blöd" (Zeile 37f.). Andere Textstellen sind als Meinungsäußerungen eher schwer zu erkennen: „Wer es aufführt, erfindet es ohnehin immer wie neu“ (Zeile 6f.). Hier könnte man Laages so verstehen, dass er den Eindruck hat, Haußmann habe geradezu unter dem Druck gestanden, den „Woyzeck“ neu erfinden zu müssen und dieser Druck habe der Inszenierung nicht gutgetan.

Markieren Sie im Text alle Stellen, die Ihrer Meinung nach die Haltung des Autors deutlich machen. Fertigen Sie eine Liste dieser Äußerungen an und notieren Sie, ob es sich um lobende oder um tadelnde handelt.

Liste der Äußerungen des Autors, die seine Haltung deutlich machen		Tendenz
Z. 6f.:	Wer es aufführt, erfindet es ohnehin immer wieder neu	ambivalent
Z. 10:	... und kann wohl gar nichts anderes	ambivalent
Z. 11:	(und auch Statistinnen!)	lobend
Z. 12:	handelsüblicher Militär-Camouflage	abschätzig
Z. 19:	schick (Attribuierung des Tambourmajors) = umgangssprachlich	abschätzig
Z. 20:	vermöbeln = umgangssprachlich	abschätzig
Z. 24:	Wo er es herhat in diesem Moment – nicht so wichtig (Woyzeck ist nackt)	abschätzig
Z. 24:	Eins ist eh wie das andere	abschätzig
Z. 25:	So schwer sich L. H. auch tut mit diesem Material	tadelnd
Z. 26:	schlicht, aber komplex und überzeugend ist die Grundidee	lobend
Z. 27:	überstülpen	ambivalent
Z. 28f.:	Inszenierung kommt einigen der ewigen Rätsel ernstlich auf die Spur	lobend
Z. 32:	Dafür nimmt H. die eher privat konstruierten Schindereien zurück	ambivalent
Z. 34f.:	bis der Hintern blutet (vulgär) = umgangssprachlich	abschätzig
Z. 35:	sehr albern	tadelnd
Z. 35:	in Grund und Boden (Übertreibung) = umgangssprachlich	abschätzig
Z. 37:	H.s Bild-Erfindungen sind oft stark überreizt	tadelnd
Z. 37f.:	manchmal sogar richtig blöd	tadelnd
Z. 38f.:	vollkommen witzlos	tadelnd
Z. 41:	alle Watte fliegt ihm um die Ohren (Übertreibung) = umgangssprachlich	abschätzig
Z. 42:	ganz märchenhaft und grandios	lobend

Bei der gründlichen Analyse des Textes könnten Sie diese 21 Hinweise finden. Von Ihnen erwartet die Aufgabenstellung, dass Sie formulieren, welche Haltung der Autor zu der Inszenierung einnimmt. Der Hinweis „schlussfolgernd“ im Aufgabentext weist darauf hin, dass Sie diese Haltung nicht einfach nur darstellen, sondern auch deutlich machen, ob es sich um eine überwiegend lobende, eine überwiegend tadelnde oder um eine ambivalente Haltung handelt. Rein statistisch gibt es vier Einträge für „lobend“, sechs Einträge für „tadelnd“ und acht Einträge für „abschätzig“, was eher als „tadelnd“ zu werten ist. Die vier Einträge für „ambivalent“ beziehen sich auf Textstellen, die nicht unbedingt als wertend verstanden werden müssen.

Sie stehen jetzt vor der Herausforderung, die Ergebnisse Ihrer Textanalyse hinsichtlich der Haltung des Autors in einen Text zu überführen. Zuerst sollten Sie sich vorläufig (und unverbindlich im Hinblick auf die zweite Aufgabe) entscheiden, ob die Rezension eher überwiegend tadelnd oder eher überwiegend lobend zu bezeichnen ist. Es gibt für beide Beurteilungen gute Gründe; eine klare Zuordnung ist nicht offensichtlich.

An dieser Stelle leisten Sie schon geistige Vorarbeit für die Aufgabe 2. Dort sollen Sie erörtern, inwieweit der zentrale Konflikt des Dramenfragments *zeitungebunden* aufgefasst und inszeniert werden kann. Alle Zuordnungen, die Sie hier an dieser Stelle vornehmen, kommen Ihnen später zweifellos zugute.

Es empfiehlt sich, Ihren Text mit der Einschätzung zu beginnen, *wie* die Haltung des Autors zu sehen ist. Bemühen Sie sich dabei um vorsichtige und relativierende Formulierungen und vermeiden Sie platte und schnörkellose Aussagen. Ihr erster Satz könnte folgendermaßen beginnen:

Der Autor M. Laages lässt eine Haltung zu der Inszenierung von L. Haußmann erkennen, die eher überwiegend als wohlwollend und lobend rsp. abschätzig und tadelnd zu sehen ist.

Achten Sie bei der Darlegung der einzelnen Aspekte darauf, die Modalität zu wahren.

Schritt 4

Ihre bilanzierende Schlussbemerkung muss nicht umfangreich sein. Sie könnten in drei oder vier Sätzen folgende Gedanken in Worte fassen: Die Rezension gibt nicht erschöpfend Auskunft über den Charakter der Inszenierung; umgangssprachliche Wendungen sind schwer zu interpretieren; die Haltung des Autors ist eher ambivalent als eindeutig; der Autor befürwortet, den „Woyzeck" immer neu zu erfinden.

Aufgabe 2

Im Mittelpunkt der Aufgabe 2 steht die Erörterung. Aber bei genauer Betrachtung der Aufgabenstellung wird deutlich, dass vor der erfolgreichen Bearbeitung des Erörterungsauftrags drei Aspekte zu klären sind. Gleich zu Anfang wird darauf hingewiesen, dass Sie vor dem Hintergrund bestimmter Kenntnisse erörtern sollen. Diese Kenntnisse betreffen den *Inhalt des Dramas* und die psychische Befindlichkeit des Protagonisten. Weiterhin heißt es in der Aufgabenstellung, dass bei der Erörterung das *zentrale Thema* des Dramenfragments eine wichtige Rolle spielt. Sie sollten also dieses zentrale Thema benennen und erläutern, bevor sie Ihre Erörterung ins Werk setzen. Insofern die drei genannten Komponenten inhaltlich eng miteinander zusammenhängen, bietet es sich an, deren Darlegung in einem Textelement organisch miteinander zu verbinden. Für die Erarbeitung der zweiten Aufgabe sind folgende Schritte sinnvoll:

Schritt 1: Formulierung eines aufgabenbezogenen Einleitungstextes

Schritt 2: Niederschrift eines Textes, in dem Sie Ihre Kenntnisse über den Inhalt des Dramas, über die psychischen Befindlichkeiten des Protagonisten und ihre Vorstellung über das zentrale Thema des Dramas darlegen.

Schritt 3: Erarbeitung des zentralen Aufgabenbestandteils, der Erörterung: Sammeln und Hierarchisieren der Pro- und Kontra-Argumente; Formulierung einer Stellungnahme; Bezugnahme auf die Vorgehensweise von L. Haußmann.

Schritt 4: Formulierung einer bilanzierenden Schlussbemerkung

Schritt 1

In Ihrem Einleitungstext stellen Sie ihre Vorgehensweise bei der Bearbeitung der Aufgabe 2 dar und begründen sie. Dabei folgen Sie am besten den Überlegungen, die weiter oben ausgeführt wurden. Ihr erster Satz könnte folgendermaßen lauten:

Um die geforderte Erörterung erfolgreich bearbeiten zu können, müssen drei Aspekte des Textverständnisses erläutert werden.

Beispiel einer aufgabenbezogenen Einleitung

Schritt 2

Die Darstellung Ihrer Kenntnisse des Drameninhalts sollte recht kurz erfolgen. Je komplexer ein Sachverhalt ist und je knapper er dargestellt werden soll, desto schwieriger ist die Formulierung dieses Textes. Im folgenden Kasten finden Sie eine Inhaltswiedergabe des Dramas, bestehend aus 363 Wörtern.

Markieren Sie in diesem Text alles Ihnen wichtig Erscheinende und versuchen Sie dann, den Text mit eigenen komprimierenden Formulierungen auf 150 bis 170 Wörter zu reduzieren.

Woyzeck ist ein einfacher Soldat, der mit zusätzlicher Arbeit versucht, den Lebensunterhalt für sich und seine Geliebte Marie zu bestreiten. Beide haben ein uneheliches Kind miteinander. Er dient einem Hauptmann als Laufbursche und rasiert diesen auch. Der Hauptmann nutzt Woyzeck aus, belächelt, beleidigt und beschimpft ihn. Woyzeck wehrt sich nicht und reagiert nicht auf Provokationen. Um weiter mehr Geld zu verdienen, lässt sich Woyzeck auch auf das Angebot eines Arztes ein, um mit dem so zusätzlich verdienten Geld Marie besser an sich binden zu können. Bei dem medizinischen Experiment geht es um die Wirkungen von Diät-Ernährung und Woyzeck muss ausschließlich Erbsen essen. Es scheint möglich, dass die Mangelernährung Einfluss nimmt auf Woyzecks psychischen Zustand. Während eines Umzugs durch die Stadt trifft Marie einen Tambourmajor. Dieser fungiert als Trommler bei der Militärparade und versucht, Marie zu beeindrucken. Er hat ein Auge auf sie geworfen und bemüht sich, sie mit kleinen Geschenken zu beeindrucken. Woyzeck vermutet, dass Marie ihn betrügt. Es scheint so, als erliege Marie den Avancen des Tambourmajors und als lasse sie sich auf eine Affäre mit ihm ein. Der Hauptmann und der Arzt setzen den Soldaten Woyzeck immer stärker körperlichen und seelischen Strapazen aus und stellen ihn in der Öffentlichkeit bloß. Woyzeck ist auf die vermeintliche Beziehung zwischen Marie und dem Tambourmajor aufmerksam geworden und seine Eifersucht wächst nicht zuletzt durch die Andeutungen des Hauptmanns bezüglich der Affäre Maries. Mitmenschen machen sich über ihn lustig und stacheln seine Eifersucht weiter an. Schließlich sieht Woyzeck Marie und den Tambourmajor beim Tanzen im Wirtshaus. Die einseitige Ernährung und die psychischen Belastungen haben ihn geschwächt und durcheinandergebracht. Er meint, Stimmen zu hören, die ihm befehlen, Marie zu erstechen. So kauft er sich ein Messer und überredet Marie zu einem Spaziergang in den Wald, wo er ihr noch einmal seine Liebe offenbart und sie dann ersticht. Panisch eilt er zurück ins Dorf und geht in das Wirtshaus. Dort tanzt und trinkt er. Gäste entdecken Blutspuren an seiner Kleidung. Dann fällt ihm ein, dass er das Mordmesser am Tatort vergessen hat. Er eilt zurück, um es in einem nahe gelegenen Teich zu versenken. Am nächsten Tag wird Maries Leiche gefunden. Woyzeck lässt das Kind bei Karl, dem Narr.

(363 Wörter)

Um die psychischen Befindlichkeiten des Protagonisten kurz, aber aussagekräftig darzustellen, bietet es sich an, das folgende Diagramm zu benutzen. Tragen Sie in den freien Raum zwischen den zeitlichen Markierungen alle Adjektive ein, die Ihnen zu Woyzeck, seiner Situation und seinem Verhalten einfallen. Gruppieren Sie diese Eintragungen nach Maßgabe der beiden formulierten Pole:

hilflos **verloren**	**brutal** **grausam**
emotionale Reaktion: Mitleid	emotionale Reaktion: Ablehnung

Auf Grundlage dieser geordneten und strukturierten Sammlung können Sie nun in einem kurzen Text die psychische Situation Woyzecks charakterisieren.

Bleibt noch der dritte zu klärende Aspekt. Und der ist ungleich schwerer als die beiden vorangegangenen, sollen Sie doch klären, was mit dem „zentralen Thema" des Dramas gemeint ist. Michael Laages spricht von den „ewigen Rätsel[n] in Büchners sperrigem Klassiker" (Z. 28f.). Es bedarf also einer vorsichtigen und umsichtigen Annäherung an diese Frage. Ihr „Brainstorming" zu Woyzecks psychischer Befindlichkeit ist hier sehr hilfreich. Als zentrales Thema könnte benannt werden:

- Warum tötet Woyzeck seine Geliebte?
- Warum wehrt er sich nicht gegen Demütigungen?
- Welchen Einfluss haben die Lebensbedingungen auf die Entwicklung der individuellen Psyche?
- Wie entsteht Gewaltbereitschaft?

Diese vier Vorschläge hängen eng miteinander zusammen. Sie können sich für *eine* zentrale Fragestellung entscheiden oder mit dem ganzen (eventuell ergänzten) Paket in die Erörterung einsteigen.

Schritt 3

Ihnen ist die prinzipielle Vorgehensweise bei der Erarbeitung einer Erörterung sicherlich vertraut (vgl. dazu Seite 313f. im Kapitel *Klausurwissen*). Sie sammeln Pro- und Kontra-Argumente und hierarchisieren diese nach Komplexität und Bedeutung. Auch müssen Sie sich entscheiden, ob Sie das *Reißverschluss*-Prinzip oder das *Sanduhr*-Prinzip anwenden. Anknüpfungspunkte für Argumentationen sind:

- Welche Rolle spielen das Militär und der Drill der einfachen Soldaten?
- Ist Gewalt in erster Linie eine männliche Angelegenheit?
- Gibt es einen Zusammenhang zwischen Bildung und Gewaltkontrolle?
- Bedeutung des Wechselverhältnisses zwischen Sexualität und Treue

Entweder ist Ihrer Entscheidung nach das zentrale Thema des Dramas *zeitgebunden* und damit in der ersten Hälfte des 19. Jahrhunderts zu verorten, oder es ist *zeitungebunden* und damit allgemeingültig für alle geschichtlichen Epochen der Menschheitsentwicklung. Wenn Sie sie sich dafür entscheiden, dass das Thema *zeitgebunden* ist, müssen Sie folgerichtig die Vorgehensweise von L. Haußmann ablehnen, denn er transponiert die Dramenhandlung in die Gegenwart. Ist Ihrer Meinung nach das zentrale Thema des Dramas zeitungebunden, dann müssen Sie sich bei Ihrer Stellungnahme zur Inszenierung von L. Haußmann dazu äußern, ob Sie dessen Bezugnahme treffend empfinden oder eher nicht.

Schritt 4

In Ihrer abschließenden Schlussbemerkung können Sie noch einmal auf die Widrigkeiten eingehen, die darin bestehen, dass Büchners Dramenfragment schwer zugängig ist („sperrig"; M. Laages, Z. 28) und dass über die Abgründe des Bösen in der menschlichen Seele nur gemutmaßt werden kann.

Abschließend sollten Sie Ihre Texte noch einmal Korrektur lesen und dabei insbesondere auf Rechtschreibung, Zeichensetzung und die korrekte Verwendung des Modus achten. Zudem sollten Sie überprüfen, ob die Kohärenz gewährleistet ist.

Generell bietet es sich an, mit einem Mitschüler oder einer Mitschülerin die angefertigten Untersuchungen auszutauschen, um sich gegenseitig sprachlich, inhaltlich und in Bezug auf die Kohärenz zu überprüfen.

Kohärenz bezeichnet den gedanklichen und syntaktischen Zusammenhang in einem Text. Gewährleistet wird diese durch den korrekten Gebrauch von Konnektoren (Adverbien und Konjunktionen) und zentralen Redewendungen

Dramentheorie, die Zweite! Die Frage der Form

Grundlagen der Dramentheorie erarbeiten

Welcher Form entspricht Büchners Fragment? Kann das bei einem Fragment eigentlich beurteilt werden? Um diese Fragen zu beantworten, muss zum Beispiel nachvollzogen werden, wie ein typisches, geschlossenes Drama aufgebaut ist. Gustav Freytag unterzog die Dramatik einer systematischen Betrachtung und entwickelte in Analogie zu seiner Auffassung der Theorie des Aristoteles ein Modell dessen, was die Dramatik an sich und die Tragödie im Besonderen auszeichnen möge. Freytag geht in seiner Schematisierung vor allem auf die Einteilung der Tragödie in fünf Akte ein und betont die Einhaltung der drei Einheiten (Ort, Zeit, Handlung, vgl. S. 24).

Gustav Freytag

Die Technik des Dramas (1863)

Gustav Freytag (1816–1895)

Das Drama stellt in einer Handlung durch Charaktere, vermittels Wort, Stimme und Gebärde diejenigen Seelenprobleme dar, welche der Mensch vom Aufleuchten eines Eindrucks bis zu leidenschaftlichem Begehren und zur Tat durchmacht, sowie die Seelenprozesse, welche durch eigene und fremde Tat angeregt werden.

Der Bau des Dramas soll diese beiden Gegensätze des Dramatischen zu einer Einheit verbunden zeigen, Ausströmen und Einströmen der Willenskraft, das Werden der Tat und ihre Reflexe auf die Seele, Satz und Gegensatz, Kampf und Gegenkampf, Steigen und Sinken, Binden und Lösen.

In jeder Stelle des Dramas kommen beide Richtungen des dramatischen Lebens, von denen die eine die andere unablässig fordert, in Spiel und Gegenspiel zur Geltung; aber auch im Ganzen wird die Handlung des Dramas und die Gruppierung der Charaktere dadurch zweiteilig. Der Inhalt des Dramas ist immer ein Kampf mit starken Seelenbewegungen, welchen den Held gegen widerstrebende Gewalten führt. Und wie der Held ein starkes Leben in gewisser Einseitigkeit und Befangenheit enthalten muss, so muss auch die gegenspielende Gewalt durch menschliche Vertreter sichtbar gemacht werden. [...]

Diese zwei Hauptteile des Dramas sind durch einen Punkt der Handlung, welcher in der Mitte derselben liegt, fest verbunden. Diese Mitte, der Höhepunkt des Dramas, ist die wichtigste Stelle des Aufbaus, bis zu ihm steigt, von ihm ab fällt die Handlung. Es ist nun entscheidend für die Beschaffenheit des Dramas, welche von den beiden Brechungen des dramatischen Lichts in den ersten, und welche in den zweiten Teil als die vorherrschende gesetzt wird, ob das Ausströmen oder Einströmen, das Spiel oder das Gegenspiel den ersten Teil erhält. Beides ist erlaubt, beide Konstruktionen vermögen ihre Berechtigung an Dramen von höchstem Wert nachzuweisen. Und diese Methoden ein Drama zu bilden sind höchst charakteristisch geworden für die einzelnen Dichter und die Zeit, in welcher sie lebten. [...]

1 Fassen Sie diesen ersten Abschnitt des Auszugs aus Gustav Freytags Werk in eigenen Worten zusammen. Was soll das dramatische Werk auf welche Art und Weise zeigen?

Durch die beiden Hälften der Handlung, welche in einem Punkte zusammenschließen, erhält das Drama – wenn man die Anordnung durch Linien verbildlicht – einen

pyramidalen Bau. Es steigt von der Einleitung mit dem Zutritt des erregenden Moments bis zu dem Höhenpunkt und fällt von da bis zur Katastrophe. Zwischen diesen drei Teilen liegen die Teile der Steigerung und des Falles. Jeder dieser fünf Teile kann aus einer Szene oder aus einer gegliederten Folge von Szenen bestehen, nur der Höhepunkt ist gewöhnlich in einer Hauptszene zusammengefasst.
Diese Teile des Dramas, a) Einleitung, b) Steigerung, c) Höhenpunkt, d) Fall oder Umkehr, e) Katastrophe, haben jeder Besonderes in Zweck und Baueinrichtung. Zwischen ihnen stehen drei wichtige szenische Wirkungen [...]. Sie heißen hier: das erregende Moment, das tragische Moment, das Moment der letzten Spannung. Die erste Wirkung ist jedem Drama nötig, die zweite und dritte sind gute, aber nicht unentbehrliche Hilfsmittel. – Es werden deshalb im Folgenden acht Bestandteile des Dramas in ihrer Reihenfolge aufgeführt.

Exposition

Die Einleitung [...]. Da die Darstellung von Ort, Zeit, Volkstum und Lebensverhältnissen des Helden der Einleitung des Dramas zukommt, so wird diese zunächst das Umgebende kurz charakterisieren. Außerdem wird dem Dichter hier Gelegenheit, sowohl die eigentümliche Stimmung des Stückes wie in kurzer Ouverture anzudeuten, als auch das Tempo desselben, die größere Leidenschaftlichkeit oder Ruhe, mit welcher die Handlung forteilt [...].
Das erregende Moment. Der Eintritt der bewegten Handlung findet an der Stelle des Dramas statt, wo in der Seele des Helden ein Gefühl oder Wollen aufsteigt, welches die Veranlassung zu der folgenden Handlung wird, oder wo das Gegenspiel den Entschluss fasst, durch seine Hebel den Helden in Bewegung zu setzen. Offenbar wird dieses Treibende bedeutsamer in solchen Stücken hervortreten, bei denen der Hauptspieler die erste Hälfte willenskräftig beherrscht, aber es bleibt bei jeder Anordnung ein wichtiges Moment der Handlung [...].

Auch: **Steigende Handlung oder Komplikation**

s. vorherige Anmerkung zum Verhältnis der Begriffe Person und Figur.

Die Steigerung. Die Handlung ist in Bewegung gesetzt, die Hauptpersonen haben ihr Wesen dargelegt, die Teilnahme ist angeregt. In einer gegebenen Richtung hebt sich Stimmung, Leidenschaft, Verwicklung [...].
War es nicht möglich, die wichtigsten Personen des Gegenspiels oder der Hauptgruppe im Vorhergehenden darzustellen, so muss ihnen jetzt ein Raum geschafft und Gelegenheit zu bedeutsamer Tätigkeit gegeben werden. Auch solche, welche erst in der zweiten Hälfte des Dramas wirksam sind, müssen dringend wünschen, sich schon jetzt dem Hörer bekannt zu machen. [...]

Auch: **Peripetie (Wendepunkt) und Klimax**

Der Höhepunkt des Dramas ist die Stelle des Stückes, in welcher das Ergebnis des aufsteigenden Kampfes stark und entschieden heraustritt, er ist fast immer die Spitze einer groß ausgeführten Szene, an welche sich die kleineren Verbindungsszenen von der Steigerung und der fallenden Handlung heranlegen. Allen Glanz der Poesie, alle dramatische Kraft wird der Dichter anzuwenden haben, um diesen Mittelpunkt seines Kunstwerks lebendig herauszuheben. Die höchste Bedeutung hat er freilich nur in den Stücken, in denen der Held die aufsteigende Handlung durch seine inneren Seelenvorgänge treibt; bei den Dramen, welche durch das Gegenspiel steigen, bezeichnet er die allerdings wichtige Stelle, wo dies Spiel den Hauptheiden gefangen und in die Richtung des Falles verlockt hat [...].
Wenn an einem Punkte der Handlung plötzlich, unerwartet, im Gegensatz zu dem Vorhergehenden etwas Trauriges, Finsteres, Schreckliches eintritt, das wir doch sofort als aus der ursächlichen Verbindung der Ereignisse hervorgegangen und aus den Voraussetzungen des Stückes als vollständig begreiflich empfinden, so ist dies Neue ein **tragisches Moment** [...].
Der schwierigste Teil des Dramas ist die Szenenfolge der **fallenden Handlung** oder, wie sie wohl genannt wird, **der Umkehr**; allerdings treten die Gefahren zumeist bei den kraftvollen Stücken ein, in denen die Helden die Führung haben. Bis zum Höhenpunkt war die Teilnahme an die eingeschlagene Richtung der Hauptcharaktere gefesselt. Nach der Tat entsteht eine Pause. Die Spannung muss auf das Neue erregt werden, dazu müssen neue Kräfte, vielleicht neue Rollen vorgeführt werden, an denen der Hörer erst Anteil gewinnen soll [...].

Außerdem noch ein anderes. Vorzüglich dieser Teil des Dramas ist es, welcher den Charakter des Dichters in Anspruch nimmt. Denn das Schicksal gewinnt Macht über den Helden, seine Kämpfe wachsen einem verhängnisvollen Ausgang zu, der sein ganzes Leben ergreift. [...]
Der Kern des Ganzen, Idee und Führung der Handlung treten mächtig hervor, der Zuschauer versteht den Zusammenhang der Begebenheiten, sieht die letzte Absicht des Dichters, er soll sich den höchsten Wirkungen hingeben und er beginnt mitten in seiner Teilnahme prüfend das Maß seines Wissens, seiner gemütlichen Neigungen und Bedürfnisse an das Kunstwerk zu legen [...].

auch: **retardierendes Moment**

Das Moment der letzten Spannung. Dass die Katastrophe dem Hörer im ganzen nicht überraschend kommen dürfe, versteht sich von selbst ...
Demungeachtet ist es zuweilen misslich, ohne Unterbrechung bis zum Ende zu eilen. Gerade dann, wenn das Gewicht des unglücklichen Geschicks bereits lange und schwer auf einem Helden lastet, welchem die gerührte Empfindung des Hörers Rettung wünscht, obgleich vernünftige Erwägung die innere Notwendigkeit des Untergangs recht wohl deutlich macht. In solchem Falle ist ein altes anspruchloses Mittel des Dichters, dem Gemüt des Hörers für einige Augenblicke Aussicht auf Erleichterung zu gönnen. Dies geschieht durch eine neue kleine Spannung, dadurch, dass ein leichtes Hindernis, eine entfernte Möglichkeit glücklicher Lösung, der bereits angedeuteten Richtung auf das Ende noch in den Weg geworfen wird. [...]
Katastrophe des Dramas ist uns die Schlusshandlung, welche der Bühne des Altertums Exodus hieß. In ihr wird die Befangenheit der Hauptcharaktere durch eine kräftige Tat aufgehoben. Je tiefer der Kampf aus ihrem innersten Leben hervorgegangen und je größer das Ziel desselben war, desto folgerichtiger wird die Vernichtung des unterliegenden Helden sein. [...] Über dem Ende der Helden aber muss versöhnend und erhebend im Zuschauer die Empfindung von dem Vernünftigen und Notwendigen solches Untergangs lebendig werden. Dies ist nur möglich, wenn durch das Geschick der Helden eine wirkliche Ausgleichung der kämpfenden Gegensätze hervorgebracht wird. Die Schlussworte des Dramas haben die Aufgabe, zu erinnern, dass nichts Zufälliges, einmal Geschehenes dargestellt worden sei, sondern ein Poetisches, das allgemein verständliche Bedeutung habe [...]

1 Stellen Sie die Ausführungen Gustav Freytags in einem schematischen Zusammenhang dar. Nutzen Sie als Grundlage dafür die aufgeführte Grafik und fügen Sie in Stichpunkten wesentliche Merkmale der einzelnen Handlungsschritte hinzu:

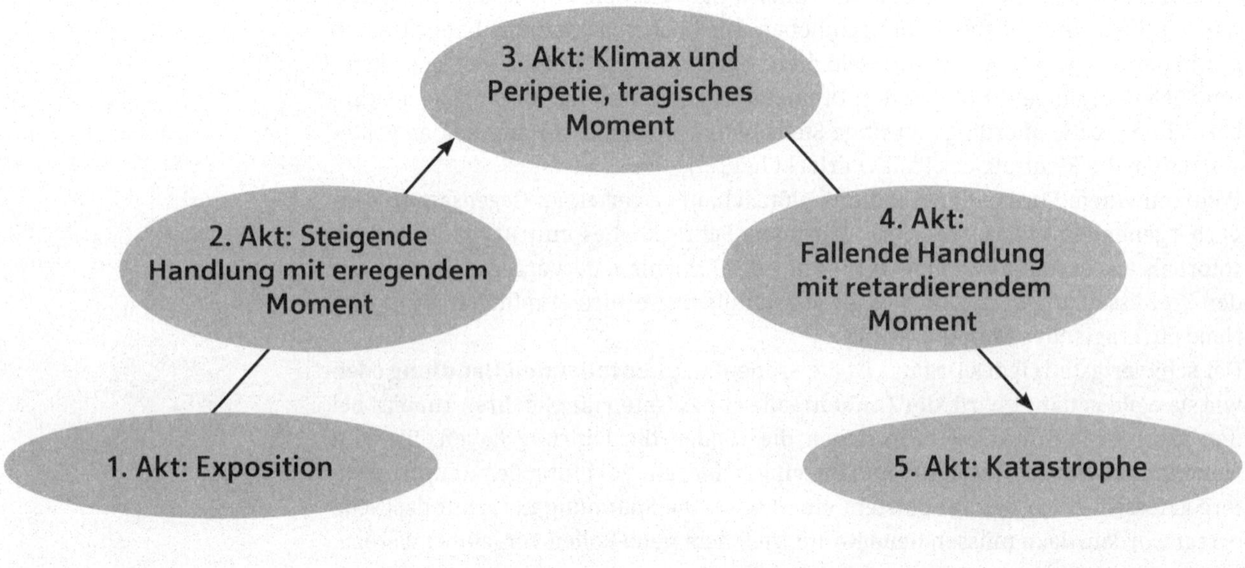

Die geschlossene und die offene Form des Dramas in den Grundzügen erkennen

Im Kontext von Freytags Ausführungen wird zumeist von der geschlossenen Form des Dramas gesprochen. Eine andere Form ist die des offenen Dramas. Beide Begrifflichkeiten sind modellhaft und bezeichnen die Extremata der dramatischen Gestaltung.

Volker Klotz

Geschlossene und offene Form im Drama (1960)

Handlung	
• einheitliche, in sich abgeschlossene Haupthandlung • kausale Verknüpfung der Szenen (Nichtaustauschbarkeit) • einzelne Handlungen als Schritte einer logisch und psychologisch zwingenden Abfolge	• mehrere Handlungen gleichzeitig (Polymethie) • Zerrissenheit der Handlungsabfolge • relative Autonomie einzelner Episoden
Zeit	
• Einheit der Zeit • Zeit nur Rahmen des Geschehens • keine Zeitsprünge	• ausgedehnter Zeitraum • Zeit als in die Ereignisse eingreifende Wirkungsmacht • Zeitsprünge zwischen Szenen
Ort	
• Einheit des Ortes • Ort nur Rahmen des Geschehens	• Vielheit der Orte • Räume charakterisieren und determinieren Verhalten
[Figuren]	
• geringe Zahl • Ständeklausel • hoher Bewusstseinsgrad	• große Zahl • keine ständischen und sozialen Beschränkungen • komplexes Zusammenspiel von Innenwelt und Außenwelt
Komposition	
• Handlungszusammenhang als Ganzes • Gliederung vom Ganzen zu den Teilen • Funktionale Zuordnung der Szene zum Akt und des Aktes zum Drama • lineare Abfolge des Geschehens	• Dominanz des Ausschnitts • Gliederung von den Teilen zum Ganzen • Szenen haben ihren Schwerpunkt in sich selbst • Variation und Kontrastierung von Szenen
Sprache	
• einheitlicher an der Rhetorik ausgerichteter Sprachstil (Versform) • Dialog als Rededuell (Stichomythie) • Bewusstsein dominiert Sprache	• Pluralismus des Sprechens • Mischung der Stilebenen und der Ausdruckshaltung • Orientierung an der Alltagssprache • Dominanz der Sprache über das Bewusstsein

1 ***Lernarrangement***:
a) Erarbeiten Sie in Einzelarbeit die Inhalte der Tabelle. Heben Sie unklare Begriffe hervor.
b) Setzen Sie sich in Gruppen zusammen und tauschen Sie sich über Ihre Ergebnisse aus.

c) Setzen Sie die Tabelle in Bezug zum „Woyzeck“. Welche Merkmale des geschlossenen oder des offenen Dramas erfüllt das Fragment? Markieren Sie Ihre Entscheidung in der Tabelle mit folgenden Zeichen: + = erfüllt Merkmal, (+) = erfüllt teilweise, (–) = erfüllt zumeist nicht, – = erfüllt nicht. Begründen Sie Ihre Entscheidungen innerhalb der Gruppe stichpunktartig.

d) Diskutieren Sie im Plenum abschließend, ob auf Grundlage Ihrer bisherigen Kenntnisse der „Woyzeck“ eher als geschlossenes oder als offenes Drama bezeichnet werden müsste.

Der nachfolgende Text Harald Neumeyers aus dem Büchner-Handbuch setzt sich mit der Diskussion auseinander, inwieweit „Woyzeck“ ein typisches Beispiel für die offene Dramenform ist. Der sehr komplexe Text soll in unterschiedlichen Arbeitsschritten erarbeitet werden, um die Komplexität der Diskussion etwas zu entlasten.

Harald Neumeyer

Büchner Handbuch: Gattungsbestimmungen (2015)

Klotz hat „Woyzeck“ als Paradebeispiel der offenen Form im Drama bewertet. Entscheidendes Kennzeichen dieser Form ist die Ersetzung einer sich stringent und kausallogisch entwickelnden Handlung durch mehrere Einzelhandlungen, die unverbunden nebeneinander stehen. Dementsprechend sind die Einzelszenen in einem *offenen Drama* weitestgehend autonom, da sie weder mit Notwendigkeit aus den vorangehenden Szenen resultieren noch die nachfolgenden Szenen provozieren. Eine diskontinuierliche Handlungsstruktur hat Konsequenzen auch für die Gestaltung von Raum und Zeit. Der Raum des Dramas ist pluralisiert, die Örtlichkeiten wechseln mehrfach. Zudem kann der Raum, sobald sich in ihm divergierende soziale Determinanten manifestieren, zum dramatischen Subjekt avancieren. Die Zeit des Dramas wird gedehnt, erstreckt sich über größere Abstände und vollzieht sich in Sprüngen. Ferner kann die Zeit, sobald sie die Figuren und deren Handlungen steuert, gleichfalls zum dramatischen Subjekt werden (vgl. Klotz 1980).

1 In diesem ersten Abschnitt rekapituliert Neumeyer die grundsätzlichen Annahmen Klotz'. Gehen Sie auch in Rückbezug auf Ihre vorherige Erarbeitung zur Tabelle Klotz' folgenden Fragen nach: Gibt es im „Woyzeck“ mehrere Einzelhandlungen, die unverbunden nebeneinanderstehen? Was bedeutet, Raum und Zeit können zum dramatischen Subjekt werden? Inwieweit geschieht dies im „Woyzeck“?

Burghard Dedner (* 1942) deutscher Germanist und ehemaliger Hochschullehrer an der Philipps-Universität Marburg.

Dedner insistiert gegen Klotz darauf, dass dessen Klassifizierung nur partiell auf das „Woyzeck“-Drama zutrifft. Die Szenenfolgen bieten einen in sich geschlossenen Handlungsablauf, bei dem die Einzelszenen keineswegs als autonom zu betrachten sind. Sie sind untereinander „als Teile von Arbeitstagen, einer psychischen Entwicklung und einer Mordhandlung“ (Dedner 1991, 268) verbunden, die schon in der ersten Entwurfsstufe auf Finalität hin ausgerichtet sind. Das Kontinuum des Handlungsablaufs wird noch dadurch verdichtet, dass Büchner die Zeit bis zur Simultaneität einzelner Szenen rafft und so eine Handlung präsentiert, die sich innerhalb von nur drei Tagen vollzieht: H 4,1–3 spielen am Abend des ersten Tages, H 4,4–13 vom Morgen bis in die Nacht des zweiten Tages und die restlichen Szenen von H 4 sowie der Mordkomplex H 1,14–21 am dritten Tag [...]. Um diese Raffung der Zeit, die noch die Zeiteinheit des *geschlossenen Dramas* überbietet [...], dramaturgisch gestalten zu können, muss das Drama jedoch, und dies stellt wiederum ein Merkmal der *offenen Form* dar, mit einem vielfachen Wechsel der Lokalitäten arbeiten. Wenn die Raffung der Zeit zudem die Arbeitshetze Woyzecks anzeigt [...], dann wird in Büchners Drama, und auch dies bildet ein Kennzeichen der *offenen Form*, die Zeit zum handelnden Akteur. Aufgrund der offensichtlichen Finalität des Dramas, die darauf hinausläuft, Woyzeck als Opfer zu konturieren, ordnen es Glück [...] und Knapp [...] der Gattung der Tragödie zu. Aufgrund der gesellschaftlichen Abhängigkeitsverhältnisse, in denen Woyzecks Existenz steht, spezifizieren Poschmann [...] und Glück [...] die Tragödie als eine „soziale Tragödie", wobei Glück ergänzt: „Die Armut steht im *Woyzeck* logisch an dem Ort, an dem in der attischen Tragödie das Schicksal steht" [...].

Vgl. Definition **Tragödie**, S. 22 f.

2 Rekapitulieren Sie die Definition der Tragödie (s. S. 22 f.). Erläutern Sie vor diesem Hintergrund die Aussagen Neumeyers zur Zuordnung des „Woyzeck" zur Tragödie.

3 Setzen Sie sich mit folgenden Fragen auseinander: Inwieweit ist die Darstellung der Zeit im Fragment einheitlich? Ist der Handlungsverlauf in sich geschlossen und führt zu einer bestimmten Finalität? Könnte man unterschiedliche Szenen des „Woyzeck" in Akten zusammenfassen?

Insofern damit jedoch weder eine transzendente Instanz noch divergierende sittliche Mächte den tragischen Konflikt verursachen, stellt sich die Frage, ob die Qualifizierung als Tragödie allein aufgrund eines dargestellten Determinismus sinnvoll ist. Schößler jedenfalls weist Büchners „Woyzeck" dem sozialen Drama zu, dessen entscheidendes Merkmal darin besteht, die Eingebundenheit der Figuren in sozioökonomische Verhältnisse vorzuführen. Sie begründet ihre Zuordnung mit dem Befund, dass das „Woyzeck"-Drama „einen fugenlosen Determinationszusammenhang [etabliert]" [...]. Dieser artikuliert sich in der spezifischen Gestaltung des Raumes, einer Garnisonsstadt, die das Militär allgegenwärtig sein lässt, der Zeit, die das Handeln Woyzecks bestimmt, und der Sprache der Figuren, deren Dialekt wie Idiolekt und den sie kennzeichnenden Bibelsprüchen, Sprichwörtern und volkstümlichen Liedern. Der „Determinationszusammenhang" umgreift damit „private wie öffentliche Ebene und [entlädt] sich im Mord" [...].

4 Erklären Sie die Aussage, das Drama „Woyzeck" etabliere „einen fugenlosen Determinationszusammenhang".

Der letzte Abschnitt benennt bereits die potenzielle Zuordnung des „Woyzeck" zum sozialen Drama. Aber was ist das genau? Und in welchem Bezug steht es zu vorherigen Dramenformen?

Franziska Schößler

Büchner Handbuch: Soziales Drama (2015)

Georg Büchner kann als Diskursbegründer des sozialen Dramas gelten, das das Personal als Spielball der jeweiligen gesellschaftlich-sozialen Verhältnisse konzipiert und die (Sprach-)Autonomie des Subjekts in radikaler Manier aufkündigt. Insbesondere Büchners Drama „Woyzeck" markiert, so wäre genauer zu formulieren, die Schnittstelle zwischen dem im 18. Jahrhundert entstehenden bürgerlichen Trauerspiel [...] und dem sozialen Drama – zwei Gattungen, die die durch gesellschaftliche Entwicklungen benachteiligten, von politischen oder wirtschaftlichen Ressourcen ausgeschlossenen Bevölkerungsschichten tragikfähig machen. Das *tertium comparationis* von bürgerlichem Trauerspiel und sozialem Drama besteht darin, dass gesellschaftlich eindeutig positionierte, unterprivilegierte Figuren, die am symbolischen oder/und ökonomischen Kapital der Gesellschaft nicht partizipieren, zu Protagonisten tragischer Ausdrucksformen werden [...]. [...]

tertium comparationis das Gemeinsame, in dem zwei verschiedene Gegenstände oder Sachverhalte übereinstimmen

5 Geben Sie kurz wieder, worin nach Schößler das Wesensmerkmal des sozialen Dramas besteht.

Das bürgerliche Trauerspiel als spezifische Form des Dramas kennenlernen

Freytag systematisiert allgemein die Tragödie, Klotz schematisiert die Spannbreite der Dramatik von geschlossen zu offen. Aber selbstverständlich gibt es immer Entwicklungsschritte der Dramatik. Ein entscheidender Schritt war die Entwicklung des bürgerlichen Trauerspiels ab Mitte des 18. Jahrhunderts durch Lessing, der bürgerliche Problematiken in den Fokus der „Tragödie" rückte, die bis dahin eher oder ausschließlich dem hohen Adelsstand vorbehalten war. Auf diese Entwicklungsstufe bezieht sich auch Franziska Schößler (S. 69). Um also die Diskussion um das soziale Drama endgültig zu verstehen, muss zunächst verstanden werden, was genau das *bürgerliche Trauerspiel* ist.

Gero von Wilpert

Bürgerliches Trauerspiel (1989)

Bürgerliches Trauerspiel, ein Drama, dessen Tragik sich in einer betont bürgerl. Welt entfaltet, und zwar im Kampf gegen die Unterdrückung durch den Adel, in Konflikten innerhalb des Standes, die e. innere Tragik enthüllen, oder im Zusammenstoß mit dem aufkommenden Arbeiterstand, der an der Brüchigkeit bürgerl. Weltordnung Kritik übt. Diese drei grundssätzl. Möglichkeiten folgen in geschichtl. Reihenfolge und spiegeln die Entwicklung des Bürgertums wider. Die Form des b. T. ist durchweg die Prosa. Die Verwendung bürgerl. Personen, Geschicke und Lebensauffassung im Trauerspiel ist nicht zu allen Zeiten selbstverständlich gewesen: Bis in die Mitte des 18. Jh. herrschte die Ständeklausel, die dem Bürger die Fähigkeit zum Tragischen und dem b. T. die Fallhöhe abspricht. [...] Erst mit dem Aufstieg e. selbstbewussten und standesstolzen Bürgerkultur ergab sich das Bestreben, die sittl. Grundsätze und Konflikte des neuen Standes auch im angemessenen ernsten Drama auf der Bühne zu zeigen, zumal die Gleichheit der auf der Bühne dargestellten Lebensanschauung mit derjenigen der Zuschauer eine viel tiefergreifende Wirkung erzielen musste als die kalte Bewunderung lebensferner Heroen. Das b. T. entwickelt sich mit dem Umschwung von der soz. zur eth. Wertung des Menschen zuerst in England unter dem dort früher erstarkten, emanzipierten Bürgertum [...]. – Der Schöpfer des dt. b. T. wurde [...] Lessing; nach engl. Vorbild und in krit. Abgrenzung gegen die franz. Tragödie entsteht 1755, zunächst noch in engl. Milieu spielend, sein rührendes Familienbild *Miss Sara Sampson* und erlebt zahlreiche moralisierende Nachahmungen in der Zeit bis 1772. Auf der anderen Seite führt seine *Minna von Barnhelm* (1767) als e. der ersten Lustspiele auch den Adel auf die Bühne. Der trag. Zusammenstoß von Bürgertum und Adelswillkür erscheint zuerst in Lessings *Emilia Galotti* 1772, dem ersten Höhepunkt des b. T.: scharfer Protest gegen absolutist. Willkür führt aus den rührenden Familienszenen in den größeren Zusammenhang staatspolit. und sozialer Probleme. Die Reihe der b. T.e, die gegen Übergriffe des Adels auf das preisgegebene Bürgertum in radikaler Form Stellung nehmen und die Auflehnung des Individuums gegen die Gesell-

Hamburg, Theater am Gänsemarkt, 1765 eröffnet; G. E. Lessing leitete das Theater als Dramaturg.

schaftsordnung verherrlichen, setzt sich in den zahlreichen, doch [...] oft formlosen Sozialdramen des Sturm und Drang fort (Lenz, Klinger, H. L. Wagner) und findet ihre sprachlich und dramatisch geschlossenste Ausformung in Schillers *Kabale und Liebe* (1783); [...] Klassik wie Romantik stehen dem b. T. fremd gegenüber, und auch die Wiederbelebungsversuche durch das Junge Dtl. (Gutzkow) in liberalem Sinn scheitern. Isoliert steht Büchners *Woyzeck* mit seiner Kritik an der Menschlichkeit. – Die 2. Stufe des b. T. setzt zwei Generationen später mit Hebbels *Maria Magdalena* (1884) ein: kleinbürgerl. Moral und pedant. Pflicht- und Ehrgefühl wenden sich gegen ihre Träger selbst und führen zu Konflikten innerhalb desselben Standes aus seinem Wesen heraus: das Individuum als Opfer der eigenen Gesellschaft.

1 Erläutern Sie in Einzelarbeit Merkmale und Besonderheiten des bürgerlichen Trauerspiels anhand des Lexikonauszuges von Gero von Wilpert.

2 ***Lernarrangement***

a) Setzen Sie sich in Gruppen zusammen und tauschen Sie sich über Ihre Ergebnisse aus.

b) Diskutieren Sie in der Gruppe, inwieweit das Dramenfragment „Woyzeck“ Merkmale des bürgerlichen Trauerspiels erfüllt.

c) Erstellen Sie in der Gruppe ein Handout zu Entsprechungen und Abweichungen des „Woyzeck“ zum bürgerlichen Trauerspiel. Begründen Sie Ihre Zuordnungen mit Textverweisen. Orientieren Sie sich an der folgenden Tabelle.

Merkmale des bürgerlichen Trauerspiels	Entsprechungen im „Woyzeck“	Abweichungen im „Woyzeck“

d) Präsentieren Sie sich im Plenum gegenseitig Ihre Erarbeitungen und ziehen Sie gemeinsam ein Fazit: Inwieweit steht der „Woyzeck“ in der Tradition des bürgerlichen Trauerspiels?

Strukturell unterschiedliche Dramen aus unterschiedlichen historischen Kontexten

„Woyzeck“ vergleichend mit anderen Dramen analysieren

Das Fragment „Woyzeck“ muss, wie die Diskussion über die offene oder geschlossene Form sowie das soziale Drama zeigt, auch im Kontext anderer literarischer Werke verstanden werden. Mehrfach angesprochen wurden das bürgerliche Trauerspiel und die Dramatik des Sturm und Drang. Für jeden Dramenvergleich ist die Frage interessant, wie ähnliche Thematiken oder Motive in unterschiedlichen Werken umgesetzt werden. Deswegen wird „Woyzeck“ nunmehr in Bezug gesetzt zu zwei Werken des 18. Jahrhunderts: Lessings „Emilia Galotti“ als bürgerliches Trauerspiel im Zeichen der Aufklärung und Wagners „Die Kindermörderin“ als Drama des Sturm und Drang.

Gotthold Ephraim Lessing: Emilia Galotti (1772)

Szene aus „Emilia Galotti“. Stahlstich von Carl Mayer nach Zeichnung von J. G. Buchner, 19. Jahrhundert

Emilia Galotti (1772) ist neben *Nathan der Weise* das bedeutendste Werk Gotthold Ephraim Lessings. Es zeigt die Geschichte der bürgerlichen Emilia Galotti, Tochter Odoardos und Claudias, die kurz vor der Vermählung mit dem Grafen Appiani steht. Der Prinz von Guastalla, Hettore Gonzaga, verliebt sich jedoch in die jugendliche und streng am bürgerlichen Tugendkatalog orientierte Emilia, der er zunächst auf einer Abendgesellschaft begegnet und danach nur noch an „heiligen Stätten“. Diese Liebe, vielleicht auch Besessenheit des Prinzen wird Emilia und ihrer Familie zum Verhängnis. Der Prinz fordert seinen Kammerherrn, Marchese Marinelli, auf, ein Komplott zu schmieden, das die nahende Hochzeit verhindert. So werden Emilia und der Graf Appiani auf dem Weg zur Vermählung in der Kutsche überfallen, Emilia wird entführt und zusammen mit ihrer Mutter auf das Lustschloss des Prinzen in scheinbare Sicherheit gebracht, während der Graf von angeheuerten Räubern erschossen wird. Im Schloss des Prinzen versucht der Prinz um Emilia zu werben, während der Vater Emilias und die (ehemalige) Mätresse des Prinzen, Gräfin Orsina, ebenfalls dort eintreffen. Orsina, gekränkt und beleidigt durch Marinelli, der sie nicht zum Prinzen vorlässt, stiftet den Vater Emilias zur Tötung des Prinzen als Rache für den Tod Appianis an und überreicht diesem ihren Dolch, den sie selber mit sich führt, um den Prinzen zumindest zu bedrohen. Odoardo will aber zunächst mit seiner Tochter unter vier Augen sprechen. In diesem Gespräch bittet Emilia ihren Vater, sie zu ermorden, da sie das Leid und die Schuld nicht ertragen könne. Als Emilia schließlich damit droht, sich selbst zu ermorden, erdolcht der Vater seine Tochter, um ihre Ehre zu bewahren. Odoardo liefert sich im Anschluss der irdischen Gerichtsbarkeit aus, den Prinzen hingegen unterstellt er in seinem letzten Satz der göttlichen Gerichtsbarkeit und damit der göttlichen Gerechtigkeit.

Lessings *Emilia* (1772) gilt als eines der großen und bedeutenden deutschen Dramen, nicht nur der Aufklärung. Die Titelheldin durchläuft ein Netz von Intrigen, wechselseitig an sie gestellten Erwartungen und in diesem Sinne gesellschaftlicher Determiniertheit. So widmen sich die ersten zwei Akte des Dramas fast ausschließlich der Außenwahrnehmung Emilias. Erst in der Szene II,6 tritt die Titelheldin tatsächlich das erste Mal auf, die einzige bedeutende Figur, die noch länger auf sich warten lässt, ist die Mätresse des Prinzen, Gräfin Orsina. Zu diesem Zeitpunkt sind das Verhältnis der Eltern zur Tochter, die Erwartungen des baldigen Ehemanns Appiani und die Hoffnungen und Pläne des Prinzen – unterstützt von Marinelli – schon bekannt. Lessing zeigt somit eine Titelfigur, die an den Erwartungen scheitert, die an sie gestellt werden – zusammen mit ihren eigenen Wertevorstellungen, an die sie sich jedoch hält. Das alleinige Problem Emilias sind nicht die bürgerlichen Moralvorstellungen, es ist das Zerrissensein zwischen den unterschiedlichen Anforderungen, die an sie gestellt werden. Es ist das Bild, das sich ihr Umfeld von ihr gemacht hat.

Die Bedeutung des Dramas besteht weniger in dem doch recht klassischen Inhalt, der sich auf den Virginia-Stoff der römischen Antike bezieht. Vielmehr ist es das Private, das Familiäre des Trauerspiels, das die gattungstheoretische Bedeutung des Werks Lessings bedingt. Die Bürger werden zum Thema und es werden bürgerliche Probleme gezeigt, hier nicht zuletzt der machtbesessene absolutistische Hof, der sich nur noch an seiner Vergnügungssucht orientiert, auch auf Kosten des neu aufkommenden Bürgertums, aber dennoch bleibt es ein familiäres Drama. Und ähnlich Schillers Kritik in *Kabale und Liebe* kann auch nach Lessing die Lösung der bürgerlichen Probleme nicht in dem übertriebenen Ausleben der bürgerlichen Tugenden gefunden werden, auch diese müssen überprüft und reflektiert werden, getreu den Prinzipien der Aufklärung.

Gotthold Ephraim Lessing

Emilia Galotti – 5. Aufzug, 7. und 8. Auftritt (1772)

Siebenter Auftritt

Emilia. Odoardo.

[...] **Odoardo.** Fliehen? – Was hätt' es dann für Not? – Du bist, du bleibst in den Händen deines Räubers.

[...] **Emilia.** Ich allein in seinen Händen? – Nimmermehr, mein Vater. – Oder Sie sind nicht mein Vater. – Ich allein in seinen Händen? – Gut, lassen Sie mich nur, lassen Sie mich nur. – Ich will doch sehn, wer mich hält – wer mich zwingt – wer der Mensch ist, der einen Menschen zwingen kann.

[...] **Odoardo.** Ha! wenn du so denkest! – Lass dich umarmen, meine Tochter! – Ich hab es immer gesagt: das Weib wollte die Natur zu ihrem Meisterstücke machen. Aber sie vergriff sich im Tone, sie nahm ihn zu fein. Sonst ist alles besser an euch als an uns. – Ha, wenn das deine Ruhe ist, so habe ich meine in ihr wiedergefunden! Lass dich umarmen, meine Tochter! – Denke nur: unter dem Vorwande einer gerichtlichen Untersuchung – o des höllischen Gaukelspieles! – reißt er dich aus unsern Armen und bringt dich zur Grimaldi.

Emilia. Reißt mich? bringt mich? – Will mich reißen, will mich bringen: will! will! – Als ob wir, wir keinen Willen hätten, mein Vater!

Odoardo. Ich ward auch so wütend, dass ich schon nach diesem Dolche griff *(ihn herausziehend)*, um einem von beiden – beiden! – das Herz zu durchstoßen.

Emilia. Um des Himmels willen nicht, mein Vater! – Dieses Leben ist alles, was die Lasterhaften haben. – Mir, mein Vater, mir geben Sie diesen Dolch.

Odoardo. Kind, es ist keine Haarnadel.

Emilia. So werde die Haarnadel zum Dolche! – Gleichviel.

Odoardo. Was? Dahin wäre es gekommen? Nicht doch; nicht doch! Besinne dich. – Auch du hast nur ein Leben zu verlieren.

Emilia. Und nur eine Unschuld!

Odoardo. Die über alle Gewalt erhaben ist. –

Emilia. Aber nicht über alle Verführung. – Gewalt! Gewalt! wer kann der Gewalt nicht trotzen? Was Gewalt heißt, ist nichts: Verführung ist die wahre Gewalt. – Ich habe Blut, mein Vater, so jugendliches, so warmes Blut als eine. Auch meine Sinne sind Sinne. Ich stehe für nichts. Ich bin für nichts gut. Ich kenne das Haus der Grimaldi. Es ist das Haus der Freude. Eine Stunde da, unter den Augen meiner Mutter – und es erhob sich so mancher Tumult in meiner Seele, den die strengsten Übungen der Religion kaum in Wochen besänftigen konnten! – Der Religion! Und welcher Religion? – Nichts Schlimmers zu vermeiden, sprangen Tausende in die Fluten und sind Heilige! – Geben Sie mir, mein Vater, geben Sie mir diesen Dolch.

[...] **Odoardo.** Sieh, wie rasch! – Nein, das ist nicht für deine Hand.

Emilia. Es ist wahr, mit einer Haarnadel soll ich – *(Sie fährt mit der Hand nach dem Haare, eine zu suchen, und bekommt die Rose zu fassen.)* Du noch hier? – Herunter mit dir! Du gehörest nicht in das Haar einer – wie mein Vater will, dass ich werden soll!

Odoardo. Oh, meine Tochter! –

Emilia. Oh, mein Vater, wenn ich Sie erriete! – Doch nein, das wollen Sie auch nicht. Warum zauderten Sie sonst? – *(In einem bittern Tone, während dass sie die Rose zerpflückt.)* Ehedem wohl gab es einen Vater, der seine Tochter von der Schande zu retten, ihr den ersten, den besten Stahl in das Herz senkte – ihr zum zweiten Male das Leben gab. Aber alle solche Taten sind von ehedem! Solcher Väter gibt es keinen mehr!

Odoardo. Doch, meine Tochter, doch! *(Indem er sie durchsticht.)* – Gott, was hab ich getan! *(Sie will sinken, und er fasst sie in seine Arme.)*

Emilia. Eine Rose gebrochen, ehe der Sturm sie entblättert. – Lassen Sie mich sie küssen, diese väterliche Hand.

Achter Auftritt

Der Prinz. Marinelli. Die Vorigen.

Der Prinz *(im Hereintreten).* Was ist das? – Ist Emilien nicht wohl?

Odoardo. Sehr wohl, sehr wohl!

Der Prinz *(indem er näher kömmt).* Was seh ich? – Entsetzen!

Marinelli. Weh mir!

Der Prinz. Grausamer Vater, was haben Sie getan!

Odoardo. Eine Rose gebrochen, ehe der Sturm sie entblättert. – War es nicht so, meine Tochter?

Emilia. Nicht Sie, mein Vater – Ich selbst – ich selbst –

Odoardo. Nicht du, meine Tochter – nicht du! – Gehe mit keiner Unwahrheit aus der Welt. Nicht du, meine Tochter! Dein Vater, dein unglücklicher Vater!

Emilia. Ah – mein Vater – *(Sie stirbt, und er legt sie sanft auf den Boden.)*

Odoardo. Zieh hin! – Nun da, Prinz! Gefällt sie Ihnen noch? Reizt sie noch Ihre Lüste? Noch, in diesem Blute, das wider Sie um Rache schreiet? *(Nach einer Pause.)* Aber Sie erwarten, wo das alles hinaus soll? Sie erwarten vielleicht, dass ich den Stahl wider mich selbst kehren werde, um meine Tat wie eine schale Tragödie zu beschließen? Sie irren sich. Hier! *(Indem er ihm den Dolch vor die Füße wirft.)* Hier liegt er, der blutige Zeuge meines Verbrechens! Ich gehe und liefere mich selbst in das Gefängnis. Ich gehe und erwarte Sie als Richter – Und dann dort – erwarte ich Sie vor dem Richter unser aller! [...]

1 Fassen Sie die Inhalte der vorliegenden Szenenauszüge zusammen und charakterisieren Sie auf dieser Grundlage das Verhältnis von Tochter und Vater.

2 Erläutern Sie Emilias Verhalten und Einstellungen vor dem Hintergrund der aufgeführten Informationen zum bürgerlichen Tugendkatalog.

Der bürgerliche Tugendkatalog im Zeitalter der Aufklärung

Die Zeit des Absolutismus im 18. Jahrhundert ist verbunden mit dem Aufkommen eines Bürgertums. In bewusster Abgrenzung vom höfischen Leben entwickelt sich im Bürgertum eine neue Ethik und Moralvorstellung. Es entsteht ein bürgerlicher Tugendkatalog, der zum einen auf dem Protestantismus und zum anderen auf Vernunftprinzipien beruht. Dieser Katalog beinhaltet Wertevorstellungen wie z. B. Aufrichtigkeit, Selbstlosigkeit, Keuschheit, christliche Religiosität, Gehorsam gegenüber den Eltern und Empfindsamkeit. Das nach den Verwüstungen des Dreißigjährigen Krieges (1618–1648) ökonomisch erstarkte Bürgertum, das zunächst jedoch politisch ohne Macht und Einfluss blieb, definiert sich nun über diese moralischen Werte, die bewusst konträr sind zu dem als verwerflich und unmoralisch empfundenen höfischen Leben. Diese Entwicklung wird verstärkt und teilweise initiiert durch literarische Tendenzen, die den Prinzipien der Aufklärung folgen.

3 Vergleichen Sie die Figur Emilia mit der Figur Marie aus Büchners „Woyzeck". Welche Gemeinsamkeiten entdecken Sie? Oder stehen sich die Figuren diametral gegenüber?

4 Vergleichen Sie den vorliegenden Auszug aus Lessings „Emilia" mit der Szene 17 aus Büchners „Woyzeck" (Textausgabe, S. 28). Gehen Sie dabei folgenden Aspekten nach: Form und Sprache, Inhalte, Selbstwahrnehmungen Emilias und Maries insbesondere in Bezug auf die Frage der Schuld/Verantwortung.

Strukturell unterschiedliche Dramen I

„Woyzeck" und „Die Kindermörderin" vergleichen

Der Sturm und Drang (ca. 1765–1785)

Als Abgrenzung zur starken Betonung der Vernunft des Menschen in der Aufklärung entwickelt sich die Epoche oder auch Strömung des Sturm und Drang. Nun wird nicht mehr nur das Handeln aufgrund der Vernunft propagiert. Vielmehr wird das Gefühl des Individuums sowie dessen Kreativität und Spontaneität betont. Damit richtet sich der Sturm und Drang nicht nur gegen die das Leben bestimmende Normativität wie beispielsweise gesellschaftliche und religiöse Konventionen, sondern bricht auch mit der traditionellen Regelpoetik der Aufklärung, zurückgehend auf J. C. Gottsched, der insbesondere für die Dramatik klare Regeln und Ordnungen forderte. Anstatt konventionellen Regeln zu folgen, zeichnet sich die Literatur des Sturm und Drang durch eine breite Formenvielfalt aus, die Lyrik verliert ihre klare Gliederung, Hymnen in freien Rhythmen sind das zentrale Element, die Dramen lösen in Teilen die Einheiten von Handlung, Ort und Zeit auf und das Bürgertum erobert auch innerhalb der Dramen als prägende handelnde Figuren die Bühne. Der Sturm und Drang ist damit die Phase einer jungen Generation von Dichtern (unter ihnen der frühe Goethe und der junge Schiller), die durch die Aufklärung geprägt wurden, in ihrem Gedankengut aber deutlich revolutionärer sind. Thematisch stehen unterschiedliche Aspekte im Fokus:

Vater-Sohn-Konflikt: Der Kampf der Generationen ist häufiges Thema der Literatur des Sturm und Drang. Der rebellische, seinem Herzen folgende Sohn widersetzt sich seinem Vater, dem Repräsentanten der zu überwindenden alten Werteordnung.

Absolutismuskritik: Anders als in der Aufklärung wird in den Texten des Sturm und Drang wesentlich deutlichere Kritik am Absolutismus bzw. an der Ständegesellschaft formuliert. In der Aufklärung war oftmals das Verhalten innerhalb absolutistischer Systeme Thema, im Sturm und Drang kommt die Forderung des systemischen Umbruchs auf.

Religionskritik: Im selben Zusammenhang wie die oben aufgeführten Punkte steht die stark ausgeprägte Religionskritik. In Verbindung mit dem sogenannten Naturenthusiasmus wird das Göttliche in der Natur gesehen (Pantheismus) und ist somit dem Menschen als Kind der Natur zugänglich. Abgelehnt wird auch hier die Forderung der strengen Autoritätsgläubigkeit durch die Kirchen, die für die Gesellschaft prägend sind.

Der Geniegedanke: Als Kind der Natur ist der schöpferische Mensch nur an deren Regeln gebunden und orientiert sich nicht an Autoritäten, sondern rebelliert gegen dogmatische Perspektiven und Zwang. Das Genie ist damit der frei schaffende Mensch (Künstler), der seiner Individualität und seinen Emotionen folgt. Dieser Aspekt bezieht sich oftmals sowohl auf Inhalte literarischer Werke als auch auf deren Verfasser und deren Tätigkeit.

Sprachlich zeichnet sich der Sturm und Drang durch einen stark emotionalisierten Duktus aus. Apostrophen und Interjektionen ebenso wie Auslassungen sind häufig verwendete Stilmittel, die Umgangssprache, Dialekte und Soziolekte erhalten Einzug in die Literatur.

Kindlers Neues Literatur Lexikon

Heinrich Leopold Wagner: Die Kindermörderin

Trauerspiel in sechs Akten von Heinrich Leopold Wagner, anonym erschienen [...]. Frau Humbrecht, Gattin eines standesbewussten Straßburger Metzgers, folgt ohne Wissen ihres Gatten mit ihrer Tochter Evchen der Einladung des bei ihnen logierenden Leutnants von Gröningseck zu einer Redoute. Zu später Stunde führt Gröningseck die Nichtsahnenden in ein Bordell, betäubt die Mutter mit einem Schlaftrunk und verführt Evchen, deren Verzweiflung er nur durch ein Eheversprechen beschwichtigen kann. Dem dringenden Abraten seines Freundes und Regimentskameraden von Hasenpoth zum Trotz beschließt Gröningseck, sein einmal gegebenes Versprechen zu halten und seiner Offizierskarriere zu entsagen. Evchen, inzwischen in quälende Melancholie versunken, bewahrt das Geheimnis ihrer Schwangerschaft auch angesichts der Drohungen ihrer Eltern. Hasenpoth, der die Standesehre seines Freundes unter allen Umständen retten zu müssen glaubt, täuscht Evchen mit einer in Gröningsecks Namen abgefassten brieflichen Lossagung, die das entsetzte Evchen zur heimlichen Flucht aus dem Elternhaus treibt. Sie bringt, von ihrem verzweifelten Vater vergeblich gesucht, bei einer mittellosen Lohnwascherin, Frau Marthan, ihr Kind zur Welt, tötet es jedoch in einem Anfall

Redoute
Maskenball, Kostümball

von Wahnsinn, als sie erfährt, dass ihre Mutter aus Kummer gestorben sei und ihr Vater ein hohes Lösegeld für ihre Auffindung ausgesetzt habe, und verhilft Frau Marthan zu dem Finderlohn, indem sie sich ihr zu erkennen gibt [...]. Der zurückgekehrte ahnungslose Gröningseck kann Evchen, die nur noch den Tod sucht, nicht mehr vor der ihr drohenden Verurteilung als Kindesmörderin bewahren. [...] Das Thema des Kindesmords – als Resultat eines Konflikts, der sich am unüberbrückbaren Standesunterschied der Liebenden entzündet – taucht in der dramatischen Literatur des Sturm und Drang häufig auf und ist ein deutliches Indiz für dessen sozialkritische Tendenz. Der Autor hat denn auch bedenkenlos Anleihen [...] bei Goethes fragmentarischen Faust-Szenen (entworfen 1773–1775) – die er aus einer Lesung des Dichters kannte – gemacht, was Goethe zu einem – angesichts Wagners völlig anders geartetem Drama kaum berechtigten – öffentlichen Plagiatsvorwurf veranlasste.

Das Stück als Ganzes leidet an einer eklatanten Schwäche der Motivierung: Einen Liebhaber einzuführen, der sein Opfer im Bordell verführt, um es dann mit umso edlerer Treue wieder aufzurichten, mag dem Autor selbst als entschiedener Widerspruch erschienen sein, weshalb er in seiner eigenen Bearbeitung [...] den ersten Akt strich und die Vorgeschichte in zahlreichen Rückgriffen dem Stück einfügte. Seine Hauptstärke dagegen liegt in der ungeschminkten Wirklichkeitsschilderung, dem derben Realismus (Wagner nannte sich selbst einen „konsequenten Naturalisten“), der gerade in dem später gestrichenen ersten Akt eine beträchtliche, wenn auch keineswegs differenzierende anklägerische Wucht in sozialen Fragen entfaltet, einigen Figuren die Solidität drastischer Volkstypen mitteilt und in Dialogführung und mundartlicher Färbung der Alltagssprache näher kommt als vielleicht irgendein anderes dramatisches Produkt der Geniezeit.

Gabriel von Max: Die Kindsmörerin (1877)

Heinrich Leopold Wagner

Die Kindermörderin (1776, Sechster Akt)

Evchen. Ja, ja! Ich – Ich! ich bin die Muttermörderin, die keinen guten Blutstropfen in sich hat, die sich im Bordel herumwälzte, die von einem Ehrenschänder sich hintergehn ließ, die hier ein saugendes Kind hat, das kaum geboren schon vater- und mutterlos ist, – denn wenn ich Mutter wär, müsst ichs auch nähren können, das kann ich nicht. – Ich bins, die, die – kurz, ich bin des Humbrechts eigne Tochter; die, wie sie sagte, sich ersäuft soll haben: – sie sieht, es ist eine Lüge, wollt dass andre wär auch eine; ’s ist aber leider! nur zu wahr. – Was mich freut, ist, dass ich jetzt ein Mittel weiß euch die viele Müh, die ich euch gemacht habe, wenigstens zum Teil zu vergelten. – Geh sie sogleich zu meinem Vater, Frau Marthan, sag sie nur, ich, die Eve schickte sie, er sollte ihr die hundert Taler auszahlen. – Es wird ihm wenig Freud machen – aber – geh sie, Frau Marthan, geh sie gleich –

Fr. Marthan. Ach, du lieber Herr Gott! nein! das hab ich wärli nit um sie verdient, – so gut und so unglücklich – verzeih sie mir ja alles, was ich da sagte – ganz gewiss ist sie verführt worden – sonst wär sie nie –

Evchen. Das bin ich, bin verführt, übertölpelt worden, da ich mirs am wenigsten dachte. Sie hats ja selbst erzählt; das Ersäufen ausgenommen, ist alles wahr, alles! nur muss ich ihr noch sagen, dass ich nicht wusste, dass wir in einem so schönen

Haus waren, noch weniger hab ich am Schlaftrunk Anteil gehabt. – Diese zwei Umstände, die ich von ihr erfahren, zeigen mir die ganze schwarze Seele des Niederträchtigen, der mich so tief herabsetzte. – Noch blieb mir immer wenigstens ein Schatten von Hoffnung übrig, nun ist auch der verschwunden, und mit ihm alles – nun kann ich nichts mehr, als – *(stockt, sieht mitleidsvoll ihr Kind an.)*

Fr. Marthan. O sie kann noch glücklicher wieder werden; vielleicht kommt er doch wieder, wo sie sichs gar nicht vermutet.

Evchen. Wieder! – Er sollte wiederkommen! Frau Marthan, sieht sies, ich bin nur ein Weibsbild, aber – wenn er wiederkommt, mir wieder unter die Augen tritt, so stoß ich ihm mit der einen Hand diesen Brief hier, sieht sie – *(zieht ihn aus der Tasche.)* unter die Nase, und mit der andern bohr ich ihm ein Brotmesser ins Herz. – [...] Jetzt geh sie, Frau Marthan! geh sie! ich bitt sie darum.

Fr. Marthan. Hundert Taler wär mir freilich ein schönes Kapetal; hab mein Lebtag nit so viel beisammen gehabt, aber ich tät mich Sünd förchten, sie jetzt allein zu lassen.

Evchen. Warum, Liebe? – Seh ich vielleicht etwas erhitzt, etwas aufgebracht aus? – Das tut es mir zu Zeiten, wenn ich an den Treulosen denk; 's ist aber gleich wieder vorbei, nur ein Übergang – jetzt bin ich schon ganz gelassen wieder – nur ein bisschen schwach – geh sie, sag sie meinem Vater, ich lebte noch, morgen sollt er mehr von mir hören: – wenn er ihr Geld gibt, bring sie was fürs Kind mit, es kann kaum mehr schrein, so matt ists; – geh sie, geh sie! jeder Augenblick ist mir jetzt teuer –

Fr. Marthan. Na denn, dem armen Kind zu gefallen will ich geschwind hinten herum springen; in weniger als nichts bin ich wieder zurück, und bring ihm ein Stück Zuckerdorsch mit.

Evchen. Das tu sie, Frau Marthan: komm sie ja bald wieder, sonst möchts zu spät sein.

Fr. Marthan *(im Abgehn.)* Zu spät? –

Evchen. Es wird ja so schon dunkel – *(Frau Marthan vollends ab.)* – mir vor den Augen! war mirs schon lang. – Fast war mir bang, ich brächte sie mir nicht vom Hals. – Ja! was wollt ich doch? – warum schickt ich sie aus. – Mein armes Bisschen Verstand hat, glaub ich, vollends den Herzstoß bekommen! – *(das Kind schreit wieder.)* Singst du? singst? singst unsern Schwanengesang? – sing, Gröningseckchen! sing! – Gröningseck! so hieß ja dein Vater; *(nimmts vom Bett wieder auf und liebkosts.)* – Ein böser Vater! der dir und mir nichts sein will, gar nichts! und mirs doch so oft schwur, uns alles zu sein! – ha! im Bordell sogar es schwur! – *(zum Kind)* Schreist? schreist immer? lass mich schrein, ich bin die Hure, die Muttermörderin; du bist noch nichts! – ein kleiner Bastert, sonst gar nichts; – *(mit verbissner Wut.)* – sollst auch nie werden, was ich bin, nie ausstehn, was ich ausstehn muss – *(nimmt eine Stecknadel, und drückt sie dem Kind in Schlaf, das Kind schreit ärger, es gleichsam zu überschrein singt sie erst sehr laut, hernach immer schwächer.)*

Eya Pupeya!
Schlaf Kindlein! schlaf wohl!
Schlaf ewig wohl!
Ha ha ha, ha ha! *(wiegts auf dem Arm.)*
Dein Vater war ein Bösewicht,
Hat deine Mutter zur Hure gemacht;
Eya Pupeya!

„Schattenkinder“, frei nach Motiven von Heinrich Leopold Wagners „Die Kindermörderin“. Deutsches Theater Berlin, 2010

Schlaf Kindlein! schlaf wohl!
Schlaf ewig wohl!
Ha ha ha, ha ha!

Schläfst du, mein Liebchen, schläfst? – wie sanft! bald beneid ich dich Bastert, so schlafen Engel nur! – Was mein Liedchen nicht konnte! – säng mich doch auch jemand in Schlaf so! – Ha! ein Blutstropfen! den muss ich wegküssen, – noch einer! – auch den! *(küsst das Kind an dem verwundeten Schlaf.)* – Was ist das? – süß! sehr süß! aber hinten nach bitter – ha, jetzt merk ichs – Blut meines eignen Kinds! – und das trink ich? – *(wirfts Kind aufs Bett.)* Da schlaf, Gröningseck! schlaf! schlaf ewig! – bald werd ich auch schlafen – schwerlich so sanft als du einschlafen, aber wenns einmal geschehn ist, ists gleichviel. – *(Man hört jemand.)* Gott! wer kommt? *(sie deckt das Kind zu, setzt sich daneben, und fällt, da sie ihren Vater kommen sieht, mit dem Gesicht aufs Kopfkissen.)* [...]

1 Lesen Sie den Lexikonartikel zu Wagners „Kindermörderin" und halten Sie stichpunktartig die entscheidenden Handlungsschritte des Dramas fest.

2 Interpretieren Sie den vorliegenden Auszug des sechsten Aktes des Dramas „Die Kindermörderin" unter besonderer Berücksichtigung der Figurenzeichnung Evchens, indem Sie
- eine aufgabenbezogene Einleitung formulieren (Autor, Titel, Szene, Jahr, Gattung, Themen des Dramas, Inhalt des Dramas in wenigen Sätzen),
- die Szene in den Handlungsverlauf einordnen (s. Lexikonartikel, S. 75 f.),
- die Inhalte des Szenenauszugs strukturiert wiedergeben,
- den Dialog unter besonderer Berücksichtigung der Figurenzeichnung Evchens untersuchen,
- dabei insbesondere auf die sprachliche und formale Gestaltung des Auszuges eingehen,
- und abschließend die Figurenzeichnung und die Funktion der Szene deuten.

3 Vergleichen Sie die Figurenzeichnung Evchens mit der Figurenzeichnung Maries aus Büchners „Woyzeck". Gehen Sie dabei insbesondere auf das in beiden Dramen dargestellte Verhältnis der Mütter zu ihren Kindern ein.

Schuldig oder unschuldig? Moralisch oder unmoralisch? Ist das hier die Frage?

Perspektiven auf die Frage der Verantwortung erschließen

Seit der griechischen Tragödie ist die Frage der tragischen Schuld, in diesem Sinne der Verantwortlichkeit, die zentrale Frage der Dramatik. Definiert Büchner diese Frage neu? Ist der Mensch ohne Verantwortung? Sind die sozialen Umstände allein determinierend? Was ist das Menschen- und Weltbild Büchners?

Georg Büchner

An die Familie. Aus Gießen nach Darmstadt (Februar 1834)

Ich verachte niemanden, am wenigsten wegen seines Verstandes oder seiner Bildung, weil es in niemands Gewalt liegt, kein Dummkopf oder kein Verbrecher zu werden, – weil wir durch gleiche Umstände wohl alle gleich würden, und weil die Umstände außer uns liegen. Der Verstand nun gar ist nur eine sehr geringe Seite unsers geistigen Wesens und die Bildung nur eine sehr zufällige Form desselben. Wer mir eine solche Verachtung vorwirft, behauptet, dass ich einen Menschen mit Füßen träte, weil er einen schlechten Rock anhätte. Es heißt dies, eine Roheit, die man einem im Körperlichen nimmer zutrauen würde, ins Geistige übertragen, wo sie noch gemeiner ist. Ich kann jemanden einen Dummkopf nennen, ohne ihn deshalb zu verachten; die Dummheit gehört zu den allgemeinen Eigenschaften der menschlichen Dinge; für ihre Existenz kann ich nichts, es kann mir aber niemand wehren, alles, was existiert, bei seinem Namen zu nennen, und dem, was mir unangenehm ist, aus dem Wege zu gehn. Jemanden kränken ist eine Grausamkeit, ihn aber zu suchen oder zu meiden, bleibt meinem Gutdünken überlassen. Daher erklärt sich mein Betragen gegen alte Bekannte; ich kränkte keinen und sparte mir viel Langeweile; halten sie mich für hochmütig, wenn ich an ihren Vergnügungen oder Beschäftigungen keinen Geschmack finde, so ist es eine Ungerechtigkeit; mir würde es nie einfallen, einem andern aus dem nämlichen Grunde einen ähnlichen Vorwurf zu machen. Man nennt mich einen Spötter. Es ist wahr, ich lache oft, aber ich lache nicht darüber, wie jemand ein Mensch, sondern nur darüber, dass er ein Mensch ist, wofür er ohnehin nichts kann, und lache dabei über mich selbst, der ich sein Schicksal teile. Die Leute nennen das Spott, sie vertragen es nicht, dass man sich als Narr produziert und sie dutzt; sie sind Verächter, Spötter und Hochmütige, weil sie die Narrheit nur außer sich suchen. Ich habe freilich noch eine Art von Spott, es ist aber nicht der der Verachtung, sondern der des Hasses. Der Hass ist so gut erlaubt als die Liebe, und ich hege ihn im vollsten Maße gegen die, welche verachten. Es ist deren eine große Zahl, die im Besitze einer lächerlichen Äußerlichkeit, die man Bildung, oder eines toten Krams, den man Gelehrsamkeit heißt, die große Masse ihrer Brüder ihrem verachtenden Egoismus opfern. Der Aristokratismus ist die schändlichste Verachtung des heiligen Geistes im Menschen; gegen ihn kehre ich seine eigenen Waffen; Hochmut gegen Hochmut, Spott gegen Spott. – Ihr würdet euch besser bei meinem Stiefelputzer nach mir umsehn [...]. [...] Ich hoffe noch immer, dass ich leidenden, gedrückten Gestalten mehr mitleidige Blicke zugeworfen, als kalten, vornehmen Herzen bittere Worte gesagt habe. –

1 Analysieren Sie den Brief Büchners an die Familie im Hinblick auf das von Büchner vertretene Menschen- und Weltbild.

2 Überprüfen Sie, inwieweit sich das Menschen- und Weltbild Büchners in der Figurenzeichnung des „Woyzeck" widerspiegelt.

Die nachfolgenden Texte nehmen alle in gewisser Art und Weise eine Perspektive auf die Verantwortlichkeit Woyzecks für seine Taten ein. Auch in den ergänzend zum „Woyzeck" besprochenen Dramen ist die Frage der Verantwortung, in diesem Sinne auch die Frage der moralischen Schuld von großer Bedeutung und nicht zuletzt auch beim von Büchner geschmähten Schiller, wenn er über die Schaubühne als moralische Anstalt schreibt. Und wer trägt jetzt die Verantwortung für was im „Woyzeck"?

Harald Neumeyer

Büchner Handbuch: Zu Gerichtsprozess und Hinrichtung (2015)

Die gesamten Materialien zum juristischen Verfahren und dessen öffentlichen Begleitumständen [...] harren noch einer Analyse [...]: Die Schrift des Verteidigers Hänsel, der die ökonomische Situation von Woyzeck in Rechnung stellt; das Sondervotum des Prinzen Friedrich August, der die Macht des Souveräns, nicht nur sterben zu machen, sondern auch leben zu lassen, ins Spiel bringt; die Leipziger Magistratsverordnung vom 23. August 1823, die die polizeilichen Sicherheitsvorkehrungen für die Hinrichtung festlegt; die Publikationen des Allergnädigst privilegirten Leipziger Tageblatt, die den Verbrecher als ein sittliches Monster charakterisieren, das die Grenze vom Mensch zum Tier *zurück* überschritten hat; die das Strafritual flankierende Vorrede in Clarus' Erstpublikation seines Gutachtens vom 28. Februar 1823, die den Befund der Zurechnungsfähigkeit ebenso rechtfertigt wie die Hinrichtung;

gemeint ist der historische Woyzeck

die Augenzeugenberichte von der Hinrichtung, die ein in sich widersprüchliches Bild des Strafrituals geben, das zwischen ordentlichem Verlauf und chaotischen Zuständen changiert. Die Materialien bieten einen historisch repräsentativen Einblick in gleich mehrere gesamtkulturell problematische Ordnungszonen: die von Tier und Mensch, von Anomalie und Normalität, von Natur- und Kulturzustand, die von Norm und Gesetz, Moral und Recht, die von Normalisierungsgesellschaft und politischer Souveränität, von rechtlich zu sanktionierendem Mord und rechtlich legitimiertem Strafritual. Die Materialien veranschaulichen zudem, dass gerade die Verortung Woyzecks an der Schwelle von Tier und Mensch seine Hinrichtung rechtfertigt: Als Tier, das aus aggressiven Impulsen handelt, stellt er eine Bedrohung der Gesellschaft dar und muss ausgeschlossen werden; als Mensch, dem die Freiheit des Willens eignet, ist er für seine Handlung verantwortlich und darf ausgeschlossen werden. Der juristischen Begründung des Todesurteils liegt damit eben jene Grenzziehung zugrunde, die in Büchners Drama mehrfach hinterfragt wird – die Grenzziehung zwischen Tier und Mensch.

1 Fassen Sie kurz die Aussagen zum historischen Woyzeck zusammen und erläutern Sie die These der Rechtfertigung der Hinrichtung durch die Verortung Woyzecks an der „Schwelle von Tier und Mensch“ (Z. 20).

2 Neumeyer führt aus, dass die Grenzziehung zwischen Tier und Mensch in Büchners Drama mehrfach hinterfragt werde (vgl. Z. 24 ff.). Erläutern Sie diese These.

Hans Mayer

Georg Büchner und seine Zeit: Das Thema (1972)

Fatalismus Glaube an Vorherbestimmung, ergebungsvoller Schicksalsglaube

Letztlich – und das ist das Entscheidende – geht es im „Woyzeck“ wie zuvor im „Landboten“ und im „Danton“ um die stets gleiche Frage: um die Abhängigkeit menschlicher Existenz von Umständen, die ‚außer uns liegen‘. Den „grässlichen Fatalismus der Geschichte“ und seine „zernichtende“ Gewalt hatte Büchner schon in seiner frühesten Gießener Zeit empfunden. Das Studium der Geschichte, vor allem der großen politischen Umwälzungen, hatte ihm die Frage gestellt, die er als Schicksalsfrage menschlicher Existenz empfand: „Was ist das, was in uns lügt, mordet, stiehlt?“. Das aber war nichts anderes als die Frage nach den bestimmenden und verursachenden Faktoren des menschlichen Schicksals; es war die Frage nach Freiheit oder Vorherbestimmtheit menschlicher Willensentscheidungen, nach der Möglichkeit oder auch nur Sinnhaftigkeit, durch Handeln und Planen in den Geschichtsverlauf und den Verlauf des Einzellebens eingreifen zu können. [...]

Determinismus philosophische Lehre, die besagt, dass alles, was geschieht, eine eindeutige Ursache hat. So ist jedes Ereignis durch ein früheres bestimmt. Eine solche Auffassung führt etwa in der Ethik zu der Behauptung, dass der menschliche Wille nicht frei sei.

Wieder aber steht die gleiche Frage über dem Drama vom Mörder Franz Woyzeck, der seine Geliebte erstach. Wieder ist gefragt, im nackten Handeln des Einzelnen, jenseits aller kollektiven Aktion: „Was ist das, was in uns lügt, hurt, stiehlt und mordet?“[.] Neben der gesellschaftlichen Determiniertheit der politischen Agitation, neben der ursächlichen Bestimmtheit und inneren Gebundenheit ganzer Geschichtsepochen steht die Gebundenheit der individuellen Tat, des Verbrechens. [...]

Honoré Daumier: Die Last (um 1860)

Die Frage der „sozialen Indikation“ ist gestellt, das Verbrechen aus der gesellschaftlichen Lage erklärt, [...] Woyzecks Tun erscheint hier, ebenso wie das seiner Peiniger und Gegenspieler, als Wirkung und Produkt sozialer Funktionen und Seinslagen. Verschiedenheit der sozialen Lagen bestimmt die Verschiedenheit der Anschauungen über Sitte und Moral, entscheidet über Glücksmöglichkeit und Aufstiegschance.

1 Rekapitulieren Sie Ihre Ergebnisse der Einstiegsseite (S. 11, insbesondere Aufgabe 3 und 4). Erläutern Sie auch in Rückbezug auf Ihre ersten eigenen Annahmen zum Zitat Büchners die Position, die Hans Mayer in diesem Auszug zum Drama „Woyzeck“ einnimmt.

2 *„Woyzecks Tun erscheint hier, ebenso wie das seiner Peiniger und Gegenspieler, als Wirkung und Produkt sozialer Funktionen und Seinslagen.“* Diskutieren Sie diese These Mayers im Plenum.

Alfred Kerr

Georg Büchner: Woyzeck
(Berliner Tageblatt vom 6. April 1921)

I

Woyzeck ist der Mensch, auf dem alle rumtrampeln. Dem Hauptmann dient er zur Hänselei. Dem Doktor dient er zum Kaninchen. Dem Tambourmajor dient er zum Püffefang. Seiner Marie dient er zur Wurz'n. Woyzeck ist der Mensch, auf dem alle rumtrampeln. Somit ein Behandelter – nicht ein Handelnder. Somit ein Kreisel – nicht eine Peitsche. Somit ein Becken – nicht ein Quell. Somit ein Opfer – nicht ein Täter.
Somit ein Dramenheld?

II

Woyzeck wehrt sich nicht ... Und als er sich doch wehrt, einmal: da mordet er nicht den Tambourmajor: sondern die Geliebte. Nicht den Räuber: sondern die Geraubte. Nicht den Feind: sondern das eigene Herz.
Eine veraltete Ästhetik müsste den Woyzeck untauglich zur Dramengestalt nennen.
Er ist sehr tauglich hierzu.
Denn Dramengestalt wird sozusagen die Mitwelt – nicht Woyzeck.
Täter wird sozusagen die machtvolle Selbstsucht – nicht die machtlose Beute. Kernpunkt wird sozusagen die quälende Menschheit – nicht ihr gequälter Mensch.

III

Bei alledem bleibt wahr: dass der Woyzeck sich wehrt, indem er sich nicht wehrt. Dass er durch seine Machtlosigkeit justament furchtbarsten Einspruch erhebt. Dass er am tiefsten angreift, weil er nicht angreifen kann.
Hat also jemand Lust, einen Woyzeck als dramatischen Kernpunkt zu nehmen –: bitte! von mir aus! los! immerzu! spielend! in Vaters Hause sind viele Wohnungen. (Und kein Mietsamt mehr.)
Aaaber – so murmelt etwas im innersten Kritiker – alles jetzt auf die Wirkung betrachtet, so steht wiederum fest, als Erfahrungstatsache: dass man stärker wachgehalten wird, wenn das Opfer sich auch sichtbar wehrt. Wenn vorübergehend ein Zweifel herrscht: „Wird er ... Oder werden jene ...?“ Kurz: wenn ein Kreuzweg erscheint.
Sicher, dass man auf diese Art mehr wachgehalten wird. Doch, erstens: ist dieser „man“ der beste Zuschauer? Und zweitens: ist dies Wachbleiben das beste Zuschauen? Hm?

Gibt es nicht Betrachtungen, Nachdenksamkeiten ... statt einer Form des Wettens? Nicht ein Versunkensein ... statt eines Knöpfeabzählens? Nicht Einblicke ... statt einer Spannung? Nicht Empfindungserkenntnis ... statt einer Lotterie?
Etwas murmelt: „Gewiss. Aber im Drama –?"
Es gibt solche Dramen – und solche Dramen. Es gibt Dramen für solche – und Dramen für s o l c h e. (Einstein).
Woyzeck ist sehr wohl ein Held fürs Drama. Woyzeck darf nie ein Dramenheld werden. Das ist klar.

Aufgabentyp II A
Die angeführte Aufgabenstellung ist eine mögliche Variante einer potenziellen Abiturklausur zum „Woyzeck"

1 Analysieren Sie die Rezension des Theaterkritikers Alfred Kerr zum Dramenfragment „Woyzeck".

2 *„Woyzeck ist sehr wohl ein Held fürs Drama. Woyzeck darf nie ein Dramenheld werden."* Nehmen Sie Stellung zu dieser abschließenden Aussage Alfred Kerrs.

Karl-Markus Gauß

Woyzeck war kein Opfer. Er war Täter (2003)

Inszenierung von Michael Thalheimer, Thalia-Theater, Hamburg 2003

Michael Thalheimer macht in Salzburg aus Büchners Helden einen gefährlichen Proleten.

Schwer zu sagen, ob es von Vorteil oder Nachteil ist, Büchners dramatisches Fragment *Woyzeck* zu kennen, wenn man in Michael Thalheimers Salzburger Aufführung gleichen Titels geht. Hat man die vor fast 170 Jahren verfasste Szenenfolge im Gedächtnis, glaubt man zu wissen, dass Woyzeck die einprägsamste Gestalt des gedemütigten Armen ist, die bis dahin am deutschen Theater aufgetreten ist; eines Armen, mit dem die Repräsentanten der Macht, hier der gockelhafte Vertreter der alten Aristokratie, der Hauptmann, dort der zynische Wegbereiter der bürgerlichen Moderne, der Doktor, ihr grausames Spiel treiben. Nachdem sein Körper durch die Experimente des Doktors ruiniert, seine Seele ins Pathologische zerrüttet und durch den Tambourmajor seine Eifersucht geweckt ist, ersticht er Marie, das Liebste, das er hatte: ein Mörder, zweifellos, aber das Theater, wie Büchner es verstanden hat, war nicht das erzherzogliche Landgericht, und darum hat er den Täter nicht ein zweites Mal schuldig gesprochen, sondern als Opfer konzipiert, und als dieser unheimliche, von seinen Wahnvorstellungen geplagte, von den Verhältnissen gequälte „arme Woyzeck" ist er in die Theatergeschichte eingegangen.
Wenn man das alles weiß, wird man sich wundern, wie rabiat sich Thalheimer nicht darum schert, was bei Büchner geschrieben steht. Dass er viele Szenen der ohnehin nicht vielen Szenen des Fragments ebenso streicht wie etliche Gestalten, das braucht bei einem Regisseur, dessen früher Ruhm darauf gründet, dass er es gewissermaßen auf das Skelett des Stückes abgesehen hat, nicht zu wundern. Thalheimer hat aber Büchners Fragment nicht nur weiter fragmentiert, bis es gerade noch 75 Minuten dauert, es auf die übrigens völlig kahle Bühne zu setzen; er hat auch das Kunststück zuwege gebracht, dabei jede Menge hinzuzufügen: immerhin fünf Leichen nämlich.

Thalia-Theater, Hamburg 2003

Wollte Büchner den historischen Woyzeck – einen nach den Akten offenbar geisteskranken Soldaten, der 1824 wegen eines Eifersuchtsmordes in Leipzig hingerichtet wurde – in gewissem Sinne rehabilitieren, macht ihm Thalheimer noch einmal den Prozess. Bei ihm ist Woyzeck nicht nur ein Mörder, sondern ein Serienkiller.

Kurios genug, aber Hauptmann wie Doktor, diese Büchner'schen Karikaturen des Standesdünkels und der Despotie, sind Woyzeck von Anfang an unterlegen, lächerliche Popanze, stammelnd der eine, affektiert der andere. Dass er den Doktor, der bei Büchner als Repräsentant des aufsteigenden Bürgertums charakterisiert wird, näseln lässt, als wäre er ein dementer Abkömmling der Aristokratie, belegt Thalheimers verblüffendes Desinteresse an allem, was über seinen Tag hinaus und in die Geschichte zurückweist. Nimmt man die Rezeptionsgeschichte von Büchners Stück zum Maß, markiert diese Festspielaufführung zweifellos die reaktionärste Auslegung, die dem *Woyzeck* bisher angediehen ist: Sie kappt dem Stück jede soziale Kritik, dreht die Machtverhältnisse um, erklärt Woyzeck zum geheimen Herrscher und macht aus Büchner einen Biedermann, dem es vor dem Proleten graut.

Die Leute gehen ja aber auch gern ins Theater, ohne die Stücke zu kennen, die auf sie zukommen. Was sehen sie? Eine minimalistische Bühne, die von Olaf Altmann mit Stahlblech austapeziert wurde und ein wenig wie das Innere eines Gefrierschranks aussieht. Einen Woyzeck (Peter Moltzen), der vom Anfang bis zum Schluss in diesem Gefrierschrank steht und sich, gelegentlich herrisch, aufs große Gemetzel vorbereitet. Einen feisten Tambourmajor, dessen Eros durch einen nackten Hängebauch betont wird und der die paar Sätze, die er sagen darf, so laut zu brüllen hat, dass den wackeren Peter Kurth nur versteht, wer Büchners Text doch im Ohr hat. Einen Hauptmann, der eine stotternde Witzfigur ist und auf virtuose Weise kein Wort herausbringt (Norman Hacker), einen Doktor, von dessen medizynischen Tiraden nicht viel übrig geblieben ist (Peter Jordan). Eine Marie, die wenig Anrührendes sagen darf, obwohl man merkt, dass sie wüsste, wie es ginge, wobei Fritzi Haberlandt ihr Talent mehr sportiv anzulegen hat, weil sie jeden Mann des Stücks einmal bespringt, was zumal beim lange sterbend in seinem Blut röchelnden Hauptmann ziemlich blutig hergeht.

Thalia-Theater, Hamburg 2003

Ja, das Blut, es spritzt gewaltig. Andres und die geile Käthe werden mehr nebenbei erledigt, der Doktor und der Hauptmann mit Kehlschnitt, am besten kriegt es der Tambourmajor hin, der als echter Mann selbst dafür sorgt, dass ihn der rote Saft fontänengleich verlässt. Einzig der von Thalheimer erfundene „Ansager", der das Geschehen mit Schnulzen à la Iglesias begleitet, macht sich unerstochen aus dem Staub, was man dem rollengemäß schmierigen Markus Graf nicht wirklich gönnt.

In einem an Geschwätz à la mode nicht leicht zu überbietenden Interview, das im Programmheft abgedruckt ist, hat Thalheimer nicht nur erklärt, dass Büchners Drama „ein Dreigroschenroman, ein Schundroman" sei, sondern auch, dass er Woyzeck „als Opfer heute für nicht mehr relevant", sondern vielmehr für einen berechnenden „Fundamentalisten" halte. Vermutlich handelt es sich beim großen *Woyzeck*- Massaker also um einen Kollateralschaden im Kampf gegen den Terror.

Aufgabentyp III B
Vgl. Klausurtraining (S. 56 ff.)

1 Stellen Sie die Aussagen des Textes zu dem Charakter und einigen Details der Inszenierung Thalheimers dar und formulieren Sie schlussfolgernd, welche Haltung der Autor K. Gauß zur Umsetzung der Dramenvorlage einnimmt.

2 *„Thalheimer [hat] nicht nur erklärt, dass Büchners Drama ‚ein Dreigroschenroman, ein Schundroman' sei, sondern auch, dass er Woyzeck ‚als Opfer heute für nicht mehr relevant', sondern vielmehr für einen berechnenden ‚Fundamentalisten' halte."* (Z. 87 ff.) Erörtern Sie vor dem Hintergrund Ihrer Kenntnisse über Inhalt und Analysefelder des Dramas die von Gauß wiedergegebene Aussage Thalheimers.

Strukturell unterschiedliche Dramen II

„Woyzeck" und „Der gute Mensch von Sezuan" vergleichen

Etwas weniger als 100 Jahre nach Büchner tritt ein weiterer großer deutscher Dramatiker in den Vordergrund: Bertolt Brecht. Dieser entwickelt unter anderem die Form des Epischen Theaters und widmet eines seiner Dramen der Frage nach den Möglichkeiten eines guten Menschen. Inwieweit bestimmt die Gesellschaft die Möglichkeiten individuellen Verhaltens?

Jost Keller

Einladung zur Literaturwissenschaft: Bertolt Brecht: Der gute Mensch von Sezuan (1953)

Böswillig könnte man behaupten, die Idee des Stückes entspringe der Rachsucht einer beleidigten Diva: Als Brecht 1926 mit den Dichterkollegen Alfred Döblin und Arnolt Bronnen nach Dresden zu einer Dichterlesung geladen wird und am Vorabend nur schlechte Opernkarten erhält, verfasst er beleidigt ein Gedicht, in dem die drei als Götter auftreten und aufgrund der ausbleibenden Huldigungen drohen, die Stadt zu überfluten. Diese (scherzhafte) Idee kombiniert Brecht im skandinavischen und amerikanischen Exil mit einigen noch aus den 30er-Jahren stammenden unabgeschlossenen Plänen für ein Stück über die Prostitution (die er als Ergebnis ökonomischer Ausbeutungsverhältnisse verstand). Unter intensiver Verarbeitung von Motiven und Techniken des chinesischen Theaters und chinesischer Philosophie entstand schließlich *Der gute Mensch von Sezuan*.

In diesem Stück suchen drei Götter die Provinz Sezuan heim, um einen einzigen guten Menschen zu suchen, der die Einrichtung der Welt, so wie sie ist, rechtfertigen kann. Sie meinen ihn in der Prostituierten Shen Te zu finden. Diese wird mit einem kleinen Kapital ausgestattet und zum Gutsein ermahnt, droht aber gerade an ihrer Hilfsbereitschaft zu scheitern, die ihre Mitmenschen hemmungslos ausnutzen. In ihrer Not erfindet sie sich den Vetter und Erzkapitalisten namens Shui Ta als ihr *alter ego*. Er sichert mit Härte und unsauberen Mitteln ihr Überleben. Zuerst nur als Nothilfe gedacht, nimmt er schließlich vollständig Besitz von Shen Te, die von ihrem betrügerischen Liebhaber schwanger und verlassen am Rande der Pleite steht, und wandelt ihren kleinen Tabakladen durch Ausbeutung der Hilfsbedürftigen Schritt für Schritt in ein Tabakimperium um. Erst als Shui Ta des Mordes an Shen Te angeklagt wird und vor die als Richter getarnten Götter tritt, lässt Shen Te die Maske fallen und konfrontiert sie mit der Ausweglosigkeit ihrer Situation: „Euer einstiger Befehl / Gut zu sein und doch zu leben/ Zerriß mich wie ein Blitz in zwei Hälften. Ich / weiß nicht, wie es kam: gut sein zu anderen / Und zu mir konnte ich nicht zu-

gleich. / ... Denn wer könnte / Lang sich weigern, böse zu sein, wenn da stirbt, wer kein Fleisch ißt?“ [...] Die Götter aber weigern sich, diese Zerrissenheit wahrzunehmen, und entschweben einfach auf einer rosa Wolke. Zurück bleiben die allein gelassene Shen Te und ein ratloser Spielleiter, der sich wegen der ausbleibenden Lösung entschuldigend ans Publikum wendet: „Wir stehen selbst betrübt und sehn betroffen / Den Vorhang zu und alle Fragen offen.“ [...]
Brecht nutzt in diesem Stück vor allem die Mittel der chinesischen Theaterkunst, um ganz im Sinne seines Epischen Theaters das Geschehen auf der Bühne zu verfremden und der Einfühlung zu entziehen. So lässt er Masken aufsetzen, kommentierende Songs die Handlung unterbrechen und die Figuren sich teilweise selbst vorstellen oder direkt ans Publikum wenden. Als revolutionär wird der erstmalige Einsatz der bis dahin nur im Film verwendeten Rückblende bezeichnet. Die vielfach verwendeten Zitate chinesischer Philosophen (zumeist in der Form von Sprichwörtern) geben dem auf der Bühne präsentierten Geschehen ein exotisches Flair – ohne aber ein authentisches China zeigen zu wollen.
Die Figur der Shen Te ist deshalb auch nicht als tragisch zerrissene Persönlichkeit angelegt, sondern dient wie das gesamte Stück einer Demonstration (als die Brecht die Arbeit eines Schauspielers stets verstanden wissen wollte): *Der gute Mensch von Sezuan* ist angelegt als Parabel über die Aufspaltung des Menschen im Kapitalismus in zwei Hälften: eine private, moralische, und eine öffentliche, dem Erwerbszwang ausgesetzte. – Aus dem Abstand von gut 50 Jahren kann heute nicht mehr von einer anregenden Wirkung des Stücks ausgegangen werden. Dafür scheint weder das Theater als Institution noch geeignet, noch kann die zwangsläufige Simplifizierung des Parabeltheaters komplexere gesellschaftliche Zusammenhänge adäquat darstellen. Der berühmte Schlusssatz interessiert deshalb heute vor allem als Dokument für Brechts Idealvorstellung einer Veränderung der Haltung des Zuschauers: „Verehrtes Publikum, los, such dir selbst den Schluß! / Es muß ein guter da sein, muß, muß, muß!“

Volkstheater Wien, 2019

1 Lesen Sie den Artikel über Brechts „Der gute Mensch von Sezuan“ und halten Sie stichpunktartig die Handlung und Themen des Dramas, die genannten Deutungsansätze und Besonderheiten der Brecht'schen Dramatik fest.

2 Recherchieren Sie die Gesamthandlung des Brecht'schen Dramas und erstellen Sie sich ein grobes Handlunsgraster für die einzelnen Bilder des Stückes.

Bertolt Brecht

Der gute Mensch von Sezuan – Bild 10, Gerichtslokal – (1938/39)

[...] **DER ZWEITE GOTT** Shen Te!
SHEN TE Ja, ich bin es. Shui Ta und Shen Te, ich bin beides.

Euer einstiger Befehl
Gut zu sein und doch zu leben
Zerriß mich wie ein Blitz in zwei Hälften. Ich
Weiß nicht, wie es kam: gut sein zu andern
Und zu mir konnte ich nicht zugleich
Andern und mir zu helfen, war mir zu schwer.

Ach, eure Welt ist schwierig! Zu viel Not, zu viel
Verzweiflung!
Die Hand, die dem Elenden gereicht wird
Reißt er einem gleich aus! Wer den Verlorenen hilft
Ist selbst verloren! Denn wer könnte
Lang sich weigern, böse zu sein, wenn da stirbt,
wer kein Fleisch ißt?
Aus was sollte ich nehmen, was alles gebraucht wurde?
Nur
Aus mir! Aber dann kam ich um! Die Last der guten
Vorsätze
Drückte mich in die Erde. Doch wenn ich Unrecht tat
Ging ich mächtig herum und aß vom guten Fleisch!
Etwas muß falsch sein an eurer Welt. Warum
Ist auf die Bosheit ein Preis gesetzt und warum
erwarten den Guten
So harte Strafen? Ach, in mir war
Solch eine Gier, mich zu verwöhnen! Und da war auch
In mir ein heimliches Wissen, denn meine Ziehmutter
Wusch mich mit Gossenwasser! Davon kriegte ich
Ein scharfes Aug. Jedoch Mitleid
Schmerzte mich so, daß ich gleich in wölfischen Zorn
verfiel
Angesichts des Elends. Dann
Fühlte ich, wie ich mich verwandelte und
Mir die Lippe zur Lefze wurd. Wie Asche im Mund
Schmeckte das gütige Wort. Und doch
Wollte ich gern ein Engel sein den Vorstädten.
Zu schenken
War mir eine Wollust. Ein glückliches Gesicht
Und ich ging wie auf Wolken.
Verdammt mich: alles, was ich verbrach
Tat ich, meinen Nachbarn zu helfen
Meinen Geliebten zu lieben und
Meinen kleinen Sohn vor dem Mangel zu retten.
Für eure großen Pläne, ihr Götter
War ich armer Mensch zu klein.

DER ERSTE GOTT *mit allen Zeichen des Entsetzens:* Sprich nicht weiter, Unglückliche! Was sollen wir denken, die so froh sind, dich wiedergefunden zu haben!

SHEN TE Aber ich muß euch doch sagen, daß ich der böse Mensch bin, von dem alle hier diese Untaten berichtet haben.

DER ERSTE GOTT Der gute Mensch, von dem alle nur Gutes berichtet haben!

SHEN TE Nein, auch der böse!

DER ERSTE GOTT Ein Mißverständnis! Einige unglückliche Vorkommnisse! Ein paar Nachbarn ohne Herz! Etwas Übereifer!

DER ZWEITE GOTT Aber wie soll sie weiterleben?

DER ERSTE GOTT Sie kann es! Sie ist eine kräftige Person und wohlgestaltet und kann viel aushalten.

DER ZWEITE GOTT Aber hast du nicht gehört, was sie sagt?

DER ERSTE GOTT *heftig*: Verwirrtes, sehr Verwirrtes! Unglaubliches, sehr Unglaubliches! Sollen wir eingestehen, daß unsere Gebote tödlich sind? Sollen wir verzichten auf unsere Gebote? *Verbissen*: Niemals! Soll die Welt geändert werden? Wie? Von wem? Nein, es ist alles in Ordnung! *Er schlägt schnell mit dem Hammer auf den Tisch.*

Und nun –

Volkstheater Wien, 2019

Auf ein Zeichen von ihm ertönt Musik.Eine rosige Helle entsteht.

Laßt uns zurückkehren. Diese kleine Welt
Hat uns sehr gefesselt. Ihr Freud und Leid
Hat uns erquickt und uns geschmerzt. Jedoch
Gedenken wir dort über den Gestirnen
Deiner, Shen Te, des guten Menschen, gern
Die du von unserm Geist hier unten zeugst
In kalter Finsternis die kleine Lampe trägst.
Leb wohl, mach's gut!

Auf ein Zeichen von ihm öffnet sich die Decke. Eine rosa Wolke läßt sich hernieder. Auf ihr fahren die Götter sehr langsam nach oben.

SHEN TE Oh, nicht doch,Erleuchtete! Fahrt nicht weg! Verlaßt mich nicht! Wie soll ich den beiden guten Alten in die Augen schauen, die ihren Laden verloren haben, und dem Wasserverkäufer mit der steifen Hand? Und wie soll ich mich des Barbiers erwehren, den ich nicht liebe, und wie Suns, den ich liebe? Und mein Leib ist gesegnet, bald ist mein kleiner Sohn da und will essen? Ich kann nicht hier bleiben!

Sie blickt gehetzt nach der Tür, durch die ihre Peiniger eintreten werden.

DER ERSTE GOTT Du kannst es. Sei nur gut, und alles wird gut werden!

Herein die Zeugen. Sie sehen mit Verwunderung die Richter auf ihrer rosa Wolke schweben.

WANG Bezeugt euren Respekt! Die Götter sind unter uns erschienen! Drei der höchsten Götter sind nach Sezuan gekommen, einen guten Menschen zu suchen. Sie hatten ihn schon gefunden, aber ...

DER ERSTE GOTT Kein Aber! Hier ist er!

ALLE Shen Te!

DER ERSTE GOTT Sie ist nicht umgekommen, sie war nur verborgen. Sie wird unter euch bleiben, ein guter Mensch!

SHEN TE Aber ich brauche den Vetter!

DER ERSTE GOTT Nicht zu oft!

SHEN TE Jede Woche zumindest!

DER ERSTE GOTT Jeden Monat, das genügt!

SHEN TE Oh, entfernt euch nicht, Erleuchtete! Ich habe noch nicht alles gesagt! Ich brauche euch dringend!

DIE GÖTTER *singen das*

„TERZETT DER ENTSCHWINDENDEN GÖTTER AUF DER WOLKE"

Leider können wir nicht bleiben
Mehr als eine flüchtige Stund:
Lang besehn, ihn zu beschreiben
Schwände hin der schöne Fund.
Eure Körper werfen Schatten
In der Flut des goldnen Lichts
Drum müßt ihr uns schon gestatten
Heimzugehn in unser Nichts.

SHEN TE Hilfe!

DIE GÖTTER

Und lasset, da die Suche nun vorbei
Uns fahren schnell hinan!
Gepriesen sei, gepriesen sei
Der gute Mensch von Sezuan!

Während Shen Te verzweifelt die Arme nach ihnen ausbreitet, verschwinden sie oben, lächelnd und winkend.

(Originale Rechtschreibung)

Tipp
Beim Operator „interpretieren“ muss kein Aspekt in der Aufgabenstellung vorgegeben werden, das bedeutet, dass Sie selber einen setzen müssen. Bei Dramenszenen bietet sich immer die Dialoggestaltung an, oftmals ist es aber auch sehr sinnig, die zweite Aufgabe zu lesen, und den Schwerpunkt der Interpretation auf die zweite Aufgabe auszurichten.

1 Interpretieren Sie den vorliegenden Schluss des Dramas „Der gute Mensch von Sezuan“.

2 Vergleichen Sie auf Grundlage Ihrer Interpretation die dargestellten Menschen- und Weltbilder in „Der gute Mensch von Sezuan“ und im „Woyzeck“.

Warum denn immer noch?

Rezeptions- und Inszenierungsgeschichte

1 Im Oktober 2013 war Georg Büchner als Illustration auf dem Titelbild des „Cicero – Magazin für politische Kultur“. Beschreiben Sie die Illustration Büchners. Erläutern Sie zudem aus Ihrem eigenen Verständnis die Ausdrücke „Dichter-Punk“, „Berserker der Gerechtigkeit“ und „Ahnherr der Empörten“.

2 Diskutieren Sie im Plenum, inwieweit Sie die Ausdrücke des Titelblattes des „Cicero“ vor dem Hintergrund Ihrer eigenen Erarbeitungen zu Büchner und zum „Woyzeck“ treffend finden.

Titelcover des Magazins „Cicero“, Oktober 2013

Bevor im weiteren Verlauf gegenwärtige Umgangsformen mit und Interpretationen von Büchners Fragment betrachtet werden, soll zunächst ein Blick auf die Rezeptionsgeschichte geworfen werden. Wie wurden Büchner und sein Fragment im Laufe der Zeit wahrgenommen?

3 ***Lernarrangement:*** Bilden Sie Arbeitsgruppen.
a) Erarbeiten Sie in Ihrer Gruppe eine der folgenden Rezensionen (K. E. Franzos, M. Herrmann-Neisse, E. Kästner). Stellen Sie unter Berücksichtigung der sprachlichen und argumentativen Textgestaltung jeweils die Positionen der Verfasser dar.
b) Präsentieren Sie Ihre Ergebnisse im Plenum.
c) Reflektieren Sie die Ausführungen der Referenten und begründen Sie, welche der Rezensionen Ihnen besonders zutreffend erscheint.

Karl Emil Franzos

Wozzek. Ein Trauerspiel-Fragment von Georg Büchner. Mitgeteilt von Karl Emil Franzos (Einleitung) (1878)

Die Verhältnisse, unter denen Büchner den „Wozzeck“ schrieb, sind der alleinige Schlüssel zu einer Eigentümlichkeit des Werkes, die sonst rätselhaft wäre. Neben den genialen, tragischen Szenen finden sich da, wie erwähnt, bizarre, teils drollige, teils satirische, teils zynische Exkurse, die wenig zum Ganzen passen. Sie sind fast sämtlich *chirurgisch-anatomischen* Inhalts. Ihre Existenz wird nur dann begreiflich, wenn wir erwägen, dass Büchner den „Wozzeck“ zu einer Zeit schrieb, wo er immer „am Tage am Scalpell saß“ und wo „alle seine Gedanken in Spiritus schwammen.“ Was ihn fortwährend beschäftigte, ging ihm eben auch in seinen poetischen Frei-

stunden nicht aus dem Kopfe, und der geniale Mensch empfand das Bedürfniss, auch einmal fantastisch und satirisch mit jenen Dingen zu spielen, mit denen er sich in bitterem Ernste bis zum Überdrusse plagen musste. So ist die Figur des Doktors entstanden, der über den linken Backenzahn eines Infusoriums mit Hülfe des Mikroskops gelehrte Forschungen anstellt, der nur dann außer sich gerät, wenn ihm „ein Proteus unpässlich wird", der mit dem armen Helden so überaus absonderliche Experimente anstellt. Die Figur ist breit, mit viel Witz und vielem Behagen ausgemalt. Das ist an sich ein Vorzug und nur relativ etwas störend. Aber man darf nicht vergessen, dass „Wozzeck" ein Fragment ist; nach der Vollendung hätte sich dieser Figur und alles, was drum und dran hängt, nur eben als kleine, lustige Episode dargestellt. Mindestens das ist wahrscheinlich.
[...] Insbesondere aber geht durch dasselbe ein Hauch der politischen und sozialistischen Überzeugungen, welche ihn damals beseelten. Tiefstes Erbarmen mit den Armen und Elenden erfüllte sein Herz und der glühendste Wunsch, ihnen zu helfen. Dieses Erbarmen ist denn auch der Grundton, welcher oft bizarr, fast zynisch und dennoch so ergreifend! – die Volksszenen des „Wozzeck" durchbebt. In knappsten Zügen findet sich da die beredte Schilderung der Not, welche den Menschen in dumpfer Rohheit gebannt hält. [...] „Wir arme Leut!" Dieser Stoßseufzer ist der schmerzliche Refrain der Dichtung.
Aber nicht nur von großer Liebe für das Volk zeugt „Wozzeck", sondern auch von genauerester Kenntnis des Volkslebens. Ein Bild des Volkslebens zu bieten, das – und das allein! – war sicherlich der Zweck der Dichtung. [...]

Max Herrmann-Neisse

Die bürgerliche Literaturgeschichte und das Proletariat (1922)

[E]s muss dem Proletariat gezeigt werden, was es jetzt schon an für es brauchbarer Kunst gibt, Literatur, die von der Bürgerpresse und der bürgerlichen Literaturgeschichte verheimlicht, totgeschwiegen, in entlegende Archive vergraben wird. Da sind die nicht beliebten Außenseiter: [...] Der Deutsche Georg Büchner, der 1837 vierundzwanzigjährig starb. Er hatte sich am Aufstand gegen die aristokratisch-liberale Bourgeoisie praktisch beteiligt, war ein wirklicher Instinkt-Revolutionär gewesen, schon gewiss, „dass nur die Bewegung der geknechteten hungernden Massen den politischen und wirtschaftlichen Umsturz herbeiführen könne". Sein „Hessischer Landbote" war 1834 die erste sozialistische Flugschrift, sie prangerte mit vernichtendem Zahlen- und Tatsachenmaterial den Gegensatz zwischen dem Elend der Armen und dem Wohlleben der Mächtigen an (in Hessen bestand das Proletariat damals aus den entrechteten Bauern), verkündete zum ersten Mal in Deutschland den Klassenkampf unter der wirksamen Parole: „Friede den Hütten! Krieg den Palästen!" Seine stärkste revolutionäre Dichtung ist nicht das historische Drama „Dantons Tod", das die französische Revolution darstellt, sondern seine Szenenreihe „Woyzeck", die unbändigste Tragödie der Armut, eines der aufreizendsten Dokumente, das ganz unbeschönigend die Rechtlosigkeit der ewig unterdrückten besitzlosen Kreatur zeigt am Jämmerlichkeitsgeschick eines gemeinen Soldaten, der wehrlos der Schinderlaune menschenverbrauchender Machthaber ausgeliefert, Material ihres Herrentums ist. Hierbei entscheidet eben nicht die Stoffwahl, nicht das Äußere, sondern die gesamte innere Tendenz; [...]

Erich Kästner (1899–1974): deutscher Schriftsteller, bekannt durch seine Kinderliteratur („Das fliegende Klassenzimmer") und humoristische und zeitkritische Gedichte, weiterhin durch den Roman „Fabian. Geschichte eines Moralisten".

Tragedia dell'arte: Tragödie der Kunst

Commedia dell'arte: Varianten traditionellen Theaters in Italien im 16.–18. Jahrhundert

Erich Kästner

Auszug aus: Dankrede zur Verleihung des Georg-Büchner-Preis (1957)

Erich Kästner

Die dritte Randbemerkung – die letzte, die ich vor Ihnen ein wenig interpretieren will – machte ich, als ich den „Wozzeck" wiederlas. Sie heißt: Über die Tragedia dell'arte, und der unübliche Komplementärbegriff zur Commedia dell'arte versucht anzudeuten, für wie einzigartig und eigenartig ich dieses fragmentarische Trauerspiel halte, genauer gesagt, etwa die erste Hälfte des Stücks. In den späteren Szenen verändert sich dessen Charakter, es wird mehr und mehr zur klinischen Studie, zum psychologischen Einmann-Drama, zum Seismogramm, worauf sich die wortarmen Erschütterungen Wozzecks bis zur Katastrophe abzeichnen. Auch diese späteren Szenen sind grandios. [...]

Doch die stilistische Bedeutung Büchners liegt, entgegen der herrschenden Ansicht, nicht im Bezirke des Realismus. Soweit er und so weit er auch in dieses Gebiet vordrang, hielt hier der junge Mediziner und Naturwissenschaftler, der er war, den Dramatiker an der Hand. Der Fuß des Schriftstellers folgte dem Auge des Diagnostikers. [...] Büchners „Realismus" ist eine nebenberufliche Begleiterscheinung und soll weder bestritten noch unterschätzt werden. Aber sein künstlerischer Wille strebte, das beweisen die Szenen mit dem Hauptmann und dem Doktor, wie auch die Großmutter mit ihrem makabren Märchen – in die völlig entgegengesetzte Richtung, in das seinerzeit von Dramatikern nicht nur unbesiedelte, sondern überhaupt noch nicht entdeckte Gebiet der tragischen Groteske.

Die Situation sind Grenzsituationen, und zwar jenseits der Grenze. Die Bilder auf der Bühne sind Zerrbilder. Die Wirklichkeit und die Kritik an ihr verzehnfachen sich durch die Genauigkeit der Übertreibung. Dieser Doktor und dieser Hauptmann, doch auch der Tambourmajor und der Marktschreier sind Karikaturen. Sie haben eine Maske vorm Gesicht, doch nicht nur das – sie haben auch noch ein Gesicht vor der Maske! So oft man diese Szenen liest oder im Theater wiedersieht, verschlägt es einem den Atem. Mit wie wenigen und mit welch wortkargen simplen Dialogen wird hier die Wirklichkeit heraufbeschworen, ohne dass sie geschildert würde! Und wie gewaltig ertönt die Anklage, obwohl und gerade weil sie gar nicht erhoben wird! Nie vorher – und seitdem nicht wieder – wurde in unserer Literatur mit ähnlichen Stilmitteln Ähnliches erreicht.

Und heute? Wie wird der „Woyzeck" heute inszeniert? Kann man ihn heute noch inszenieren? Sie haben bereits unterschiedliche Inszenierungsrezensionen bearbeitet, nunmehr sollen abschließend zwei Rezensionen einer aktuellen Inszenierung miteinander verglichen werden.

Dominique Spirgi

Dieser „Woyzeck" ist eine umwerfende Zumutung (2017)

Ulrich Rasche lässt Büchners „Woyzeck" durch eine gigantische Schicksals-Maschine laufen. Und beschert damit dem Theater Basel einen berauschenden Spielzeitbeginn im Schauspiel.

Theater Basel 2017

Ulrich Rasche eilt ein Ruf voraus. Nämlich, dass er als Bühnenbildner und Regisseur die Schauspieler, die Zuschauer und nicht zuletzt auch die Werkstätten und die technischen Abteilungen am Theater an den Rand ihrer Leistungsfähigkeit bringt.

Aushängeschild sind seine Bühnenbilder, gigantische Apparaturen, die den Schauspielern den festen Boden unter den Füssen wegziehen, sie ständig in Bewegung halten.

In Frankfurt waren es gigantische Walzen, in München monströse Laufbänder und in Basel ist es nun eine bühnenfüllende rotierende schiefe Scheibe, die sich zum Schluss fast senkrecht aufstellt. Und die auf der fest installierten Drehbühne zusätzlich um die eigene Achse gedreht wird. Seine Produktionen sind lang, laut und eine Herausforderung nicht nur für die Schauspieler, sondern auch fürs Publikum.

Ich treffe Rasche am Tag vor der Premiere im Foyer des Schauspielhauses. Gegenüber sitzt ein eher sanftmütiger und ausgesprochen freundlicher und aufmerksamer Gesprächspartner.

Wenn ein Theater Ulrich Rasche engagiert, dann muss es sich auf etwas gefasst machen. Ist das ein Handicap für ein Engagement? Rasche verneint:

„Wenn ein Theater an mich herantritt, dann will es diese Herausforderungen annehmen. Man hat erkannt, was für Effekte sich mit meiner Bühnenarbeit erzielen lassen, die Theater wissen, dass sie das Geld nicht umsonst ausgeben."

Ulrich Rasche, 1969 in Bochum geboren, ist spätestens seit seiner Inszenierung von Schillers „Räubern" in München in der vergangenen Spielzeit ein Star. In den Hitlisten der Fachzeitschriften schwangen die Inszenierung und er selber sowohl als Bühnenbildner als auch als Regisseur obenauf. Groß also waren die Erwartungen an seine erste Arbeit zum Saisonbeginn in Basel. [...]

Diese beginnt aber zuerst einmal mit einem kleinen Schock. Dreieinviertel Stunden sind im Spielplan als Aufführungsdauer für Büchners Dramenfragment „Woyzeck" angegeben. Für einen Text, der im Manuskript nicht einmal dreißig Buchseiten füllt! An der Premiere im Schauspielhaus wird dann schnell klar, warum dies so ist. Getragen von der stark rhythmisierten Bühnenmusik (Komposition: Monika Roscher) sprechen die Darsteller den Text wie in Zeitlupe. Aber hochkonzentriert und durch und durch einnehmend.

Die Darsteller sind Teil einer Maschinerie, die sie im langsamen Tempo antreibt: durch die Musik und die schräg gestellte rotierende Scheibe, auf der sie im Dauer-Seitwärtsschritt stets die Balance und die Stellung halten müssen.

Was hat es mit dieser Maschine auf sich?

„Der Symbolcharakter und die inszenatorischen Möglichkeiten, die mir ein solcher Automat bietet, führen über die metaphernhafte Illustration hinaus. Die Maschine ist nicht Dekoration, sondern Mittel, mit dem ich ganze Abende füllen kann."

Aber wie passt sie zu „Woyzeck"?

„Das Rad steht hier für die kompletten Umstände, in denen wir uns befinden und in denen sich speziell Woyzeck befindet. Darin steckt einmal die tragische Anlage des Lebens und zweitens der spezifische Ausdruck jedes Einzelnen, der etwas tut, um einen anderen unter Umständen zum Mord zu verleiten."

Die Welt hier ist also eine schiefe Scheibe. Die Menschen darauf müssen gegen die Fliehkräfte ankämpfen, weil sie sonst über den Rand dieser begrenzten Welt ins Nichts fallen. Sie wird also gewissermassen zur Schicksalmaschine Büchners, der in seinem bekannten Fatalismusbrief an seine Braut seine erschütternde Erkenntnis niederschrieb, dass der Mensch keine Möglichkeit hat, den Verlauf der Welt oder des Lebens zu stoppen oder zu ändern.

Basel 2017

„Was ist das, was in uns lügt, mordet, stiehlt?“, fragt sich Büchner in diesem Brief. Eine Antwort darauf hat er nicht. Aber er zeigt in seinem „Woyzeck“ diesen Vorgang so beklemmend, wie dies kaum ein anderer Autor je getan hat. Er präsentiert das traurige Schicksal des mausarmen Soldaten Woyzeck, der von keiner Moral und keiner Tugend, sondern nur von der Natur geleitet wird. Der vom Doktor als Versuchskaninchen missbraucht, vom Tambourmajor gehörnt und verprügelt und vom Hauptmann verhöhnt und schließlich zum Mörder an seiner Geliebten wird.

Für Ulrich Rasche hat das alles einen höchst aktuellen Bezug:

Es ist die Erkenntnis, dass in unserer Existenz und Natur etwas ist, das uns daran hindert, zu lieben und Frieden zu halten, das uns dazu bringt, gegeneinander loszugehen, Kriege zu führen. Schauen Sie, wie wir heute mit unseren Erfahrungen umgehen, die wir eigentlich gesammelt haben.

Unsterblich wurde „Woyzeck“ durch Büchners Sprache, die von einer ungeheuren Wucht ist. Die auf der einen Seite schonungslos die Grenzen der menschlichen Ausdrucksfähigkeit aufzeigt, gleichzeitig eine geheimnisvoll-unheimliche Aussagekraft hat, die man oft nur zwischen den Zeilen herauslesen oder -hören kann.

Es sind Sätze mit lauter Ausrufezeichen. Und genauso werden sie auf der Bühne des Basler Schauspielhauses gesprochen, ja eigentlich überhöht. Im Rhythmus des ewigen Seitwärtsschreitens auf der rotierenden Scheibe und angetrieben vom Hämmern der hypnotisierenden Musik. Nie blicken sich die Figuren in die Augen, der Blick ist stets geradeaus, über die Köpfe der Zuschauer hinweg ins Leere gerichtet. Nur ganz wenige Male kommt es zu einer Berührung.

Wir bekommen die Figuren so serviert wie sie der Doktor seinen Studenten präsentiert: als menschliche Hüllen, die sich nur über die Mimik und die Sprache ausdrücken.

Das mag im ersten Moment konstruiert und arg künstlich wirken. Ist es ja auch. Aber das hochkonzentrierte Zusammenspiel geht inhaltlich vollends auf und entwickelt einen Sog, der einen mitten in das Geschehen reinzieht und nicht mehr loslässt. So sehr, dass man fast schon bedauert, wenn man nach zwei Stunden in die Pause entlassen wird, die wir Zuschauer zur kurzen Erholung eigentlich gut und die Schauspieler ganz sicher brauchen können. [...]

Natürlich würde der ganze Abend nicht funktionieren, wenn da nicht ein solch grandioses Ensemble auf der Bühne stehen beziehungsweise gehen würde.

Allen voran Nicola Mastroberardino als Woyzeck, der an der Grenze zum Wahn stets wie ein Hochdruckbehälter kurz vor dem Bersten wirkt. Und der durch die fast pausenlose Präsenz auf der rotierenden Scheibe auch eine körperliche Parforceleistung hinlegt, die einem den Atem stocken lässt.

Da ist Franziska Hackl als Woyzecks Geliebte Marie, die aus ihrer tiefen Schwermut einen Rest an Lebenslust herauskämpft. Eindrücklich auch die anderen Spieler wie Michael Wächter als arrogant-grober Tambourmajor, Florian von Manteuffel als menschenverachtender Doktor, Thiemo Strutzenberger hochmütiger Hauptmann, Max Rothbart als einfältiger Freund Andres und Barbara Horvath, Toni Jessen und Justus Pfannkuch in verschiedenen weiteren Rollen. [...]

Rasches „Woyzeck“ ist ein Theaterereignis der außergewöhnlichen Art. Mitreißend und überwältigend, anstrengend und packend. Es ist auch der Beweis, dass das Stadttheater fähig ist, Wahnsinnsprojekte zu stemmen, für die man nur Bewunderung übrig haben kann. „Viereinhalb Wochen Zeit hatten wir, um die Drehscheibe zu konstruieren“, sagt Joachim Scholz, der Technische Direktor des Theaters. Das für

eine Drehscheibe, die einen äußeren und einen inneren Kreis hat, die sich gleichzeitig in unterschiedlichen Geschwindigkeiten drehen lassen. Und die sich über ein hydraulisches System fast bis zur Senkrechte kippen lässt. Hätte man sie bei einer Spezialfirma für Rummelplatz-Fahrgeschäfte in Auftrag gegeben, hätte man wohl ein Jahr Vorlaufzeit gebraucht. [...]
Die Basler Konstruktion wäre nun reisefähig, wie Rasche mit einem vieldeutigen Lächeln sagt.
„Aber eigentlich ist es ja auch etwas Spezielles, dass das Theater nur vor Ort richtig funktionieren kann. Man baut sich einen Raum für diesen speziellen Ort."
Ein großes Glück, dass dieser spezielle Ort das Schauspielhaus in Basel ist.

1 Fassen Sie die Aussagen der Rezension zu Rasches Inszenierung strukturiert zusammen, indem Sie folgenden Aspekten nachgehen: Inszenierungsvorlage, Aufbau und Form der Inszenierung, Aussagen zum Regisseur, Deutungsansätze der Inszenierung und Deutungen der Dramenvorlage, Aussagen zum Ensemble.

2 Darf Theater so mit einer Dramenvorlage umgehen? Ist es noch Büchners „Woyzeck"? Diskutieren Sie diese Fragen im Plenum. (Alternativ: Verfassen Sie einen Essay, der sich mit diesen Fragen auseinandersetzt.)

Egbert Tholl

Diese entsetzliche Gleichheit (2020)

Ulrich Rasches Basler „Woyzeck"-Inszenierung läuft nun am Münchner Residenztheater – und läuft und läuft, denn die Bühnenwelt ist wieder eine große Maschine, auf der sich die Menschen mühevoll abarbeiten

Der Regisseur Ulrich Rasche muss eine grandios düstere Sicht auf die Menschen haben. Stellt er welche auf eine seiner Bühnen, dann laufen sie im Kreis, auf Laufbändern oder monströsen Raupen, ohne Ziel, ohne Ausweg, ohne Weiterkommen, sie laufen und laufen und die riesigen Maschinen, die Rasche ihnen zum Laufen baut, ächzen dazu schlecht gelaunt. Das ist immer so. Die Varianz von Rasches Maschinenwelt ist ungefähr so groß wie die Frage, ob man sich auf dem Oktoberfest im Fünfer-Looping oder im Eurostar einen steifen Nacken holt. Aber es schaut immer überwältigend aus.
Auch sein „Woyzeck". Die Inszenierung kam im September 2017 in Basel heraus, nun läuft sie am Münchner Residenztheater. Und läuft und läuft und läuft.

Basel 2017

Natürlich, Georg Büchners Sicht auf die Welt, wie er sie im „Woyzeck" ausbreitet, kommt Rasche grundsätzlich entgegen. Das sagt er selber. Büchners Glaube an die Unabwendbarkeit eines vorausbestimmten Schicksals sei ihm nahe, im Programmheft zitiert er aus einem Brief Büchners: „Ich finde in der Menschennatur eine entsetzliche Gleichheit." Vielleicht müssen Rasches Bühnenapparate deshalb die Variation eines Immergleichen sein. Doch er wendet sie ja auf jeden Text an, den er auf die Bühne bringt. Vermutlich wäre bei Rasche selbst die „Feuerzangenbowle" ein zäher, düsterer, mechanistischer Vorgang, den niemand überlebt.
Also ist Rasches Sicht eine grundsätzliche. Das hat den großen Vorteil, dass man bei ihm genau weiß, was man kriegt, Etikettenschwindel gibt es bei ihm nicht. Wo

Rasche draufsteht, ist Rasche drin, und all die Menschentiere, die bestenfalls noch Spuren von Individualität in sich tragen. Jeder ist Masse, und die Masse ist alles. Fragt sich nur, ob Rasche konstatiert oder propagiert. Die Chance, einen eigenen Gedanken zu entwickeln, lassen Rasches Bühnengeschehnisse nicht zu. Mithin propagiert er. Er will nicht überzeugen, er will überwältigen. Davon sind viele Zuschauer, auch nach der „Woyzeck"-Premiere, begeistert. Es kann einem aber auch abgrundtief zuwider sein, besonders dann, wenn man Rasches grundsätzliche Weltsicht nicht teilt und man eher dem Prinzip Hoffnung zuneigt und nicht der völligen Desillusion. Und selbst wenn man nichts von der Menschheit hielte, es fiele schwer, sich mit Rasche zu verbünden.

Denn es bleibt doch immer noch das Moment der Aufführung. Da kann einem schon einiges hart ankommen. Für den Text, den man in einer Stunde schön runterinszeniert hinkriegt, braucht Rasche dreieinhalb Stunden mit Pause. Jedes einzelne Wort wird von der sich permanent drehenden Scheibe wie ein schwerer Stein ins Publikum geschleudert. Doch lässt sich daraus nichts bauen. Hier wird keine Geschichte plastisch, kein Zusammenhang, keine Entwicklung. Wahnsinn schon. Aber der ist dem System Rasche immanent.

Sprechen ist hier ein extremer physischer Akt, ein Schritt, ein Wort. Auch die Musik von Monika Roscher, obwohl im zweiten Teil für Rasche-Verhältnisse erstaunlich weich und farbig, erinnert eher an stoisches Arbeiten im Steinbruch denn an musikantische Freude. Obwohl die Muster sich oft ändern, herrscht der Eindruck einer systemischen Zuständlichkeit vor.

Basel 2017

Und doch gelingt es den Menschen dort oben auf der Bühne, im Mahlwerk einen kleinen Rest ihrer selbst bestehen zu lassen. Michael Wächter speit als Tambourmajor Testosteron, der Hauptmann und noch mehr der Doktor (Thiemo Strutzenberger und Florian von Manteuffel) sind dezidiert unangenehme Gesellen, Nicola Mastroberardino ist als Woyzeck ein irrer Schmerzensmann. Und zum Glück gibt es Franziska Hackl, die Marie. Endlich ein Mensch! Der natürlich, Büchner und Rasche folgend, zugrunde gehen muss.

1 Stellen Sie die Aussagen des Textes zu dem Charakter und einigen Details der Inszenierung Rasches dar und formulieren Sie schlussfolgernd, welche Haltung der Autor Egbert Tholl zur Umsetzung der Dramenvorlage einnimmt.

2 *„Endlich ein Mensch! Der natürlich, Büchner und Rasche folgend, zugrunde gehen muss."* (Z. 71 ff.). Erörtern Sie die von Tholl vertretene Sicht auf die Ansätze des Regisseurs Rasche und des Dramatikers Büchner.

Abschlussbetrachtung

Sich rekapitulierend mit Aspekten der Analyse auseinandersetzen

An dieser Stelle soll noch einmal den Aspekten des Dramas „Woyzeck“ resümierend nachgegangen werden.

1 **Inhalte/Themen:** Erstellen Sie eine Mindmap, die die unterschiedlichen Themen, Inhalte und Analysefelder des „Woyzeck“ systematisiert.

2 **Figurenkonstellation:** Systematisieren Sie rekapitulativ die Figurenkonstellation des „Woyzeck“ durch eine Strukturskizze, die sowohl die Beziehungsverhältnisse zwischen den Figuren als auch die wichtigsten Charakteristiken darstellt.

3 **Struktur/Aufbau, Form und Sprache:** Erstellen Sie ein Handout, das die zuvor genannten Punkte für den „Woyzeck“ erklärt: Wie ist das Dramenfragment aufgebaut? Welche Form wird dafür genutzt? Welche Sprache wird verwendet? Gibt es sprachliche Besonderheiten?

4 **Gattungsspezifik:** In Analogie zu Struktur und Aufbau müssen auch die gattungsspezifischen Implikationen resümiert werden. Rekapitulieren Sie die Definitionen von Komödie, Tragödie, bürgerlichem Trauerspiel und sozialem Drama. Stellen Sie die Merkmale der offenen und der geschlossenen Dramenform resümierend gegenüber.

a) Versuchen Sie, die Szenen des „Woyzeck“ begründet in einer Aktstruktur anzuordnen. Dafür müssen Sie den Sinnzusammenhang unterschiedlicher Szenen berücksichtigen: Welche Szenen dienen der Exposition? Kann eine steigende Handlung mit erregendem Moment festgemacht werden? Bilden Szenen Klimax und Peripetie? Gibt es ein retardierendes Moment? Bündeln sich Szenen zur Katastrophe? Orientieren Sie sich an der aufgeführten Tabelle:

„Woyzeck“ in Aktform	Szenen	Begründung der Zuordnung
1. Akt: Exposition		
2. Akt: Steigende Handlung mit erregendem Moment		
3. Akt: Klimax und Peripetie, tragisches Moment		
4. Akt: Fallende Handlung mit retardierendem Moment		
5. Akt: Katastrophe		

b) Nehmen Sie abschließend Stellung zu der Frage, ob der „Woyzeck“ eher als geschlossenes oder als offenes Drama bezeichnet werden sollte.

5 Epochaler Kontext: Das Werk „Woyzeck“ hat eine Vielzahl epochaler Bezüge. Systematisieren Sie diese Zusammenhänge in einer Mindmap. Welche epochalen Gedanken prägen „Woyzeck“? Distanziert sich Büchner bewusst von bestimmten Auffassungen?

6 Verfassen Sie abschließend einen Essay zum „Woyzeck“ nach eigener Schwerpunktsetzung. Mögliche Fragestellungen/Aspekte wären: Warum immer noch der „Woyzeck“? Das Drama um die soziale Determination – „Woyzeck“! Ein Grenzgänger zwischen den Formen? Wie offen ist der „Woyzeck“ wirklich?

„unterwegs sein“

Lyrik von der Romantik bis zur Gegenwart

Texte

Lyrische Texte zu einem Themenbereich im historischen Längsschnitt

Sprache

Sprachvarietäten

Kommunikation

Sprachliches Handeln im kommunikativen Kontext

Rhetorisch ausgestaltete Kommunikation in funktionalen Zusammenhängen

Medien

Information und Informationsdarbietung in verschiedenen Medien

Klausurtraining

I B Vergleichende Analyse lyrischer Texte

Kompetenzen

Im Rahmen Ihrer Erarbeitungen werden Sie folgende Kompetenzen erwerben:

- den Begriff Wirklichkeit und seine Verwendungsweise reflektieren und erläutern,
- literarische Texte in grundlegende literarhistorische und historisch-gesellschaftliche Entwicklungen – von der Romantik bis zum 21. Jahrhundert – einordnen,
- lyrische Texte im historischen Längsschnitt unter besonderer Berücksichtigung der Formen des lyrischen Sprechens analysieren,
- in Ihren Analysetexten die Ergebnisse textimmanenter und textübergreifender Untersuchungsverfahren darstellen und in einer eigenständigen Deutung integrieren.

„unterwegs sein“

Sich einem Motiv nähern

1 Betrachten Sie die Abbildungen auf dieser Seite und tauschen Sie sich im Plenum darüber aus, in welchem Zusammenhang diese mit dem Begriff des „Unterwegsseins“ stehen. Gehen Sie dabei nach der Methode der Redekette vor.

2 Bilden Sie in Ihrem Kurs Gruppen von 3 bis 5 Schülerinnen und Schülern und systematisieren Sie in Form einer Mindmap Ihre Ergebnisse.

Die sprachliche Analyse des Begriffs „unterwegs“

Die Bezeichnung „Duden“ geht auf den Namen des Gymnasiallehrers **Konrad Duden (1829–1911)** zurück, der 1880 das „Vollständige Orthographische Wörterbuch der deutschen Sprache“ verfasste. Es umfasste damals 27.000 Stichwörter. Die Auflage aus dem Jahr 2017 verzeichnet inzwischen ca. 145.000 Stichwörter.

Der Dudenverlag, dessen Sitz in Berlin ist, verlegt den „Duden“ – nach eigenem Bekunden das „Standardwerk zur deutschen Sprache“ –, welcher vom Wissenschaftlichen Rat der Dudenredaktion herausgegeben wird.

Auf seiner Homepage finden sich die folgenden Begriffsbestimmungen für das Wort „unterwegs“:

1. sich auf dem Weg irgendwohin befindend
2. auf der Reise, auf Reisen
3. draußen [auf der Straße]

Das Wort stammt von dem Mittel- und Althochdeutschen „under wegen“ ab. Wissenswert ist des Weiteren, dass das Wort Bestandteil der Erlangung des Goethe-Zertifikats B1 ist.

1 Benennen Sie die Wortart des Begriffs „unterwegs“.

____

2 Erklären Sie, weshalb die Kenntnis des Wortes „unterwegs“ Voraussetzung für den Erwerb eines Zertifikates in der deutschen Sprache sein könnte.

3 Untersuchen Sie, ob bzw. inwieweit die Definitionen der Dudenredaktion ausreichen, die auf der Vorseite dargestellten Situationen abzudecken.

4 Beschriften Sie die einzelnen Richtungsschilder des Wegweisers mit entsprechenden Fragewörtern, die Ihnen notwendig erscheinen, Informationen zu erhalten, die dazu beitragen können, den Begriff „unterwegs sein” genauer zu bestimmen.

5 Setzen Sie sich im Plenum Ihres Kurses gemeinsam damit auseinander, in welchen literarischen Texten Ihnen das Motiv des Unterwegsseins bereits begegnet ist. Erstellen Sie dazu eine Liste mit dem Namen des jeweiligen Autors, dem Titel des Textes, der Entstehungszeit, Textsorte sowie Art und Weise des Unterwegsseins.

6 Nehmen Sie im Plenum Ihres Kurses Stellung zu der Frage, wie das Motiv des Unterwegsseins lyrisch umgesetzt werden könnte, und formulieren Sie entsprechende Hypothesen.

Unterwegs mit viel Gefühl – und Ahnung

Gedichte der Romantik zwischen Sehnsucht nach Ferne und Rückkehr erschließen

Der Wende vom 18. zum 19. Jahrhundert bis etwa hin zu dessen Mitte kommt – gemessen an dem Motiv des Unterwegsseins – eine besondere Bedeutung zu. Sie ist wie keine andere mit der ursprünglichsten Form des menschlichen Unterwegsseins verbunden: dem Wandern. Es wird geradezu zum Leitmotiv der Zeit der Romantik, das sich in vielfachen Variationen in den literarischen Texten dieser Epoche widerspiegelt, nicht nur in der Lyrik. Es sind aber nicht allein die Empfindungen, die im Rahmen der mit dem Wandern verbundenen Möglichkeit der Naturbegegnung erfahrbar und literarisch verarbeitet werden. Vielmehr wird die Wanderschaft zum Topos für die Ungebundenheit und Selbstverwirklichung, sie wird zur Suche nach Freiheit und einer (neuen) Heimat. Es ist die Sehnsucht nach einer besseren Welt, die zu erreichen aber auch von Gefühlen der Einsamkeit, dämonischer Bedrohung, Todesahnung, aber auch religiöser Verklärung der Schöpfung begleitet wird. Es ist also nicht nur die eigene physische Betätigung des Wanderers, das Sich-Bewegen zwischen Ausgangsort und geografischem Ziel, sondern auch die Reise zu sich selbst, die Planung und deren Ausgestaltung hinsichtlich des eigenen Lebensweges. Dabei kann dem romantischen Dichter der Weg selbst zum Ziel werden, weil er physisch wie psychisch nirgendwo fest verankert ist und die mangelnde Orientierung zunehmend ein Gefühl der Heimatlosigkeit entstehen lässt. Dies zusammengenommen umreißt zunächst die Bandbreite der mit den spezifischen Auslegungen des Motivs von Unterwegssein verknüpften Stimmungen, wie sie sich in der Epoche der Romantik innerhalb des Spannungsfeldes von Heimat und Fernweh ergeben.

Diese literaturhistorische Position wird u. a. von dem Stuttgarter Germanisten **Heinz Schlaffer** vertreten, der demgemäß seinem Standardwerk den Titel „Die kurze Geschichte der deutschen Literatur“ (2002) gegeben hat (vgl. hierzu auch S. 110).

Romantik

Literarische Epoche zwischen 1798 und 1835, die in Früh-, Hoch- und Spätromantik eingeteilt wird. Sie versteht sich als Ergänzung und Gegenbewegung zu der Epoche der Aufklärung, die in Deutschland in der Philosophie Kants und in den literarischen Werken der Weimarer Klassik ihren Höhepunkt erreicht. Neben Bewusstsein und Reflexion gelten für die Romantiker die Abgründe des Seelischen, der Traum, die Sehnsucht, das Unbewusste und Dämonische im Menschen als entscheidend. Den historischen Rahmen für die Entwicklung dieser Epoche bildet der Umbruch von der feudalen hin zur bürgerlichen Gesellschaft mit einem sich langsam aufbauenden bürgerlichen Selbstverständnis.

Besonders die Vertreter der Hochromantik (1804–1835) verarbeiten in ihren Texten typisch romantische Motive wie Sehnsucht, Liebe, Schmerz, Natur und Wanderschaft. Dennoch sind ihre Gedichte kein Ausdruck einer naiv-emotionalen Erlebnislyrik, auch wenn in ihnen häufig Naturmetaphern zur Anwendung kommen. So spiegelt etwa die Sehnsucht ein Hin- und Hergerissensein zwischen Fern- und Heimweh. Der vielfach thematisierten Naturverbundenheit liegt nicht zwangsläufig eine konkrete Landschaftvorstellung zugrunde. Sie ist vielmehr Ausdruck des Sehnens nach einer idealisierten Welt. Insofern erfährt die unberührte Natur etwas Märchenhaftes. Mit dieser Vielfalt an Motiven korrespondiert letztlich eine Vielfalt des lyrischen Sprechens, die sich nicht zuletzt auch in der Vielfältigkeit vorzufindender Gedichtarten dieser Epoche – z. B. Sonett, Ballade, Lied – widerspiegelt.

Justinus Kerner

Wanderung (1834)

Wohlauf und frisch gewandert
Ins unbekannte Land!
Zerrissen, ach! zerrissen
Ist manches teure Band.

Ihr heimatlichen Kreuze,
wo ich oft betend lag,
Ihr Bäume, ach! ihr Hügel,
O blickt mir segnend nach!

Noch schläft die weite Erde,
Kein Vogel weckt den Hain,
Doch bin ich nicht verlassen,
Doch bin ich nicht allein:

Denn, ach! auf meinem Herzen
Trag ich ihr teures Pfand,
Ich fühl's, und Erd' und Himmel
Sind innig mir verwand.

Justinus Andreas Christian Kerner (1786–1862)
deutscher Arzt und Dichter

Joseph von Eichendorff (1788–1857) bedeutender Dichter der Hochromantik

Joseph von Eichendorff

Heimweh (1826)

Wer in die Fremde will wandern,
Der muss mit der Liebsten gehn,
Es jubeln und lassen die andern
Den Fremden alleine stehn.

Was wisset ihr, dunkle Wipfel,
Von der alten schönen Zeit?
Ach, die Heimat hinter den Gipfeln,
Wie liegt sie von hier so weit!

Am liebsten betracht' ich die Sterne,
Die schienen, wie ging ich zu ihr,
Die Nachtigall hör ich so gerne,
Sie sang vor der Liebsten Tür.

Der Morgen, das ist meine Freude!
Da steig' ich in stiller Stund'
Auf den höchsten Berg in die Weite,
Grüß dich, Deutschland, aus Herzensgrund!

1 Beziehen Sie sich zunächst noch einmal auf Ihre zu Beginn des Kapitels angestellten Überlegungen hinsichtlich der lyrischen Umsetzung des Motivs des Unterwegsseins (vgl. Aufgabe 6, S. 98). Formulieren Sie nach dem ersten Lesen der beiden Gedichte in einem Satz Ihr Verständnis davon, wie das Motiv des Unterwegsseins hier jeweils umgesetzt worden ist.

2 Erläutern Sie die jeweilige Umsetzung des Motivs des Unterwegsseins in den beiden Gedichten von J. Kerner und J. von Eichendorff. Orientieren Sie sich dabei an den zu Beginn des Kapitels erarbeiteten Fragestellungen.

3 Begründen Sie die Zugehörigkeit der Gedichte zur Epoche der Romantik auf der Grundlage Ihrer bisherigen Kenntnisse dieser Zeit. Sie können sich hierbei auch an den Hinweisen im Informationskasten zu dieser Epoche orientieren (s. S. 98).

Johann Ludwig Wilhelm Müller (1794–1827) war der Sohn eines Dessauer Schneiders. Nach Abschluss der Schule studierte er klassische Philologie und Geschichte in Berlin. Sein Studium beendete er 1817, nachdem er zwischenzeitlich an den Befreiungskriegen gegen Napoleon teilgenommen hatte. In Berlin unterhielt er Kontakte zu bekannten Schriftstellern seiner Zeit, u. a. Achim von Arnim, Clemens Brentano und Ludwig Tieck, die ihn in seinen literarischen Ambitionen unterstützten. 1817 brach er zu einer Reise nach Ägypten auf, die er allerdings in Italien abbrach und dort Venedig, Florenz, Neapel und besonders Rom besuchte, bevor er 1819 nach Dessau zurückkehrte. In der Folgezeit arbeitete er als Gymnasiallehrer, heiratete eine Enkelin des Pädagogen J. Basedow und erhielt 1824 den Titel eines Hofrates. Drei Jahre später starb der gesundheitlich angeschlagene Dichter. Seine Gedichtzyklen „Die schöne Müllerin" (1824) sowie „Die Winterreise" (1824) wurden von Franz Schubert vertont. Hierzu gehören die bis heute bekannten Gedichte „Der Lindenbaum" und „Das Wandern ist des Müllers Lust". Darüber hinaus verfasste er auch Erzählungen und Essays.

Johann Ludwig Wilhelm Müller

Der Wegweiser (1824)

Was vermeid ich denn die Wege,
Wo die andern Wandrer gehen,
Suche mir versteckte Stege
Durch verschneite Felsenhöhn?

Habe ja doch nichts begangen,
Dass ich Menschen sollte scheun –
Welch ein törichtes Verlangen
Treibt mich in die Wüstenein?

Weiser stehen auf den Straßen,
Weisen auf die Städte zu,
Und ich wandre sonder Maßen,
Ohne Ruh, und suche Ruh.

Einen Weiser seh ich stehen
Unverrückt vor meinem Blick;
Eine Straße muss ich gehen,
Die noch keiner ging zurück.

1 Untersuchen Sie die dem Gedicht zugrunde liegende Sprechsituation (Wer spricht mit wem worüber?).

2 Analysieren Sie Müllers Gedicht im Hinblick auf darin enthaltene sprachlich-rhetorische Mittel und deren Wirkung.

3 Erläutern Sie die Bedeutung der letzten beiden Verse des Gedichts.

4 Vergleichen Sie abschließend das Gedicht Müllers mit denen Kerners sowie von Eichendorffs hinsichtlich ihres zugrundeliegenden Verständnisses von Unterwegssein.

Vom Gedicht zum Wanderlied

Zahlreiche Gedichte – vor allem während der Epoche der Romantik – wurden vertont. Die Bemühungen der Dichter gerade dieser Zeit um eine musikalische Sprache legte die Vertonung ihrer Gedichte nahe. Über Wilhelm Müllers Gedichtzyklen hinaus gilt von Eichendorff als einer der am häufigsten vertonten Poeten, da seine lyrischen Texte eine ungewöhnliche Musikalität aufweisen. So wurde sein Gedicht „Mondnacht" (1837) bereits im 19. Jahrhundert schon einundvierzigmal auf unterschiedliche Art musikalisch umgesetzt. Einer der bekanntesten Komponisten ist wohl Robert Schumann (1810–1856), der insgesamt 21 von von Eichendorffs Gedichten musikalisch verarbeitet hat, die „Mondnacht" 1840 in seinem populären „Liederkreis". Nach Aussage des Dichters habe Schumann seinen Texten „erst Leben gegeben".

Von Eichendorffs Gedichte wurden aufgrund ihrer Vertonung zu Wanderliedern erhoben und erhielten nicht selten Volksliedstatus.

Zu den bekanntesten literarischen Werken dieser Art zählt Joseph von Eichendorffs Novelle „Aus dem Leben eines Taugenichts". Hierin kombiniert der Autor den Erzähltext mit lyrischen Teilen zu einer geradezu organisch-symbiotischen Beziehung, in der das Eingangsgedicht prototypisch den Volksliedcharakter spiegelt. Das Lied „Wem Gott will rechte Gunst erweisen" war – in der Vertonung Friedrich Theodor Fröhlichs – verpflichtender Unterrichtsgegenstand vor dem Ersten Weltkrieg in den sechsten Schulklassen in Preußen.

Joseph von Eichendorff

Aus dem Leben eines Taugenichts (1826)

Erstes Kapitel

Das Rad an meines Vaters Mühle brauste und rauschte schon wieder recht lustig, der Schnee tröpfelte emsig vom Dache, die Sperlinge zwitscherten und tummelten sich dazwischen; ich saß auf der Türschwelle und wischte mir den Schlaf aus den Augen; mir war so recht wohl in dem warmen Sonnenscheine. Da trat der Vater aus dem Hause; er hatte schon seit Tagesanbruch in der Mühle rumort und die Schlafmütze schief auf dem Kopfe, der sagte zu mir: „Du Taugenichts! Da sonnst du dich schon wieder und dehnst und reckst dir die Knochen müde und lässt mich alle Arbeit allein tun. Ich kann dich hier nicht länger füttern. Der Frühling ist vor der Tür, geh auch einmal hinaus in die Welt und erwirb dir selber dein Brot.“ – „Nun“, sagte ich, „wenn ich ein Taugenichts bin, so ist's gut, so will ich in die Welt gehen und mein Glück machen.“ Und eigentlich war mir das recht lieb, denn es war mir kurz vorher selber eingefallen, auf Reisen zu gehen, da ich die Goldammer, welche im Herbst und Winter immer betrübt an unserm Fenster sang: „Bauer, miet mich, Bauer, miet mich!“ nun in der schönen Frühlingszeit wieder ganz stolz und lustig vom Baume rufen hörte: „Bauer, behalt deinen Dienst!“

Ich ging also in das Haus hinein und holte meine Geige, die ich recht artig spielte, von der Wand, mein Vater gab mir noch einige Groschen Geld mit auf den Weg, und so schlenderte ich durch das lange Dorf hinaus. Ich hatte recht meine heimliche Freude, als ich da alle meine alten Bekannten und Kameraden rechts und links, wie gestern und vorgestern und immerdar, zur Arbeit hinausziehen, graben und pflügen sah, während ich so in die freie Welt hinausstrich. Ich rief den armen Leuten nach allen Seiten stolz und zufrieden Adjes zu, aber es kümmerte sich eben keiner sehr darum. Mir war es wie ein ewiger Sonntag im Gemüte. Und als ich endlich ins freie Feld hinauskam, da nahm ich meine liebe Geige vor und spielte und sang, auf der Landstraße fortgehend:

Wem Gott will rechte Gunst erweisen,
Den schickt er in die weite Welt,
Dem will er seine Wunder weisen
In Berg und Wald und Strom und Feld.

Die Trägen, die zu Hause liegen,
Erquicket nicht das Morgenrot,
Sie wissen nur vom Kinderwiegen,
Von Sorgen, Last und Not um Brot.

Die Bächlein von den Bergen springen,
Die Lerchen schwirren hoch vor Lust,
Was sollt ich nicht mit ihnen singen
Aus voller Kehl und frischer Brust?

Den lieben Gott lass ich nur walten;
Der Bächlein, Lerchen, Wald und Feld
Und Erd und Himmel will erhalten,
Hat auch mein Sach aufs Best bestellt!

Zeichnung zur Novelle, 1842

1 Fassen Sie die zu Beginn der Novelle dargestellte Situation in wenigen Sätzen zusammen.

2 Erläutern Sie die jeweilige Lebensauffassung des Taugenichts sowie die seines Vaters.

3 Wenden Sie sich nun dem Liedtext zu, indem Sie kurz den Inhalt der Strophen wiedergeben sowie deren formale Gestaltung und die darin zugrunde liegende Sprechsituation erschließen.

4 Erklären Sie nun den Zusammenhang von erzählendem und lyrischem Text. Gehen Sie hierbei besonders auf das Verständnis und die Bedeutung des Unterwegsseins für den Taugenichts ein.

Der tanzendeTaugenichts wird von Musikanten begleitet, Lithografie von Adolf Schrödter (1805–1875).

Der gute Hirte

1 Ein Psalm Davids. Der HERR ist mein Hirte; mir wird nichts mangeln.

2 Er weidet mich auf grüner Aue und führet mich zum frischen Wasser.

3 Er erquicket meine Seele; er führet mich auf rechter Straße um seines Namens willen.

4 Und ob ich schon wanderte im finstern Tal, fürchte ich kein Unglück; denn du bist bei mir, dein Stecken und dein Stab trösten mich.

5 Du bereitest vor mir einen Tisch im Angesicht meiner Feinde.
Du salbest mein Haupt mit Öl und schenkest mir voll ein.

6 Gutes und Barmherzigkeit werden mir folgen mein Leben lang, und ich werde bleiben im Hause des HERRN immerdar.
Psalm 23, auch als „Hirtenpsalm" bezeichnet, aus der Lutherbibel 1912

Buchmalerei, Frankreich, 13. Jahrhundert – Psalm 1: Wohl dem Mann, der nicht wandelt im Rat der Gottlosen – mit König David als Psalmist

5 Erklären Sie möglichst treffend die Bedeutung des Begriffs „Psalm".

6 Erklären Sie die Sprechsituation im Psalm und analysieren Sie das Verhältnis zwischen dem guten Hirten und dem lyrischen Ich.

7 Vergleichen Sie den Psalm sowie den Liedtext hinsichtlich des jeweiligen Verständnisses von Unterwegssein. Berücksichtigen Sie dabei auch den Zielaspekt.

„Nur wer die Sehnsucht kennt ..."

Italien als Sehnsuchtsort der Klassik

Johann Wolfgang von Goethe bricht im Herbst 1786 von einer Kur in Karlsbad nahezu fluchtartig und heimlich Richtung Süden auf und lässt sein Ministeramt in Weimar für fast zwei Jahre ruhen. Diese Bildungsreise nach und den Aufenthalt in Italien verarbeitet er literarisch in seinem Reisebericht „Die italienische Reise", deren erster Band 1816 erscheint. Ursprünglich ist diesem das Motto vorangestellt: „Auch ich in Arkadien!", wobei Arkadien eine eher karge griechische Landschaft im Zentrum des Peleponnes bezeichnet. Mit dieser Bezeichnung bringt Goethe die zu seiner Zeit vor allem in Künstlerkreisen grundsätzlich ausgeprägte Sehnsucht nach dem Süden zum Ausdruck. Diese konzentrierte sich schon deshalb insbesondere auf Italien, da es wesentlich einfacher zu erreichen war als das unter osmanischer Herrschaft stehende Griechenland.

Über das geografische Ziel Italien hinaus entwirft die Sehnsucht nach arkadischen Landschaften das Bild einer idealisierten Traumwelt, die dem Reisenden zur Vervollkommnung seiner Selbstbildung dient, seine Sinnesempfindung intensiviert und ihn zugleich der Sorgen eines profanen Alltags entbindet. Insofern wird es im 19. Jahrhundert für das gehobene Bürgertum erstrebenswert, einmal im Leben es Goethe gleichzutun und auf seinen Spuren nach Italien zu reisen. Somit löste Goethe mit seinem Aufbruch nach Italien geradezu eine Reisewelle Richtung Süden aus.

1 Recherchieren Sie genauere Informationen darüber, warum ausgerechnet Italien und Griechenland für Goethe und weitere Vertreter der Weimarer Klassik sowie der Romantik eine so hohe Attraktivität als (Reise-)Ziele besaßen.

2 Untersuchen Sie, inwiefern die Literatur in anderen europäischen Ländern – wie etwa Frankreich, Italien, Spanien – von einem eigenen Klassik-Begriff und -Verständnis geprägt worden ist.

a) Bilden Sie arbeitsteilige Arbeitsgruppen und recherchieren Sie hierzu entsprechende Informationen.
b) Untersuchen Sie anschließend Ihre Informationen zunächst innerhalb Ihrer Gruppe hinsichtlich eines darin enthaltenen Klassikverständnisses.
c) Stellen Sie Ihre Ergebnisse z. B. im Rahmen einer Wandzeitung zusammen.

3 Präsentieren Sie Ihr Produkt abschließend im Plenum.

Johann Heinrich Wilhelm Tischbein (1751 – 1829) dt. Maler, hielt sich von 1779 bis 1799 mit kurzer Unterbrechung in Italien auf. Hier auch Freundschaft mit Goethe, u. a. gemeinsame Reise nach Neapel (1787). Das Gemälde befindet sich heute im Städel Museum in Frankfurt/M. Es gilt als Inbegriff der Sehnsucht nach Arkadien und brachte dem Künstler den Beinamen „Goethe-Tischbein" ein.

J. H. W. Tischbein: Goethe in der Campagna bei Rom (1786/87)

Zu einem speziellen Kunstempfinden in Rom sowie zur damaligen Zeit äußert sich Johann Wolfgang von Goethe in seinem Reisebericht „Die Italienische Reise" selbst folgendermaßen:

Zeichnung J. H. W. Tischbeins: Goethe aus dem zweiten Stock seiner Wohnung am Corso hinausblickend (1787), Frankfurt/M., Freies Deutsches Hochstift

Dieselbigen Fenster, aus welchen man so viel Anmut beim klarsten Himmel ungestört betrachtete, gaben auch ein vortreffliches Licht zu Beschauung malerischer Kunstwerke. [...]

Das Geheimnis einer günstigen oder ungünstigen, direkten oder indirekten atmosphärischen Beleuchtung war damals noch nicht entdeckt, sie selbst aber durchaus gefühlt, angestaunt und als nur zufällig und unerklärbar betrachtet.

Diese neue Wohnung gab nun Gelegenheit, eine Anzahl von Gipsabgüssen, die sich nach und nach um uns gesammelt hatten, in freundlicher Ordnung und gutem Lichte aufzustellen, und man genoss jetzt erst eines höchst würdigen Besitzes. Wenn man, wie in Rom der Fall ist, sich immerfort in Gegenwart plastischer Kunstwerke der Alten befindet, so fühlt man sich wie in Gegenwart der Natur vor einem Unendlichen, Unerforschlichen. Der Eindruck des Erhabenen, des Schönen, so wohltätig er auch sein mag, beunruhigt uns, wir wünschen unsre Gefühle, unsre Anschauung in Worte zu fassen: dazu müssten wir aber erst erkennen, einsehen, begreifen; wir fangen an zu sondern, zu unterscheiden, zu ordnen, und auch dieses finden wir, wo nicht unmöglich, doch höchst schwierig, und so kehren wir endlich zu einer schauenden und genießenden Bewunderung zurück. Überhaupt aber ist dies die entschiedenste Wirkung aller Kunstwerke, dass sie uns in den Zustand der Zeit und der Individuen versetzen, die sie hervorbrachten. Umgeben von antiken Statuen, empfindet man sich in einem bewegten Naturleben, man wird die Mannigfaltigkeit der Menschengestaltung gewahr und durchaus auf den Menschen in seinem reinsten Zustande zurückgeführt, wodurch denn der Beschauer selbst lebendig und rein menschlich wird. Selbst die Bekleidung, der Natur angemessen, die Gestalt gewissermaßen noch hervorhebend, tut im allgemeinen Sinne wohl. Kann man dergleichen Umgebung in Rom tagtäglich genießen, so wird man zugleich habsüchtig danach; man verlangt, solche Gebilde neben sich aufzustellen, und gute Gipsabgüsse als die eigentlichsten Faksimiles geben hierzu die beste Gelegenheit. Wenn man des Morgens die Augen aufschlägt, fühlt man sich von dem Vortrefflichsten gerührt; alles unser Denken und Sinnen ist von solchen Gestalten begleitet, und es wird dadurch unmöglich, in Barbarei zurückzufallen.

Bericht April, 1788

Faksimile (lat., „mache es ähnlich"): originalgetreue Nachbildung

1 Geben Sie das Thema sowie die zentralen Aussagen Goethes in dem Textauszug wieder.

2 Stellen Sie mit eigenen Worten dar, welche Bedeutung der Autor in Rom der Begegnung und Auseinandersetzung mit der Kunst beimisst.

3 Erörtern Sie, inwiefern die „Kunstwerke der Alten" (Z. 16) immer noch diese Wirkung auf den heutigen Betrachter haben und ob dies ebenso für die Begegnung mit moderner bzw. aktueller Kunst gilt.

Goethes Roman „Wilhelm Meisters Lehrjahre“ kennenlernen

Das Verlangen nach Selbstbildung, verbunden mit der Sehnsucht nach dem Süden, findet sich in besonderer Form in Goethes Roman „Wilhelm Meisters Lehrjahre“ (1795/96), in dem er die Entwicklung seines Protagonisten Wilhelm Meister auf dem Weg zur Bildung einer individuellen Persönlichkeit schildert. Der Sohn eines vermögenden Kaufmanns entschließt sich, die Enge seines Elternhauses zu verlassen, um nach Entfaltungsmöglickeiten seiner selbst in der Welt des Theaters zu suchen. Auf diesem Weg macht er in seinen Begegnungen mit zahlreichen Repräsentanten unterschiedlicher Lebensauffassungen und -bestimmungen eine Vielzahl von Erfahrungen, die ihn schließlich zu der Erkenntnis führen, „mich selbst, ganz wie ich da bin, auszubilden“.

Im Verlauf der Handlung von Goethes Bildungsroman trifft Wilhelm auf Mignon, die Tochter eines Harfners, die aus der inzestuösen Beziehung zu dessen Schwester stammt. Wilhelm kauft Mignon aus einer Gauklertruppe frei. Beide Figuren, das Mädchen sowie der Harfner, stehen für eine ursprünglich poetische Welt. Bedingt durch ihre einseitige Gefühlsbetonung scheitern sie an den gesellschaftlichen Erwartungen. Die märchenhaft anmutende Mignon kann nicht richtig sprechen. Ihre Sprache besteht aus einer Mischung aus Italienisch, Französisch sowie Deutsch. Allein im Gesang ist es ihr möglich, sich verständlich zu machen. Aufgrund ihrer südländischen Herkunft sind ihre Lieder geprägt von ihrer ursprüglichen Heimat und der Sehnsucht nach dieser. Die beiden folgenden Gedichte bilden die Textgrundlage für zwei der Lieder, die Mignon im Verlauf der Romanhandlung singt. Beide Gedichte haben sich in ihrer Liedfunktion schon lange aus dem Romankontext entfernt und im Rahmen der Idealisierung des Südens eine Eigenbedeutung erhalten. Das „Sehnsucht-Lied“ wird von Mignon zum Harfenspiel ihres Vaters gesungen und spiegelt die augenblickliche Gemütsverfassung Wilhelm Meisters wider, der sehnsuchtsvoll an die Gräfin denkt, die ihn verlassen hat. Darüber hinaus kann das lyrische Ich auf jeden übertragen werden, der von Sehnsucht befallen ist. Insofern trifft diese innere Verfassung auch auf Mignon selbst zu, deren Gefühle nicht nur sehnsüchtig Richtung Süden gerichtet sind, sondern die auch Wilhelm in besonderer Weise zugeneigt ist.

Nur wer die Sehnsucht kennt,
Weiß, was ich leide!
Allein und abgetrennt
Von aller Freude,
Seh ich ans Firmament
Nach jener Seite.
Ach! Der mich liebt und kennt,
Ist in der Weite.
Es schwindelt mir, es brennt
Mein Eingeweide.
Nur wer die Sehnsucht kennt,
Weiß, was ich leide!

1 Stellen Sie dar, in welcher Form das lyrische Ich unter seiner Sehnsucht leidet.

2 Erläutern Sie, wer in Goethes Gedicht die Rolle des sehnsüchtigen lyrischen Ichs einnehmen könnte. Entwerfen Sie mögliche Alternativen und nehmen Sie begründet Stellung zu Ihrer Auswahl. Beziehen Sie in Ihre Überlegungen ggf. auch die im einleitenden Text zu diesem Gedicht genannten Möglichkeiten mit ein.

In einem Zustand größter Gefühlsverwirrung bezeichnet die naive Mignon Wilhelm als ihren Vater, dessen Kind sie sein möchte, worauf dieser ihr zusichert, sie nicht zu verlassen. Am folgenden Tag stimmt Mignon ein Lied an, dessen unverständliche Passagen sich der Protagonist von ihr erklären lässt, um sie dann ins Deutsche übertragen zu können:

Mignons Lied

Kennst du das Land, wo die Zitronen blühn,
Im dunkeln Laub die Gold-Orangen glühn,
Ein sanfter Wind vom blauen Himmel weht,
Die Myrte still und hoch der Lorbeer steht,
Kennst du es wohl?
Dahin! Dahin
Möcht ich mit dir, o mein Geliebter, ziehn.

Kennst du das Haus? Auf Säulen ruht sein Dach,
Es glänzt der Saal, es schimmert das Gemach,
Und Marmorbilder stehn und sehn mich an:
Was hat man dir, du armes Kind, getan?
Kennst du es wohl?
Dahin! Dahin
Möcht ich mit dir, o mein Beschützer, ziehn

Kennst du den Berg und seinen Wolkensteg?
Das Maultier sucht im Nebel seinen Weg,
In Höhlen wohnt der Drachen alte Brut,
Es stürzt der Fels und über ihn die Flut;
Kennst du ihn wohl?
Dahin! Dahin
Geht unser Weg! o Vater, lass uns ziehn!

3 Geben Sie den Inhalt der drei Strophen im Kontext der Sehnsucht nach Italien wieder. Gehen Sie dabei auch besonders auf den Standort des lyrischen Ichs ein.

4 Analysieren Sie, inwiefern sich die sprachliche Ausgestaltung des Ziels von der des Unterwegsseins dorthin unterscheidet.

5 Erläutern Sie die Funktion der häufigen Wortwiederholungen sowie die Wirkung des Refrains am Ende jeder Strophe.

Unterwegs auf alternativen Lebensreisen

Eine exemplarische Gedichtanalyse erarbeiten

Illustration von Ludwig Richter (1803–1884)

Joseph von Eichendorff

Die zwei Gesellen (1818)

Es zogen zwei rüst'ge Gesellen
zum erstenmal von Haus,
so jubelnd recht in die hellen,
klingenden, singenden Wellen
des vollen Frühlings hinaus.

Die strebten nach hohen Dingen,
die wollten, trotz Lust und Schmerz,
was Recht's in der Welt vollbringen,
und wem sie vorübergingen,
dem lachten Sinnen und Herz. -

Der erste, der fand ein Liebchen,
die Schwieger kauft' Hof und Haus;
der wiegte gar bald ein Bübchen,
und sah aus heimlichem Stübchen
behaglich ins Feld hinaus.

Dem zweiten sangen und logen
die tausend Stimmen im Grund,
verlockend' Sirenen, und zogen
ihn in der buhlenden Wogen
farbig klingenden Schlund.

Und wie er auftaucht' vom Schlunde,
da war er müde und alt,
sein Schifflein, das lag im Grunde,
so still war's rings in die Runde,
und über die Wasser weht's kalt.

Es singen und klingen die Wellen
des Frühlings wohl über mir;
und seh ich so kecke Gesellen,
die Tränen im Auge mir schwellen –
ach Gott, führ uns liebreich zu Dir!

Zur Wiederholung und Vertiefung des in der Einführungsphase schon gelernten Umgangs mit lyrischen Texten soll an dieser Stelle eine komplette Gedichtanalyse am Gedicht „Die zwei Gesellen“ von Joseph von Eichendorff exemplarisch durchgeführt werden. Sehen Sie sich dazu auch den Kasten auf Seite 110 an.

Die verwendeten Fachbegriffe finden Sie im Anhang unter „Auf einen Blick“, Fachbegriffe Lyrik (S. 317 f.). Die **Vorarbeit** zum Interpretationsaufsatz besteht in der Sammlung von Material zu den gebräuchlichen Analyseaspekten für die Interpretation eines Gedichts. Sie umfasst den gesamten **Arbeitsprozess** im engeren Sinn.

Sammeln erster Eindrücke und Fragen zum Gedicht:
Formulieren Sie auf dieser Grundlage eine erste und vorläufige Arbeitshypothese, die Sie im Verlauf des Arbeitsprozesses noch modifizieren können.

Stichworte zur Form des Gedichts:
- sechs Strophen zu je fünf Versen
- Beschreiben und benennen Sie das Reimschema: mit Buchstaben in alphabetischer Folge
- Untersuchen Sie das Metrum:
  xx I xx I xx I xx I xx
- Führen Sie die Silbenzählung weiter durch und setzen Sie die Betonungszeichen.
  Welches Metrum ergibt sich hieraus? – Beachten Sie mögliche Unregelmäßigkeiten und bestimmen Sie die Kadenzen (männlich/weiblich) im gesamten Gedicht.
  Enjambements sorgen für eine Verbindung der Verse und stehen damit im Gegensatz zu Zäsuren (Einschnitt).
- Aus den bisher ermittelten Ergebnissen zur Form des Gedichts ergibt sich ein Rhythmus. Versuchen Sie ihn zu beschreiben. Begründen Sie Ihren Eindruck.

Stichworte zum Inhalt:
- Thema: ?
- Entfaltung des Themas im Verlauf der Strophen (Inhalt/Aufbau)

Strophe I (und folgende): ______________________

____

____

____

____

Wer ist der Sprecher bzw. das lyrische Ich?

____

Stichworte zu den besonderen sprachlichen Mitteln und speziellen rhetorischen Figuren, Satzarten, Satzbau und Satzlänge, Ellipsen, Wortarten und ihrem Gebrauch:

____

____

____

Metaphern, Vergleiche, Personifikationen, Alliterationen (kann auch bei Klang- und Lautgestaltung abgehandelt werden) und ihre Wirkung – Stichworte zum Zusammenwirken von formalen, sprachlichen und inhaltlichen Aspekten:

____

____

____

Einbettung des Textes in den historischen und literaturhistorischen Zusammenhang:

____

____

Eine begründete Bewertung zu dem Gedicht abgeben:

____

____

1 Formulieren Sie auf der Grundlage Ihrer Stichwortsammlung eine Analyse zu Joseph von Eichendorffs Gedicht „Die zwei Gesellen".

Gedichtanalyse (Schreibprozess)

In die **Einleitung** gehören wie üblich Textart, Titel, Autor, Entstehungszeit und das Thema des Gedichts. Eine knappe Information über den Autor kann ebenfalls hier, falls vorhanden, gegeben werden.

Den **Hauptteil** beginnen Sie sinnvollerweise mit Ihren Analyseergebnissen zur Form, da sie bei dieser Textgattung unmittelbar ins Auge fällt und den Inhalt strukturiert. Dabei können Sie von der Gedichtform und vom Strophenbau – also von den erkennbaren größeren Einheiten – zum Metrum und Reimschema usw., den kleineren Einheiten, übergehen.
Da die inhaltliche Aussage des Gedichts meistens in Strophenform vermittelt wird, können Sie bei der Darstellung der Ergebnisse zu diesem Aspekt strophenweise vorgehen.
Dabei bietet sich besonders bei kurzen Gedichten die Verknüpfung von Inhalt und Sprache an. Hier ist es besonders wichtig, jeweils auf die Wirkung der sprachlichen Mittel und rhetorischen Figuren einzugehen.
Unbedingt sollten Sie am Schluss des Hauptteils überlegen, inwieweit der spezielle Inhalt und die besondere Form dieses Gedichts sich gegenseitig bedingen und die Form die Wirkung des Inhalts unterstützt.

In den **Schlussteil** gehört eine auf den Ergebnissen des Hauptteils beruhende Gesamtdeutung des Gedichts. Ihre Kenntnis des historisch-biografischen Kontextes können Sie hier sinnvoll einbeziehen.
Eine kritische Bewertung des Textes kann auf der Grundlage von Argumenten vorgetragen werden.

Gedichte – „leicht zu erkennen, aber schwer zu verstehen"

Die Spezifik einer poetischen Gattung erfassen

Heinz Schlaffer (* 1939)
Germanist und emeritierter Professor für Literaturwissenschaft an der Universität Stuttgart
2008 Heinrich-Mann-Preis für Essayistik der Berliner Akademie der Künste
2012 Johann-Heinrich-Merck-Preis für literarische Kritik

Heinz Schlaffer

Geistersprache (2002)

Gedichte sind leicht zu erkennen, aber schwer zu begreifen. Ob sie gesungen, gesprochen oder gelesen werden, es fehlt ihnen nicht an auffälligen Merkmalen, die den Hörer oder Leser sogleich davon überzeugen, dass er es mit einem Exemplar der Lyrik zu tun hat, auch wenn er den Begriff „Lyrik" nicht kennt und stattdessen „Lied", „Reime", „Verse" sagt. Ohr und Auge täuschen sich fast nie: Was sich zu einer Melodie singen lässt, was Rhythmen und Klänge auffällig wiederholt, was in abgesetzten Zeilen geschrieben ist, dabei eine überschaubare Länge hat – das muss ein Gedicht sein.
Schwer jedoch ist zu begreifen, weshalb und wozu es diese apart geformte Ausnahme von der üblichen Art zu reden und zu schreiben gibt. Der gewöhnlichen Form, den ausgefallenen Wörtern und Wortfügungen eines Gedichts begegnen die Bildungsinstitutionen, Deutschunterricht und literaturwissenschaftliche Seminare, mit dem Vorsatz, durch Interpretieren jenen unvernünftigen Aufwand poetischer Mittel auf eine vernünftige Aussage zurückzuführen. Anders verhalten sich Laien; sie begnügen sich damit, ein Gedicht zu lesen oder herzusagen, wie man ein Lied singt, manchmal sogar in einer fremden Sprache, ohne sich viel um die Bedeutung der Worte zu sorgen. Aber auch die Interpretation eines Gedichts, die ja die Existenz einer so merkwürdigen Art von Texten als gegeben hinnimmt, beantwortet nicht die Frage, wozu es Lyrik, eine der ältesten Erfindungen der Menschheit, einst gebraucht hat und noch immer braucht.
Auf die Frage nach Herkunft und Aufgabe der Lyrik gibt es seit dem 18. Jahrhundert eine Antwort, die ebenso falsch wie erfolgreich ist. In einer rational konzipierten Welt nahm sich die lyrische Redeweise so irrational aus, dass ihre Entstehung und Fortdauer nur aus einem irrationalen Motiv, aus dem Seelenzustand des Dich-

ters, zu erklären war. Eigenschaften der Poesie, die den praktischen Verstand wie die theoretische Vernunft in Verlegenheit brachten – Verliebtheit in Klänge und Bilder, die Neigung zu Übertreibung und Dunkelheit – versuchten die psychologisierenden Poetiken der Aufklärung aus dem Überschwang der Gefühle bei den Dichtern herzuleiten. Ein Gedicht sei, wie es damals hieß und wie es in anderen Worten noch heute eine verbreitete Meinung ist, „empfindungsvolles Selbstgespräch" und „ausgedrückte Empfindung". Einwände gegen diese Annahme liegen nahe. Für den Ausdruck von Gefühlen, für die Darstellung von Erlebnissen würden sich Tagebuch, Brief und andere prosaische Bekenntnisschriften mit geringem Formzwang besser eignen als ein Gedicht. Dessen Verfasser muss Rücksicht auf das gefühllose Reglement von Metrum, Reim, Strophe nehmen, sich an der überpersönlichen Tradition der lyrischen Motive orientieren und auf Mitteilungen verzichten, die auf dem beschränkten Raum weniger Verse nicht Platz haben. Was das private Subjekt über seine inneren Zustände in so knapper Form sagen könnte, sei es Liebesschmerz oder Frühlingslust, haben zudem andere Gedichte schon oft gesagt. Dem Versuch eines wahren Ausdrucks ist das konventionelle Schema längst zuvorgekommen.

Da also Erlebnis und Gefühl nicht hinreichen, die Existenz von Lyrik zu erklären, bevorzugt die neuere Literaturwissenschaft eine emotionslose Bestimmung, die sich an die sichtbare und hörbare Form des Gedichts hält. Doch schafft der Hinweis auf die Anordnung von Verszeilen und die Abweichung von der Normalsprache nicht alle Vorbehalte aus der Welt, wie sie das aufgeklärte Bewusstsein gegenüber der Lyrik vorbringen müsste. Was hat die Menschen dazu gebracht, Formen zu erfinden und zu bewahren, die einen derart großen Aufwand an Geboten und Verboten bei der Auswahl von Rhythmen, Klängen, Wörtern, Ausführungspraktiken verlangen? Warum sprechen diese mechanischen oder auch spielerischen Formen mit Vorliebe von den ernstesten Dingen des Lebens, von Not, Glück, Vergänglichkeit und Ewigkeit?

Lernarrangement

Bilden Sie Kleingruppen von maximal vier Schülerinnen und Schülern und gehen Sie wie folgt vor:

1 Lesen Sie zunächst in Einzelarbeit den Textauszug von Schlaffer und machen Sie sich Notizen zu den zentralen Aussagen des Autors.

2 Tauschen Sie sich in der Gruppe über Ihr Verständnis des Textes aus und fassen Sie gemeinsam auf dieser Grundlage möglichst prägnant die Position Schlaffers zum Zweck der Lyrik zusammen.

3 Schlaffer kennzeichnet die Diskussion über das Verhältnis von Herz vs. Vernunft, die als literarhistorische seit dem 18. Jahrhundert geführt wird, durch die Aussage, die Poesie habe „den praktischen Verstand wie die theoretische Vernunft in Verlegenheit" gebracht. Deshalb habe man damals versucht, die Lyrik auf den „Überschwang der Gefühle bei den Dichtern" zurückzuführen (s. Z. 28/29).
Erörtern Sie vor diesem Hintergrund in Ihrer Gruppe die hier angedeutete Unvereinbarkeit von Rationalem und Irrationalem.

4 Nehmen Sie abschließend in Ihrer Gruppe Stellung zu den von Schlaffer am Ende seines Textauszuges gestellten Fragen hinsichtlich der Existenz lyrischer Texte. Verfassen Sie anschließend ein gemeinsames Statement.

Unterwegs in Raum und Zeit

Das Reisen als eine zentrale Kategorie von Unterwegssein anhand eines Sachtextes erschließen

Das Unterwegssein ist fest in der Natur des Menschen verankert, es bildet eine anthropologische Konstante, die in der frühesten Zeit der Menschheitsgeschichte verankert ist. Als Jäger und Sammler war der Mensch auf die Suche nach einträglichen Jagdrevieren und ihm gemäßen Lebensbedingungen existenziell angewiesen. Auch mit der Sesshaftigkeit ändert sich dies nicht. Als man sich durch Viehzucht und Ackerbau stärker örtlich zu binden begann, entwickelte sich durch die allmähliche Etablierung des Handwerks auch die Notwendigkeit des Handels. Der Fund der Gletschermumie Ötzi 1991 in den Südtiroler Alpen, dessen Todeszeitpunkt im 4. Jahrtausend v. Chr. (späte Jungsteinzeit bzw. Kupferzeit) datiert werden konnte, unterstreicht dies eindrucksvoll. Die Erfindung des Rades und seine Verwendung als Transportmittel beschleunigt das Unterwegssein im wortwörtlichen Sinn. Erste Nachweise reichen bis ins 4.-5. Jahrtausend zurück.

Erste Reiseberichte finden sich in Sagen und Geschichten. Ein herausragendes Beispiel bildet etwa das Gilgamesch-Epos, das vermutlich um 3000 v. Chr. entstanden ist und von König Gilgamesch in Mesopotamien erzählt. Es handelt von der beschwerlichen Suche des Helden nach letzter Erkenntnis, nach Bildung und dem Drang, fremde Gebiete zu erkunden. Ein weiteres Beispiel in dieser Hinsicht bildet etwa Homers Odyssee. Letztlich sind Ursache und Ziel des Reisens wesenhaft mit dem Menschen verbunden, nicht nur in frühester, sondern und gerade auch in der heutigen Zeit.

Winfried Löschburg

Von Reiselust und Reiseleid (1977)

„Reisen! – Es ist wohl die schönste und unschuldigste aller Leidenschaften, die Reiselust“, notierte der österreichische Dichter Moritz Hartmann 1851 in seinem Südfrankreich-Tagebuch. Das dumpfe Tuten der Dampfersirene, der schrille Pfiff der Lokomotive, der letzte Aufruf auf dem Flugplatz – wer verbindet mit ihnen nicht Welt und Weite, ferne Länder und fremde Menschen, Abenteuer und Erlebnisse? Sie üben eine ganz besondere Anziehungskraft aus, wecken Assoziationen, Ferienvorahnung, hoffnungsvolle Erwartungen, die Erfüllung einer uralten Sehnsucht des Menschen.

Alle Welt reist. Immer und überall wird gereist. Einst einmaliges und wichtiges Ereignis im Leben des Menschen ist es heute zur Gewohnheit geworden und Teil des Lebensablaufes. Das Reisen ist nicht nur eine Angelegenheit des Urlaubes und der Ferien, immerfort streben die Menschen irgendwohin. In allen Jahreszeiten, das ganze Jahr hindurch wird gereist. Es sind Geschäfts- und Dienstreisen, Fahrten zu kulturellen und sportlichen Veranstaltungen oder zu Familienereignissen, Erholungs- und Urlaubsreisen, Studienreisen – vielfältige Reiseziele und Anlässe. Und doch gibt es sie kaum noch: die großen Reisenden. Einst reiste man um des Reisens willen, überquerte Länder, Berge, Wüsten und Meere mit keinem anderen Ziel als dem zu reisen und erlebte dabei fremde Landschaften, Orte, Menschen, Sitten und Bräuche. Der Araber Ibn Battuta brauchte für seine Reise nach Indien und China samt Aufenthalt noch 24 Jahre. Reisen war ein Teil der Bildung, das Wort Erfahren kommt von Fahren. Man wollte die Welt im doppelten Sinne des Wortes „erfahren“, wollte reisen ohne anzukommen. Die Sehnsucht nach der Ferne und der Drang, das Unbekannte kennenzulernen, führten zu immer größeren Reisen und zu dickbändigen „Reyßbüchern“, Landkarten und Ansichten, insbesondere aber zu den zahllosen Reiseerinnerungen von Schriftstellern, Künstlern, Forschern, gelehrten Vielschreibern und Allerweltsreisenden, von denen uns manche heute noch auf eine Reise begleiten können. Die Berichte von Reisen sind so alt wie die Literatur selbst, einer erzählt von der Reise – und viele reisen mit! Verschieden und vielfältig waren die Motive, die den Menschen trotz aller Gefahren und Beschwernisse zum Reisen veranlassten, und sie wechselten im Wandel der Jahrhunderte: Neugier nach der engeren und weiteren Umgebung und ihre Erkundung, Erkenntnisdrang und Streben nach Erweiterung des Weltbildes sowie Lust am Abenteuer trafen sich mit Freiheitsdurst und Fernweh, dem Wunsch nach Ortsveränderung, Aufbruch aus der Sesshaftigkeit, dem Alltag mit seinen Gewohnheiten und der Flucht aus dem Gebundensein, dem Rebellieren gegen Enge und Dumpfheit, verstaubte Traditionen und überholte gesellschaftliche Zustände, dem Reisen als Suche nach der gewünschten Ordnung, nach Gemeinschaft und Freundschaft. Zwecke des Erwerbes und Gewinnstrebens, der Unterhaltung und Vergnügung, der Heilung von Krankheiten und Leiden standen neben Erholung und Entspannung. Reisen war Leben, war Besitznahme und Bereicherung, galt als „Buch der Bücher" und verjüngender Medeatrunk. Wer glücklich heimkehrte, war als welterfahrener und wohlgebildeter Mann überall willkommen. Die Reisenden brachten Anregungen sowie neue befruchtende Ideen mit und weckten Weltoffenheit. Impulse gingen von fremden Kontinenten aus, das Reisen baute gegenseitige Hindernisse und Vorurteile ab und machte Menschen und Völker miteinander bekannt. Es ließ die Welt durchschaubar werden und menschlich.

ICE

Medeatrunk
nach der grch. Mythologie Trunk mit verjüngender Wirkung

Heute sind sehr viele unterwegs, per Flugzeug, Express oder auf der Autobahn. Die Menschen waren noch nie so beweglich, doch verschiedene Erscheinungen modernen Reisens zeichneten sich schon in früheren Zeiten ab. Die Geschichte des Wanderns und Reisens erstreckt sich über Jahrtausende, von den ältesten und allgemeinsten Äußerungen menschlichen Lebens, den Zügen der Sammler und Jäger, der ersten Händler über Einrichtungen des Fremdenverkehrs im alten Rom – wie Reiseauskunftsstellen, Reisegesellschaften, Fremdenführer, Souvenirs und hotelartige Unterkünfte –, die mittelalterlichen Wallfahrten und Pilgerzüge, fahrende Scholaren, Gaukler und Handwerksburschen, die Studienreisen der Gelehrten und Kavalierstouren bis zu den Reisenden der Aufklärung und Italienromantik und von Thomas Cook und Karl Baedeker bis zum Tourismus unserer Tage, dem Reisen im Zeichen des Turbinenliners und Düsenjets. Eine detaillierte Behandlung aller dieser Reisen würde Bände füllen, und doch können zum Beispiel die Fahrten, die mit Auftrag und Ziel unternommen wurden, nicht unberücksichtigt bleiben, folgten doch auch Entdecker und Konquistadoren handfesten Antrieben von Politik und Ökonomie. Lebensweise und Kultur der verschiedenen Zeiten wie Klassen und Schichten konnten auf dem zur Verfügung stehenden Raum nur angedeutet werden, obwohl das Reisen eng verknüpft ist mit den jeweiligen gesellschaftlichen Verhältnissen und von ihnen entscheidend bestimmt wird. Gern hätten wir auch die Geschichte der Verkehrstechnik ausführlicher dargestellt, nahm das Reisen doch dadurch eine so breite Entwicklung oder hat unseren Blick über ferne Reisegebiete hinausschweifen lassen. Die Geschichte des Reisens ist die Geschichte des Menschen, der menschlichen Gesellschaft, ist ein Stück Weltgeschichte, und ihre schriftlichen Zeugnisse sind unermesslich, vom sagenhaften Odysseus, von dem berühmten Pilger Hsüantsang und den Erzählungen Sindbads des Seefahrers über Kolumbus, [...] Alexander von Humboldt, Goethe, Seume zu Jules Verne oder Thor Heyerdahl.

Wiener Kalesche 1775: Goethes Reisewagen

Thomas Cook (1808–1892)
Begründer der Tourismusbranche, entwickelte das System der **Pauschalreise**

Karl Baedeker (1801–1859)
dt. Verleger und Autor der gleichnamigen Reiseführer

1 Fassen Sie die zentralen Aussagen des Textes auf S. 113 strukturiert und prägnant zusammen.

2 Erläutern Sie auf der Grundlage Ihrer Texterschließung die anthropologische Bedeutung des Reisens für den Menschen.

3 a) Prüfen Sie mögliche Veränderungen in Bezug auf das Reisen, die sich seit dem Erscheinen des vorliegenden Textes vor gut 40 Jahren ergeben haben.
b) Fassen Sie Ihre Überlegungen in einem Bericht zusammen.

Das Wandern – eine akademische Wiederentdeckung zünftiger Traditionen

Den Zusammenhang von gesellschaftlichen Impulsen und poetischen Innovationen verstehen

Heinz Schlaffer

Kurze Geschichte der deutschen Literatur (2002)

Die deutsche Literatur beginnt mit der intellektuellen Revolte der akademischen Jugend. Sämtliche poetischen Innovationen werden im 18. Jahrhundert von studentischen Freundschaftsgruppen eingeleitet: von den Anakreontikern in Halle, dem Klopstock verpflichteten „Hain" in Göttingen, den Stürmern und Drängern in Straßburg, der romantischen Generation von Jena, danach der von Heidelberg und Berlin. Der plötzliche Eintritt Württembergs in die deutsche Literatur ist das Werk dreier einander ablösender Freundschaftsgruppen unter Tübinger Studenten: zuerst Hölderlin, Hegel, Schelling, danach Kerner und Uhland, schließlich Mörike, Waiblinger, Friedrich Theodor Vischer. [...]

Fast bis in die Gegenwart dauert eine Erfindung der Studenten vom Ende des 18. Jahrhunderts, die für die deutsche Poesie und Lebensweise folgenreich war: das Wandern. In anderen Ländern war es nie üblich; in Deutschland stirbt es zur Zeit aus. Studien Heinrich Bosses haben auf die merkwürdige Erscheinung aufmerksam gemacht, dass um 1770 das traditionelle Wandern der Handwerksgesellen durch Polizeiverordnungen unterdrückt wurde, dafür aber bei den Intellektuellen in Mode kam. Der praktische Zweck der einen wandelt sich zum ästhetischen Vergnügen der anderen.

Der Wanderer erschließt sich eine neue Landschaftserfahrung, die in der augenblicklichen Wahrnehmung – in Regen und Sturm auf dem „Schlammpfad" – wie im Ganzen – der gottgleichen Natur – die literarischen Konventionen der idyllischen und der heroischen Topografie hinter sich lässt. Von den wandernden Handwerkern übernehmen ihre Imitatoren, die Studenten, den Brauch, Lieder zu singen oder Lieder zu dichten, als wären sie beim Wandern entstanden. Goethe erinnert sich seiner jugendlichen Gewaltmärsche: „Mehr als jemals war ich gegen offene Welt und freie Natur gerichtet. Unterwegs sang ich mir seltsame Hymnen und Dithyramben, wovon noch eine, unter dem Titel ‚Wanderers Sturmlied', übrig ist." Viele deutsche Gedichte, von denen einige populäre Lieder geworden sind, bekunden bereits in der Überschrift oder in der ersten Zeile das Wandern als Anlass und Hintergrund.

Gemeint ist das Phänomen, dass das Wandern, bislang Notwendigkeit für die unteren Schichten, als Privileg von der akademischen Jugend übernommen wird.

Dithyrambe (grch.-lat.) Loblied

1 Verfassen Sie arbeitsteilig Kurz- bzw. Minutenreferate zu den im Text genannten Personen sowie Bezeichnungen von literarischen Gruppierungen (Z. 3 – 9) und tragen Sie diese im Plenum vor.

2 Recherchieren Sie die Bedeutung des Wanderns in der Handwerkerausbildung der Zünfte.

3 Geben Sie das von Schlaffer angesprochene Verhältnis von Theorie und Praxis des Wanderns mit eigenen Worten wieder.

Unterwegs im finsteren Wald

Themen- und inhaltsverwandte Gedichte des ausgehenden 18. Jahrhunderts untersuchen und miteinander vergleichen

Johann Wolfgang von Goethe

Im Erstdruck von 1815 stehen beide Gedichte untereinander, das zweite trägt hier den Titel „Ein gleiches".

Wandrers Nachtlied I (1776)

Der du von dem Himmel bist,
Alles Leid und Schmerzen stillest,
Den, der doppelt elend ist,
Doppelt mit Erquickung füllest,
Ach, ich bin des Treibens müde!
Was soll all der Schmerz und Lust?
Süßer Friede,
Komm, ach komm in meine Brust!

Wandrers Nachtlied II (1780)

Über allen Gipfeln
Ist Ruh,
In allen Wipfeln
Spürest du
Kaum einen Hauch;
Die Vögelein schweigen im Walde.
Warte nur, balde
Ruhest du auch.

1 Untersuchen Sie zunächst Goethes Gedicht I im Hinblick auf seine thematische Gliederung.

2 Analysieren Sie die sprachliche Gestaltung des Gedichts und leiten Sie daraus die innere Verfassung des lyrischen Ichs ab.

3 Erläutern Sie, welches Verständnis von Unterwegssein den Äußerungen des lyrischen Ichs zugrunde liegt.

4 Übertragen Sie die Ergebnisse Ihrer an Gedicht I gewonnenen Analyseergebnisse auf Goethes Gedicht II. Erläutern Sie Gemeinsamkeiten und Unterschiede zwischen beiden Gedichten hinsichtlich des Aufbaus, der sprachlichen Gestaltung, deren Wirkung und der Bedeutung des Motivs des Unterwegssein.

Goethes Gedicht „Willkommen und Abschied“ wurde in der Urfassung 1771 von ihm während seiner Straßburger Zeit verfasst. Es spiegelt die tiefgreifenden Erfahrungen seiner eineinhalbjährigen intensiven Liebschaft mit der Sessenheimer Pfarrerstochter Friederike Brion.

Johann Wolfgang von Goethe

Willkommen und Abschied (1771)

Es schlug mein Herz. Geschwind, zu Pferde!
Und fort, wild wie ein Held zur Schlacht.
Der Abend wiegte schon die Erde,
Und an den Bergen hing die Nacht.
Schon stund im Nebelkleid die Eiche
Wie ein getürmter Riese da,
Wo Finsternis aus dem Gesträuche
Mit hundert schwarzen Augen sah.

Der Mond von einem Wolkenhügel
Sah schläfrig aus dem Duft hervor,
Die Winde schwangen leise Flügel,
Umsausten schauerlich mein Ohr.
Die Nacht schuf tausend Ungeheuer,
Doch tausendfacher war mein Mut,
Mein Geist war ein verzehrend Feuer,
Mein ganzes Herz zerfloss in Glut.

Ich sah dich, und die milde Freude
Floss aus dem süßen Blick auf mich.
Ganz war mein Herz an deiner Seite,
Und jeder Atemzug für dich.
Ein rosenfarbes Frühlingswetter
Lag auf dem lieblichen Gesicht
Und Zärtlichkeit für mich, ihr Götter,
Ich hofft' es, ich verdient' es nicht.

Der Abschied, wie bedrängt, wie trübe!
Aus deinen Blicken sprach dein Herz.
In deinen Küssen welche Liebe,
O welche Wonne, welcher Schmerz!
Du gingst, ich stund und sah zur Erden
Und sah dir nach mit nassen Blick.
Und doch, welch Glück, geliebt zu werden,
Und lieben, Götter, welch ein Glück!

Johann Wolfgang von Goethe

Willkommen und Abschied (1785)

Es schlug mein Herz, geschwind zu Pferde!
Es war getan fast eh gedacht.
Der Abend wiegte schon die Erde,
Und an den Bergen hing die Nacht;
Schon stand im Nebelkleid die Eiche,
Ein aufgetürmter Riese, da,
Wo Finsternis aus dem Gesträuche
Mit hundert schwarzen Augen sah.

Der Mond von einem Wolkenhügel
Sah kläglich aus dem Duft hervor,
Die Winde schwangen leise Flügel,
Umsausten schauerlich mein Ohr;
Die Nacht schuf tausend Ungeheuer,
Doch frisch und fröhlich war mein Mut:
In meinen Adern welches Feuer!
In meinem Herzen welche Glut!

Dich sah ich, und die milde Freude
Floss von dem süßen Blick auf mich;
Ganz war mein Herz an deiner Seite,
Und jeder Atemzug für dich.
Ein rosenfarbnes Frühlingswetter
Umgab das liebliche Gesicht,
Und Zärtlichkeit für mich – ihr Götter!
Ich hofft' es, ich verdient' es nicht!

Doch ach, schon mit der Morgensonne
Verengt der Abschied mir das Herz:
In deinen Küssen welche Wonne!
In deinem Auge welcher Schmerz!
Ich ging, du standst und sahst zur Erden
Und sahst mir nach mit nassen Blick:
Und doch, welch Glück, geliebt zu werden!
Und lieben, Götter, welch ein Glück!

Friederike Brion, 1752–1813

Goethe nimmt Abschied von Friederiken, Holzstich um 1880 nach Eugen Klimsch

1 Untersuchen Sie zunächst die beiden Gedichte hinsichtlich der Frage, inwieweit in ihnen das Motiv des Unterwegsseins berücksichtigt ist.

2 Markieren Sie nun die Verse, die sich in den beiden Gedichten unterscheiden.

3 Vergleichen Sie anhand dieser Verse die beiden Versionen des Gedichts „Willkommen und Abschied" hinsichtlich der drei zentralen Aspekte einer Gedichtanalyse (Form, Inhalt und sprachliche Gestaltung, z. B. Wortwahl, Text, Interpunktion) und halten Sie Ihre Ergebnisse in schriftlicher Form (stichwortartig) fest.

4 Analysieren Sie nun jedes der beiden Gedichte bezüglich seiner Wirkung auf den Leser und halten Sie entsprechende Unterschiede fest.

5 Erörtern Sie, welche der beiden Versionen sich eher der Epoche des Sturm und Drang bzw. der Klassik zuordnen lässt. Begründen Sie Ihre Entscheidung am jeweiligen Text.

Die Ballade – das sich bewegende Gedicht

Die Ballade

Der Begriff stammt etymologisch vom lateinischen *ballare* (tanzen) und griechischen *ballein* (werfen, sich bewegen) ab und wurde ab dem 14./15. Jahrhundert in Frankreich ursprünglich zur Bezeichnung eines zum Tanzen gesungenen Liedes verwendet. Sie wurde im 18. Jahrhundert ins Deutsche als Erzählgedicht übernommen. Sie vereint sowohl lyrische als auch dramatische sowie epische Elemente. Die Stoffauswahl der Ballade ist meist von einem geheimnisvollen, häufig tragischen Geschehen bestimmt. In ihrer Form als knapp und andeutend dem Gedicht verwandt, ist sie inhaltlich oft dramatisch aufgebaut. Balladen sind häufig auch vertont worden, so etwa Goethes „Der Erlkönig" von Carl Loewe und Franz Schubert.

Johann Wolfgang von Goethe

Erlkönig (1782)

Wer reitet so spät durch Nacht und Wind?
Es ist der Vater mit seinem Kind;
Er hat den Knaben wohl in dem Arm,
Er fasst ihn sicher, er hält ihn warm. –

Mein Sohn, was birgst du so bang dein Gesicht? –
Siehst, Vater, du den Erlkönig nicht?
Den Erlenkönig mit Kron' und Schweif –
Mein Sohn, es ist ein Nebelstreif. –

„Du liebes Kind, komm, geh mit mir!
Gar schöne Spiele spiel' ich mir dir;
Manch' bunte Blumen sind an dem Strand;
Meine Mutter hat manch' gülden Gewand."

Mein Vater, mein Vater, und hörest du nicht,
Was Erlenkönig mir leise verspricht? –
Sei ruhig, bleibe ruhig, mein Kind!
In dürren Blättern säuselt der Wind. –

„Willst, feiner Knabe, du mit mir gehn?
Meine Töchter sollen dich warten schön;
Meine Töchter führen den nächtlichen Reihn
Und wiegen und tanzen und singen dich ein."

Mein Vater, mein Vater, und siehst du nicht dort
Erlkönigs Töchter am düstern Ort? –
Mein Sohn, mein Sohn, ich seh' es genau;
Es scheinen die alten Weiden so grau. –

„Ich liebe dich, mich reizt deine schöne Gestalt;
Und bist du nicht willig, so brauch' ich Gewalt." –
Mein Vater, mein Vater, jetzt fasst er mich an!
Erlkönig hat mir ein Leids getan! –

Dem Vater grauset's, er reitet geschwind,
Er hält in Armen das ächzende Kind,
Erreicht den Hof mit Mühe und Not;
In seinen Armen das Kind war tot.

Illustration von Albert Sterner

1 Lesen Sie den Text der Ballade mindestens zweimal laut vor. Betrachten Sie anschließend die Illustration A. Sterners und nehmen Sie begründet Stellung, ob diese Ihrem Leseeindruck gerecht wird.

2 Geben Sie den Inhalt des Geschehens mit eigenen Worten wieder.

3 Überprüfen Sie, inwiefern Goethes Ballade „Der Erlkönig" den im Infokasten genannten Gattungsmerkmalen entspricht.

4 Vergleichen Sie die nächtliche Reitszene in Goethes Ballade mit der frühen Fassung seines Gedichts „Willkommen und Abschied" aus dem Jahr 1771 im Hinblick auf die Darstellung des Rittes.

Mit Volldampf durch das 19. Jahrhundert

Die Auswirkungen des technischen Fortschritts auf Leben und Literatur nachvollziehen

Bereits 1705 wird in England die erste Kolbendampfmaschine von Thomas Newcomen zum Patent angemeldet, mit deren Weiterentwicklung James Watt 1769 der entscheidende technische Durchbruch gelingt. Zu Beginn des 19. Jahrhunderts werden Dampfmaschinen erstmals zum Antrieb von Schiffen und Schienenfahrzeugen eingesetzt. Dadurch kommt es in den folgenden Jahren und Jahrzehnten zu einem rasanten Anstieg der Zahl der Reisenden. Ein neuer Wirtschaftszweig entwickelt sich analog zur technischen Revolution: die Reisebranche. Der Massentourismus beginnt sich zu entwickeln. Diese Entwicklung mit ihren neuen zeit- und kraftsparenden Möglichkeiten der Fortbewegung findet zügig auch Aufnahme in der Literatur, sei es in Bewunderung gegenüber dem technischen Fortschritt und seinen Annehmlichkeiten oder in einer eher skeptisch-ablehnenden Haltung gegenüber einer Entwicklung, deren Folgen man noch nicht abschätzen kann.

Friedrich Theodor Vischer (1807–1887) dt. Literaturwissenschaftler, Dichter, Philosoph u. Politiker, arbeitete auch unter dem Pseudonym Deutobold Symbolizetti Allegoriowitsch Mystifizinsky

Friedrich Theodor Vischer

Auf der Eisenbahn (1882)

Jetzt schnaube nur, Dampf, und brause!
Jetzt rolle nur, Rad, und sause!
Es geht nach Hause, nach Hause!

Du kannst nicht jagen, o Wagen,
Wie meine Pulse mir schlagen!
Zur Geliebten sollst du mich tragen.

Vorüber, ihr ragenden Stangen!
Verschwindet, ihr Meilen, ihr langen!
Wer ahnt mein Verlangen und Bangen!

Auf den Bänken wie sie sich dehnen!
Wie sie schwatzen und gaffen und gähnen!
Es ist nichts, wonach sie sich sehnen.

Dort raset der Sturm durch die Tannen.
Zum Dampfe noch möchte ich ihn spannen,
Dass er rascher mich reiße von dannen!

Hinweg aus dem plappernden Schwarme,
O, hin an die Brust, an die warme,
In die offnen, die liebenden Arme!

1 Lesen Sie das Gedicht mehrfach laut vor.

2 Überprüfen Sie den dabei entstandenen Eindruck über den Sprech-Rhythmus, indem Sie das Metrum an zwei verschiedenen Strophen bestimmen.

3 Untersuchen Sie die Funktion des Metrums im Hinblick auf Titel und Thema des Gedichts sowie den Zweck der Eisenbahnfahrt.

4 Erläutern Sie die Einstellung des lyrischen Ichs zum neuen Verkehrsmittel.

Rhythmus

Der Begriff „Rhythmus" wird nicht primär auf Gedichte angewendet. Rhythmische Phänomene kann man sowohl in der Natur beobachten, etwa den Wechsel von Tag und Nacht oder der Jahreszeiten, als auch im Organismus, z. B. der Herzschlag oder die Atmungsfrequenz. Gleichermaßen findet er sich aber auch im Bereich der Technik und Maschinen.

Eine wiedererkennbare Melodie und ein spezifischer Rhythmus bilden das Grundgerüst einer musikalischen Komposition und finden sich etwa in Tanz- und Marschrhythmen.

Ebenso weisen für den Vortrag gedachte Gedichte auf der Grundlage eines Metrums, ihres Sprachtempos (schnell – langsam), ihrer Pausen (lang – kurz) und ihrer Betonung (laut – leise) einen eigenständigen Rhythmus auf.

Justinus Kerner

Im Eisenbahnhofe (1851)

Hört ihr den Pfiff, den wilden, grellen,
Es schnaubt, es rüstet sich das Tier,
Das eiserne, zum Zug, zum schnellen,
Her braust's wie ein Gewitter schier.

In seinem Bauche schafft ein Feuer,
Das schwarzen Qualm zum Himmel treibt;
Ein Bild scheint's von dem Ungeheuer,
Von dem die Offenbarung schreibt.

Jetzt welch ein Rennen, welch Getümmel,
Bis sich gefüllt der Wagen Raum!
Drauf „Fertig!" schreit's, und Erd und Himmel
Hinfliegen, ein dämonscher Traum.

Dampfschnaubend Tier! Seit du geboren,
Die Poesie des Reisens flieht;
Zu Ross mit Mantelsack und Sporen
Kein Kaufherr mehr zur Messe zieht.

Kein Handwerksbursche bald die Straße
Mehr wandert froh in Regen, Wind,
Legt müd sich hin und träumt im Grase
Von seiner Heimat schönem Kind.

Kein Postzug nimmt mit lustgem Knallen
Bald durch die Stadt mehr seinen Lauf
Und wecket mit des Posthorns Schallen
Zum Mondenschein den Städter auf.

Auch bald kein trautes Paar die Straße
Gemütlich fährt im Wagen mehr,
Aus dem der Mann steigt und vom Grase
Der Frau holt eine Blume her.

Kein Wandrer bald auf hoher Stelle,
Zu schauen Gottes Welt, mehr weilt,
Bald alles mit des Blitzes Schnelle
An der Natur vorübereilt.

Ich klage: Mensch, mit deinen Künsten
Wie machst du Erd und Himmel kalt!
Wär ich, eh du gespielt mit Dünsten,
Geboren doch im wildsten Wald!

Wo keine Axt mehr schallt, geboren,
Könnt's sein, in Meeres stillem Grund,
Dass nie geworden meinen Ohren
Je was von deinen Wundern kund.

Fahr zu, o Mensch! Treib's auf die Spitze,
Vom Dampfschiff bis zum Schiff der Luft!
Flieg mit dem Aar, flieg mit dem Blitze!
Kommst weiter nicht als bis zur Gruft.

Justinus Andreas Christian Kerner (1786 – 1862)
dt. Arzt, medizinischer Schriftsteller und Dichter

Offenbarung
Offenbarung des Johannes, das letzte Buch der Bibel

1 Geben Sie den Inhalt des Gedichts mit eigenen Worten wieder und benennen Sie das Thema.

2 Analysieren Sie die sprachlich-rhetorische Gestaltung im Gedicht. Achten Sie dabei besonders auf die Wortwahl sowie die verwendeten Bilder und Vergleiche und deren Funktion.

3 Erschließen Sie die Haltung des lyrischen Ichs gegenüber dem damals noch neuen Verkehrsmittel.

Eisenbahner vor einer Lokomotive, 1875

Die erste deutsche von einer Dampflok, dem „Adler", angetriebene Eisenbahn fährt am 07.12.1835 von Nürnberg nach Fürth.

Sicherheitskleidung für Eisenbahn-Reisende, 1847: Mit den Verlockungen der Geschwindigkeit steigt auch das Sicherheitsbedürfnis der Reisenden.

Die romantische Verklärung des Rheins als Tourismusmagnet

Im Zuge der rasant fortschreitenden technischen Entwicklung gewinnt auch das Rheintal als Reiseziel an Attraktivität. Anfang des 19. Jahrhunderts kommen in- und ausländische Besucher in großer Anzahl hierher, angelockt von den umgebenden Berggipfeln und bewaldeten Höhen, die der Gegend eine malerische Ausstrahlung verleihen, zugleich aber auch eine mystische Anziehungskraft besitzen. Bereits 1856 werden mehr als eine Million Fahrkarten von der Preußisch-Rheinischen Dampfschifffahrts-Gesellschaft verkauft. Weiterhin bestand die Notwendigkeit, die vielen Arbeitskräfte, die im Zuge der Industrialisierung benötigt wurden, zur Arbeit zu befördern, die damaligen „Berufspendler".

Als erstes Dampfschiff fuhr die **„Caledonia"** des James Watt 1817 bis Koblenz.

Heinrich Heine

Das Loreleylied (1823)

Ich weiß nicht was soll es bedeuten,
Dass ich so traurig bin;
Ein Märchen aus uralten Zeiten,
Das kommt mir nicht aus dem Sinn.

Die Luft ist kühl und es dunkelt,
Und ruhig fließt der Rhein;
Der Gipfel des Berges funkelt
Im Abendsonnenschein.

Die schönste Jungfrau sitzet
Dort oben wunderbar,
Ihr goldenes Geschmeide blitzet,
Sie kämmt ihr goldenes Haar.

Sie kämmt es mit goldenem Kamme
Und singt ein Lied dabei;
Das hat eine wundersame,
Gewaltige Melodei.

Den Schiffer, im kleinen Schiffe,
Ergreift es mit wildem Weh;
Er schaut nicht die Felsenriffe,
Er schaut nur hinauf in die Höh'.

Ich glaube, die Wellen verschlingen
Am Ende Schiffer und Kahn;
Und das hat mit ihrem Singen
Die Loreley getan.

Lernarrangement

1 Geben Sie den Inhalt des Gedichts strukturiert wieder.

2 Untersuchen Sie die formalen Aspekte sowie die sprachlich-rhetorische Gestaltung und setzen Sie diese in Beziehung zueinander.

3 Erläutern Sie die Beziehung zwischen dem lyrischen Ich und dem Schiffer.

4 Erörtern Sie, inwiefern das Gedicht der Epoche der Romantik zugeordnet werden kann/muss.

5 Bilden Sie Gruppen und recherchieren Sie zu den beiden technischen Jahrhundertleistungen hinsichtlich des Eisenbahnverkehrs sowie der Rheinschifffahrt weiterführende Informationen. Verarbeiten Sie diese in einem informativen Bericht, den Sie mit Ihrer Gruppe gemeinsam dem Plenum in angemessener Form präsentieren.

Der Felsen der Loreley im oberen Mittelrheintal bei Sankt Goarshausen, Rheinland-Pfalz, 132 m hoch

Heinrich Heine als Grenzgänger: ein europäisches Ereignis und ein deutscher Skandal

Die literarische Bedeutung Heines exemplarisch erschließen

Heinrich Heine

wird am 13.12.1797 in Düsseldorf als Sohn eines jüdischen Kaufmanns geboren. Nach Schulbesuch und einer kaufmännischen Lehre beginnt er ein Jurastudium in Bonn, das er nach mehrfachem Studienortwechsel 1825 in Göttingen abschließt. Im selben Jahr tritt der gebürtige Jude zum protestantischen Glauben über, nicht aus innerer Überzeugung, sondern weil er durch die Taufe die Voraussetzung schaffen möchte, eine berufliche Karriere als Universitätsprofessor zu realisieren. Dies ist seit 1815 für nichtgetaufte Juden gesetzlich nicht mehr möglich. Nach einer Fußreise durch den Harz (1824) kommt es 1825 auch zu einem Besuch bei Goethe. 1828 folgt eine Reise nach Italien, 1831 nach Paris, wo er endgültig bleibt. Heine wird Korrespondent der Augsburger „Allgemeinen Zeitung". Er verkehrt mit den führenden französischen Literaten dieser Zeit, u. a. Hugo, Dumas und Balzac. Er bemüht sich als Mittler zwischen Frankreich und Deutschland. 1835 werden seine Schriften in Deutschland verboten. Ab 1848 ist Heine – bedingt durch eine tödlich verlaufende Rückenmarksstarre – bettlägrig („Matratzengruft"). Er stirbt am 17.2.1856 in Paris.

Der Journalist Heine gilt als der Schöpfer des modernen subjektiven Feuilletons. Literarisch ist er insbesondere durch seine Lyrik bekannt geworden, in der er es versteht, romantisches Empfinden mit desillusionierender pointierter Ironie zu verbinden, und hat den Ruf eines politischen, scharfzüngigen Lyrikers erworben.

Hans Mayer

Die literarische Bedeutung Heinrich Heines (Textauszug, 1968)

Heinrich Heine war ein europäisches Ereignis und ein deutscher Skandal. Er wurde nach der französischen Julirevolution von 1830 zum Inbegriff eines Zeitgeistes, der die Welt der Restauration wegzufegen bemüht war. Heine – das bedeutete damals Bekämpfung von Vorurteilen, Überwindung nationaler Begrenzungen, Skepsis und Ironie gegen Herzensträgheit und Denkfaulheit. So wirkte er bis nach Russland hin; noch der junge Dostojewski erlag seinem Einfluss. Wir finden in der zweiten Hälfte des 19. Jahrhunderts die Wirksamkeit Heines in Skandinavien, in Ungarn, bei den Südslawen und den Bulgaren. Für Frankreich vollends wurde Heinrich Heine schlechthin zum Begriff des deutschen Dichters, auf den man hörte, den man als sich gemäß empfand. [...] Neben E. T. A. Hoffmann wurde er gleichsam zu einem Bestandteil der französischen Literatur; erst Rilke sollte viel später wieder einen ähnlich bevorzugten Platz in Frankreich einnehmen.

Ein europäisches Ereignis also; aber auch zeitlebens ein Ärgernis in Deutschland und unter den Deutschen. Wenn sich Nietzsche so enthusiastisch zu Heine bekannte, in ihm ein Vorbild für die eigene Prosa und den größten lyrischen deutschen Dichter nach Goethe sah, so war auch das wieder ein bewusster Affront, den er als Denker „unzeitgemäßer" Betrachtungen dem deutschen Bildungsphilister zu erweisen gewillt war. Sich zu Heine bekennen, bedeutete in Deutschland Ärgernis, und nicht zum wenigsten darum bekannte sich Nietzsche dazu. Heine war der große Sonderfall unter den Deutschen, auch unter den deutschen Schriftstellern seiner Zeit. Gegen ihn standen nicht bloß die Romantiker, die in ihm gleichsam einen Renegat sahen, einen entlaufenen Romantiker –, wie ein Franzose zu Heine selbst bemerkte – zum großen Behagen des Dichters. Auch das sogenannte „Junge Deutschland" vermochte niemals eine einheitliche, selbst rein literarische Front mit dem Dichter der Reisebilder zu bilden. Heines Laufbahn als Schriftsteller berührte den Weg fast aller bemerkenswerten Deutschen in jenen Jahren des Biedermeier und des Vormärz: aber es blieben stets getrennte Bahnen. Heinrich Heine wurde zum Ärgernis auch für jene, die eigentlich und insgeheim der gleichen Richtung dienten wie er. August von Platen litt nicht weniger unter seinem Vaterlande als Heinrich Heine; dennoch gab es nur Missverständnis und Ärgernis, Polemiken und Beleidigungen, an denen Platen wohl schließlich gestorben ist. Wie nahe musste sich Ludwig Börne, der Jude, Weltbürger und deutsche Patriot, jenem anderen Juden, Weltbürger und Patrioten aus Düsseldorf verbunden fühlen.[...]

Er hat wohl als erster unter den großen Zeitgenossen die Bedeutung des jungen Dr. Karl Marx erkannt, der in der Pariser Emigration zu ihm stieß; dennoch wurde Heine niemals ein Kommunist. Er war nicht festzulegen oder einzuordnen. Sein Schreiben war in der Richtung fast unberechenbar. Immer wieder wurde er zum Ärgernis. Zumal Heine nicht gewillt war, Sache und Person säuberlich zu trennen. Er besaß eine ungeheure, überbordende Sinnlichkeit der Anschauung: die Sache verschmolz ihm unmittelbar mit der Person seiner Gegner, mit Wuchs und Kleidung, ihren natürlichen Mängeln und Sorgen; indem er die Sache bekämpfte, traf er zugleich schonungslos diese intimsten Seiten des Höchstpersönlichen. So blieb – als Ergebnis – der öffentlich oder insgeheim brodelnde Hass, der bis heute nachwirkt.

[...]

Die zweideutige Wirkung dieses Dichters und Schriftstellers seit seinen Anfängen hat aber noch andere Ursachen. Heinrich Heine ist als Schriftsteller, vor allem am Beginn seiner Laufbahn, ganz ohne Tradition. Er hat seine Sache wahrhaft „auf nichts gestellt“, es sei denn auf seine strahlende Intelligenz, eine äußerst reizempfindliche Fantasie, die Fähigkeit zu kühnsten Assoziationen – und auf eine unheimliche Meisterschaft des sprachlichen Ausdrucks. Fülle der Naturgaben, aber kaum Erzeugnis und Erbe langer geistiger Tradition. [...] So wird Heine zum einzigartigen Fall des Menschen ganz ohne Tradition, zunächst aber auch fast ohne Ressentiment. Er ist am Beginn seiner Laufbahn gleichsam Kaspar Hauser, der die Welt um sich her ganz neu, zum ersten Male erlebt, alle Dinge und Beziehungen von außen betrachtet, als einer, der sich nirgends verbunden fühlt.

Geburtshaus Heines in Düsseldorf (Bolkerstr. 53)

1 Fassen Sie die zentralen Aussagen Mayers zu H. Heine zusammen. Legen Sie dazu eine Tabelle an, in die Sie positive und Ihnen negativ erscheinende Merkmale Heines einander gegenüberstellen.

eher positive Merkmale Heines	eher negative Merkmale Heines
– Bekämpfung von Vorurteilen	– ist polemisch

2 Erläutern Sie die Ambivalenzen seines Charakters, wie Mayer sie sieht.

3 Die jüdische Gemeinde in Düsseldorf hat sich 2018 mit einem Mottowagen am dortigen Rosenmontagszug beteiligt. Sie vertritt die Auffassung, man könne auch im Karneval gegen Antisemitismus kämpfen – mit Humor. Nehmen Sie auf der Grundlage ihrer biografischen Kenntnisse zu Heine sowie dem von Mayer vorgestellten Menschen begründet Stellung, inwieweit Sie die Aktion der jüdischen Gemeinde für angemessen halten.

Heimatlos – zum Unterwegssein verdammt

Die Abbildungen rechts zeigen die seitlichen Platten der Einfassung von **Heines Grab** auf dem Friedhof Montmartre in Paris.

Heinrich Heine

Wo? (aus dem Nachlass)

Wo wird einst des Wandermüden
Letzte Ruhestätte sein?
Unter Palmen in dem Süden?
Unter Linden an dem Rhein?

Werd ich wo in einer Wüste
Eingescharrt von fremder Hand?
Oder ruh ich an der Küste
Eines Meeres in dem Sand?

Immerhin! Mich wird umgeben
Gotteshimmel, dort wie hier,
Und als Totenlampen schweben
Nachts die Sterne über mir.

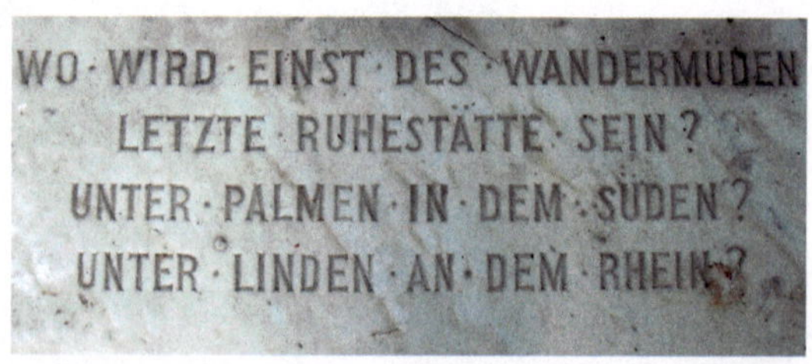

1 Analysieren Sie das Gedicht Heines nach den Ihnen bekannten Kriterien.

2 Erschließen Sie Heines Lebensauffassung und deuten Sie diese vor dem Hintergrund seiner biografischen Erfahrungen.

Lebensgruß (junge Leiden, Romanze Nr. XIX – 1816–1821) (Stammbuchblatt)

Eine große Landstraß ist unsere Erd,
Wir Menschen sind Passagiere;
Man rennet und jaget, zu Fuß und zu Pferd,
Wie Läufer oder Kuriere.

Man fährt sich vorüber, man nicket, man grüßt
Mit dem Taschentuch aus der Karosse;
Man hätte sich gerne geherzt und geküsst,
Doch jagen von hinnen die Rosse.

Kaum trafen wir uns auf derselben Station,
Herzliebster Prinz Alexander,
Da bläst schon zur Abfahrt der Postillion,
Und bläst uns schon auseinander.

Alexander Prinz von Wittgenstein war 1820 Kommilitone Heines in Bonn. Das Gedicht hat er ihm als Stammbucheintrag gewidmet, eine damals übliche Form der Zueignung.

1 Beschreiben Sie das spezifische Verständnis von Unterwegssein in Heines Gedicht.

2 Erörtern Sie die sozialkritische Haltung des lyrischen Ichs gegenüber dieser Form des Unterwegsseins.

Die Philisterkritik Heines

Heinz Schlaffer

Kurze Geschichte der deutschen Literatur (2002)

Der ewige Philister.

Jetzt hab' ich heut 4 Adressen unterzeichnet, die erste von dene rothe Republikaner, die zweite von dene Demokraten, die dritte von dene Ultramontanen, die vierte von dene Constitutionell-Monarchischen — jetzt geh' ich und trink' meine Schale Kaffee in Ruh, da ich mir gewiß nichts vorzuwerfen habe!

Aus der damaligen Studentensprache sind „Philister" und „Spießer" als Schimpfwörter für Bürger, die der Kunst, der Reflexion, der Jugend gleichgültig oder ablehnend gegenüberstehen, in die Alltagssprache eingegangen. „Spießer" hießen die Mitglieder der Scharwache, die studentische Exzesse im Zaum zu halten hatte. Nach den „Philistern", den Feinden des „auserwählten Volkes" der Juden im Alten Testament, benannten die auserwählten Musensöhne abschätzig die nicht-akademischen Einwohner der Universitätsstädte. Brentanos Abhandlung *Der Philister vor, in und nach der Geschichte* (1811) definiert und verallgemeinert den Ausdruck: „Philister also wurden alle genannt, die keine Studenten waren, und nehmen wir das Wort Student im weitern Sinne eines Studierenden, eines Erkenntnisbegierigen, eines Menschen, der das Haus seines Lebens noch nicht wie eine Schnecke, welche die wahren Hausphilister sind, zugeklebt, eines Menschen, der in der Erforschung des Ewigen, der Wissenschaft oder Gottes, begriffen, der alle Strahlen des Lichtes in seiner Seele freudig spiegeln lässt, eines Anbetenden der Idee, so stehen die Philister ihm gegenüber, und alle sind Philister, welche keine Studenten in diesem weitern Sinne des Wortes sind." Noch heute verfolgt die Angst, als Spießer und Philister angesehen zu werden, die Bürger in Deutschland und treibt sie der Kunst in die Arme. Die Pose kultureller Jugendlichkeit behebt das deutsche Dilemma, dass man nur ein paar Jahre lang Student ist, danach aber als Pfarrer, Bibliothekar oder Regierungsrat selbst ein Philister.

Heinrich Heine

Philister in Sonntagsröcklein (Lyrisches Intermezzo, XXXII – 1921/22)

Philister in Sonntagsröcklein
Spazieren durch Wald und Flur,
Sie jauchzen, sie hüpfen wie Böcklein,
Begrüßen die schöne Natur.

Betrachten mit blinzelnden Augen,
Wie alles romantisch blüht,
Mit langen Ohren saugen
Sie ein der Spatzen Lied.

Ich aber verhänge die Fenster
Des Zimmers mit schwarzem Tuch;
Es machen mir meine Gespenster
Sogar einen Tagesbesuch.

Die alte Liebe erscheinet,
Sie stieg aus dem Totenreich.
Sie setzt sich zu mir und weinet,
Und macht das Herz mir weich.

1 Geben Sie die inhaltliche Struktur des Gedichtes wieder.

2 Analysieren Sie das Gedicht unter Bezug auf Schlaffers Textauszug und unter Berücksichtigung der Epochenmerkmale (s. dazu den Infokasten unten).

3 Setzen Sie Heines Philister-Kritik in Beziehung zum Verhalten des Vaters im 1. Kapitel von v. Eichendorffs Novelle „Aus dem Leben eines Taugenichts“ (S. 102).

Vormärz und Biedermeier

Den Dichtern der jungdeutschen Bewegung (Vormärz), zu denen auch H. Heine gehörte – war gemeinsam die Ablehnung der restaurativen und reaktionären Politik Metternichs sowie der Fürsten, die sich im Deutschen Bund zusammengeschlossen hatten. Sie forderten die Einführung und Einhaltung demokratischer Rechte sowie sozialer Gleichberechtigung und wandten sich gegen das Festhalten an tradierten religiösen sowie moralischen Grundsätzen. Ihre politische Vision galt der Beseitigung der feudalistischen Verhältnisse sowie der Gründung einer Republik mit einem vereinten Deutschland.

Auch geistesgeschichtlich sahen sie sich in einer Linie mit der Aufklärung, die idealistisch ausgerichtete Klassik und die Romantik wurden als unpolitisch und nicht mehr zeitgemäß betrachtet, die Literatur dieser Epochen galt ihnen als welt- und wirklichkeitsfremd. Sie maßen der Literatur die Funktion bei, soziale und politische Missstände zu thematisieren. Literarisch haben sie damit den Weg für die dann allerdings scheiternde bürgerliche Märzrevolution von 1848/49 vorbereitet.

Parallel zur Bildung dieser außerparlamentarischen und teils aufständischen Opposition des Vormärz entwickelte sich ab etwa 1815 eine zweite geistig-literarische Strömung, nämlich die des Biedermeier. Diese war allerdings nicht dahingehend politisch motiviert, die Volkssouveränität als Gegenprinzip zum monarchischen System zu stärken, sie suchte vielmehr – ganz entgegengesetzt – den Weg aus dem öffentlichen Bereich ins Private. Die Themen und Motive des Biedermeier sind z. B. das stille Glück, die heile Welt, die Natur. Insgesamt wird diese Epoche getragen von einer Rückbesinnung auf Tradition. Beide literarischen Strömungen – Vormärz und Biedermeier – gehen in der Mitte des 19. Jahrhunderts dann auf in der Epoche des Realismus.

Die Reise durch das 19. Jahrhundert

Zentrale Epochen im Überblick erfassen: Naturalismus, Impressionismus

Hatte sich zu Beginn des 19. Jahrhunderts parallel zur Romantik ab etwa 1815 die Epoche des Vormärz entwickelt, die als das Junge Deutschland wiederum die Weiterentwicklung der Literatur vorantreibt, ähnlich der bereits thematisierten durch die Vertreter des Sturm und Drang, so tritt dieses Phänomen wiederum gegen Ende des 19. Jahrhunderts auf. Hier sind es die Naturalisten, das Junge Wien und vor allem die Expressionisten im beginnenden 20. Jahrhundert. Neben diesen literarischen Gruppierungen ist unter kultur- und zeitkritischem Aspekt noch der Wandervogel zu nennen. Somit ist es historisch betrachtet in den zurückliegenden 250 Jahren immer wieder zu Versuchen gekommen – etwa auch in der Studentenbewegung von 1968 – diese erste jugendliche Revolte zu wiederholen. Das Unterwegssein, ganz gleich ob als physisches Reisen oder eher als metaphysische Lebensreise, bleibt – im Sinne einer anthropologischen Grundkonstante – erhalten. Gleichermaßen wie im 19. Jahrhundert der technische Fortschritt sich rasant auf den Wogen der industriellen Revolution entwickelt und dadurch die Möglichkeiten des Reisens in bis dahin ungeahnte Sphären vordringen, so kommt es dadurch auch – insbesondere nach dem Wechsel ins 20. Jahrhundert – zu krisenhaften Erscheinungen bei den Menschen, die diesem Fortschritt mit Angst und Verzweiflung gegenüberstehen.

Naturalismus (1880 – 1900)

Eine spezielle Ausprägung des Realismus zwischen ca. 1880 und 1900, die von dem Wunsch getragen ist, die Wirklichkeit wie in der Naturwissenschaft so auch in der Literatur nach objektiv überprüfbaren Gesetzen darzustellen. Inhaltlich wendet sich der Naturalismus den untersten Schichten und Randgruppen der Gesellschaft zu und in seiner Darstellungsweise unterwirft er sich dem Primat der wirklichkeitsgetreuen Wiedergabe von Sprechweise, Geräuschen, Tönen usw. Die Formel seiner Vertreter lautet: Kunst=Natur—x.

Die Naturalisten wollen auch in den Stoffen ihrer Lyrik zeitgemäß sein. Die Großstadt, die Industrialisierung und ihre sozialen Folgen, die Auseinandersetzungen zwischen der Bourgeoisie und dem neuen Proletariat sind ihre Hauptthemen.

Karl Henckell

Straßenbild (um 1903)

Sieh dort die Zwei! Er spielt die Flöte,
und woll'ne Strümpfe strickt sein Weib,
im Korbe ruh'n zwei Dreierbröte
zur Nahrung für den siechen Leib.
Flütüh, flütüh! – „Wer gibt 'nen Groschen?"
Die Flöte lockt so flehend süß.
„Ihr steckt ja in den Glücksgaloschen,
euch ist die Welt ein Paradies."
Flütüh, flütüh – schon humpelt weiter
das eheliche Bettlerpaar,
ein Einziger ist ihr Begleiter,
treu bis zum Tode, Jahr für Jahr.
Sein Blick ist hohl, sein Gang gebrochen,
von Schwären sein Gesicht entstellt,
er nagt an einem kahlen Knochen
und heißt – das Elend dieser Welt.

Karl Henckell (1864 – 1929) dt. Lyriker und Schriftsteller

Emile Friant (1863–1932): La Toussaint, 1888

1 Analysieren Sie das Gedicht „Straßenbild“ (S. 129) inhaltlich, sprachlich und formal im Hinblick auf seinen Gegenstand, die Sprecher und besondere naturalistische gestalterische Mittel.

2 Erläutern Sie in einem zweiten Schritt, inwieweit das Motiv des Unterwegsseins hier verarbeitet und gestaltet wird.

Impressionismus (1890 – 1920)

Der Begriff dient ursprünglich zur Kennzeichnung einer bestimmten Stilepoche der französischen Malerei. Ihre bekanntesten Vertreter sind u.a. Monet, Manet, Degas und Cézanne. Ihr Anliegen war es, in ihren Bildern die Wirkung von Licht, Farbe und Luft auf die Umgebung künstlerisch darzustellen. Somit steht der subjektive Eindruck im Vordergrund. Auf die Literatur übertragen sind die impressionistischen Werke zunehmend von Subjektivismus und Individualismus geprägt. Lyrische Texte werden formal möglichst exakt gestaltet und mit lautmalerischer Sprache sowie Sprachbildern ausgeschmückt.

Stefan Zweig (1881 – 1942) österr. Schriftsteller zahlreicher Erzählungen und Gedichte

Stefan Zweig

Sonnenaufgang in Venedig (1922)

Erwachende Glocken. – In allen Kanälen
Flackt erst ein Schimmer, noch zitternd und matt,
Und aus dem träumenden Dunkel schälen
Sich schleiernd die Linien der ewigen Stadt.

Sanft füllt sich der Himmel mit Farben und Klängen,
Fernsilbern sind die Lagunen erhellt. –
Die Glöckner läuten mit brennenden Strängen,
Als rissen sie selbst den Tag in die Welt.

Und nun das erste flutende Dämmern!
Wie Flaum von schwebenden Wolken rollt,
Spannt sich von Turm zu Türmen das Hämmern
Der Glocken, ein Netz von bebendem Gold.

Und schneller und heller. Ganz ungeheuer
Bläht sich das Dämmern. – Da bauscht es und birst,
Und Sonne stürzt wie fressendes Feuer
Gierig sich weiter von First zu First.

Der Morgen taut nieder in goldenen Flocken
Und alle Dächer sind Glorie und Glast.
Und nun erst halten die ruhlosen Glocken
Auf ihren strahlenden Türmen Rast.

1 Analysieren Sie das Gedicht von Stefan Zweig im Hinblick auf seinen Inhalt und Aufbau sowie die sprachliche Gestaltung.

2 Untersuchen Sie anschließend die Farb- und Lichtmetaphorik im Gedicht, indem Sie zunächst alle optischen Eindrücke markieren. Ordnen Sie diese anschließend in ihrer zeitlichen Entwicklung an und bestimmen Sie die davon ausgehende Wirkung.

3 Deuten Sie abschließend das Gedicht vor dem Hintergrund Ihrer Kenntnisse über die Epoche des Impressionismus (s. Infokasten).

Expressionismus

Jugend im Aufbruch

Ernst Wilhelm Lotz

Er wird im Jahre 1890 in Kulm an der Weichsel geboren und absolviert von 1900–1910 militärische Erziehungsanstalten für den Offiziersnachwuchs in Plön und Groß-Lichterfelde – sein Vater ist Kadettenhauslehrer. Nach dem Besuch der Kriegsschule wird er für anderthalb Jahre Leutnant in einem Hamburger Infanterieregiment, nimmt danach seinen Abschied vom Militär, wird vorübergehend Kaufmann, interessiert sich aber vor allem für Literatur. Er fällt 1914 als Kompanieführer bei einem Sturmangriff in Nordfrankreich. Nach Walther Killy, dem Herausgeber eines Literaturlexikons, zählt sein Gedicht „Aufbruch der Jugend" „zu jenen Schlüsseltexten, die Grundpositionen u. -erfahrungen des Expressionismus formulieren".

Ernst Wilhelm Lotz

Aufbruch der Jugend (1913)

Die flammenden Gärten des Sommers, Winde, tief und voll Samen,
Wolken, dunkel gebogen, und Häuser, zerschnitten vom Licht.
Müdigkeiten, die aus verwüsteten Nächten über uns kamen,
Köstlich gepflegte, verwelkten wie Blumen, die man sich bricht.

Also zu neuen Tagen erstarkt wir spannen die Arme,
Unbegreiflichen Lachens erschüttert, wie Kraft, die sich staut,
Wie Truppenkolonnen, unruhig nach Ruf der Alarme,
Wenn hoch und erwartet der Tag überm Osten blaut.

Grell wehen die Fahnen, wir haben uns heftig entschlossen,
Ein Stoß ging durch uns, Not schrie, wir rollen geschwellt,
Wie Sturmflut haben wir uns in die Straßen der Städte ergossen
Und spülen vorüber die Trümmer zerborstener Welt.

Wir fegen die Macht und stürzen die Throne der Alten,
Vermoderte Kronen bieten wir lachend zu Kauf.
Wir haben die Türen zu wimmernden Kasematten zerspalten
Und stoßen die Tore verruchter Gefängnisse auf.

Nun kommen die Scharen Verbannter, sie strammen die Rücken,
Wir pflanzen Waffen in ihre Hand, die sich fürchterlich krampft,
Von roten Tribünen lodert erzürntes Entzücken,
Und türmt Barrikaden, von glühenden Rufen umdampft.

Beglänzt von Morgen, wir sind die verheißnen Erhellten,
Von jungen Messiaskronen das Haupthaar umzackt,
Aus unsern Stirnen springen leuchtende, neue Welten,
Erfüllung und Künftiges, Tage, sturmüberflaggt!

Kasematten stark gesicherter Raum in Festungen

1 Stellen Sie die im Gedicht enthaltenen Bildfelder bzw. Metaphern dar.

2 Charakterisieren Sie die Befindlichkeit des lyrischen Ichs mit fünf treffenden Adjektiven.

3 Untersuchen Sie die sprachliche Gestaltung des Sich-auf-den-Weg-Machens der Jugend bei Lotz und kontrastieren Sie diese mit dem von Heine in seiner Philisterkritik dargestellten Form des Unterwegsseins. Berücksichtigen Sie dabei auch die entsprechenden Epochenmerkmale (s. hierzu den Infokasten auf S. 133).

Ludwig Meidner: Barrikadenkampf (1913)

4 Setzen Sie das Gedicht von S. 131 in Beziehung zu dem Gemälde von Ludwig Meidner und halten Sie die Gemeinsamkeiten fest.

5 Benennen Sie inhaltliche Aussagen des Gedichts, die auf dem Gemälde nicht erfasst sind.

Ein Zitat aus der Gedichtsammlung „Menschheitsdämmerung" von Kurt Pinthus soll Ihnen helfen, einen Ansatz zum Verständnis des vorliegenden Gedichts von Ernst Wilhelm Lotz zu finden. Pinthus erklärt an dieser Stelle das Prinzip der Anordnung der für die Sammlung ausgewählten Gedichte. Demnach fügten sie sich „nach wenigen großen Motiven" zusammen:

„Alle Gedichte dieses Buches entquellen der Klage um die Menschheit, der Sehnsucht nach der Menschheit. Der Mensch schlechthin, nicht seine privaten Angelegenheiten und Gefühle, sondern die Menschheit, ist das eigentliche unendliche Thema. Diese Dichter fühlten zeitig, wie der Mensch in die Dämmerung versank [...], sank in die Nacht des Untergangs [...], um wieder aufzutauchen in die sich klärende Dämmerung neuen Tags. In diesem Buch wendet sich bewusst der Mensch aus der Dämmerung der ihm aufgedrängten, ihn umschlingenden, verschlingenden Vergangenheit und Gegenwart in die erlösende Dämmerung einer Zukunft, die er selbst sich schafft.

Die Dichter dieses Buches wissen wie ich: Es birgt unsere Jugend; freudig beginnendes, früh verschüttetes, zerstörtes Leben. Was in den letzten Jahren der Menschheit gar nicht oder nur dumpf bewusst war, was nicht in Zeitungen und Abhandlungen zu lesen stand: Das ward in dieser Generation mit unbewusster Sicherheit Wort und Form. Das wissenschaftlich nicht Feststellbare im Menschen – hier trat es prophetisch wahr und klar ans Licht."

6 Unterstreichen Sie die Schlüsselstellen in diesem Zitat.

7 Untersuchen Sie das Gedicht von Lotz im Hinblick auf Anklänge an Aussagen aus dem Zitat von Kurt Pinthus und ordnen Sie beide Seiten in einer Tabelle nach folgendem Muster einander zu.

Schlüsselstellen aus dem Zitat von Pinthus	Anklänge daran im Gedicht von Lotz
„Klage um die Menschheit“ „Der Mensch [versank] in die Dämmerung“	„Müdigkeiten, die aus verwüsteten Nächten über uns kamen“

Merkmale expressionistischer Lyrik

- Beliebte Gedichtformen sind das **Sonett** und der **Hymnus** als ekstatische Feier neuen Menschentums.
- Sie äußert sich zunächst als Anklage des positivistischen, naturwissenschaftlich und technisch geprägten Weltbilds. Der Staat, der Bourgeois, die Technik werden als Gegner, da schuldig an der Verlogenheit, der Sinnlosigkeit und dem als chaotisch empfundenen modernen Leben, angesehen.
- Das innere Erleben wird über das äußere gestellt.
- Das Wesen der Wirklichkeit soll erfasst werden, nicht ihr äußerer Schein.
- Die Sprache ist häufig pathetisch, geprägt von starkem Gefühlsüberschwang; sie betreibt Satzkürzungen ohne Beachtung der Regeln der Syntax (siehe August Stramm), ihre Metaphorik ist weniger sachbezogen als Ausfluss von Bildern, die aus dem Innern des Dichters strömen.
- Beliebte **thematische** Anknüpfungspunkte sind die moderne Großstadt, der erwartete Untergang der bürgerlichen und abendländischen Welt, die Ahnung und Erfahrung des Ersten Weltkriegs, die Kritik an der modernen kapitalistischen Arbeitswelt, die Gottesferne und das Fehlen einer transzendenten Instanz sowie der Zerfall einer festgefügten Ich-Instanz.

Gefahren in Großstadt und Krieg – Die Vielfalt des Gehens

Ernst Blass (1890–1939) frühexpressionistischer Lyriker, Kritiker und Schriftsteller

Ernst Blass

An Gladys (1912)

O du, mein holder Abendstern ... Richard Wagner

So seltsam bin ich, der die Nacht durchgeht
Den schwarzen Hut auf meinem Dichterhaupt.
Die Straßen komme ich entlang geweht.
Mit weichem Glücke bin ich ganz belaubt.

Es ist halb eins, das ist ja noch nicht spät ...
Laternen schlummern süß und schneebestaubt.
Ach, wenn jetzt nur kein Weib an mich gerät
Mit Worten, schnöde, roh und unerlaubt!

Die Straßen komme ich entlang geweht,
Die Lichter scheinen sanft aus mir zu saugen,
Was mich vorhin noch von den Menschen trennte;

So seltsam bin ich, der die Nacht durchgeht ...
Freundin, wenn ich jetzt dir begegnen könnte,
Ich bin so sanft, mit meinen blauen Augen!

Ernst Ludwig Kirchner, Zwei Frauen auf der Straße, Ölgemälde, 1914

1 Beschreiben Sie prägnant die dargestellte Szene.

2 Untersuchen Sie die innere Verfassung des lyrischen Ich und wie sich diese in der Art und Weise des Unterwegsseins widerspiegelt.

Ernst Stadler (1883–1914) dt. Lyriker des Expressionismus

Ernst Stadler

Heimkehr (1914)

(Brüssel, Gare du Nord)

Die Letzten, die am Weg die Lust verschmäht; entleert aus allen
Gassen der Stadt. In Not und Frost gepaart. Da die Laternen schon in schmutzigem Licht verdämmern,
Geht stumm ihr Zug zum Norden, wo aus lichtdurchsungnen Hallen
Die Schienenstränge Welt und Schicksal über Winkelqueren hämmern.
Tag lässt die scharfen Morgenwinde los. Auffröstelnd raffen
Sie ihre Röcke enger. Regen fällt in Fäden. Kaltes graues Licht
Entblößt den Trug der Nacht. Geschminkte Wangen klaffen
Wie giftige Wunden über eingesunkenem Gesicht.
Kein Wort. Die Masken brechen. Lust und Gier sind tot. Nun schleppen
Sie ihren Leib wie eine ekle Last in arme Schenken
Und kauern regungslos im Kaffeedunst, der über Kellertreppen
Aufsteigt – wie Geister, die das Taglicht angefallen – auf den Bänken.

1 Beschreiben Sie prägnant die im Gedicht dargestellte Szene und bestimmen Sie den Standort des lyrischen Ichs.

2 Analysieren Sie das Gedicht mit besonderer Berücksichtigung der sprachlichen Gestaltung.

3 Vergleichen Sie die Darstellung des Unterwegsseins in den Gedichten von Stadler und Henckell (S. 129).

Ernst Wilhelm Lotz

Da sind die Straßen ... (1913)

Ernst Wilhelm Lotz (1890–1914)
dt. Lyriker und Schriftsteller

Da sind die Straßen weit und Licht-durchschrien,
hoch wölkt der Staub und breitet aus den Schein,
durch den gehetzte Kolonnen Wagen fliehen
in violette Dunkelheit hinein.

Und Menschen, massenhaft und schwarz, durchstürmen
die Straßen, vorgebeugt und frongebannt.
Und Feierabend läutet von den Türmen
der Stadt, verloren, hoch und unerkannt.

Lärm stößt an Lärm. Schmerzhelle Klingeln schellen,
zersägend das Gehör. Wagen mit Eisen
erschüttern. Die Elektrische mit grellen
Schleiftönen nimmt die Kurve in den Gleisen.

Und meiner Nerven Netz, so fein besaitet,
drin Perlen hängen aus dem ewigen Meer:
es ist als Teppich in den Staub gebreitet,
und grässlich wälzt der Tag sich darüberher.

1 Fertigen Sie eine vollständige Analyse des Gedichts an.

2 Vergleichen Sie die im Gedicht thematisierte Form des Unterwegsseins mit dem Gedicht in v. Eichendorffs „Aus dem Leben eines Taugenichts" (s. S. 102) unter dem epochenspezifischen Verständnis dieses Motivs.

August Stramm

Patrouille (1915)

Die Steine feinden
Fenster grinst Verrat
Äste würgen
Berge Sträucher blättern raschlig
Gellen
Tod.

August Stramm (1874–1915)
dt. Lyriker und Schriftsteller

1 Beschreiben Sie möglichst präzise die im Gedicht dargestellte Szenerie und bestimmen Sie den Standort des lyrischen Ichs.

2 Untersuchen Sie das Gedicht von Stramm inhaltlich und sprachlich.

3 Obwohl das Gedicht kein Verb der Bewegung enthält, findet sich hier eine eigene Form von Unterwegssein. Erklären Sie dieses Phänomen. Recherchieren Sie ggf. die genaue Bedeutung des Begriffs Patrouille.

4 Informieren Sie sich genauer zur Biografie August Stramms und deuten Sie das Gedicht unter Berücksichtigung des Umstandes, dass der Autor es kurz vor seinem Tod geschrieben hat.

Wo soll's langgehen? – Technikbegeisterung vs. Technikskepsis

1 Recherchieren Sie Ursachen für die Technikbegeisterung am Beginn des 20. Jahrhunderts.

René Karl Wilhelm Johann Josef Maria Rilke (1875–1926) bedeutender dt. Lyriker der ersten Hälfte des 20. Jahrhunderts. In seiner „Weltanschauungslyrik" greift er die Probleme der Menschen seiner Zeit auf.

Rainer Maria Rilke

Die Sonette an Orpheus XVIII (1922–1926)

Hörst du das Neue Herr,
dröhnen und beben?
Kommen Verkündiger,
die es erheben.

Zwar ist kein Hören heil
in dem Durchtobtsein,
doch der Maschinenteil
will jetzt gelobt sein.

Sieh, die Maschine:
wie sie sich wälzt und rächt
und uns entstellt und schwächt.

Hat sie aus uns auch Kraft,
sie, ohne Leidenschaft,
treibe und diene.

1 Untersuchen Sie Inhalt, Form und Sprache des vorliegenden Gedichts von Rilke.

2 Erklären Sie das Menschenbild, das dem Gedicht von Rilke zugrunde liegt.

3 Erörtern Sie auf der Grundlage des Gedichts die Position Rilkes innerhalb des Dilemmas von Technikbegeisterung und -skepsis.

4 Beurteilen Sie unsere aktuelle Situation im Hinblick auf diesen Richtungsstreit.

Die Krupp'schen Teufel, um 1914, Öl auf Leinwand, von Henrich Kley

5 Fertigen Sie eine Bildbeschreibung zu Kleys „Die Krupp'schen Teufel" an.

Karl Otten

Die Thronerhebung des Herzens. Für Martinet. V. (1918)

Ich habe nicht gezweifelt, dass du lebst,
Dass du dich ängstigst, Bruder, durch die Nacht.
Deine Gedanken summten goldne Bienen,
Schmetterlinge der Nacht um unsere geduldigen Stirnen
Und es wird Trostnacht, Mutterstille, Kinderblume.
Dein Gruß hat mich aus den Rädern der Maschine hervorgeklaubt.
(Die Maschine: wie wir dieses Vieh hassen, diese kalte Eisenmordschnauze.
Nieder mit der Technik, nieder mit der Maschine!
Wir wollen nichts mehr wissen von euren verdammten höllischen Erfindungen,
Euren Strömen, Gasen, Säuren, Pulvern, Rädern und Batterien!
Fluch auf euch ihr Erfinder, ihr eitlen, kindisch mordgierigen Konstrukteure!
Fluch dir Zeitalter, glorreich lächerliches, der Maschine – alles Fabrik, alles Maschine.)
Ich darf wieder auf meinen Beinen stehn, du öffnest mir die Augen, hebst meinen Kopf!
Du schüttelst mir die Hand, ich erkenne dich!
Ich habe allen von dir erzählt, dass du lebst und dass es keine Feindschaft mehr gibt.
Dass der Feind eine Erfindung (Maschine), dass der Mensch die einzige Wahrheit,
Dass die Wahrheit, Hoffnung, Glaube, Gerechtigkeit sind!
Maschine ist nicht! Technik ist nicht! Feind ist nicht! Hass ist nicht!
Er ist – ja – zu vernichten! zu vernichten! zu vernichten!
Rottet ihn aus, schmeißt ihn aus euren Augen, Herzen, Mägen, Därmen!
Gift, Gift! Lüge, Dreck! es gibt keinen Feind!
Nur Menschen!

Karl Otten (1889 – 1963) dt. Schriftsteller u. Journalist, Ende der 1930er-Jahre Flucht nach England, ab 1958 brit. Staatsbürger, lebte die letzten Jahre in der Schweiz

Marcel Martinet (1887 – 1944) frz. Schriftsteller und Pazifist

1 Analysieren Sie in Partnerarbeit (in Stichpunkten) das vorliegende Gedicht von Karl Otten unter besonderer Berücksichtigung der Wahrnehmungen und der Reaktion des lyrischen Ichs. Gehen Sie bei Ihren Ausführungen auch auf dessen Interaktion mit Mensch und Maschine ein.
Berücksichtigen Sie bei Ihrer Erarbeitung die Ihnen bekannten Schritte der Gedichtanalyse.

2 Vergleichen Sie die beiden Gedichte von Rilke und Otten miteinander und ordnen Sie diese explizit in die Epoche des Expressionismus ein (vgl. hierzu auch die Merkmale dieser Epoche im Infokasten auf S. 133).

3 Setzen Sie Ihre Gesamtdeutung auch in Beziehung zu Elementen der beiden Gemälde.

Stahlarbeiter, 1895, von Maximilien Luce

Flucht und Exil

Der Begriff „Exil“ stammt von dem lateinischen „exilium“ ab und bedeutet Verbannung, die durch eine mehr oder weniger frei gewählte Emigration oder aufgrund einer zwangsweisen Ausbürgerung zum Verlassen eines Landes führt. Im Nationalsozialismus betrug die Gesamtzahl der Emigranten ca. 400000, darunter waren etwa 2000 Literaten. Hatten bereits zu früheren Zeiten Literaturschaffende aus politischen Gründen ihr Heimatland verlassen (müssen), so waren dies bis zur Machtübernahme durch die Nationalsozialisten eher Einzelfälle, wie im 19. Jahrhundert, etwa Heinrich Heine und Georg Büchner. Ab 1933 wurde die Emigration jedoch zu einer Massenerscheinung. Da viele Emigranten anfänglich davon ausgingen, dass sich das NS-Regime nicht lange halten würde, wählten sie ihr Exil zunächst im europäischen Ausland (1. Emigrationswelle). Die politische Entwicklung entsprach bald aber nicht mehr dieser Hoffnung, sodass sich mit der Zeit die Exilanten über die gesamte Welt verstreuten (2. Emigrationswelle ab 1939). In der neuen „Heimat“ litten viele von ihnen unter schwierigen wirtschaftlichen Verhältnissen, da es ihnen nicht gelang, eine adäquate Tätigkeit zu erlangen und auszuüben – schon allein deshalb, weil ihnen die Sprache des Gastlandes oft fremd blieb. Häufig blieben dann nur Aushilfstätigkeiten, wie Tellerwäscher, Platzanweiser im Kino o. Ä. Darüber hinaus drohten – je nach Land – auch Abschiebungen oder die Verfolgung durch Agenten des NS-Regimes. So kam zu dem Verlust der kulturellen Heimat und der wirtschaftlichen Not im Exil auch ein starker seelischer Druck, der sich nicht selten in psychischen Erkrankungen bemerkbar machte und in Einzelfällen im Suizid endete.

Mascha Kaléko (1907 – 1975)

Mascha Kaléko, geb. Golda Malka Aufen, wird als Kind jüdischer Eltern in Galizien (Österreich-Ungarn) geboren. Die Eltern übersiedeln nach Deutschland, um Pogromen zu entgehen. Kindheit und Jugend verbringt sie in Frankfurt/M., Marburg sowie später Berlin. Neben ihrer kaufmännischen Ausbildung besucht sie Kurse in Philosophie und Psychologie. 1928 heiratet sie den Hebräischlehrer Saul Aron Kaléko. Literarische Kontakte entstehen zu E. Lasker-Schüler und J. Ringelnatz, 1929 veröffentlicht sie ihre ersten Gedichte. Nach der Machtübernahme durch die Nationalsozialisten werden ihre Bücher als unerwünscht und sogar schädlich gebrandmarkt. 1938 erfolgt die Emigration in die USA, wo sie als Werbetexterin zum Unterhalt der Familie beiträgt. 1960 wandert sie auf Wunsch ihres zweiten Ehemannes nach Jerusalem aus. Auf einer Rückreise von Berlin dorthin stirbt sie bei einem Zwischenaufenthalt in Zürich.

Röslein auf der Heide (Heideröslein): bekanntes volkstümliches Gedicht Goethes (1789)

Kraft durch Freude pol. Organisation im Nationalsozialismus, diente der Gleichschaltung und Überwachung der Freizeitaktivitäten der dt. Bevölkerung

Emigranten-Monolog (1945)

Ich hatte einst ein schönes Vaterland,
So sang schon der Flüchtling Heine.
Das seine stand am Rheine,
Das meine auf märkischem Sand.

Wir alle hatten einst ein (siehe oben!).
Das fraß die Pest, das ist im Sturm zerstoben.
O, Röslein auf der Heide,
Dich brach die KraftdurchFreude.

Die Nachtigallen wurden stumm,
Sahn sich nach sicherm Wohnsitz um,
Und nur die Geier schreien
Hoch über Gräberreihen.

Das wird nie wieder, wie es war,
Wenn es auch anders wird.
Auch wenn das liebe Glöcklein tönt,
Auch wenn kein Schwert mehr klirrt.

Mir ist zuweilen so, als ob
Das Herz in mir zerbrach.
Ich habe manchmal Heimweh.
Ich weiß nur nicht, wonach.

1 Fassen Sie die im Gedicht genannten Gründe für den Heimatverlust zusammen.

2 Untersuchen Sie die Sprechhaltung des lyrischen Ichs und deren möglichen Wechsel sowohl formal wie inhaltlich.

3 Erläutern Sie die Funktion der Verweise des lyrischen Ichs auf einen weiteren Dichter („Heine") bzw. ein weiteres Gedicht („Röslein auf der Heide").

Bertolt Brecht (1898 – 1956)

Als Sohn eines Fabrikanten in Augsburg geboren, studiert er nach dem Abitur Naturwissenschaften und Medizin. 1920 nimmt er eine Stelle als Dramaturg in München an und widmet sich in der Folgezeit ganz der schriftstellerischen Tätigkeit. Er wechselt nach Berlin ans Deutsche Theater zu Max Reinhardt und besucht 1928/29 die „Marxistische-Arbeiter-Schule".

1933 flieht er vor den Nationalsozialisten über Prag nach Wien, dann über die Schweiz und Frankreich bis nach Dänemark, wo er sich auch weiter literarisch und politisch betätigt.

Seine Theaterstücke werden im Ausland mit Erfolg gespielt. 1940 flüchtet er weiter nach Schweden, Finnland bis nach Moskau und Wladiwostok, von wo er 1941 nach Kalifornien gelangt.

1947 kehrt er zurück, zunächst nach Zürich. Ein Jahr später entscheidet er sich, nach Ost-Berlin zu übersiedeln, wo er mit seiner Frau Helene Weigel das Theater „Berliner Ensemble" gründet, in dem er als Regisseur seine eigenen Stücke aufführt.

Gedanken über die Dauer des Exils (1937)

I

Schlage keinen Nagel in die Wand
Wirf den Rock auf den Stuhl.
Warum vorsorgen für vier Tage?
Du kehrst morgen zurück.

Laß den kleinen Baum ohne Wasser.
Wozu noch einen Baum pflanzen?
Bevor er so hoch wie eine Stufe ist
Gehst du fort von hier.

Zieh die Mütze ins Gesicht, wenn Leute
vorbeigehn!
Wozu in fremden Grammatiken blättern?
Die Nachricht, die dich heimruft
Ist in bekannter Sprache geschrieben.

So wie der Kalk vom Gebälk blättert
(Tue nichts dagegen!)
Wird der Zaun der Gewalt zermorschen
Der an der Grenze aufgerichtet ist
Gegen die Gerechtigkeit.

II

Sieh den Nagel in der Wand, den du
eingeschlagen hast:
Wann, glaubst du, wirst du zurückkehren?
Willst du wissen, was du im Innersten glaubst?

Tag um Tag
Arbeitest du an der Befreiung
Sitzend in der Kammer schreibst du.
Willst du wissen, was du von deiner Arbeit
hältst?
Sieh den kleinen Kastanienbaum im Eck des
Hofes
Zu dem du die Kanne voll Wasser schlepptest!

1 Stellen Sie das zentrale Thema des Gedichts von Brecht dar.

2 Untersuchen Sie die Sprechhaltung des lyrischen Ichs im Gedicht.

3 Setzen Sie die Aussagen des lyrischen Ichs, die für die Annahme einer kurzen Dauer des Exils sprechen, in Beziehung zu denjenigen, die ein länger andauerndes Exil nahelegen.

4 Beurteilen Sie die Aussage des lyrischen Ichs „Wann glaubst du, wirst du zurückkehren,/Willst du wissen, was du im Inneren glaubst?“ (V. 21 f.) im Hinblick auf die Einschätzung der Dauer des Exils durch das lyrische Ich.

Bertolt Brecht

Rückkehr (1943)

Die Vaterstadt, wie find ich sie doch?
Folgend den Bomberschwärmen
Komm ich nach Haus.
Wo denn liegt sie? Wo die ungeheueren
Gebirge von Rauch stehn.
Das in den Feuern dort
Ist sie.

Die Vaterstadt, wie empfängt sie mich wohl?
Vor mir kommen die Bomber. Tödliche Schwärme
Melden euch meine Rückkehr. Feuersbrünste
Gehen dem Sohn voraus.

5 Stellen Sie den inneren Aufbau des Gedichts „Rückkehr“ dar.

6 Erschließen Sie den inhaltlichen Zusammenhang der drei Fragen im Gedicht.

7 Untersuchen Sie die Sprache des lyrischen Ich.

Carl Zuckmayer (1896 – 1977)

Absolviert als Sohn einer Fabrikantenfamilie 1914 – wegen des beginnenden Krieges – frühzeitig das sog. Notabitur und meldet sich als Freiwilliger zum Kriegsdienst. Ab 1917 verfasst er expressionistische Gedichte. Nach kurzer Studienzeit wendet er sich der Arbeit am Theater zu, wo er mit seinem ersten Stück „Der fröhliche Weinberg“ (1925) Erfolg hat. Es folgt eine wechselvolle Zeit an unterschiedlichen Theatern, u. a. in München zusammen mit B. Brecht. 1926 erwirbt er ein Haus bei Salzburg. U. a. wegen der antimilitaristischen Haltung in seiner bekanntesten Komödie „Der Hauptmann von Köpenick“ (1931) und aufgrund der Tatsache, dass seine Mutter assimilierte Jüdin ist, zieht er den Argwohn der Nationalsozialisten auf sich, der ab 1933 mehr und mehr seine Arbeit behindert. Da er nun auch öffentlich gegen die Nationalsozialisten Stellung bezieht, kann er nach dem Anschluss Österreichs 1938 nur knapp nach Zürich entkommen. 1939 wird die gesamte Familie ausgebürgert und emigriert über Paris nach Rotterdam und von hier aus in die USA. Mit unterschiedlichen Tätigkeiten versucht er die Familie zu ernähren und arbeitet auch für den amerikanischen Auslandsgeheimdienst. 1946 erhält er die US-amerikanische Staatsbürgerschaft und bleibt bis 1957 in den USA. Anschließend siedelt er in die Schweiz um, wo er das Bürgerrecht erhält. Gegen einen Antrag zur Wiedereinbürgerung in Deutschland hat er sich immer gewehrt.

Carl Zuckmayer

Elegie von Abschied und Wiederkehr (1939)

Ich weiß, ich werde alles wiedersehn.
Und es wird alles ganz verwandelt sein,
Ich werde durch erloschne Städte gehn,
Darin kein Stein mehr auf dem andern Stein –
Und selbst wo noch die alten Steine stehen,
Sind es nicht mehr die altvertrauten Gassen –
Ich weiß, ich werde alles wiedersehen
Und nichts mehr finden, was ich einst verlassen.

Der breite Strom wird noch zum Abend gleiten.
Auch wird der Wind noch durch die Weiden gehn,
Die unberührt in sinkenden Gezeiten
Die stumme Totenwacht am Ufer stehn.
Ein Schatten wird an unsrer Seite schreiten
Und tiefste Nacht um unsre Schläfen wehn -
Dann mag erschauernd in den Morgen reiten,
Wer lebend schon sein eignes Grab gesehn.

Ich weiß, ich werde zögernd wiederkehren,
Wenn kein Verlangen mehr die Schritte treibt.
Entseelt ist unsres Herzens Heimbegehren,
Und was wir brennend suchten, liegt entleibt.
Leid wird zu Flammen, die sich selbst verzehren,
Und nur ein kühler Flug von Asche bleibt –
Bis die Erinnrung über dunklen Meeren
Ihr ewig Zeichen in den Himmel schreibt.

Zuckmayer als Farmer in Vermont (USA), ca. 1941

1 Recherchieren Sie die Bedeutung des Begriffs „Elegie".

2 Analysieren Sie vor dem Hintergrund von Zuckmayers Biografie sein Gedicht „Elegie von Abschied und Wiederkehr". Gehen Sie dabei besonders auf die spezifische Bedeutung des Verhältnisses von Heimat und Fremdsein bei Zuckmayer ein.

3 Begründen Sie, warum Zuckmayers Gedicht als Elegie bezeichnet wird.

4 Vergleichen Sie Zuckmayers Elegie mit Brechts Gedicht „Rückkehr" im Hinblick auf die Sprechhaltung.

Bertolt Brecht

Radwechsel (1953)

Ich sitze am Straßenhang.
Der Fahrer wechselt das Rad.
Ich bin nicht gern, wo ich herkomme.
Ich bin nicht gern, wo ich hinfahre.
Warum sehe ich den Radwechsel
mit Ungeduld?

5 Analysieren Sie das Gedicht „Radwechsel" von Brecht unter besonderer Berücksichtigung der inneren Verfassung des lyrischen Ichs.

Fremdheitserfahrungen vs. Heimatgefühl

Eine ethisch fundierte Haltung durch die reflektierte Auseinandersetzung mit dem kulturell Anderen in lyrischen Texten entwickeln

1 Notieren Sie möglichst prägnant Ihr Verständnis von „Fremdsein" und „Heimat".

Der Bundespräsident Frank-Walter Steinmeier hat sich in seiner Rede anlässlich des Festaktes zum Tag der Deutschen Einheit am 3. Oktober 2017 in Mainz eingehend mit dem Thema Heimat und Fremdheit auseinandergesetzt. Der Text ist als Reaktion auf eine bereits mehrere Jahre andauernde gesellschaftliche Debatte zum Thema „Flucht und Migration" zu verstehen, bei der sich die Verfechter eines „‚humanitären Imperativs'" unversöhnlich denjenigen gegenübersehen, die lauthals einen vermeintlichen „‚Verrat am eigenen Volk'" beklagen.

Frank-Walter Steinmeier ***1956**

Frank-Walter Steinmeier (2017)

Die Debatte über Flucht und Migration hat Deutschland aufgewühlt. Aber sie ist Folge und Abbild einer aufgewühlten Welt. Mit Blick auf die Umbrüche, die vielen internationalen Krisen und Konflikte habe ich von vielen Bürgern in den letzten Jahren den Satz gehört: *„Ich versteh die Welt nicht mehr"* – und ehrlich gesagt: Ich konnte diesen Satz gut nachvollziehen. Nach den G20-Protesten habe ich Ladenbesitzer aus der Hamburger Schanze getroffen, die sagten: „Wir mussten mit ansehen, wie aus ganz normalen Passanten Gaffer und Plünderer geworden sind." In Bitterfeld erzählte mir eine Frau: „Eigentlich wollte ich eine Wahlkampfrede anhören, aber da waren Mitbürger, Nachbarn, die haben mir mit ihrem Gebrüll, mit ihren hasserfüllten Gesichtern richtig Angst gemacht."

In Stuttgart traf ich einen Mitarbeiter aus der Autobranche, übrigens ein Sohn von türkischen Gastarbeitern, der sagte: „Jahrelang war ich stolz, dass ich in Deutschlands Vorzeigeindustrie arbeite. Jetzt fragen mich alle, ob ich mit betrogen habe." Und mehr als einmal habe ich im Osten gehört: „Mein Betrieb ist pleite, mein Dorf ist leer. Es ist ja gut, dass ihr euch um Europa kümmert – aber wer kümmert sich um uns?"

G20-Proteste Am 7./8. Juli 2017 kam es im Zusammenhang mit dem G20-Gipfel in Hamburg zu schweren Ausschreitungen mit Sachbeschädigungen, Plünderungen und zahlreichen Verletzten

In diesem Jahr und in meiner neuen Rolle habe ich aber noch einen anderen Satz gehört: *„Ich verstehe mein Land nicht mehr."* Dieser Satz macht mir deutlich mehr zu schaffen. [...]

Das hören wir nicht gern an einem Feiertag. Aber wenn einer sagt *„Ich fühle mich fremd im eigenen Land"*, dann können wir nicht antworten: *„Tja, die Zeiten haben sich halt geändert"*. Wenn einer sagt *„Ich versteh mein Land nicht mehr"*, dann gibt es etwas zu tun in Deutschland – und zwar mehr, als sich in guten Wachstumszahlen und Wirtschaftsstatistiken zeigt.

Denn verstehen und verstanden werden – das will jeder, und das braucht jeder, um sein Leben selbstbewusst zu führen.

Verstehen und verstanden werden – das ist Heimat.

Ich bin überzeugt, wer sich nach Heimat sehnt, der ist nicht von gestern. Im Gegenteil: je schneller die Welt sich um uns dreht, desto größer wird die Sehnsucht nach Heimat. Dorthin, wo ich mich auskenne, wo ich Orientierung habe und mich auf mein eigenes Urteil verlassen kann. Das ist im Strom der Veränderungen für viele schwerer geworden.

Diese Sehnsucht nach Heimat dürfen wir nicht denen überlassen, die Heimat konstruieren als ein *„Wir gegen Die"*; als Blödsinn von Blut und Boden; die eine heile deutsche Vergangenheit beschwören, die es so nie gegeben hat. Die Sehnsucht nach Heimat – nach Sicherheit, nach Entschleunigung, nach Zusammenhalt und vor allen Dingen Anerkennung –, diese Sehnsucht dürfen wir nicht den Nationalisten überlassen.

Ich glaube, Heimat weist in die Zukunft, nicht in die Vergangenheit. Heimat ist der Ort, den wir als Gesellschaft erst schaffen. Heimat ist der Ort, an dem das „Wir“ Bedeutung bekommt. So ein Ort, der uns verbindet – über die Mauern unserer Lebenswelten hinweg –, den braucht ein demokratisches Gemeinwesen und den braucht auch Deutschland. Auf meinen Reisen durch Deutschland mache ich die wunderbare Erfahrung: Wo Heimat ist, da gibt es viel zu erzählen. In Sönke Wortmanns neuem Film „Sommerfest“, einem Heimatfilm über das Ruhrgebiet, da sagt ein waschechter Bochumer: *„Hömma..., Geschichten liegen hier überall auffer Straße rum – man musse nur aufheben.“*
Ich finde, das muss der Anfang sein. Gehen wir nicht übereinander hinweg, sondern lesen wir unsere Geschichten auf. Wo nach dem 24. September jeder in seiner gesellschaftlichen Nische den Kopf geschüttelt hat, wo wir übereinander reden – und übereinander hinweg – da sollten wir wieder lernen, einander zuzuhören: wo wir herkommen, wo wir hinwollen, was uns wichtig ist.
Wenn ein Ostdeutscher erzählt, wie seine Heimat in der DDR sich nach der Wende radikal verändert hat – dass die neue Freiheit nicht nur Ziel von Sehnsucht, sondern auch eine Zumutung war, dass im Wandel vieles verloren ging, was man doch halten wollte – dann gehört auch das zu unseren deutschen Geschichten. Die Herstellung der Einheit war ein gewaltiges Werk. Natürlich wurden auch Fehler gemacht in den Jahren nach 1990 – und es gibt keinen Grund, darüber zu schweigen. Ostdeutsche haben nach der Wiedervereinigung Brüche erlebt, wie sie meine Generation im Westen nie kannte. Und dennoch sind diese ostdeutschen Geschichten kein solch fester Bestandteil unseres „Wir“ geworden wie die des Westens. Ich finde, es ist an der Zeit, dass sie es werden.
Die mutige Anwältin und Autorin Seyran Ateş hat mir kürzlich erzählt: *„Mir hüpft das Herz in der Brust, wenn ich in Istanbul den Bosporus wiedersehe. Und auf dem Rückweg nach Berlin hüpft mir das Herz, wenn ich den Fernsehturm wiedersehe.“* In ihrer Geschichte steckt etwas ebenso Simples wie Wichtiges: Heimat gibt es auch im Plural. Ein Mensch kann mehr als eine Heimat haben, und neue Heimat finden. Das hat die Bundesrepublik für Millionen von Menschen bereits bewiesen. Sie alle sind Teil unseres *„Wir“* geworden. Ganze Generationen von Zuwanderern sagen heute voller Stolz: „Deutschland ist meine Heimat“, – und das hat uns bereichert. Das sollte uns Zuversicht geben für die großen Integrationsaufgaben, die vor uns liegen. Doch wir sagen auch: Heimat ist offen – aber nicht beliebig.

Am 24.9.2017 fand eine Bundestagswahl statt.

2 Geben Sie den Inhalt des Textauszuges von Steinmeier mit eigenen Worten strukturiert wieder und untersuchen Sie die Argumentationsstruktur des Redeauszugs.

3 Erklären Sie, worin für Steinmeier die Ursachen von Fremdheit bestehen.

4 Erläutern Sie, welches Verständnis des Begriffs „Heimat“ der Bundespräsident äußert.

5 Vergleichen Sie seine Position mit Ihrem anfänglich notierten Verständnis von „Fremdsein“ und „Heimat“.

6 Erörtern Sie die Bedeutung der Aussage Steinmeiers „Heimat ist offen – aber nicht beliebig“ (Z. 72).

7 Erörtern Sie im Plenum, welche Integrationsaufgaben Sie für die Zukunft für erforderlich halten.

Alec Tekinay

Dazwischen (2001)

Jeden Tag packe ich den Koffer
ein und dann wieder aus.

Morgens, wenn ich aufwache,
plane ich die Rückkehr
aber bis Mittag gewöhne ich mich mehr
an Deutschland.

Ich ändere mich
und bleibe doch gleich
und weiß nicht mehr,
wer ich bin.

Jeden Tag ist das Heimweh
unwiderstehlicher,
aber die neue Heimat hält mich fest
Tag für Tag noch stärker.

Und jeden Tag fahre ich
zweitausend Kilometer
in einem imaginären Zug
hin und her,
unentschlossen zwischen
dem Kleiderschrank
und dem Koffer,
und dazwischen ist meine Welt.

Nevfel Cumart

Zwei Welten (1996)

zwischen
zwei
welten
inmitten
unendlicher
einsamkeit
möchte
ich eine brücke sein

doch kann ich
kaum fuß fassen
an dem einen ufer
vom anderen
löse ich mich
immer mehr

die brücke bricht
droht mich
zu zerreißen
in der mitte

1 Recherchieren Sie biografische Informationen zu den beiden Autoren. Legen Sie dabei besonderes Gewicht auf deren Migrationsgeschichte. Präsentieren Sie Ihre Ergebnisse im Plenum.

2 Untersuchen Sie zunächst die Darstellung der Fremdheitserfahrungen in einem der beiden Gedichte und halten Sie Ihre Ergebnisse schriftlich fest.

3 Stellen Sie diese dem Plenum vor.

4 Vergleichen Sie nun in der Lerngruppe die beiden Gedichte hinsichtlich der zugrunde liegenden Konzeption der jeweiligen Fremdheitserfahrung.

5 Verfassen Sie abschließend eine vollständige Analyse des von Ihnen ausgewählten Gedichts.

Letzte Ausfahrt Vielfalt

Die Selbstdarstellungsfunktion der Sprache im Gedicht erfassen

Ernst Jandl

wanderung (1964)

vom vom zum zum
vom zum zum vom
von vom zu vom
vom vom zum zum
von zum zu zum
vom zum zum vom
vom vom zum zum
und zurück

Ernst Jandl (1925 – 2000) österr. Dichter u. Schriftsteller, Vertreter der Konkreten Poesie, bekannt für seine experimentelle Lyrik (visuelle Poesie und Lautgedichte).

1 Beschreiben Sie Form und Aufbau des Textes von Jandl.

2 Erklären Sie, inwiefern der Text eine Selbstdarstellungsfunktion besitzt und der visuellen Poesie zuzuordnen ist.

3 Vergleichen Sie Jandls Ansatz der Konkreten Poesie mit einzelnen Beispielen aus Ihnen bisher bekannt gewordenen „traditionellen" Gedichten mit dem Motiv des Unterwegsseins.

Wiederentdeckung des Ichs vs. Identitätskrise

Silbermond

Leichtes Gepäck (Songtext)

Eines Tages fällt dir auf,
dass du 99 % nicht brauchst.
Du nimmst all den Ballast
und schmeißt ihn weg,
denn es reist sich besser
mit leichtem Gepäck.
Du siehst dich um in deiner Wohnung,
siehst ein Kabinett aus Sinnlosigkeiten.
Siehst das Ergebnis von kaufen
und kaufen von Dingen,
von denen man denkt,
man würde sie irgendwann brauchen.
Siehst die Klamotten, die du
nie getragen hast und die du
nie tragen wirst, und trotzdem
bleiben sie bei dir,
zu viel Spinnweben und zu viel Kram,
zu viel Altlast in Tupperwaren.
Und eines Tages fällt dir auf,
dass du 99 % davon nicht brauchst.
Du nimmst all den Ballast
und schmeißt ihn weg,
denn es reist sich besser
mit leichtem Gepäck,
mit leichtem Gepäck.
Nicht nur ein kleiner
Hofstaat aus Plastik, auch
die Armee aus Schrott und Neurosen
auf deiner Seele wächst immer mehr,
hängt immer öfter blutsaugend an deiner Kehle.
Wie geil die Vorstellung wär,
das alles loszuwerden.
Alles auf einen Haufen
mit Brennpaste und Zunder
und es lodert und brennt so schön,
ein Feuer in Kilometern noch zu seh'n
Und eines Tages fällt dir auf,
dass du 99 % davon nicht brauchst.
Also nimmst all den Ballast
und schmeißt ihn weg,
denn es reist sich besser
mit leichtem Gepäck,
mit leichtem Gepäck.
Ab heut
nur noch die wichtigen Dinge,

ab heut
nur noch die wichtigen Dinge,
ab heut
nur noch die wichtigen Dinge,
ab heut
nur noch leichtes Gepäck.
Und eines Tages
fällt dir auf,
es ist wenig, was du wirklich brauchst.
Also nimmst du den Ballast
und schmeißt ihn weg,
denn es lebt sich besser,
so viel besser
mit leichtem Gepäck.
All der Dreck von gestern,
all die Narben,
all die Rechnungen, die viel zu lang offen rum-
lagen,
lass sie los, schmeiß sie einfach weg,
denn es reist sich besser
mit leichtem Gepäck.

Die Pop-Band Silbermond, 2012

1 Geben Sie den Inhalt des Liedtextes von Silbermond mit eigenen Worten wieder und benennen Sie sein Thema.

2 Erschließen Sie die Sprechhaltung des lyrischen Ichs sowie den gesellschaftlichen Kontext seiner Aussagen.

3 Formulieren Sie alternative Handlungsaufforderungen für das lyrische Ich. Halten Sie sich dabei möglichst an die formalen Vorgaben des Liedtextes.

Hilde Domin

Mit leichtem Gepäck (1962)

Hilde Domin (1909 – 2006)
dt. Schriftstellerin

Gewöhn dich nicht.
Du darfst dich nicht gewöhnen.
Eine Rose ist eine Rose.
Aber ein Heim
ist kein Heim.

Sag dem Schoßhund Gegenstand ab
der dich anwedelt
aus den Schaufenstern.
Er irrt. Du
riechst nicht nach Bleiben.

Ein Löffel ist besser als zwei.
Häng ihn dir um den Hals,
du darfst einen haben,
denn mit der Hand
schöpft sich das Heiße zu schwer.

Es liefe der Zucker dir durch die Finger,
wie der Trost,
wie der Wunsch,
an dem Tag
da er dein wird.

Du darfst einen Löffel haben,
eine Rose,
vielleicht ein Herz
und, vielleicht,
ein Grab.

1 Stellen Sie das zentrale Thema des Gedichts von Domin dar.

2 Untersuchen Sie die Sprechsituation des lyrischen Ichs.

3 Analysieren Sie die im Gedicht dargestellten Lebensumstände im Exil.

4 Deuten Sie die beiden letzten Verse des Gedichts unter Rückbezug auf Ihre Kenntnisse von Heinrich Heines Gedicht „Wo?“ (s. S. 126).

5 Vergleichen Sie abschließend das Gedicht „Mit leichtem Gepäck“ von H. Domin mit dem gleichnamigen Liedtext von Silbermond im Hinblick auf das jeweilige Verständnis sowie die Bedeutung des Titels.

Poetry Slam

Der Begriff stammt aus dem Englischen und bedeutet so viel wie Poesie- bzw. Dichterwettstreit oder Poesieschlacht. Die Poetry Slammer stellen ihre eigenen Texte einem Publikum vor, müssen dabei aber auf instrumentelle Begleitung und sonstige Requisiten verzichten. In der Regel ist ihr Auftritt an ein zeitliches Limit – meist fünf Minuten – gebunden. Auch die vorgetragenen Themen unterliegen keinen besonderen Vorschriften. Sowohl ernste wie auch komische Texte können präsentiert werden, häufig entstammen sie der persönlichen Erfahrungswelt der Vortragenden und behandeln Alltagsthemen. Am Ende eines solchen Wettstreits, der allen, die mitmachen möchten, offensteht, entscheidet das Publikum über den Sieger. Seit 1997 findet jährlich die Deutsche Meisterschaft statt (German International Poetry Slam, GIPS). Poetry Slams können dazu dienen, jungen Menschen den Zugang zur Literatur und eigenem literarischen Schaffen zu ermöglichen, da sie zu einem kreativen bzw. unkonventionellen Umgang mit Sprache einladen.
Poetry-Slam-Workshops werden vermehrt auch in Schulen im Rahmen von Projekt- oder Kulturwochen angeboten.

Felix Römer, *1980
Poetry-Slammer und Dichter, moderiert Poetry-Slams, lebt in Berlin

Felix Römer

Wie ich einmal fast so wie die anderen geworden wäre oder: Alltag 2. Klasse

Manchmal tröpfelt alles so vor sich hin,
Ein langsamer Zug ohne Halt. Ich sitz drin.
Keine großen Gefühle, noch nicht einmal Leid.
Ich schau aus dem Fenster, da entgleitet die Zeit.
Ja, soll sie vorbei zieh'n, es stört mich nicht mal,
Hier ist klimatisiert, mir ist alles egal.
Es ist nicht mal schlecht, halt einfach nur Trott.
Keine Zweifel am Leben, keine Fragen nach Gott.
Ab und zu kommen Gedichte oder auch Lieder,
Die öffnen die Fenster, doch ich schließe sie wieder.
Denn der Wind schmeckt nach Aufbruch und Heimweh
Ist so groß, dass ich mich dann ganz klein seh'
Und bei Windstille nicht mal mehr einseh',
Dass ich ohne Frischluft bald eingeh'.
Denk' nur: es is' nicht mal schlecht, halt einfach nur Trott.
Keine Zweifel am Leben, keine Fragen nach Gott.
Dabei weiß ich noch wie's war, als ich zu Fuß ging,
Als das Weiterkommen alleine an mir hing.
Ich wusste damals, dass ich langsamer bin,
Aber auch, dass allein ich bestimme, wohin.
Und es bedrückte mich oft, genau das nicht zu wissen ...
Heute drückt nur mein Eigengewicht mich in die Kissen.
Es ist einfach nur Trott, ohne sich zu erheben.
Keine Zweifel an Gott, keine Fragen nach Leben.
So lass ich mich nun durch die Zeit transportieren,
Versuch' noch, meine Passivität zu kaschieren,
Indem ich ein Buch les' von der Freiheit nach allen Seiten,
Während die Räder stur die Gleise lang gleiten,
Als sich endlich, endlich, die Frage mir stellt:
Wohin fährst du, verhinderter Held?
Und wieder weiß ich's nicht. Ich kann's nicht sagen
Und dieses Gefühl, das ist nicht zu ertragen.
Und diesmal ist der Weg sogar noch bestimmt,
Ohne Möglichkeit, dass man Einfluss drauf nimmt.
Hier serviert man mir täglich Becher und Teller,
Im Raucherabteil geht's vielleicht etwas schneller.
Ich kann mir nicht mal die Aussicht selber wählen,
Werde nie was Spannenderes als mein Nachbar erzählen.
Und man musste mich nicht mal zwingen.
In diesen beschissenen Zug zu springen.
Und ich öffne das Fenster und ich atme tief ein
Und ich weiß: Hier drin kann ich nicht länger sein!
Es ist gefährlich, aus fahrenden Zügen zu springen,
Aber besser als sich langsam umzubringen.
Und ich springe und ich falle, und verletze mich schwer,
Die Schmerzen im Körper beleben mich sehr.
Ich zerreiß meine Kleider, verbinde die Wunden,
Ein Fluss, mich zu waschen, ist schnell gefunden
Und nackt und sauber, vielleicht etwas entstellt,
Lauf ich jetzt wie neu durch ein Feld,
Verfalle schnell in einen himmlischen Trott,
Ohne Zweifel am Leben, ohne Fragen nach Gott.

1 Schauen Sie sich den Auftritt Felix Römers mit diesem Text im Internet an.

2 Bestimmen Sie das Thema des Textes und überprüfen Sie anhand des Infokastens die Merkmale eines Poetry Slams (s. dazu S. 147).

3 Beschreiben Sie die Entwicklung des lyrischen Sprechers während der Zugfahrt und untersuchen Sie, inwiefern die hier dargestellte Form des Unterwegsseins als Metapher für den Zug des Lebens gelten kann. Belegen Sie Ihre Ergebnisse durch entsprechende Textbezüge.

4 Nehmen Sie Stellung zu der Frage, ob es sich – nach Ihrer Meinung – um eine gelungene Abgrenzung von den anderen handelt.

Die Lyrik der (postmodernen) Gegenwart und das Spiel mit der Form untersuchen

Reinhold Grimm

Zum Verständnis moderner Lyrik (1967, Auszug)

Wir wollen den gewandelten Wirkungsprozess des modernen Gedichts noch näher betrachten. Halten wir darum fest: Ein solches Gedicht gibt keine Wirklichkeit wieder, es konstituiert eine neue. [. . .] Wer folglich das moderne Gedicht so zu verstehen versucht, als ob es eine Wirklichkeit wiedergäbe, muss notwendig zu völlig falschen Ergebnissen gelangen.

Die Sprache Benns, Trakls, Celans, Krolows und der Bachmann ruht nicht, wie dies Goethe von der seinen behaupten durfte, auf den Grundfesten der Erkenntnis. Ein zusammenhängendes anschauliches Bild von der Realität ist nicht mehr vorhanden oder jedenfalls weitgehend reduziert. Stattdessen erscheinen Willkürlichkeiten, dunkle Anspielungen und verwirrende Kombinationen. Das Gedicht wird zum Kaleidoskop hieroglyphischer Chiffren. Die geheimen Zeichen sind aber, wenn überhaupt, bloß scheinbar auflösbar; in Wahrheit können sie nur durch einen schöpferischen Nachvollzug verstanden werden. [. . .] Lösen wir uns von der bildlichen Umschreibung, so wird deutlich, dass die zerstreuten, für sich genommen unverständlichen suggestiven Zeichen sich erst im aufnehmenden Leser zur Einheit zusammenschließen. Die Aneignung moderner Lyrik ist ein kreativer Akt.

Pablo Picasso, Guernica (1937)

1 Erläutern Sie die in dem Textauszug dargestellte Sicht auf das Verhältnis von Lyrik und Wirklichkeit.

2 Erklären Sie, auf welches Weltbild sich der Textauszug bezieht und inwieweit dieses veränderte Weltbild (insbesondere in Abgrenzung zur Romantik) eine sich verändernde Lyrik bedingt.

3 Erörtern Sie, inwiefern sich die Thesen des Textes in den Bildern von Picasso und Pollock (s. nächste Seite) widerspiegeln.

Jackson Pollock, Herbstrhythmus, Nr. 30, 1950

Die Neue Subjektivität und die Postmoderne

Mit den 70er-Jahren des 20. Jahrhunderts findet eine literarische Um- bzw. Rückorientierung statt. Die Literatur wird vermehrt wieder entpolitisiert und verabschiedet sich von „der euphorischen Theoriefreudigkeit der 60er-Jahre und dem damit zusammenhängenden, vom Optimismus getragenen Glauben an die Verwirklichung als progressiv empfundener Ideen." Dies begründet sich vor allem in der ernüchternden Erkenntnis des Scheiterns der Studentenbewegung Ende der 60er-Jahre, die zumindest nicht alle ihre Ziele erreichte. Damit tritt die private Welt wieder in den Vordergrund, subjektive Erfahrungen und persönliche Probleme werden literarisch thematisiert, die dann aber oft im Sinne der Exemplarität Sinnbilder der gesellschaftlichen Probleme sind. Abgelöst wird diese Entwicklung durch eine zunehmende Rückbesinnung auf Merkmale vormoderner Epochen (Mittelalter, Barock, Romantik), eine Entwicklung, die vergleichbar mit den Rückbesinnungstendenzen der Klassik und der Romantik ist. Dieser Bezug, insbesondere auf typische vormoderne Formen, „entsprang zu einem großen Teil einer Skepsis gegenüber zwei Grundgedanken der Moderne, der Forderung nach permanenter Innovation und dem Glauben an den irreversiblen Fortschritt". In diesem Kontext entsteht der Begriff der Postmoderne. Damit ist zunächst einmal die Zeit nach der literarischen Moderne – also nach der Literatur der Jahrhundertwende, dem Expressionismus und der Neuen Sachlichkeit – gemeint. Kernelement ist dabei die Aufhebung traditioneller Bedeutungszusammenhänge, die mit einer Tendenz zur Fragmentierung, Diskontinuität und Intertextualität (zwischentextliche Bezüge) einhergeht. Die postmoderne Literatur spiegelt eine Welt wider, „in der die Grenzen zwischen der wirklichen Wirklichkeit und den von Menschen geschaffenen Medienwelten und künstlichen Welten aufgehoben sind".

Matthias Politycki (* 1955) dt. Schriftsteller, publiziert Romane, Erzählungen, Gedichte, Essays sowie Hörbücher und gilt als Weltreisender unter den deutschen Autoren.

prästabilierte Harmonie Grundbegriff der Philosophie von G.W. Leibniz – einer vorherbestimmten Einheit im Sinne einer allen Dingen innewohnenden Ordnung

Matthias Politycki

Ein gewisser Eichendorff bläst den Blues von der prästabilierten Harmonie (1976)

Nehmt ihn hin, den Duft des Morgens
deiner fast verschlafnen Tage,
nimm den halbzerbrochnen Spiegel
deiner Marmorwelt. Die Klage

längstverträumter Zeiten dämmert
dir im Dunst des Morgentaus,
schimmert aus der nie geschauten
Ferne. Und du willst hinaus

aus dem Netz der Straßen, Gassen,
durch die Tore, über Treppen,
willst den Himmel selber sehen!
Doch du kannst dich wenden, drehen:

bist gefangen, selbst im Rausch
sehnst du dich nach Brunnenrand
mit noch unverlöschtem Spiegel
und darin dem Himmelsband.

1 Untersuchen Sie die Sprechsituation im Gedicht sowie den Zusammenhang von dargestellter Lebenswirklichkeit und Sehnsucht.

2 Setzen Sie das Gedicht Polityckis in Bezug zu den Merkmalen der neuen Subjektivität sowie der Postmoderne (s. Infokasten) und ordnen Sie es begründend in diese Zeiterscheinung ein.

3 Setzen Sie die Überschrift des Gedichts von Politycki in Bezug zu Eichendorffs Gedicht „Sehnsucht" (s. Klausurtraining, S. 154).

Wolf Wondratschek

In den Autos (1976)

Wir waren ruhig,
hockten in den alten Autos,
drehten am Radio
und suchten die Straße
nach Süden.

Einige schrieben uns Postkarten aus der Einsamkeit,
um uns zu endgültigen Entschlüssen aufzufordern.

Einige saßen auf dem Berg,
um die Sonne auch nachts zu sehen.

Einige verliebten sich,
wo doch feststeht, dass ein Leben
keine Privatsache darstellt.

Einige träumten von einem Erwachen,
das radikaler sein sollte als jede Revolution.

Einige saßen da wie tote Filmstars
und warteten auf den richtigen Augenblick,
um zu leben.

Einige starben,
ohne für ihre Sache gestorben zu sein.

Wir waren ruhig,
hockten in den alten Autos,
drehten am Radio
und suchten die Straße
nach Süden.

Wolf Wondratschek
***1943**
dt. Schriftsteller

1 Beschreiben Sie die im Gedicht dargestellte Situation sowie die Verhaltensweisen und Lebenseinstellungen der einzelnen Reisenden. Formulieren Sie, inwiefern sie sich unterscheiden, aber auch ähneln.

2 Das Gedicht Wondratscheks ist in der Nachfolge der Studentenunruhen 1968 und der Terroraktionen der – letztlich gescheiterten – RAF gegen die etablierte bürgerliche Welt entstanden. Informieren Sie sich über zentrale Ereignisse sowie Zielsetzungen. Überprüfen Sie, inwieweit die Vorstellungen der rebellierenden Jugend realisiert werden konnten bzw. gescheitert sind.

3 Untersuchen Sie vor dem Hintergrund Ihrer bisherigen Ergebnisse die Funktion der ersten sowie letzten Strophe des Gedichts „In den Autos“.

4 Vergleichen Sie das Gedicht Wondratscheks mit dem Gedicht „Mignons Lied“ aus Goethes „Wilhelm Meisters Lehrjahre“ (s. S. 107) hinsichtlich der Sehnsucht der Reisenden nach dem Süden und deren Aussicht auf Realisierung.

Durs Grünbein *1962 dt. Essayist, Lyriker und Übersetzer

Durs Grünbein

Kosmopolit

Von meiner weitesten Reise zurück, anderntags
Wird mir klar, ich verstehe vom Reisen nichts.
Im Flugzeug eingesperrt, stundenlang unbeweglich,
Unter mir Wolken, die aussehn wie Wüsten,
Wüsten, die aussehn wie Meere, und Meere,
Den Schneewehen gleich, durch die man streift
Beim Erwachen aus der Narkose, sehe ich ein,
Was es heißt, über die Längengrade zu irren.

Dem Körper ist Zeit gestohlen, den Augen Ruhe
Das genaue Wort verliert seinen Ort. Der Schwindel
Fliegt auf mit dem Tausch von Jenseits und Hier
In verschiedenen Religionen, mehreren Sprachen.
Überall sind die Rollfelder gleich grau und gleich
Hell die Krankenzimmer. Dort im Transitraum,
Wo Leerzeit umsonst bei Bewusstsein hält,
Wird ein Sprichwort wahr aus den Bars von Atlantis.

Atlantis ein mythisches Inselreich

Reisen ist ein Vorgeschmack auf die Hölle

1 Stellen Sie das Thema des Gedichts möglichst prägnant dar und setzen Sie es in Bezug zur Überschrift.

2 Untersuchen Sie die Äußerungen des lyrischen Ichs hinsichtlich seiner Erfahrungen des modernen Reisens und stellen Sie anschließend dar, inwieweit Sie diese Erfahrungen nachvollziehen können bzw. teilen.

3 Fertigen Sie auf der Grundlage Ihrer Analyseergebnisse eine Collage zum Gedicht Grünbeins an und stellen Sie es dem Plenum vor.

4 Nehmen Sie kritisch Stellung zur Aussage des letzten Verses des Gedichts „Kosmopolit".

Durs Grünbein

Alba

Alba altfranz. Ausdruck für das „Tagelied" der Troubadoure; Alba bezeichnet auch die Morgendämmerung

Endlich sind all die Wanderer tot
Und zur Ruhe gekommen die Lieder
Der Verstörten, der Landschaftskranken
In ihren langen Schatten, am Horizont.

Kleine Koseworte und Grausamkeiten
Treiben gelöst in der Luft. Wie immer
Sind die Sonnenbänke besetzt, lächeln
Kinder und Alte vorbei.

In den Zweigen hängen Erinnerungen,
Genaue Szenen aus einem künftigen Tag.
Überall Atem und Sprünge rückwärts
Durchs Dunkel von Urne und Uterus.

Uterus medizinischer Begriff für Gebärmutter

Und das Neue, gefährlich und über Nacht
Ist es Welt geworden. So komm heraus
Aus zerwühlten Laken, sieh sie dir an,
Himmel, noch unbehelligt, und unten

Aus dem Hinterhalt aufgebrochen,
Giftige Gräser und Elstern im Staub,
Mit bösem Flügelschlag, Diebe
In der Mitte des Lebensweges wie du.

Lernarrangement
Bilden Sie arbeitsgleiche Gruppen von max. 4–5 Personen und arbeiten Sie konsequent zusammen. Thematisieren Sie auch alle Verständnisschwierigkeiten.

1 Beschreiben Sie den Inhalt der einzelnen Strophen und untersuchen Sie deren zeitliche Abfolge. Welche Schwierigkeiten ergeben sich dabei für den Leser?

2 Analysieren Sie die Sprechsituation im Gedicht. Stellen Sie Vermutungen an, wer mit dem „du" im letzten Vers angesprochen sein könnte.

3 Untersuchen Sie, in welcher Form die Wanderer sowie die Natur im Gedicht dargestellt werden, und vergleichen Sie diese mit Müllers Gedicht „Der Wegweiser" (s. S. 101).

4 Fassen Sie die Ihnen bekannten postmodernen Erscheinungsformen des Motivs Unterwegssein zusammen.

Unterwegssein im Gedicht – wörtlich genommen

Axel Kutsch

Gang durch ein Gedicht (2008)

Treten Sie ein.
Genieren Sie sich nicht.
Schon sind Sie mitten
in einem Gedicht.

Gehen Sie weiter.
Bleiben Sie nicht steh'n,
damit Sie die Verse
bis zum Ende seh'n.

Seien Sie locker
und nicht so bang.
Schlendern Sie entspannt
die Zeilen entlang.

Atmen Sie ruhig.
Laufen Sie nie.
Hast ist die Feindin
der Poesie.

Betrachten Sie noch
einmal mit Bedacht,
was der Autor sich
für Sie ausgedacht.

Nun sind Sie bereits
am Ausgang des Gedichts
und sehen betroffen:
Eigentlich nichts.

Axel Kutsch
***1945**
dt. Lyriker und Herausgeber mehrerer Anthologien zeitgenössischer Lyrik

Lernarrangement
Teilen Sie Ihren Kurs in Gruppen von maximal vier Schülerinnen und Schülern:

1 Benennen Sie Aspekte zum Motiv des Unterwegsseins, die Ihnen in der zurückliegenden Unterrichtsreihe begegnet sind und Ihnen wichtig erscheinen.
(z. B. Wandern, Technikbegeisterung oder -kritik, Flucht/Verfolgung, Selbstfindung, Interesse am Fremden o. Ä.)

2 Fassen Sie die von Ihnen genannten Aspekte in einer Systematik zusammen, indem Sie diese nach selbstgewählten Kriterien gruppieren.

3 Formulieren Sie auf der Grundlage Ihrer Notizen einen Essay, der das Motiv des Unterwegsseins in seiner literarischen Umsetzung an einzelnen ausgewählten Beispielen reflektiert.

K

Klausurtraining

IB Vergleichende Analyse lyrischer Texte

1 Analysieren Sie das Gedicht „Sehnsucht" von Joseph von Eichendorff. Prüfen Sie abschließend, inwieweit das Gedicht der Epoche der Romantik zuzurechnen ist.

2 Analysieren Sie Ulla Hahns Gedicht „Sehnsucht" im Hinblick auf seinen Inhalt und seine sprachliche Gestaltung. Vergleichen Sie es anschließend mit Joseph von Eichendorffs Gedicht hinsichtlich der Bedeutung des Schlüsselbegriffs Sehnsucht sowie dessen Verknüpfung mit dem Motiv des Unterwegsseins.

Joseph von Eichendorff (1788–1857)

Sehnsucht (1830/31)

Es schienen so golden die Sterne,
Am Fenster ich einsam stand
Und hörte aus weiter Ferne
Ein Posthorn im stillen Land.
Das Herz mir im Leib entbrennte,
Da hab' ich mir heimlich gedacht:
Ach, wer da mitreisen könnte
In der prächtigen Sommernacht!

Zwei junge Gesellen gingen
Vorüber am Bergeshang,
Ich hörte im Wandern sie singen
Die stille Gegend entlang:
Von schwindelnden Felsenschlüften,
Wo die Wälder rauschen so sacht,
Von Quellen, die von den Klüften
Sich stürzen in die Waldesnacht.

Sie sangen von Marmorbildern,
Von Gärten, die überm Gestein
In dämmernden Lauben verwildern,
Palästen im Mondenschein,
Wo die Mädchen am Fenster lauschen,
Wann der Lauten Klang erwacht
Und die Brunnen verschlafen rauschen
In der prächtigen Sommernacht.

*Ulla Hahn (*1945)*

Sehnsucht

Nachts kreist die Sehnsucht um mein
römisches Haus
Sie weiß nicht wohin seitdem ich dich nicht
mehr liebe
Sie versucht sich in unvertrautem Geäst ruht
auf Pinien aus
Ich schließe die Fenster. Vor ihrem Schnabel-
hiebe

Habe ich Angst. Noch liegst du ohne Segen
unbegraben
In meinem Herzen und du verwest nur schwer
Die Sehnsucht könnte mir deinen Schatten
wiederholen
Sie kennt dich lange und weiß: Ich liebte dich
sehr

Sie kennt das Verheißene Land das lange auf
dich gewartet
hat alles stand zu deinem Empfang bereit
Als du nicht kamst nicht kamst bin ich
fortgegangen
Ich erschlug dich tief. Der Vogel Sehnsucht
schreit.

Zu Aufgabe 1:

Von Ihnen wird die Analyse eines lyrischen Textes erwartet. Diese setzt sich zusammen aus mehreren miteinander verbundenen und aufeinander aufbauenden Denkleistungen. Sie bestimmen das Thema des Gedichts, beschreiben und erläutern den Aufbau, erkennen wichtige lyrische Gestaltungsmittel und erklären deren Funktion, erfassen sprachlich-stilistische Gestaltungsmittel und arbeiten die Intention des Autors heraus. Diese Aufgabe abschließend weisen Sie am Gedicht typische Merkmale der Epoche nach.

Ein Blick auf die Formulierung der zweiten Aufgabe zeigt Ihnen an, dass die für den abschließenden Vergleich vorgesehene Akzentuierung im Hinblick auf den Titel „Sehnsucht“ sowie das damit verbundene Motiv des Unterwegsseins erfolgen soll. Dies zeigt Ihnen an, diese Vergleichskriterien bereits bei Ihrer Analyse des Gedichts von v. Eichendorff mit in den Blick zu nehmen.
Vor der Formulierung Ihres Textes müssen Sie eine grundlegende Entscheidung treffen. Entweder Sie arbeiten die einzelnen Analyseschritte der Reihe nach ab (linear), wie sie einleitend aufgeführt sind, oder sie verknüpfen diese Schritte unmittelbar miteinander (integriert).
Bei dem vorliegenden Gedicht empfiehlt sich die integrierte Vorgehensweise, da – ganz im Sinne der romantischen Lyrik – eine hohe Dichte der Korrespondenzen zwischen den einzelnen zu untersuchenden Aspekten zu verzeichnen ist. Folgende Analyseschritte bieten sich deshalb an:

Schritt 1: Verfassen einer aufgabenbezogenen Einleitung
Schritt 2: Bestimmung des Themas des Gedichts
Schritt 3: Integrierte bzw. lineare Analyse von Aufbau, Inhalt, Gestaltungsmitteln und Intention des Gedichts
Schritt 4: Zusammenfassung der Erkenntnisse aus Schritt 3 (unter Berücksichtigung der in Aufgabe 2 genannten Vergleichskriterien)
Schritt 5: Nachweis der Epochenmerkmale

Schritt 1

In Ihrer Einleitung geben Sie Verfasser, Titel und (falls angegeben) Entstehungsjahr des Gedichts an. Hier können Sie auch schon darauf hinweisen, dass das Erscheinungsjahr mit der Epoche der Romantik übereinstimmt. Da in der zweiten Aufgabe von Ihnen erwartet wird, dass Sie – über die reine Analyse des zweiten Gedichts hinaus – den gemeinsamen Schlüsselbegriff beider Gedichte, die Sehnsucht, schwerpunktmäßig im Hinblick auf das Motiv des Unterwegseins vergleichen, können Sie bereits in der Einleitung anmerken, das Sie die beiden genannten Aspekte besonders beachten wollen.

Schritt 2

Im Gedicht wird die Begrenzung eines explizit in Erscheinung tretenden lyrischen Ichs in seinem häuslichen Umfeld thematisiert, das nachts am Fenster steht und sich – ausgelöst durch unterschiedliche Wahrnehmungen sowie Symbole des Reisens – nach Überwindung seiner Einsamkeit sowie dem Erreichen eines fernen, idealtypisch verklärten Ziels sehnt.

Schritt 3

Sie verfügen zum Zeitpunkt des Klausurtrainings schon über eingehende Kenntnisse im Umgang mit Gedichten, vor allem aus der Epoche der Romantik sowie deren zentralen Merkmale und Motive. Des Weiteren ist Ihnen Joseph v. Eichendorff als Dichter aus dem Unterricht bekannt (vgl. etwa S. 102). Aus diesem Grund soll hier auf eine engschrittige Führung durch die Analyse des als prototypisch für diese Epoche zu bezeichnenden Gedichten verzichtet werden. Um keine Untersuchungsaspekte zu übergehen, können Sie sich bei Ihrer Auseinandersetzung mit dem ersten Gedicht an dem bekannten Leitfaden zur Gedichtanalyse orientieren (s. S. 108 – 110).

Schritt 4

Im Hinblick auf die angestrebte Akzentuierung in Aufgabe 2 kann bereits hier die Zusammenfassung der Analyseergebnisse zu v. Eichendorffs Gedicht dahingehend angelegt werden. Dies kann etwa dadurch geschehen, dass Sie bereits an dieser Stelle Notizen anfertigen, die den spezifischen Zusammenhang des Sehnsucht-Begriffs in der Romantik im Zusammenhang mit der damaligen literarischen Verarbeitung des Motiv des Unterwegsseins berücksichtigen.

Schritt 5

Bezüglich der Epochenzugehörigkeit können Sie auf das Erscheinungsjahr des Gedichts (1830/31) verweisen, das rein zeitlich in die späte Phase der Romantik passt. Inhaltlich lässt sich diese Zuordnung aber noch zusätzlich stützen. Das Thema „Sehnsucht" kann als typisch für diese Epoche deklariert werden, ganz gleich, ob dieses Gefühl sich auf die Beziehung zu anderen Menschen oder ein (idealisiertes) geografisches Ziel richtet, insbesondere wenn dieses nur durch die Überwindung eines abenteuerlichen Weges zu erreichen ist. Formal bietet der Rhythmus, der sich aus dem Zusammenspiel von Reim und Metrum ergibt und die liedhafte Form des Gedichts prägt, ein weiteres deutliches Argument für diese epochalgeschichtliche Einbettung.

Zu Aufgabe 2:

Um beide Gedichte hinsichtlich der zwei in der Aufgabenstellung vorgegebenen Aspekte vergleichen zu können, müssen diese herausgearbeitet werden. D. h., Sie müssen keine vollständige Analyse für das Gedicht von U. Hahn anfertigen, sondern können sich auf diese beiden Aspekte – Inhalt und sprachliche Gestaltung – beschränken. Im Rahmen des Vergleichs mit dem Gedicht von v. Eichendorff können Sie auf Ihre Arbeitsergebnisse von Aufgabe 1 zurückgreifen. Des Weiteren werden Sie durch die abschließende Akzentuierung des Vergleichs beider Gedichte bezüglich des Schlüsselbegriffs Sehnsucht und des Motivs des Unterwegsseins zusätzlich gelenkt.
Vor diesem Hintergrund bieten sich folgende Schritte an:

Schritt 1: Verfassen einer aufgabenbezogenen Überleitung

Schritt 2: Gestraffte Analyse des Gedichts von Ulla Hahn mit den Schwerpunkten Inhalt und sprachliche Gestaltung

Schritt 3: Spezifische Ausgestaltung der Bedeutung des zentralen Begriffs Sehnsucht sowie des Motivs „Unterwegssein" bei Ulla Hahn

Schritt 4: Herausarbeitung von Gemeinsamkeiten und Unterschieden beider Gedichte hinsichtlich der Verknüpfung von Schlüsselwort und Motiv

Schritt 5: Bilanzierende Schlussbetrachtung

Schritt 1

Bei einer aufgabenbezogenen Überleitung sollten Sie sich nicht mit der bloßen Wiedergabe des Arbeitsauftrages begnügen. Es wird erwartet, dass Sie die beiden Aufgaben inhaltlich und ggf. methodisch miteinander verbinden. Dies lässt sich im vorliegenden Fall etwa im Hinblick auf den identischen Titel realisieren, verbunden mit der Frage, welche möglichen Variationen im Begriffsverständnis von Sehnsucht zu unterschiedlichen Entstehungszeiten – beide Gedichte liegen ungefähr 150 Jahre auseinander – zu verzeichnen sein könnten.

Schritt 2

Wie eingangs schon angeführt, muss die Analyse des Gedichtes von Ulla Hahn nicht in aller Ausführlichkeit durchgeführt werden, sondern kann auf die in der Aufgabe vorgenommenen Schwerpunktsetzungen konzentriert werden. Dies sind hier der inhaltliche sowie sprachliche Aspekt. Ähnlich wie in Schritt 4 zur 1. Aufgabe bietet es sich dabei auch an, bei der Zusammenstellung der Ergebnisse die spezifische Verknüpfung des Titelbegriffs mit dem Motiv des Unterwegsseins als abschließendes Vergleichskriterium im Blick zu behalten.
Dabei könnten Sie etwa wie folgt beginnen:

In dem Gedicht „Sehnsucht“ von U. Hahn beklagt das lyrische Ich die Trennung von einer einst geliebten Person, die sie bislang noch nicht endgültig verarbeitet hat. Bei der Ausführung dieses Themas beginnt das lyrische Ich mit den es quälenden Konsequenzen, da sich die Sehnsucht – ihres Zieles beraubt – orientierungslos im Kreis bewegt (1. Strophe). Unfähig, sich der Belastungen der andauernden Sehnsucht durch eine endgültige Trennung von der geliebten Person zu entledigen, steigert sich das lyrische Ich in Angstgefühle (2. Strophe). Der Versuch, die Gedanken an die (unerfüllte) Liebe gewaltsam auszulöschen, scheitert, die Sehnsucht mit ihren schmerzhaften Folgen aber bleibt (3. Strophe).

Formal betrachtet sind die drei Strophen mit jeweils vier Versen inhaltlich jedoch nicht klar voneinander getrennt, da die Struktur des Gedichts durch Enjambements dominiert wird, die sich auch bei den Strophenübergängen zeigen. Ein durchgängiges Metrum findet sich nicht, außerdem wird die Interpunkt nicht regelkonform vorgenommen. In diesem Zusammenhang können Sie überprüfen, welche weiteren sprachlichen Unregelmäßigkeiten die „Atmosphäre“ des Gedichts stören.
Der Blick auf die sprachliche Gestaltung rückt den Begriff der Sehnsucht eindeutig in den Mittelpunkt. Hier erscheint es sinnvoll, die Vogelmetaphorik im Hinblick auf die Sehnsucht und die mit ihr verbundenen Gefühlswechsel genauer zu untersuchen und zu deuten.
Insgesamt ergibt sich aus der inhaltlichen, formalen sowie sprachlichen Analyse des Gedichts ein Bild innerer Zerissenheit und Gefühlsdiffusion bezüglich des lyrischen Ichs.

Schritt 3

Vor dem Hintergrund der Ergebnisse der besonderen Beachtung des Schlüsselbegriffs Sehnsucht lassen sich auch bezüglich des Motivs des Unterwegsseins wesentliche Punkte erschließen. Dabei kann von den zentralen Fragen danach ausgegangen werden, wer oder was und in welcher Form unterwegs ist, ob ein Ziel angestrebt wird und ggf. erreicht wird und welche Bedeutung in diesem Zusammenhang den komplementären Begriffen (nicht) *kommen* sowie (fort)*gehen* (s. V. 11) zuzumessen ist.

Schritt 4

Die bislang weitgehend unabhängig voneinander durchgeführten Analysen müssen nun zusammengeführt werden unter den Leitbegriffen der Sehnsucht und des Unterwegsseins. Auf der Grundlage des bisherigen Unterrichts sollte klar sein, dass die Sehnsucht einer der zentralen Begriffe der Epoche der Romantik ist. Insofern stellt sich die Frage, inwiefern Ulla Hahn in ihrem Gedicht der romantischen Deutung des Sehnsucht-Begriffs entspricht bzw. diesen variiert und welche Auswirkungen damit für das Motiv des Unterwegsseins verbunden sind.
Vor diesem Hintergrund kann – die Analyse abschließend – die vergleichende Beantwortung folgender Fragen bezogen auf das Motiv des Unterwegsseins leitend sein:

- Welche (geografischen und persönlichen) Ziele sind jeweils damit verbunden bzw. werden gemieden?
- Können die Ziele erreicht werden?
- Worin unterscheidet sich ihre jeweilige Funktion?

Schritt 5

In Ihrer Bilanz könnten Sie Bezug nehmen auf Ihre Kenntnisse über die Lyrik in der jeweiligen Entstehungszeit der Gedichte. Lässt sich die Lyrik der Epoche der Romantik hinsichtlich der einzelnen Untersuchungsaspekte recht eindeutig bestimmen, ist die Lyrik der Gegenwart durch ein hohes Maß an Vielfalt und Variationen vor dem Hintergrund subjektiver Erfahrungen geprägt. Insofern kann die Welt der Romantiker weitgehend als intakt bezeichnet werden, was literaturhistorisch etwa mit dem Übergang in das 20. Jahrhunderts, also den Anfängen der sogenannten Moderne, meist nicht mehr der Fall ist.

„Franz Huchel auf der Suche nach dem Glück“

Texte

Strukturell unterschiedliche Erzähltexte aus unterschiedlichen historischen Kontexten
Komplexe Sachtexte

Sprache

Sprachgeschichtlicher Wandel

Kommunikation

Sprachliches Handeln im kommunikativen Kontext
Rhetorisch ausgestaltete Kommunikation in funktionalen Zusammenhängen

Medien

Filmische Umsetzung einer Textvorlage

Klausurtraining

I A Analyse eines epischen Textes

Robert Seethaler: Der Trafikant

Kompetenzen

Sie setzen sich in diesem Arbeitsbuch mit unterschiedlichen epischen Werken der deutschen Literaturgeschichte auseinander, allerdings werden dabei nicht allein die Werke in den Fokus gerückt, sondern insbesondere auch die Schaffenszeit sowie formale und inhaltliche Abgrenzungen zu anderen bekannten und weniger bekannten epischen Werken. Auf diese Art und Weise werden Sie u. a. folgende Kompetenzen erwerben:

- Strukturell unterschiedliche erzählende Texte unter besonderer Berücksichtigung der Entwicklung der gattungstypischen Gestaltungsform analysieren,
- literarische Texte in grundlegende literarhistorische und historisch-gesellschaftliche Entwicklungen – von der Romantik bis zum 21. Jahrhundert – einordnen und die Möglichkeit und Grenzen der Zuordnung literarischer Werke zu Epochen aufzeigen,
- an ausgewählten Beispielen die Mehrdeutigkeit von Texten sowie die Zeitbedingtheit von Rezeption und Interpretation reflektieren,
- in Ihren Analysetexten Ergebnisse textimmanenter und textübergreifender Untersuchungsverfahren darstellen und in einer eigenständigen Deutung zusammenführen,
- Ihr Textverständnis durch Formen produktionsorientierten Schreibens darstellen,
- Texte unter spezifischen Fragestellungen zu Inhalt, Gestaltungsweise und Wirkung kriterienorientiert beurteilen,
- die filmische Umsetzung einer Textvorlage in ihrer ästhetischen Gestaltung analysieren und ihre Wirkung auf den Zuschauer unter Einbezug medientheoretischer Ansätze erläutern.

Drohendes Gewitter

Den Romananfang formal und thematisch analysieren

Die folgenden Fotografien geben den Schauplatz der Romanhandlung an ihrem Beginn sowie die zu dieser Zeit herrschenden äußeren Bedingungen wieder. Die Handlung setzt in dem kleinen Ort Nußdorf ein, der etwas mehr als 50 km in östlicher Richtung von Salzburg entfernt am Attersee in Oberösterreich gelegen ist.

Das große Foto spiegelt die Wetterbedingungen beim Einsetzen der Romanhandlung wider, die zwei kleineren Fotos zeigen den Ort bzw. die ihn umgebende Landschaft.

Der Attersee während eines Gewitters

Nußdorf am Attersee mit Panorama (1919)

1 Betrachten Sie zunächst die Fotos und notieren Sie Ihre Eindrücke sowie die damit bei Ihnen ausgelösten Stimmungen.

2 Vergleichen Sie die Fotos hinsichtlich ihrer Wirkung aufeinander.

Aller Anfang ~~ist~~ muss nicht schwer sein

Den Beginn eines umfangreicheren Erzähltextes funktional untersuchen

Von zentraler Bedeutung für einen erzählenden Text ist dessen Anfang, die Exposition. Deren Aufgabe besteht darin, die Leserinnen und Leser auf das folgende Geschehen einzustimmen bzw. in die Handlung einzuführen. Sie kann über die Vorgeschichte des Geschehens unterrichten. Darüber hinaus bietet sie dem Leser Orientierung über Ort, Zeit und einzelne Figuren. Sie deutet mögliche Konflikte an und trägt damit zur Entwicklung spezifischer Erwartungen bei. Aus diesem Grunde ist die Exposition vergangenheits-, gegenwarts- und zukunftsorientiert. Die inhaltlichen Elemente der Exposition können mithilfe der W-Fragen (Wo?, Wann?, Wer?, Was?) erschlossen werden.

Wenden Sie sich nun dem Romantext von Robert Seethaler zu.

Lernarrangement

1 Bilden Sie Vierergruppen. Lesen Sie den Text vom Beginn auf S. 7 bis zur S. 16, Z. 25.

2 Klären Sie zunächst Ihr Textverständnis in Ihrer Gruppe ab, indem Sie sich über die Handlung in der Exposition austauschen.

3 Erschließen Sie im folgenden Schritt gemeinsam alle wesentlichen Informationen zu den vier namentlich erwähnten Figuren der Exposition.
Legen Sie dazu eine Tabelle nach dem folgenden Muster an und tragen Sie stichpunktartig Ihre Ergebnisse zu jeder Figur in die entsprechenden Reihen und Spalten ein. Geben Sie dabei auch die Fundstellen im Text an, indem Sie die jeweiligen Seiten- sowie Zeilenzahl notieren.

4 Fassen Sie zusammen, auf welche Weise der Erzählbeginn das Leserinteresse weckt.

(vorläufige) Figurencharakterisierung

Franz Huchel		Frau Huchel	
Inhalt	Textbeleg	Inhalt	Textbeleg
Alois Preininger		**Otto Trsnjek**	
Inhalt	Textbeleg	Inhalt	Textbeleg

5 Verfassen Sie in Ihrer Gruppe einen Fließtext, in dem Sie den Protagonisten Franz Huchel sowie seine Mutter hinsichtlich seiner bzw. ihrer persönlichen Merkmale ausführlich vorstellen.

6 Jede Gruppe bestimmt einen der beiden Texte, den ein Gruppenmitglied im Plenum vorstellt. Bei der Auswahl der Texte ist darauf zu achten, dass möglichst die gleiche Anzahl zu den beiden Figuren vorgestellt wird.

Die Figurenkonstellation innerhalb der Exposition von R. Seethalers Roman „Der Trafikant" darstellen

Den Figuren in einem – vor allem längeren – epischen Text wie dem vorliegenden Roman Seethalers kommt nicht allein wegen ihrer persönlichen Merkmale eine besondere Bedeutung zu, sondern darüber hinaus in ihrer Funktion als Träger der Handlung sowie des Beziehungsgefüges untereinander. Deshalb soll in einem zweiten Schritt die bereits erstellte Matrix individueller Eigenschaften um die sozialen Beziehungen zwischen den Figuren erweitert werden. Fachterminologisch wird ein solches Beziehungsgefüge in der Soziologie als Soziogramm bezeichnet.

Soziogramm

Ein Soziogramm ist die grafische Darstellung der Beziehungen zwischen den Mitgliedern innerhalb einer Gruppe, ausgehend von den Daten einer Erhebung.

Beispiel für ein Soziogramm:

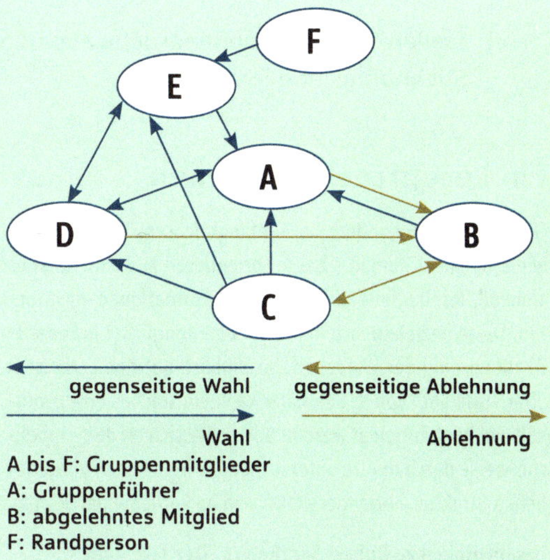

1 a) Bestimmen Sie vorab, welche der vier Figuren eindeutig durch eine positive bzw. negative Beziehung zu einer anderen Figur gekennzeichnet sind.

b) Gestalten Sie – entsprechend der Vorlage – eine Figurenkonstellation von Franz Huchel, seiner Mutter, Alois Preininger und Otto Trsnjek. Tragen Sie zur Kennzeichnung von Ablehnung und Zuwendung zwischen den Figuren die entsprechenden Pfeile ein und benennen Sie die Form der Sympathie bzw. Antipathie stichpunktartig über dem Pfeil.

2 Beschreiben Sie differenziert das Verhältnis zwischen Franz Huchel und seiner Mutter unter Berücksichtigung beider Perspektiven.

3 Formulieren Sie den Brief, den Frau Huchel an Otto Trsnjek in Wien geschrieben hat, um eine Arbeitsstelle für Franz zu finden (vgl. S. 16, Z. 10ff.).

4 Erläutern Sie, wie es zu der „Ohrfeige" kommen konnte, die Frau Huchel ihrem Sohn am Vorabend seiner Abreise gibt (S. 16, Z. 22–25).

5 Beurteilen Sie insgesamt die Kindheit Franz Huchels in Nußdorf.

Die bisher zusammengetragenen und vorgestellten Informationen, die allein aus der Analyse der Exposition zu Seethalers Roman stammen, ergeben sich sämtlich aus den Angaben zur Vorgeschichte des bisherigen Geschehens sowie der gegenwärtigen Ereignisse. Diese Hinweise erfahren die Leser aus der Figurenrede bzw. den Kommentierungen des Erzählers. Dennoch gehört es mit zu den Funktionen der Exposition eines Romans, den Blick der Rezipienten auch auf das zukünftige Geschehen zu richten. Dies setzt voraus, das zumindest Möglichkeiten hierzu bereits in der Exposition angelegt sind.

Lernarrangement

1 a) Sie verfügen inzwischen durch Ihre bisherige Auseinandersetzung mit der Exposition über eine gute Textkenntnis der ersten zehn Seiten des Romans.
Benennen Sie zunächst alle bisher gesammelten Informationen, die ein gewisses Konfliktpotenzial in sich tragen. Berücksichtigen Sie hierbei auch den Zeitpunkt, an dem die Handlung einsetzt.

b) Formulieren Sie nun auf dieser Grundlage Ihrer Textkenntnis und Ihrer darüber hinausgehenden Kenntnisse zur Exposition des Romans in Ihrer Gruppe Hypothesen über den weiteren Handlungsverlauf, indem Sie entsprechende Möglichkeiten skizzieren.

c) Stellen Sie Ihre Gruppenergebnisse begründend im Plenum vor und überprüfen Sie die Stichhaltigkeit der Vorschläge.

Ein Leseprotokoll anlegen

Um sich – insbesondere bei umfangreicheren Erzähltexten, wie z. B. einem Roman – besser orientieren zu können, ist es sinnvoll, lesebegleitend bestimmte Informationen zu notieren. Diese beziehen sich meist auf eine möglichst prägnante Beantwortung der W-Fragen. Im Hinblick auf den Erzähltext „Der Trafikant“ von R. Seethaler kann ein solches Leseprotokoll wie folgt angelegt werden und sollte sich an der – möglicherweise durch den zu untersuchenden Text schon vorgegebenen Struktur – orientieren. Da sich im vorliegenden Roman allerdings, abgesehen von optischen Trennungen durch Leerzeilen, keine Strukturierungen des Textes, wie etwa Kapiteleinteilungen mit oder auch ohne Überschriften finden, ist es sinnvoll, den Text entsprechend an den thematischen Wechseln zu orientieren, die sich aber erst im Vollzug des Leseprozesses zu erkennen geben. Diese sollten aus Gründen der besseren (Wieder-)Auffindbarkeit auch im Text selbst markiert werden.

Leseprotokoll zu Robert Seethalers „Der Trafikant“:

1 thematische Zuordnung mit Seitenzahl	2 kurze Inhalts-angabe	3 zentrale Figuren	4 Ort/(Zeit)	5 wesentliche Handlungsaspekte (Ereignisse, Konflikte etc.)
S. 7–16	Darstellung der Lebens-verhältnisse von Franz	Franz H. Frau Huchel A. Preininger	Nußdorf/ Spätsom-mer 1937	Kindheit Franz H. in Nußdorf, Alois Preininger, der Geliebte von Franz’ Mutter, ertrinkt bei einem schweren Gewitter im See; Frau Huchel vermittelt ihrem Sohn eine Ausbildungsstelle in einer Trafik in Wien bei einem früheren Bekannten, Otto Trsnjek.
S. 16–19, Z. 12	Zugfahrt nach Wien			

Übertragen Sie das Raster des Leseprotokolls in Ihre Unterlagen, sodass Sie dieses entsprechend dem Fortschritt Ihrer Lektüre anpassen und ergänzen können.

Hilfreich ist an dieser Stelle auch die Erstellung eines „Zeilometers“, mit dem Sie Ihre Seitenangaben mit der genauen Zeilenangabe präzisieren können. Verwenden Sie dazu ein dickeres Papier bzw. einen dünneren Karton in der Größe von ca. 20 cm (L) und 3 cm (B). Legen Sie den Streifen an einer vollständig bedruckten Seite so an, dass sich drei Zentimeter oberhalb der ersten bedruckten Zeile befinden. Nummerieren Sie nun am rechten und/oder linken Rand die Druckzeilen durch.

2 Lesen Sie Seethalers Roman „Der Trafikant“ nun bis zum Schluss und dokumentieren Sie Ihren Lesefortschritt durch die Fortschreibung Ihres Leseprotokolls.

Zwischen Abschied und Ankunft

Sich der Funktion von Übergangsphasen nähern

Der Bahnhof von Timelkam, Oberösterreich

1 Lesen Sie den auf die Exposition folgenden Romantext bis S. 19, Z. 12 und erläutern Sie, weshalb Franz „ein bisschen grantig" tut (S. 17, Z. 2), als sich seine Mutter am Bahnhof in Timelkam von ihm verabschiedet.

2 Beschreiben Sie Franz' innere Verfassung während der Zugfahrt nach Wien.

Insgesamt wird Franz' Fahrt nach Wien als ereignislos, „eher langweilig" (S. 18, Z. 8) bezeichnet. Dennoch wird von einem Zwischenfall erzählt, durch den es letztlich zu einer nicht unerheblichen Verzögerung während der Zugfahrt kommt.

3 Fassen Sie das entsprechende Ereignis und die Erläuterungen des Schaffners mit eigenen Worten zusammen.

4 Stellen Sie die Reaktionen von Franz auf diesen Vorfall dar und begründen Sie sein Verhalten.

5 Überprüfen Sie, inwieweit Sie das Ereignis in Ihre Hypothesenbildung zum weiteren Verlauf der Romanhandlung integrieren können, d. h., ob der toten Kuh auf den Gleisen im Zusammenhang mit den Aussagen des Schaffners eine symbolische Bedeutung beigemessen werden kann.

Der Westbahnhof in Wien (1935)

6 Vergleichen Sie die beiden Abbildungen der Bahnhofsgebäude am Ort der Abreise in Timelkam sowie in Wien miteinander. Stellen Sie dar, auf welche Veränderungen in seinem Leben sich Franz in der österreichischen Metropole einstellen muss.

„Es gibt kein Zurück …"

Sich mit den psychischen Belastungen des Großstadtlebens anhand unterschiedlicher Texte auseinandersetzen

Als Franz im Wiener Westbahnhof ankommt und das Bahnhofsgebäude verlässt, strömen sehr viele neue Eindrücke auf ihn ein, die ihn nahezu überwältigen.

1 Lesen Sie die Textstelle auf S. 19, Z. 13 – S. 21, Z. 27 und analysieren Sie Franz' Verhalten sowie die unterschiedlichen Wahrnehmungsempfindungen, denen er in der Großstadt ausgesetzt ist. Tragen Sie Ihre Ergebnisse in die folgende Tabelle ein und notieren Sie die dazugehörigen Fundstellen im Text.

Franz Huchel	
beobachtbares Verhalten	**Wahrnehmungen in der Großstadt**

2 Beziehen Sie beide Aspekte aufeinander und erläutern Sie Franz' innere Verfassung.

Gegen Ende dieser Szene wird Franz von einer kleinen Dame angesprochen, die sein auffälliges Verhalten bemerkt hat. Auf seine Erklärung hin, der Gestank der Großstadt mache ihm etwas zu schaffen, belehrt sie ihn, es sei „nicht der Kanal, der da stinkt […]. Das sind die Zeiten. Faulige Zeiten sind das nämlich. Faulig, verdorben und verkommen!" (S. 21, Z. 9 ff.)

3 Vergleichen Sie die Aussage „der kleinen Dame" mit den Äußerungen des Schaffners nach dem Zwischenfall mit der toten Kuh (vgl. S. 18, Z. 7 ff.) und erläutern Sie den gemeinsamen gedanklichen Hintergrund.

Am Ende des Gesprächs empfiehlt die Dame Franz, möglichst schnell die Rückfahrt anzutreten. Er kontert den Rat mit der Feststellung: „Blödsinn! […] Es gibt kein Zurück, und außerdem gewöhnt man sich an alles." (S. 21, Z. 26 f.) Daraufhin setzt er seinen Weg fort in Richtung seines Ziels, der Tabaktrafik von Otto Trsnjek.

4 Erklären Sie mit Bezug auf diese letzte Aussage Franz Huchels, inwiefern sich hier seine innere Verfassung verändert hat. Beziehen Sie dabei auch die Art und Weise mit ein, wie er seinen Weg fortsetzt.

Synästhesie

Die Wirkung der Vermischung verschiedener Sinneswahrnehmungen untersuchen

W. Kandinsky, Impression III (Das Konzert), 1911

Julia Schmitz

Mein Montag ist gelb und rund (2019)

Es ist Mittwochmorgen, halb sieben: Vor meinem inneren Auge explodiert urplötzlich ein Feuerwerk, gleichzeitig fühlt es sich an, als drücke jemand meinen Oberkörper auf die Nägel eines Fakirbretts. Ich stehe senkrecht im Bett, weil die Müllabfuhr mit laufendem Motor vor meinem Haus hält und Hunderte Glasflaschen mit lautem Klirren in den Wagen kippt. Für die meisten Menschen in der Großstadt ist so eine Situation nicht weiter erwähnenswert, sie stopfen sich Watte in die Ohren und schlafen weiter. Aber nicht für mich: Ich höre das zerbrechende Glas nämlich nicht nur, ich spüre es auch körperlich – und ich kann das Geräusch sehen. […]
Was ist bei mir anders, warum nehme ich akustische Eindrücke auf diese Art wahr? Synästhesie nennt man das neurologische Phänomen, das sich hinter der Hypersensibilität meiner Sinnesorgane verbirgt. Während der Großteil der Menschen auf Reize mit nur einem Sinn reagiert – Töne hören, Farben sehen, Gerüche riechen – feuern bei mir oftmals alle Synapsen durcheinander. Areale, die im Gehirn weit auseinander liegen, reagieren bei Synästheten gemeinsam: Wir sehen Geräusche, schmecken Farben, fühlen Buchstaben. Oft sind zwei, manchmal auch drei oder vier Sinne miteinander in Kontakt. […]
Das Phänomen der gekoppelten Wahrnehmung ist bereits seit Jahrhunderten bekannt, doch galt es lange Zeit als unheilbare Krankheit. Erst im 19. Jahrhundert erstarkte das Interesse daran, wurde der Begriff Synästhesie geprägt, der sich aus den altgriechischen Worten *syn* (zusammen) und *aisthesis* (Empfinden) zusammensetzt. Seitdem wird unermüdlich gerätselt und geforscht, auch die Kunst hat diese ungewöhnliche Gemeinschaft der Sinne Anfang des 20. Jahrhunderts entdeckt. Viele Komponisten, Maler und Schriftsteller waren und sind Synästheten, darunter Vladimir Nabokov, Wassily Kandinsky oder David Hockney.

V. Nabokov (1899–1977) russ.-amerik. Schriftsteller und einflussreicher Erzähler

W. Kandinsky (1866–1944) russ. Maler, Grafiker u. Kunsttheoretiker, Vertreter des Expressionismus u. Wegbereiter der abstrakten Kunst

D. Hockney *1937, brit. Maler u. Grafiker, einer der einflussreichsten Künstler des 20. Jhrdts.

1 Formulieren Sie auf der Grundlage des Textes eine Definition zur Kennzeichnung des Begriffs Synästhesie.

2 Beschreiben Sie, mit welchen Auswirkungen ein Synästhetiker in seinem Alltag zu rechnen hat.

In der Rhetorik und der Literatur finden sich häufig Beispiele der Vermischung von zwei oder mehreren Sinnesebenen, die insbesondere in der romantischen, aber auch seit der expressionistischen bis hin zur zeitgenössischen Literatur als Ausdruck eines gesteigerten Sinnesempfindens gilt. Synästhesien sind nicht allein in der erzählenden Literatur zu finden, sondern ebenso in lyrischen Texten.

3 Überprüfen Sie an den Gedichten von E. Blass (An Gladys, 1912), E. Stadler (Heimkehr, 1914) sowie E. W. Lotz (Da sind die Straßen …, 1913), inwiefern und in welcher Form darin Synästhesien zur Anwendung kommen. (Die Gedichttexte finden sich in diesem Arbeitsbuch auf S. 134 f.)

4 Beschreiben Sie die Wirkung dieses Prinzips auf die Leser/-innen.

Die Folgen der Reizüberflutung in der Großstadt

Veränderungen in der Lebenswelt der Menschen aus einem pragmatisch-wissenschaftlichen Text erschließen und mit heutigen Verhältnissen vergleichen

Georg Simmel (1858 – 1918)

Der Berliner Philosoph und Soziologe widmete sich in seinem wissenschaftlichen Werk insbesondere der Kulturphilosophie, gilt darüber hinaus aber auch als Wegweiser der Konflikt- und Stadtsoziologie.

In seinem Aufsatz „Die Großstädte und das Geistesleben“ aus dem Jahr 1903 vertritt Simmel die Auffassung, das Leben in der Großstadt bedinge eine beständige Überbeanspruchung des Nervensystems ihrer Bewohner, die bei diesen dauerhaft zu negativen Auswirkungen in physischer sowie psychischer Hinsicht führen würde. Als Schutz vor der Reizüberflutung in der Großstadt müsse der Großstädter im Rahmen einer Rationalisierung seiner großstädtischen Lebenswelt Abwehrstrategien erwerben, die ihm dann zu Gewohnheiten würden. Um psychisch bestehen zu können, müsse der Großstädter eine Art Resilienz gegen diese Vielzahl von Reizen erwerben, die es ihm – nach Simmel – ermögliche, u. a. Gewohnheiten, wie etwa Distanz, Oberflächlichkeit und Gleichgültigkeit, aufzubauen.

Resilienz (lat.) psychische Widerstandsfähigkeit

Georg Simmel

Die Großstädte und das Geistesleben (1903)

Die psychologische Grundlage, auf der der Typus großstädtischer Individualitäten sich erhebt, ist die Steigerung des Nervenlebens, die aus dem raschen und ununterbrochenen Wechsel äußerer und innerer Eindrücke hervorgeht. Der Mensch ist ein Unterschiedswesen, d.h., sein Bewusstsein wird durch den Unterschied des augenblicklichen Eindrucks gegen den vorhergehenden angeregt; beharrende Eindrücke, Geringfügigkeit ihrer Differenzen, gewohnte Regelmäßigkeit ihres Ablaufs und ihrer Gegensätze verbrauchen sozusagen weniger Bewusstsein, als die rasche Zusammendrängung wechselnder Bilder, der schroffe Abstand innerhalb dessen, was man mit einem Blick umfasst, die Unerwartetheit sich aufdrängender Impressionen. Indem die Großstadt gerade diese psychologischen Bedingungen schafft – mit jedem Gang über die Straße, mit dem Tempo und den Mannigfaltigkeiten des wirtschaftlichen, beruflichen, gesellschaftlichen Lebens – stiftet sie schon in den sinnlichen Fundamenten des Seelenlebens, in dem Bewusstseinsquantum, das sie uns wegen unserer Organisation als Unterschiedswesen abfordert, einen tiefen Gegensatz gegen die Kleinstadt und das Landleben, mit dem langsameren, gewohnteren, gleichmäßiger fließenden Rhythmus ihres sinnlich-geistigen Lebensbildes. Daraus wird vor allem der intellektualistische Charakter des großstädtischen Seelenlebens begreiflich, gegenüber dem kleinstädtischen, das vielmehr auf das Gemüt und gefühlsmäßige Beziehungen gestellt ist. Denn diese wurzeln in den unbewussteren Schichten der Seele und wachsen am ehesten an dem ruhigen Gleichmaß ununterbrochener Gewöhnungen. Der Ort des Verstandes dagegen sind die durchsichtigen, bewussten, obersten Schichten unserer Seele, er ist der anpassungsfähigste unserer inneren Kräfte; er bedarf, um sich mit dem Wechsel und Gegensatz der Erscheinungen abzufinden, nicht der Erschütterungen und des inneren Umgrabens, wodurch allein das konservativere *Gemüt* sich in den gleichen Rhythmus der Erscheinungen zu schicken wüsste. So schafft der Typus des Großstädters, – der natürlich von tausend individuellen Modifikationen umspielt ist – sich ein Schutzorgan gegen die Entwurzelung, mit der die Strömungen und Diskrepanzen seines äußeren Milieus ihn bedrohen: statt mit dem Gemüt reagiert er auf diese im Wesentlichen mit dem Verstande, dem die Steigerung des Bewusstseins, wie dieselbe Ursache sie erzeugte, die seelische Prärogative verschafft; damit ist die Reaktion auf jene Erscheinungen

Prärogativ Vorrecht, Vorzug

in das am wenigsten empfindliche, von den Tiefen der Persönlichkeit am weitesten abstehende psychische Organ verlegt. Diese Verstandesmäßigkeit, so als ein Präservativ des subjektiven Lebens gegen die Vergewaltigungen der Großstadt erkannt, verzweigt sich in und mit vielfachen Einzelerscheinungen. [...]

1 Stellen Sie die von Simmel genannten Auswirkungen der Großstadt auf die körperliche und seelische Verfassung ihrer Bewohner prägnant dar.

2 Beurteilen Sie Franz' Schwächeanfall vor dem Westbahnhof nach seiner Ankunft in Wien auf der Grundlage der Ausführungen von Simmel.

3 Erläutern Sie beispielhaft, inwieweit Ihnen die „Überlebensstrategien" der Großstädter nach Simmel plausibel erscheinen.

4 Nehmen Sie kritisch Stellung, ob die von Simmel 1903 entwickelte Position bezüglich der Belastungen und Konsequenzen für die Bewohner der damaligen Großstädte auch auf unsere heutige Lebenswelt mit ihrer extremen Medienpräsenz übertragen werden kann. Beziehen Sie in Ihre Argumentation auch die beiden folgenden Fotografien mit ein.

Hausdurchfahrt der Hochbahn in der Berliner Bülowstraße 50 (1905)

Times Square, New York

Wer erzählt wem was wie?

Die Grundprinzipien der Erzähltechnik erschließen

Für die erzähltechnische Analyse eines epischen Textes ist es unerlässlich, mit einem klaren Begriffsverständnis die einzelnen Analyseschritte durchzuführen, um abschließend zu einer sachadäquaten Beurteilung gelangen zu können. Der folgende Text stellt eine Systematisierung des komplexen Erzählmodells von Jürgen H. Petersen dar und folgt durchgängig dessen Begrifflichkeiten. Die entscheidenden Kategorien des Erzählmodells und dementsprechend auch der Beurteilungskriterien sind im Folgenden besonders hervorgehoben.

Jürgen H. Petersen (1937 – 2017), dt. Germanist und Literaturwissenschaftler, Professor für Neuere Literaturwissenschaft an der Universität Osnabrück

Sascha Spolders

Modell des Erzählens nach Petersen (2016)

Das Erzählsystem eines epischen Textes ist immer ein fiktionales Konstrukt, in dem ein bestimmtes und spezifisches Verhältnis zwischen Erzähler, Erzähltem und dem Leser vorliegt. Im Rahmen einer **Erzählsituation** – dieser Begriff wird hier als übergeordnete Kategorie verwendet – vermittelt ein zu bestimmender Erzähler einen fiktiven Inhalt auf eine spezifische Art und Weise. Die Frage einer Erzählanalyse ist dann immer: Warum vermittelt ausgerechnet diese Form des Erzählers diesen Inhalt auf genau diese Art und Weise? Mit anderen Worten: Welche Funktion erzielt die spezifische Erzählgestaltung?

Nach Petersen können dann verschiedene Kategorien unterschieden werden, eine der zentralen Ebenen ist dabei die Erzählform.

Die **Erzählform** bezeichnet die Frage, ob und inwieweit der Erzähler personalisiert auftritt. Während der Ich-Erzähler eine Personalisierung erfährt, also auch Bestandteil der eigentlichen Handlung der Erzählung ist (er oder sie ist selber eine Figur), hat der Er-/Sie-Erzähler keine Personalisierung. Er kann die Handlung überschauen, näher oder distanzierter zu den Figuren sein, die Handlung evtl. kommentieren, er ist aber nicht Teil der eigentlichen Handlung. Ein Erzähler der Er-/Sie-Form bleibt selber in diesem Sinne unsichtbar und ist „nur" ausführendes Medium der Erzählung.

Im Zusammenhang mit der Erzählform ist dann immer das **Erzählverhalten** zu analysieren, also die Frage, wie sich der Erzähler dem Erzählten gegenüber verhält: auktorial, personal oder neutral. Das auktoriale Erzählverhalten (gerne auch allwissender Erzähler genannt) gibt dem Erzähler die Möglichkeit der eigenen Sichtweise. Er kann in das Geschehen eingreifen, die Gesamthandlung überschauen und durchaus auch lenken, werten, kommentieren und hat Einblick in die Innenwelt aller Figuren. Damit tritt der auktoriale Erzähler, bspw. durch Kommentare oder direkte Leseransprache, in das Bewusstsein des Lesers. In der Er-/Sie-Form erhält er im Gegensatz zu einem Ich-Erzähler zwar keine Personalität, aber er ist als Erzählinstanz präsent. Dies ist oft der Grund für die analytisch fehlerhafte Gleichsetzung des auktorialen Erzählers mit dem Autor. Das personale Erzählverhalten hingegen ist perspektivisch eingeschränkt, das heißt, der Erzähler berichtet aus der Perspektive einer oder mehrerer Figuren (multiperspektivisch-personales Erzählen), bleibt aber auf die Perspektiven beschränkt. Der Erzähler weiß also nur das, was auch die Figur weiß. Bei der Ich-Form sind Erzähler und erzählte Figur dann identisch. Wenn Kommentierungen durch den personalen Erzähler stattfinden, dann sind diese auf die Perspektive der jeweiligen erzählten Figur beschränkt, der personale Erzähler hat dementsprechend oftmals eine große Nähe zu seiner erzählten Figur (s. Erzählerstandort und -perspektive). Der neutrale Erzähler tritt extrem hinter das Erzählte zurück, kommentiert und wertet nicht und bleibt meistens distanziert zum Erzählten. Die Handlung selber tritt in den Vordergrund anstelle der Erzählsituation, somit ist das szenische Erzählen, also die starke Dialoglastigkeit ähnlich der Dramatik, eine typische Darstellungsform des neutralen Erzählers.

Eng mit dem Erzählverhalten verbunden ist die Frage der **Erzählperspektive**, die wiederum ergänzt wird durch den **Erzählerstandort**. Bei der Erzählperspektive geht es um den Abstand bzw. die Nähe, die der Erzähler zum Erzählten respektive zu den Figuren einnimmt. Es kann aus der Außensicht (meist die Perspektive des neutralen Erzählers) oder der Innensicht (dominante Perspektive der personalen Erzählung) erzählt werden. Der auktoriale Erzähler kann beide Perspektiven im ständigen Wechsel einnehmen. In diesem Kontext bezeichnet der **Erzählerstandort** das räumlich-zeitliche Verhältnis des Erzählers zum Erzählten. Zu fragen ist also, ob der Erzähler retrospektiv berichtet oder bspw. als erlebendes Ich direkter Bestandteil der Handlung ist. Typischer Standort des auktorialen Erzählers ist der olympische Standort, der Erzähler hat den absoluten Überblick über alle Geschehnisse, vorherige, gleichzeitige und folgende, und überblickt aus der Vogelperspektive alle Ereignisse, während der personale meist eine deutliche Nähe zum erzählten Geschehen aufweist.

Aus dem Zusammenspiel der vorherigen Kategorien ergibt sich zumeist die **Erzählhaltung**. Der Erzähler kann unterschiedliche Einstellungen zum Erzählten einnehmen, er kann dieses skeptisch, ablehnend, ironisierend, affirmativ, kritisch, schwankend, pathetisch oder auch neutral etc. erzählen. Für die Erzählhaltung ist es besonders entscheidend, die vorherigen Kategorien in die Analyse mit einzubeziehen, um zu einer begründeten Beurteilung zu gelangen.

Abschließend bleiben noch die unterschiedlichen **Darbietungsformen** (vgl. auch Glossar, S. 318 ff.), also die Frage, wer in welcher Erzählsituation auf welche Art und Weise spricht. Generell ist zwischen Erzähler- und Figurenrede zu unterscheiden. Zur Erzählerrede gehören der Erzählerbericht und -kommentar sowie die indirekte Rede. Zur Figurenrede gehören die direkte Rede, also der Dialog, und der innere Monolog, der allein die Gedankenwelt der Figur darstellt. Die erlebte Rede ist ein besonderer Fall, im klassischen Sinne ist sie Erzählerrede. Allerdings weist die erlebte Rede eine extreme Nähe zur erzählten Figur auf, sodass Erzähler und Figur sich augenscheinlich miteinander verbinden (meist in der 3. Pers. Sg., Indikativ Präteritum wiedergegeben), obwohl also weiterhin der Erzähler spricht, hat der Rezipient den Eindruck, die Figur würde selber sprechen. Der Bewusstseinsstrom ist dann ein Mittel moderner Erzählung, bei dem Syntax und Kohärenz oft aufgelöst werden, und er kann sowohl Bestandteil von Figuren- als auch von Erzählerrede sein.

1 Entwerfen Sie auf der Grundlage des Textes und der Informationen im Glossar (S. 318 ff.) eine schematische Darstellung des Erzählmodells nach Petersen, in der die einzelnen Kategorien definiert und Wechselverhältnisse hervorgehoben werden.

2 Erläutern Sie Bedeutung und unterschiedliche Möglichkeiten der Raum-, Zeit- und Figurengestaltung (s. Glossar S. 319) für epische Texte. Setzen Sie anschließend die jeweiligen Gestaltungen in Bezug zu den Erzählverhalten.
a) Was wäre eine typische Raumgestaltung für den auktorialen Erzähler?
b) Wie wäre sie bei den anderen Erzählverhalten gestaltet?
c) Welche Möglichkeiten der Zeitgestaltung haben auktorialer, personaler und neutraler Erzähler?

3 Analysieren Sie die zuletzt besprochene Szene (S. 19, Z. 13 – S. 22, Z. 7) aus Seethalers Roman „Der Trafikant“ anhand der zuvor erabeiteten Kategorien aus Petersens Erzählmodell. Nutzen Sie die Tabelle auf der nächsten Seite.

Erzählsituation

	Textbelege	Bezeichnung	Wirkung
Erzählform			
Erzählerstandort			
Erzählperspektive			
Erzählhaltung			
Erzählverhalten			
Darbietungsform(en)			

4 Überprüfen Sie abschließend Ihre Ergebnisse im Plenum.

5 Setzen Sie nun in häuslicher Vorbereitung die Lektüre des Romantextes von Seethaler bis zum Ende fort. Dokumentieren Sie Ihren Leseprozess dadurch, dass Sie gewissenhaft Ihr Leseprotokoll führen. Entwerfen Sie dazu einen verbindlichen, aber auch realistischen Zeitplan.

Großstadtfieber

Sich der Erzähltechnik und Sprache eines neuen Romantypus' annähern

Alfred Döblin (1878 – 1957)

Nach dem Studium der Medizin und der Promotion zum Dr. med. ist er als Psychiater und Nervenspezialist in Berlin tätig. Wegen seiner jüdischen Herkunft emigriert er 1933 nach Frankreich. Hier nimmt Döblin 1936 zusammen mit seiner Familie die französische Staatsbürgerschaft an. 1940 flüchtet er in die USA und konvertiert dort 1941 zum katholischen Glauben. Bereits 1945 kehrt er nach Deutschland zurück, wo er im Auftrag der französischen Militärregierung in Baden-Baden als Literaturinspekteur tätig ist.

Literarisch gilt Döblin mit seinen frühen Schriften als Wegbereiter des Expressionismus, wird in der Folge dann zu einem realistischen Erzähler, der formal mit erzählerischen Darbietungsformen und Erzähltechniken experimentiert (vgl. zu den Epochenmerkmalen des Expressionismus auch S. 133 zur Unterrichtsreihe Lyrik „Unterwegssein"). Mit seinem Roman „Berlin Alexanderplatz", der 1929 erscheint, verfasst er den ersten Großstadtroman der deutschen Literatur und wird damit zum Begründer dieses Genres. Hierin wird sein Protagonist Franz Biberkopf, ein ehemaliger Zement- und Transportarbeiter, aus dem Gefängnis entlassen, scheitert aber bei der Suche nach einem neuen Leben und dem Versuch, anständig zu bleiben. Der Roman ist atmosphärisch bestimmt durch die Darstellung des hektischen Großstadtlebens, bei der Döblin sich einer Montagetechnik aus vielfältigen Collagen und Überblendungen bedient.

Alfred Döblin

Berlin Alexanderplatz. Die Geschichte vom Franz Biberkopf (1929)

Mit der 41 in die Stadt

Er stand vor dem Tor des Tegeler Gefängnisses und war frei. Gestern hatte er noch hinten auf den Äckern Kartoffeln geharkt mit den andern, in Sträflingskleidung, jetzt ging er im gelben Sommermantel, sie harkten hinten, er war frei. Er ließ Elektrische auf Elektrische vorbeifahren, drückte den Rücken an die rote Mauer und ging nicht. Der Aufseher am Tor spazierte einige Male an ihm vorbei, zeigte ihm seine Bahn, er ging nicht. Der schreckliche Augenblick war gekommen [schrecklich, Franze, warum schrecklich?], die vier Jahre waren um. Die schwarzen eisernen Torflügel, die er seit einem Jahre mit wachsendem Widerwillen betrachtet hatte [Widerwillen, warum Widerwillen], waren hinter ihm geschlossen. Man setzte ihn wieder aus. Drin saßen die andern, tischlerten, lackierten, sortierten, klebten, hatten noch zwei Jahre, fünf Jahre. Er stand an der Haltestelle.

Elektrische
frühere Bezeichnung für Straßenbahnen

Berlin, Alexanderplatz (1920)

Die Strafe beginnt.

Er schüttelte sich, schluckte. Er trat sich auf den Fuß. Dann nahm er einen Anlauf und saß in der Elektrischen. Mitten unter den Leuten. Los. Das war zuerst, als wenn man beim Zahnarzt sitzt, der eine Wurzel mit der Zange gepackt hat und zieht, der Schmerz wächst, der Kopf will platzen. Er drehte den Kopf zurück nach der roten Mauer, aber die Elektrische sauste mit ihm auf den Schienen weg, dann stand nur noch sein Kopf in der Richtung des Gefängnisses. Der Wagen machte eine Biegung, Bäume, Häuser traten dazwischen. Lebhafte Straßen tauchten auf, die Seestraße, Leute stiegen ein und aus. In ihm schrie es entsetzt: Achtung, Achtung, es geht los. Seine Nasenspitze vereiste, über seine Backe schwirrte es. „Zwölf Uhr Mittagszeitung", „B. Z.", „Die neuste Illustrirte", „Die Funkstunde neu", „Noch jemand zugestiegen?" Die Schupos haben jetzt blaue Uniformen. Er stieg unbeachtet wieder aus dem Wagen, war unter Menschen. Was war denn? Nichts. Haltung, ausgehungertes Schwein, reiß dich zusammen, kriegst meine Faust zu riechen. Gewimmel, welch Gewimmel. Wie sich das bewegte. Mein Brägen hat wohl kein Schmalz mehr, der ist wohl ganz ausgetrocknet. Was war das alles. Schuhgeschäfte, Hutgeschäfte, Glühlampen, Destillen. Die Menschen müssen doch Schuhe haben, wenn sie so viel rumlaufen, wir hatten ja auch eine Schusterei, wollen das mal festhalten. Hundert blanke Scheiben, lass die doch blitzern, die werden dir doch nicht bange machen, kannst sie ja kaputt schlagen, was ist denn mit die, sind eben blankgeputzt. Man riss das Pflaster am Rosenthaler Platz auf, er ging zwischen den andern auf Holzbohlen. Man mischt sich unter die andern, da vergeht alles, dann merkst du nichts, Kerl.

B. Z. (Abk. für Berliner Zeitung) größte regionale Boulevardzeitung, wurde 1877 gegründet

Schupo Kurzform für Schutzpolizist

Brägen Hirn von Schlachttieren

Destille Gaststätte, in der hauptsächlich Branntwein ausgeschenkt wird

Erich Kästner (1899 – 1974), dt. Schriftsteller, bekannt als Lyriker und Romanautor, Kabarettist, schrieb auch Dramen und Drehbücher, seine fantasievollen Kinderbücher fanden weite Verbreitung; seine Schriften wurden 1933 als „zersetzend" verboten und verbrannt, er publizierte seine Bücher deshalb im Ausland, blieb aber in Deutschland.

Erich Kästner

Fabian. Die Geschichte eines Moralisten (1931)

Fabian legte eine Mark auf den Tisch und ging. Er hatte keine Ahnung, wo er sich befand. Wenn man am Wittenbergplatz auf den Autobus 1 klettert, an der Potsdamer Brücke in eine Straßenbahn umsteigt, ohne deren Nummer zu lesen, und zwanzig Minuten später den Wagen verlässt, weil plötzlich eine Frau drinsitzt, die Friedrich dem Großen ähnelt, kann man wirklich nicht wissen, wo man ist.

Er folgte drei hastig marschierenden Arbeitern und geriet, über Holzbohlen stolpernd, an Bauzäunen und grauen Stundenhotels entlang, zum Bahnhof Jannowitzbrücke. Im Zug holte er die Adresse heraus, die ihm Bertuch, der Bürochef, aufgeschrieben hatte: Schlüterstraße 23, Frau Sommer. Er fuhr bis zum Zoo. Auf der Joachimstaler Straße fragte ihn ein dünnbeiniges, wippendes Fräulein, wie er drüber dächte. Er beschied das Anerbieten abschlägig, drohte mit dem Finger und entkam.

Die Stadt glich einem Rummelplatz. Die Häuserfronten waren mit buntem Licht beschmiert, und die Sterne am Himmel konnten sich schämen. Ein Flugzeug knatterte über die Dächer. Plötzlich regnete es Aluminiumtaler. Die Passanten blickten hoch, lachten und bückten sich. Fabian dachte flüchtig an jenes Märchen, in dem ein kleines Mädchen sein Hemd hochhebt, um das Kleingeld aufzufangen, das vom Himmel

Berlin, Hotel Adlon. Bildpostkarte ca. 1928

fällt. Dann holte er von der steifen Krempe eines fremden Hutes einen Taler herunter. „Besucht die Exotikbar, Nollendorfplatz 3, Schöne Frauen, Nacktplastiken, Pension Condor im gleichen Hause“, stand darauf.
Fabian hatte mit einem Male die Vorstellung, er liege dort oben im Aeroplan und sehe auf sich hinunter, auf den jungen Mann in der Joachimstaler Straße, im Gewimmel der Menge, im Lichtkreis der Laternen, im Straßengewirr der fiebrig entzündeten Nacht. Wie klein der Mann war. Und mit dem war er identisch!
Er überquerte den Kurfürstendamm. An einem der Giebel rollte eine Leuchtfigur, ein Türkenjunge war es, mit den elektrischen Augäpfeln. Da stieß jemand heftig gegen Fabians Stiefelabsatz. Er drehte sich missbilligend um. Es war die Straßenbahn gewesen. Der Schaffner fluchte.
„Passense auf!“, schrie der Polizist.
Fabian zog den Hut und sagte: „Werde mir Mühe geben.“

Während die beiden ersten Textauszüge aus den Romanen von Döblin und Kästner schon wegen ihrer präzisen Ortsangaben und der genau beschriebenen Bewegungsverläufe der jeweiligen Protagonisten eindeutig Berlin als Handlungsort erkennen lassen, unterlässt W. Koeppen eine solche Festlegung auf eine bestimmte Stadt. Nach seinen Angaben ist der Schauplatz des Geschehens in einer Großstadt in Süddeutschland angesiedelt, ohne dass aber deren Namen genannt wird. Die Vermutung, es könne sich hierbei nur um München handeln, wird dadurch gestützt, dass im Roman ein Amerikahaus erwähnt wird – ein solches existiert in München seit 1948 als bayerische Kulturinstitution – oder etwa durch den Hinweis auf eine Produktionsstätte der Filmwirtschaft, die die Romanstadt beherberge.

Wolfgang Koeppen

Tauben im Gras (1951)

Odysseus Cotton verließ den Bahnhof. Am schlenkernden Arm, in der braunen Hand baumelte ein Köfferchen. Odysseus Cotton war nicht allein. Eine Stimme begleitete ihn. Aus dem Koffer kam die Stimme, sanft, warm, weich, eine tiefe Stimme, wohlige Atmung, ein Hauch wie Samt, heiße Haut unter einer alten zerrissenen Autodecke in einer Wellblechhütte, Schreie, Brüllen der Riesenfrösche, Nacht am Mississippi. Richter Lynch reitet über Land, o Tag von Gettysburg, Lincoln zieht in Richmond ein, vergessen das Sklavenschiff, ewig das Brandmal ins Fleisch gesenkt, Afrika, verlorene Erde, das Dickicht der Wälder, Stimme einer Negerin. Die Stimme sang Night-and-day, sie schirmte mit ihrem Klang den Kofferträger gegen den Platz vor dem Bahnhof, umschlang ihn wie Glieder der Liebenden, wärmte ihn in der Fremde, zeltete ihn ein. Odysseus Cotton stand unschlüssig. Er schaute über die Taxistände, blickte zum Warenhaus Rohn hinüber, sah Kinder, Frauen, Männer, die Deutschen, wer waren sie? Was dachten sie? Wie träumten und liebten sie? Waren sie Freunde? Feinde?
Die schwere Tür der Telefonzelle schlug hinter Philipp zu. Das Glas isolierte ihn von dem Treiben auf dem Bahnhofsplatz, der Lärm war nur noch ein Rauschen, der Verkehr ein Schattenspiel auf den geriffelten Flächen der Wände. Philipp wußte noch immer nicht, wie er den Tag verbringen sollte. Die Stunde gähnte. Er fühlte sich wie eine der leeren Packungen, die der Besen zum Kehricht gefegt hatte, nutzlos, seiner Bestimmung beraubt. Welcher Bestimmung? War er zu etwas bestimmt gewesen, hatte er sich dieser Bestimmung entzogen, und konnte man sich überhaupt, vorausgesetzt, es gab sie, einer Bestimmung entziehen? DAS ASTROLOGISCHE JAHRHUNDERT, DAS WOCHENHOROSKOP, TRUMANS UND STALINS STERNE. Er hätte heimgehen können. Er konnte nach Hause in die Fuchsstraße gehen. Der Frühling setzte sich durch. Im verwilderten Garten der Villa blühte das Unkraut. Nach Hause? ein Unterstand, in den es hineinprasselte: Emilia würde sich gegen Morgen wohl

Wolfgang Koeppen
(1906 – 1996)
dt. Schriftsteller, Autor zeitkritischer Romane meist über die Nachkriegszeit, bekannt auch wegen seiner meisterhaften Reiseberichte, studierte Theaterwissenschaften, Literaturgeschichte und Philosophie

Charles Lynch
(1736 – 1796)
Plantagenbesitzer, Politiker und Richter im amerik. Unabhängigkeitskrieg, verhängte drastische Strafen

Gettysburg
amerik. Stadt in Pennsylvania, Schauplatz einer entscheidenden Schlacht im amerik. Bürgerkrieg

beruhigt haben. In die Türen würden Schrammen getreten, in die Wände Löcher gestoßen, Porzellan würde zerschlagen sein. Emilia, von ihrem Toben erschöpft, von ihren Träumen ermattet, ihrer Angst geschlagen, lag auf dem rosa Erbbett, dem Totenbett der Urmutter, die noch ein schönes Leben gelebt hatte, Heringsdorf, Paris, Nizza, die Goldwährung und den Glanz des wirklichen geheimen Kommerzienrattitels. Die Hunde, die Katzen, der Papagei, eifersüchtig aufeinander und Feind einander, aber in einer gemeinsamen Front des Hasses gegen Philipp vereint, einer Phalanx tückischer Blicke, wie alles in diesem Haus ihn haßte, die Verwandten seiner Frau, die Miterben, die verbröckelnden Mauern, das stumpfe Parkett, die rieselnden, säuselnden Röhren der kaputten Heizung, der lange nicht gerichteten Bäder, die Tiere hielten die Möbel wie Kampftürme besetzt und beobachteten den Schlaf ihrer Herrin aus halbgeöffneten Lidern, den Schlaf ihres Opfers, an das sie gekettet waren und das sie bewachten.

(originale Rechtschreibung)

Lernarrangement

Bilden Sie in Ihrem Kurs Gruppen mit jeweils sechs Schülerinnen und Schülern. Lesen Sie die einzelnen Arbeitsschritte des Lernarrangements und entwickeln Sie hinsichtlich Ihrer Erwartungen an die Ergebnisse Kriterien der Beurteilung Ihrer Arbeitsergebnisse und deren Präsentation. Bearbeiten Sie nun die folgenden Arbeitsaufträge. Sie können dabei innerhalb Ihrer Gruppen zunächst auch arbeitsteilig vorgehen:

a) Recherchieren Sie Thema und Inhalt der drei Romane und erstellen Sie dazu eine kurze Übersicht.

b) Analysieren Sie die Erzähltechnik in den drei Romanauszügen von A. Döblin, E. Kästner und W. Koeppen. Orientieren Sie sich bei Ihrer Analyse an den Untersuchungsaspekten, die in der Tabelle auf Seite 175 (linke Spalte) genannt werden.

c) Informieren Sie sich zunächst in Ihrer eigenen Gruppe untereinander über die Analyseergebnisse zu allen drei Textauszügen.

d) Fertigen Sie nun in Ihrer Gruppe ein Plakat (mindestens DIN A2) mit den Ergebnissen Ihrer Analyse an. Achten Sie dabei auf eine angemessene Schriftgröße und fügen Sie Ihrem Plakat Bilder, Grafiken, zeichnerische Umsetzungen Ihrer Leseeindrücke etc. hinzu, die zur Veranschaulichung der Romanhandlung, des Handlungsortes und/oder der Zeitumstände dienen bzw. die Lebenswelt der Großstadt verdeutlichen, sodass eine Collage aus Text(en) und Bildmaterial entsteht.

e) Hängen Sie die Collagen gut sichtbar in Ihrem Kursraum aus und präsentieren Sie sie im Plenum, z. B. in Form eines Museumsrundgangs.

f) Überprüfen Sie Ihre Arbeitsergebnisse inhaltlich sowie hinsichtlich der Präsentation anhand der eingangs ermittelten Kriterien.

g) Fotografieren Sie abschließend die einzelnen Plakate, fassen Sie die Ergebnisse insgesamt zusammen und tragen Sie diese in die Tabelle in Ihrem Arbeitsbuch ein.

Analyse der Erzähltechnik (nach Petersen)

Roman / Analyseaspekt	A. Döblin: Berlin Alexanderplatz	E. Kästner: Fabian	W. Koeppen: Tauben im Gras
Kurzinformation zum Inhalt des Romans			
Erzählform			
Standort d. Erzählers			
Erzählperspektive			
Erzählhaltung			
Erzählverhalten			
Synästhesien			
Darbietungsform(en)			

Wirkung auf den Leser			

Das Leben ist (k)ein langer ruhiger Fluss

Die Veränderungen der Raum- und Figurengestaltung funktional erarbeiten

Sie haben sich in intensiv mit Robert Seethalers Roman „Der Trafikant" beschäftigt und entsprechend Ihr Leseprotokoll eingerichtet, fortgeschrieben und abgeschlossen. Dieses wird Ihnen bei der nun folgenden Besprechung, Analyse und Deutung des Romantextes von Nutzen sein, um sich angemessen im weiteren Handlungsverlauf orientieren zu können.

Nach der Behandlung der Exposition haben Sie – auf der Grundlage Ihrer bis dahin erreichten Textkenntnis – Hypothesen über den weiteren Handlungsverlauf aufgestellt.

1 Erschließen Sie vor dem Hintergrund Ihrer jetzt erlangten Handlungsübersicht die Struktur des Romaninhalts, indem Sie einzelne Handlungsstränge skizzieren.

____

____

____

____

2 Setzen Sie diese mit den von Ihnen gebildeten Hypothesen bezüglich möglicher Themen für den weiteren Handlungsverlauf in Beziehung.

3 Erläutern Sie, inwieweit diese mit der Handlung im Roman übereinstimmen.

Gemessen an den Ereignissen der kommenden Wochen und Monate bis zur Emigration Sigmund Freuds nach London und dem Schicksal Franz Huchels erscheinen die ersten 17 Jahre seines Lebens in Nußdorf als *ein langer ruhiger Fluss*. Die nun folgenden Ereignisse sind in jeglicher Hinsicht durch eine zunehmende Dynamik und Veränderung gekennzeichnet.

3 Überprüfen Sie hinsichtlich der in der ersten Aufgabe erarbeiteten Struktur, inwiefern die unterschiedlichen Handlungsstränge sowie Figurenzeichnungen mit den Begriffen *Entwicklung*, *Wechsel* und *Veränderung* gekennzeichnet werden können.

____

____

____

____

____

____

____

____

____

Der Wechsel des Handlungsortes

Der wohl auffälligste Wechsel ist der des Schauplatzes. Die Bühne des Geschehens bildet nun nicht mehr die Idylle des Salzkammergutes in Nußdorf, sondern das großstädtische Leben in einer der damaligen europäischen Metropolen, nämlich Wien. Mit den Auswirkungen dieses Wechsels auf Franz' Befindlichkeit haben Sie sich hinsichtlich seiner Ankunft am Westbahnhof von Wien bereits auseinandergesetzt.

Zu Beginn des 20. Jahrhunderts bietet die Großstadt Wien vielfältige Themen des Diskurses. Aufgrund ihrer wechselvollen Geschichte, ihrer geografischen Lage sowie der Tatsache, dass sie häufig das Ziel von Migrationsbewegungen war, lassen sich zahlreiche Geschichten zu Wien erzählen. Eine Auswahl von Ansatzpunkten für solche Erzählungen, aber auch Gespräche stellt die folgende Themenzusammenstellung dar:

Wien als

- Ort der Gemütlichkeit, Geselligkeit und Volkstümlichkeit
- Stadt der Moderne und Kunst, des (politischen) Kabaretts und der Kaffeehäuser
- Zentrum von Medizin, (Natur-)Wissenschaften und Philosophie
- Mittelpunkt deutschsprachiger Literatur und des Theaters
- Stadt der Juden
- Ort von Antisemitismus sowie Völkerhass
- Hauptstadt der Erotik
- Stätte leichter Musik und des Tanzes

Burgtheater, Wien

Café Central

Juden am Karmeliterplatz, 1915

Lernarrangement
Recherchieren Sie zu den oben genannten Themen Fakten und Informationen und präsentieren Sie diese in angemessener Weise. Gehen Sie dabei folgendermaßen vor:

a) Bilden sie – gemäß der Anzahl der Themen – entsprechend viele (arbeitsteilige) Kleingruppen aus zwei bis drei Schülerinnen und Schülern.

b) Recherchieren Sie Informationen zu dem von Ihnen gewählten Thema in Form von Text- und Bildmaterial.

c) Dokumentieren Sie Ihre Rechercheergebnisse auf eine angemessene Art und Weise.

d) Präsentieren Sie diese im Kursplenum, indem Sie (als Gruppe) Ihre Ergebnisse vorstellen und zu einem Gespräch einladen, das Sie moderieren.

Die Erweiterung der Figuren und Veränderungen in ihrer Konstellation

Analog zum Wechsel des Schauplatzes des Geschehens verändert sich – von Franz als Protagonisten abgesehen – auch das Arsenal der zunächst direkt auftretenden Figuren. Diese beschränken sich anfänglich auf das direkte Umfeld der Trafik – entweder in Gestalt ihres Inhabers, Otto Trsnjek, oder ihrer Kunden bzw. Nachbarn.

Lernarrangement
Bilden Sie in Ihrem Kurs arbeitsgleiche Gruppen aus 4 – 5 Schülerinnen und Schülern. Beziehen Sie sich bei Ihrer Untersuchung auf die Textstelle zwischen Franz' Ankunft in der Trafik und S. 45, Z. 26. Sie können sich bei der Anfertigung der Figurenkonstellation an der Vorgehensweise zur Erstellung eines Soziogramms (vgl. S. 161) sowie an dessen unten abgebildeter Grundstruktur orientieren.

1. Gehen Sie von der sich allmählich entwickelnden Beziehung zwischen Franz und Otto Trsnjek aus:
   a) Beschreiben Sie das Tätigkeitsprofil Franz' in der ersten Zeit seiner Ausbildung.
   b) Stellen Sie sein Verhalten gegenüber seinem Ausbilder sowie den Kunden dar.
   c) Erläutern Sie des Weiteren die Beziehung zu Franz aus Sicht Trsnjeks.

2. Erweitern Sie nun die Personenkonstellation um S. Freud, indem Sie diesen in seiner Rolle als Kunden der Trafik charakterisieren.

3. Fügen Sie anschließend Ihrem Soziogramm weitere Kunden hinzu.

4. Beurteilen Sie abschließend das Tätigkeitsfeld einer Trafik vor allem im Hinblick auf den medialen und kommunikativen Aspekt im Allgemeinen und im Besonderen für Franz.

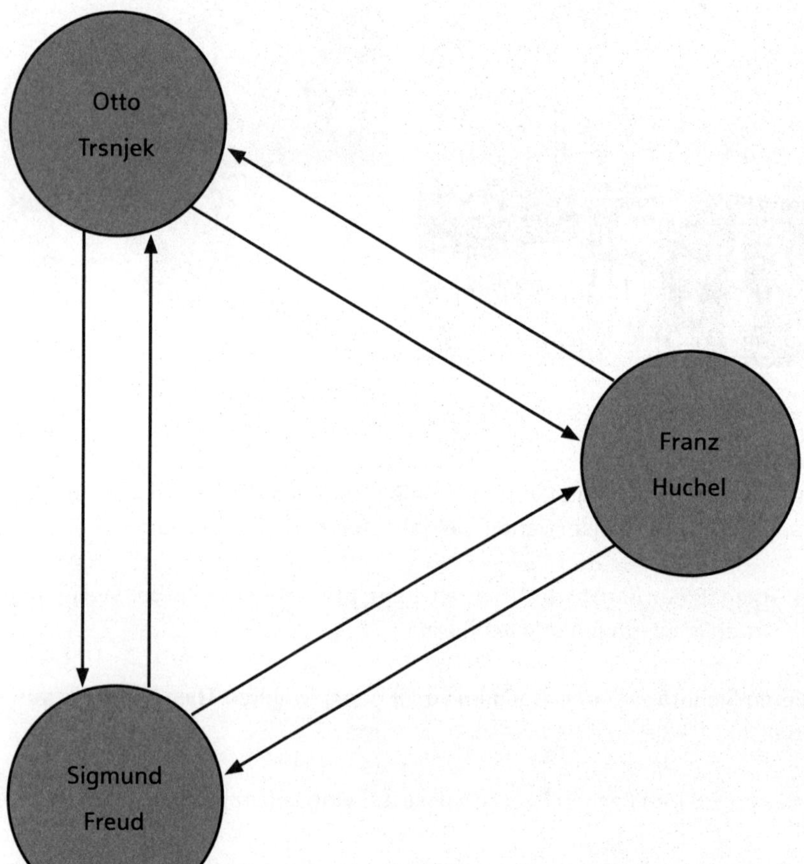

Gewitterwolken der Politik – der Anschluss Österreichs an das Deutsche Reich

Zeitgeschichtliche Zusammenhänge aus unterschiedlichen Materialien erschließen

Marie Jahoda

Die Vorgeschichte des Anschlusses Österreichs

Bei der Auseinandersetzung um die Staats- und Regierungsform Österreichs nach dem Ersten Weltkrieg flossen drei Krisenthemen ineinander.

1. Die Identitätsfrage: War Österreich nach dem Ende der Monarchie und der Niederlage im Ersten Weltkrieg sowie seiner territorialen Beschneidung ein eigenständiges und in sich ruhendes Gebilde mit definierten Grenzen, oder war es Teil eines größeren Ganzen („Deutsches Reich"), von dem es Geschichte (die Schlacht von Königgrätz 1866) und politischer Wille der Siegermächte des Weltkriegs (die Friedensverträge von 1919) vorerst ausgeschlossen hatten?

2. Die Verfassungsfrage: War dieses neue Österreich eine Republik oder eine Monarchie im Wartestand oder ein Gebilde ganz eigener Art? Die infolge der Niederlage entstandene Republik war nach bürgerkriegsähnlichen Auseinandersetzungen 1934 durch den sogenannten Ständestaat abgelöst worden, in dem Parteien und Parlament ausgeschaltet waren. Einzige politische Organisation war die Vaterländische Front. Der Ständestaat wurde von seinen Führern als autoritärer Staat eigener Prägung verstanden, von seinen Gegnern jedoch als eine Variante des Faschismus.

3. Die „Judenfrage": Welchen Status haben Juden im Lande Österreich? Früher und intensiver als in Deutschland hatte sich mit Unterstützung der katholischen Kirche ein aggressiver Antisemitismus in Österreich entwickelt, lange vor 1914. Die Verfassung von 1920, aber auch die des Ständestaates vom 1. Mai 1934 garantierte den Juden gleiche Rechte und Pflichten.

Alle drei Fragen wurden im März 1938 „beantwortet": Österreich wurde Teil von Großdeutschland und verlor jede Eigenständigkeit, bis sogar der Name des Landes verschwand. Die „Ostmark", in sieben Reichsgaue aufgeteilt, wurde nach den Regeln der deutschen Diktatur und zumeist von reichsdeutschem Personal verwaltet, wirtschaftlich und militärisch ausgebeutet. Der Anschluss bedeutete einen entscheidenden Schritt bei der Radikalisierung des NS-Regimes insgesamt; den Juden wurde jedes Menschen- und Bürgerrecht abgesprochen, sie waren gleichsam über Nacht schrankenloser Willkür und äußerster Brutalität ausgesetzt. Die rasche Wendung der Ereignisse, die aufgeheizte allgemeine Stimmung sowie die schnelle Festnahme aller Regimegegner und unliebsamen Personen ließen der Opposition keine Chance. Widerstand gab es zunächst nur in vereinzelten heroisch-hoffnungslosen Taten, erst nach einer gewissen Frist konnte an organisierte Gegenaktionen gedacht werden, Vorboten einer politischen und moralischen Erneuerung. Die wahre Natur des Nationalsozialismus in seiner Doppelgestalt von organisiertem Jubel und hemmungsloser Barbarei zeigte sich in so kurzer Zeit und so drastisch wie nirgends sonst bis dahin. Wahn, Blendung, historische Fiktionen sowie die Grenzen von Kritik und Aufklärung gehören zu den zentralen Aspekten dieser grausam lehrreichen Epoche.

Der Anschluss lässt sich erzählen als die Geschichte eines Augenblicks. Eine obszöne Geschichte, fast wie in Arthur Schnitzlers Theaterstück *Reigen*, mit einem Vorher und einem Nachher. Und hernach zählt das Vorher nicht mehr, die vielen Worte des Vorspiels waren nur Lug und Trug, auch Selbstbetrug, um von dem eigentlichen Ziel abzulenken.

Marie Jahoda (1907 – 2001) österreichische Sozialpsychologin und Sozialdemokratin

Schlacht von Königgrätz (3.7.1866 in Böhmen), bei der sich 440.000 Soldaten gegenüberstanden. Preußen siegte über die Koalition der Armeen Österreichs und Sachsens. Der Sieg gilt als Wegbereiter der Gründung des Deutschen Reiches.

Der Tag, auf den es ankommt, ist der 11. März 1938. Irgendwann im Laufe des Nachmittags jenes Freitags fiel eine Entscheidung: Der amtierende Kanzler gab den Kampf um Österreichs Unabhängigkeit auf. Die Dynamik, die er am 9. März in Gang gesetzt hatte, als er beschloss, eine Entscheidung durch Entscheid herbeizuführen, nämlich durch ein Referendum über den Fortbestand eines unabhängigen Staates Österreich, hatte dessen Untergang beschleunigt. Das Volk hatte sich in den Jahren zuvor entmündigen lassen, nun konnte es die drohende Entwicklung nicht mehr stoppen. Die Nazis mobilisierten ihrerseits das Volk in Gestalt begeisterter Massen, um den Anschein jubelnder Zustimmung zu erzeugen. Der Anschluss wurde nicht ohne Mitwirkung von Österreichern vollzogen, doch er geschah, weil die deutschen Machthaber ihn aus ökonomischen und militärstrategischen Gründen wollten. [...]

Die Anschluss-Woche war keine Zeit für fragwürdige Späße, obwohl die politischen Vorgänge Züge einer Groteske hatten, die ins Dramatisch-Blutige umkippte. Der Vollzug selbst stand am Ende einer jahrelangen Auseinandersetzung, die in eine Schmierenkomödie voller Pannen mündete, in der pausenlose Telefonate zwischen Wien und Berlin eine große Rolle spielten. Der 11. März 1938 war eine Klippe des Schicksals für eine Republik, für eine Kultur, für eine unvergleichliche Stadt.

Triumphzug Hitlers durch Wien am 14. März 1938, während die Glocken aller Wiener Kirchen läuten

Hitler wird in seinem Wagen von jungen Frauen begrüßt (14.3.1938).

Österreichische BDM-Mädchen bei einer Kundgebung in Wien (März 1938)

Die gewaltsame Etablierung des Austrofaschismus

Die Weltwirtschaftskrise ab 1929 verschärfte die angespannte innenpolitische Situation und führte zu einer weiteren Radikalisierung der Bevölkerung. Bei einer Kundgebung der Heimwehren 1930 schworen die Teilnehmer den „Korneuburger Eid" gegen demokratischen Parteienstaat und westlichen Parlamentarismus und setzten sich die Errichtung einer faschistischen Diktatur zum Ziel.
Anstelle gewählter Parteien sollte eine mit diktatorischen Vollmachten ausgestattete Regierung die Geschicke des Landes bestimmen. Neuerlich stellt sich in der Krise die Frage der Sanierung des Staates und wer dafür bezahlen soll. Schuschniggs Diktum, wonach unter demokratischen Vorzeichen diese Krise nicht zu lösen sei, wird in immer weiteren Teilen des Bürgertums geteilt.
Am 4. März 1933 schaltete der christlichsoziale Bundeskanzler Engelbert Dollfuß nach einer Geschäftsordnungspanne in einem Staatsstreich das Parlament und den Verfassungsgerichtshof aus und regierte von da an per Notverordnung. Bereits in den ersten Monaten wurden die Freiheitsrechte der Bevölkerung massiv beschnitten, die Kommunistische Partei verboten, der Republikanische Schutzbund und die antiklerikale Freidenkervereinigung aufgelöst, eine Pressezensur eingeführt, sozialdemokratische Versammlungen verboten und schließlich die Todesstrafe wieder eingeführt. Ziel dieser Maßnahmen war es in den Worten des damaligen Verteidigungsministers Carl Vaugoin, „die Sozialdemokratie Schritt für Schritt zum Krüppel zu schlagen." Am 12. Februar 1934 kam es zu einem Aufstand von Teilen des Republikanischen Schutzbundes mit Exekutive und Bundesheer, an denen sich auch die Heimwehren beteiligten. Die sogenannten Februarkämpfe dauerten drei Tage, forderten etwa vierhundert Tote (die genaue Zahl ist bis heute unbekannt) und endeten mit der Niederlage des Republikanischen Schutzbundes.
Nach den Kämpfen wurden die sozialdemokratische Partei, die Gewerkschaften und andere ArbeiterInnenorganisationen von der Regierung verboten. Am 1. Mai 1934 wurde der österreichische Ständestaat ausgerufen und eine neue Verfassung erlassen. Nur wenige Monate später, am 25. Juli 1934, wurde Engelbert Dollfuß bei einem gewaltsamen Putschversuch der Nationalsozialisten getötet. Sein Nachfolger als Bundeskanzler, Kurt Schuschnigg, versuchte durch Kooperation mit der Regierung Hitlers die Eingliederung Österreichs in das nationalsozialistische Deutschland zu verhindern. Am 12. März 1938 marschierte das deutsche Heer unter dem Jubel großer Teile der Bevölkerung in Österreich ein. Am darauffolgenden Tag wurde Österreich Teil des nationalsozialistischen Deutschen Reichs.

Engelbert Dollfuß
(1892–1934)

Kurt Schuschnigg
(1897–1977)

Angriff – Annexion – Anschluss

Der Anschluss, zwischen dem 11. und dem 15. März 1938 vollzogen, ist nicht einfach eine peinliche und ungern erinnerte Episode der österreichischen Geschichte; er bietet ein universelles Lehrstück von bleibendem Wert. Dabei ging es nicht nur um die Unterwerfung des Landes Österreich durch die deutschen Nationalsozialisten, sondern auch um Österreichs eigenen Weg in die Barbarei. Der Einmarsch von außen korrespondierte mit einem Aufmarsch im Innern. Wenn es auch vermutlich keine politische Mehrheit für den Anschluss gegeben hat, so gab es doch im Lande gesellschaftliche und politische Kräfte und einzelne Politiker, die diesen Weg verfolgt und gefördert haben oder ihn willig mitgegangen sind.
In Deutschland hatte es 1933 einige Monate gedauert, ehe durch Terror, Verbote und Einschüchterung die Macht vollständig in den Händen der NSDAP lag und alle staatlichen Instanzen gefügig gemacht wurden. Maßnahmen zur Diskriminierung und allmählichen Verdrängung der Juden aus der öffentlichen Sphäre, zu ihrer fortschreitenden Entrechtung, Beraubung, Vertreibung wurden über einen längeren Zeitraum eingeführt. In Wien geschah all das innerhalb weniger Tage, und der Terror setzte gleichsam über Nacht ein. Das plötzliche Hereinbrechen einer schrankenlosen Gewaltherrschaft macht die Besonderheit der Wiener Märzereignisse aus. Die politischen und militärischen Ereignisse, die zur Eingliederung Österreichs in das Deutsche Reich führten, wurden und werden mit dem Begriff Anschluss bezeichnet, der eine Verharmlosung und eine scheinbare Legalisierung impliziert. Es war eine Annexion, deren formale Legalität so fragwürdig war wie Hitlers Ernennung zum deutschen Reichskanzler am 30. Januar 1933. In den offiziellen Verlautbarungen der Nazis wurde der Begriff „Anschluss“ vermieden, im mündlichen Gebrauch war er allgegenwärtig. Hitler sprach in seiner Rede am Heldenplatz vom „Eintritt“ seiner Heimat in das Deutsche Reich. Im sogenannten Hoßbach-Protokoll vom November 1937, das Hitlers Kriegspläne festhielt, war von einem „Angriff“ auf Österreich die Rede. In dem von der österreichischen Bundesregierung und von der deutschen Reichsregierung beschlossenen Gesetz vom 13. März 1938, dem entscheidenden Dokument dieses Vorgangs, wurde von „Wiedervereinigung“ gesprochen, was historisch absurd war. Die von der massiven NS-Propaganda aufgebauschten Jubelbilder erzeugten den (bis heute nachwirkenden) Eindruck, dass dieses Ereignis von der Bevölkerung einhellig begrüßt wurde, was keineswegs der Fall war.

Annexion
(lat.) erzwungene Eingliederung eines fremden Territoriums in die eigene geopolitische Einheit

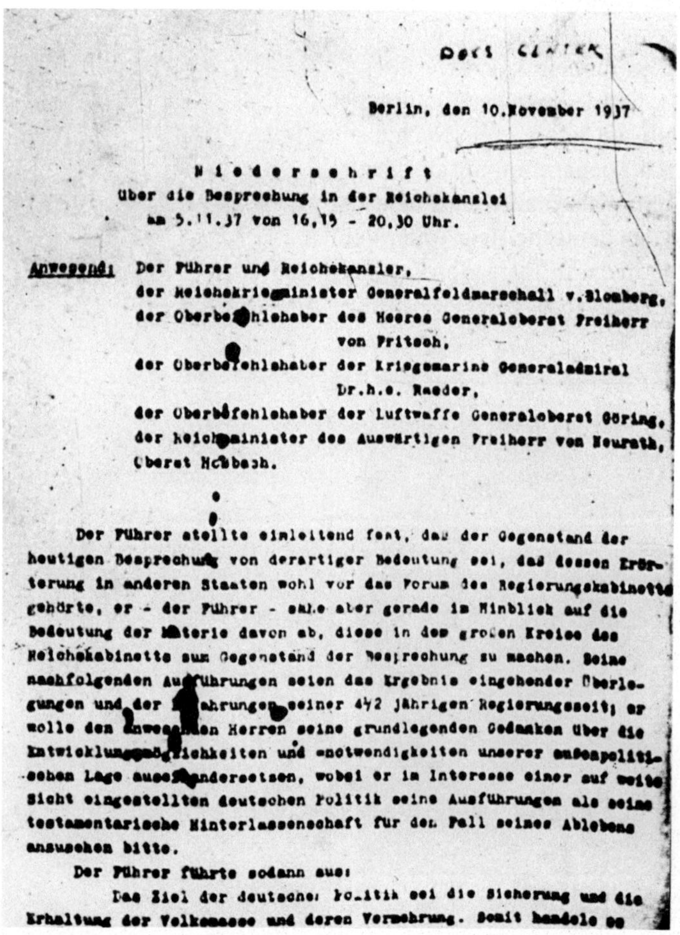

Berlin, den 10.November 1937

Niederschrift
über die Besprechung in der Reichskanzlei
am 5.11.37 von 16,15 - 20,30 Uhr.

Anwesend: Der Führer und Reichskanzler,
der Reichskriegminister Generalfeldmarschall v.Blomberg,
der Oberbefehlshaber des Heeres Generaloberst Freiherr von Fritsch,
der Oberbefehlshaber der Kriegsmarine Generaladmiral Dr.h.c. Raeder,
der Oberbefehlshaber der Luftwaffe Generaloberst Göring,
der Reichsminister des Auswärtigen Freiherr von Neurath,
Oberst Hoßbach.

Der Führer stellte einleitend fest, daß der Gegenstand der heutigen Besprechung von derartiger Bedeutung sei, daß dessen Erörterung in anderen Staaten wohl vor das Forum des Regierungskabinetts gehörte, er - der Führer - sähe aber gerade im Hinblick auf die Bedeutung der Materie davon ab, diese in dem großen Kreise des Reichskabinetts zum Gegenstand der Besprechung zu machen. Seine nachfolgenden Ausführungen seien das Ergebnis eingehender Überlegungen und der Erfahrungen seiner 4½ jährigen Regierungszeit; er wolle den anwesenden Herren seine grundlegenden Gedanken über die Entwicklungsmöglichkeiten und -notwendigkeiten unserer außenpolitischen Lage auseinandersetzen, wobei er im Interesse einer auf weite Sicht eingestellten deutschen Politik seine Ausführungen als seine testamentarische Hinterlassenschaft für den Fall seines Ablebens anzusehen bitte.

Der Führer führte sodann aus:

Das Ziel der deutschen Politik sei die Sicherung und die Erhaltung der Volksmasse und deren Vermehrung. Somit handele es

Hoßbach-Protokoll, 1937 (Auszug)

Heldenplatz, 15. März 1938: Hitlerrede vom Balkon der Neuen Hofburg, Wien

Hoßbach-Protokoll

Mit Hoßbach-Protokoll wird die nachträgliche Niederschrift einer Besprechung in der Berliner Reichskanzlei am 5.11.1937, die zwischen 16.15 Uhr und 20.30 Uhr stattfand, bezeichnet, während der A. Hitler in einem mehrstündigen Monolog die aggressiven Pläne der deutschen Außenpolitik entwickelte. Mit zum ersten Ziel gehörte für ihn dabei die Niederwerfung Österreichs. Die Niederschrift erfolgte durch Oberst Hoßbach erst am 10.11.1937 auf der Basis seiner stichpunktartigen Notizen, die er während der Besprechung gemacht hatte. In den Nürnberger Prozessen nach Ende des 2. Weltkrieges spielte das Schriftstück eine zentrale Rolle als Beweismittel dafür, dass die dort Angeklagten schon frühzeitig einen Angriffskrieg vorbereitet hatten.

1 ***Lernarrangement***

Arbeiten Sie in arbeitsgleichen Gruppen von bis zu vier Schülerinnen und Schülern.
Ihre Aufgabe wird es sein, innerhalb Ihrer jeweiligen Gruppe die Texte, die Sie zunächst aufmerksam lesen sollten, dahingehend auszuwerten, dass Sie eine informative Übersicht über die politische Entwicklung in Österreich für den Zeitraum vom Ende des 1. Weltkrieges bis hin zum Anschluss Österreichs an das Deutsche Reich erstellen.
Dieses Verfahren ist insofern sinnvoll, da Sie mit hoher Wahrscheinlichkeit in Zukunft – ob während eines Studiums oder im Beruf – vor die Aufgabe gestellt sein werden, aus unterschiedlichen Text- und Bildmaterialien sowie statistischen Erhebungen eine Zusammenfassung zu erstellen, um sich und andere über bestimmte Sachverhalte bzw. Zusammenhänge zu informieren. Unter der Maßgabe der Anschaulichkeit sollten Sie in Ihrer Gruppe auch frühzeitig überlegen, in welcher Art und Weise Sie Ihre Ergebnisse vorstellen wollen, ob im Rahmen eines Flussdiagramms, anhand eines Zeitstrahls oder in tabellarischer Form oder nach eigenen Vorstellungen.

a) Lesen Sie in Einzelarbeit die Texte auf den Seiten 179 – 182 gründlich durch.
b) Markieren Sie dabei Ihnen wichtige Aussagen im Text.
c) Fixieren Sie diese schriftlich.
d) Stimmen Sie sich in Ihrer Gruppe über Ihre Ergebnisse ab und klären Sie mögliche Differenzen im Textverständnis.
e) Erstellen Sie gemeinsam eine sinnvolle, in sich schlüssige Reihenfolge der Informationen.
f) Diskutieren Sie die unterschiedlichen Möglichkeiten eines sinnvollen Designs Ihrer Ergebnisse (s. o.).
g) Fertigen Sie gemeinsam Ihre Präsentation an.
h) Kontrollieren Sie diese abschließend noch einmal auf inhaltliche sowie formale Fehler und korrigieren Sie diese.

Dichtung und Wirklichkeit

Unterschiedliche Wirklichkeiten im Rahmen des Romans „Der Trafikant" erkennen und funktional erläutern

In diese nun erarbeitete und dargestellte allgemeine politisch-ideologische Entwicklung eingebettet vollzieht sich der weitere individuelle Werdegang Franz Huchels. Seine Biografie entwickelt nicht allein durch die Verlagerung des Schauplatzes von Nußdorf nach Wien, sondern auch durch die zunehmende Nazifizierung der österreichischen Gesellschaft am Ende der Zwischenkriegszeit eine ungeheure Dynamik. So hat Franz im öffentlich-gesellschaftlichen wie auch im privaten Bereich neue Rollen zu übernehmen und den damit verbundenen Erwartungen zu entsprechen. Diese Aufgaben müssen zudem in einem sozialen Klima erfüllt werden, das mehr und mehr durch rigide Rahmenbedingungen und Intoleranz der Menschen im Umgang miteinander gekennzeichnet ist. Zugleich ist Franz bemüht, die Beziehung zu seiner Mutter – trotz der für die damalige Zeit großen Distanz – weiterhin zu pflegen, den Kontakt zur Heimat, die sein ganzes bisheriges Leben geprägt hat, nicht abreißen zu lassen.

In diesem Kontext aus historischer Faktizität und Dichtung als aus Sprache gestalteter Kunst kommt es nun im weiteren Verlauf der Romanhandlung zur Darstellung verschiedener Geschehensprozesse, in denen fiktive Figuren miteinander in Verbindung treten, aber zugleich auch auf historisch reale Persönlichkeiten treffen. Somit entsteht im Folgenden ein Zusammenhang von „außerdichterischer Wirklichkeit" und „geistig geformter Wirklichkeit" (Herbert Seidler). Im Einzelnen lassen sich dabei folgende Handlungsstränge unterscheiden, die letztlich alle die Entwicklung des Franz Huchel bündeln: Hierbei handelt es sich vor dem Hintergrund der damaligen Zeitgeschichte in Österreich und Deutschland um die Aufrechterhaltung der Verbindung zwischen Franz und seiner Mutter, sein Verlangen nach einer erotischen Beziehung zu Anezka, den Aufbau seiner Beziehung zu Sigmund Freud sowie die Entwicklung eines politischen Bewusstseins, die wesentlich durch Otto Trsnjek initiiert und getragen wird.

1 Ermitteln Sie aus dem Romaninhalt entsprechende Textpassagen, die eindeutig der außerdichterischen bzw. der dichterischen Wirklichkeit zugeordnet werden können. Geben Sie auch die Fundstelle im Text an. Tragen Sie die Ergebnisse dieser und der beiden folgenden Aufgaben in die untenstehende Tabelle ein.

2 Stellen Sie ebenso Textauszüge dar, in denen beide Aspekte miteinander verwoben werden.

3 Erläutern Sie die Funktion des in der zweiten Aufgabe genannten Aspekts im Hinblick auf die Leserlenkung.

1. a) außerdichterische Wirklichkeit	1. b) dichterische Wirklichkeit

2. Verknüpfung außerdichterischer mit dichterischer Wirklichkeit

3. Funktion

Vom Kind zum Mann

Die Entwicklung des Protagonisten anhand seiner Kommunikation erschließen

Kurze Zeit nach seiner Ankunft in Wien und dem Beginn seiner Ausbildung zum Trafikanten löst Franz die Abmachung ein, die er vor seiner Abfahrt mit seiner Mutter getroffen hat, ihr regelmäßig – einmal pro Woche – aus der österreichischen Hauptstadt zu schreiben – und zwar eine „richtige Ansichtskarte [...] mit schönen Bildern vorne drauf" (S. 33, Z. 27 f.). Diesem Versprechen kommt er nun jeden Freitag nach, indem er aus dem reichhaltigen Angebot der Trafik eine solche Postkarte auswählt, meist mit Fotos der Wiener Sehenswürdigkeiten auf der Vorderseite.

Wien, Stadtansicht

Wien, Messegelände (1930er-Jahre)

Wien, Prater Riesenrad (1935)

Stadtpark

Die Wiener Staatsoper

Blick vom Stadtpark auf das Rathaus

1 Lesen Sie den zusammenfassenden Text (S. 34) der ersten Ansichtskarten Franz' sowie seine Nachricht an die Mutter und deren Antwort an ihn (S. 46) und erläutern Sie Inhalte und Funktion.

2 Stellen Sie dar, inwiefern sich die Texte der Ansichtskarten auf S. 66 f. und S. 114 inhaltlich und thematisch von den bisherigen unterscheiden. Benennen Sie mögliche Ursachen für diese Veränderung.

Eine grundlegende Veränderung im Hinblick auf die kommunikative Situation zwischen Franz und seiner Mutter zeigt sich ab S. 161, als er ihr statt einer Postkarte einen Brief schreibt. Von nun an wird er nur noch Briefe nach Nußdorf schreiben. Dieser Wechsel des Mediums liegt sicherlich auch in den persönlichen Erfahrungen begründet, die er bisher in Wien gemacht hat.

3 ***Lernarrangement***

Bilden Sie arbeitsgleiche Gruppen aus maximal vier Schülerinnen und Schülern und gehen Sie wie folgt vor:

1. Analysieren Sie den entsprechenden Brief (S. 161 – 164) hinsichtlich folgender Leitfragen:
   a) Mit welchen Argumenten begründet Franz den Wechsel des Mediums? Über welche Themen schreibt er in dem Brief?
   b) Welche Aussagen gibt er über sich selbst preis und wie begründet er diese?

2. Erläutern Sie auf der Grundlage Ihres Textverständnisses Franz' Verhältnis zu seiner Mutter und setzen Sie dieses in Beziehung zu der Mutter-Sohn-Beziehung aus der Exposition.

3. Wenden Sie sich nun dem Antwortbrief von Franz' Mutter zu (S. 168 – 172). Orientieren Sie sich bei dessen Analyse an den Leitfragen zur ersten Aufgabe. Wechseln Sie dabei aber in die Perspektive von Frau Huchel.

4. Nehmen Sie Stellung zu der veränderten Grußformel, die Frau Huchel am Ende ihres Briefes verwendet, und erläutern Sie abschließend Franz' bisherige Entwicklung anhand seiner Kommentierung „Kinder haben Mamas, Männer haben Mütter." (S. 172, Z. 13 f.)

5. Präsentieren Sie als Gruppe Ihre Ergebnisse im Plenum. Orientieren Sie sich dabei an folgender Übersicht, die Sie zusätzlich noch illustrieren können. Sinnvoll ist hierbei, die Grundstruktur auf ein größeres Blatt Papier (z. B. DIN A3, Poster) zu übertragen.

Die Entwicklung von Franz Huchel im Rahmen der Kommunikation mit seiner Mutter		
1. Aufgabe Franz' 1. Brief (S. 161 – 164)		
a) Argumente	b) Themen	c) Selbstaussagen

⇩

2. Aufgabe Frau Huchels Brief (S. 168 – 172)		
a) Argumente	b) Themen	c) Selbstaussagen

⇩

3. Aufgabe Mutter-Sohn-Beziehung – Vergleich Briefe - Exposition	
Briefe	Exposition

⇩

4. Aufgabe Kommentar von Franz

Wer weiß etwas über die Liebe?

Die Figurenentwicklung des Protagonisten durch ein produktives Verfahren erschließen

Nach der unter den gegebenen Umständen unvermeidlichen räumlichen, aber entwicklungsbedingt sinnvollen Loslösung von seiner Mutter verstärkt sich zunehmend der Wunsch Franz Huchels, über die sozialen Kontakte in der Trafik hinaus im Privaten ein sexuelles Verhältnis aufzubauen. Dementsprechend befolgt er den Rat Sigmund Freuds, den er in Fragen der Liebe als kompetenten Sachverständigen betrachtet, initiativ zu werden, um sein drängendes Verlangen nach einer erotischen Beziehung zu befriedigen.

1 Analysieren Sie die vier folgenden Gespräche, die zwischen Franz und S. Freud zunächst zum Thema Liebe allgemein und weiter folgend über seine Beziehung zu Anezka stattfinden. Untersuchen Sie dabei

a) die Gesprächsführung Freuds,

b) die Reaktionen von Franz hierauf und

c) verfassen Sie einen der jeweiligen Situation entsprechenden inneren Monolog Franz'.

d) Überprüfen Sie, inwieweit die Vorgehensweise Freuds für Franz Huchel bei der Verarbeitung seines Problems hilfreich ist und ihn bei seiner persönlichen Entwicklung unterstützt.

Bei der Bearbeitung der Aufgaben können Sie sich an folgendem Untersuchungsraster orientieren, sollten dieses aber in Ihren Unterlagen angemessen groß gestalten. Vergessen Sie nicht, bei zentralen Textstellen die Seiten- und Zeilenziffer zu vermerken.

Textstelle	1. Gespräch S. 42, Z. 10 – S. 45, Z. 26	2. Gespräch S. 73, Z. 7 – S. 79, Z. 29	3. Gespräch S. 134, Z. 5 – S. 142, Z. 8	4. Gespräch S. 221, Z. 7 – S. 230, Z. 18
Gesprächsführung Freuds				
Reaktion Franz'				
innerer Monolog Franz'				

innere Entwicklung von Franz

2 Erläutern Sie, warum neben Freud auch alle weiteren erwachsenen Figuren (Frau Huchel, Otto Trsnjek), die Franz nach der Liebe fragt, antworten, davon verstünden sie nichts.

Franz Huchel auf der Suche nach dem Glück

Die Entwicklung einer Figurenkonstellation erschließen und abschließend bewerten

Mit der „moralischen Unterstützung" Freuds unternimmt Franz Huchel einen Ausflug in das Wiener Vergnügungsviertel Prater in der Wiener Leopoldstadt. Er ist beseelt von dem Wunsch, das zu erreichen, was nach Sigmund Freuds Aussage bislang „noch die allermeisten geschafft" haben (S. 44, Z. 15), ohne diesen Gedanken näher erklären zu können.

Wiener Prater mit Riesenrad

1 a) Erstellen Sie einen Zeitstrahl, auf dem Sie oberhalb des Strahls die Entwicklung der inneren Verfassung Franz' festhalten und unterhalb die einzelnen Phasen des Kennenlernens Anezkas zuordnen. Beziehen Sie sich dabei auf die Textstelle von S. 46, Z. 26 bis S. 59, Z. 7.
b) Setzen Sie beide Aspekte zueinander in Beziehung und fassen Sie Ihr Ergebnis in einem kurzen Text zusammen.

2 Gestalten Sie auf der Grundlage Ihrer Textkenntnisse insgesamt einen Steckbrief von Anezka. Hierbei können Sie sich an der Vorlage des Steckbriefes zu Otto Trsnjek orientieren (s. S. 193). Ergänzen und berücksichtigen Sie aber auch Ihnen zusätzlich wichtig erscheinende Kriterien zu ihrer Charakterisierung.

3 Erschließen Sie – auf der Grundlage Ihres Leseprotokolls – die weitere Entwicklung der Beziehung zwischen Franz und Anezka in Form eines Flussdiagramms. Denken Sie dabei daran, auch die entsprechenden Textbezüge zu notieren. Beziehen Sie ebenso Ihre Ergebnisse aus der Analyse der Gespräche Franz' mit S. Freud mit ein (s. S. 187, Aufgabe 1).

4 Recherchieren Sie in den einschlägigen Medien den Aufbau des „psychischen Apparates" nach Sigmund Freud, indem Sie
a) die drei Instanzen ES, ICH und ÜBER-ICH beschreiben,
b) diese dann in Beziehung zueinander setzen und
c) hinsichtlich ihrer Bedeutung für die Persönlichkeitsentwicklung beurteilen.

5 a) Erklären Sie die Funktionsweise des psychischen Apparates anhand des abgebildeten Schemas.
b) Übertragen Sie das Modell des psychischen Apparates auf die Figur Franz und erläutern Sie dessen psychische Situation vor und nach dem Prater-Besuch.

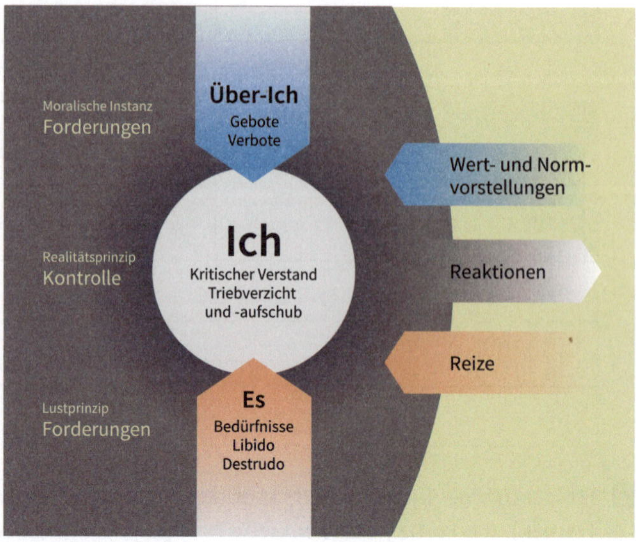

Klausurtraining

IA Analyse eines literarischen Textes mit weiterführendem Schreibauftrag

Textgrundlage: „Schießbudenszene im Wiener Prater" (S. 52, Z. 23 – S. 55, Z. 30)

Sie haben bisher unterschiedliche Aspekte der Analyse und Deutung von literarischen Texten kennengelernt und verfügen bereits über genaue Kenntnisse des Primärtextes, etwa im Hinblick auf den Aufbau der Handlung sowie die sprachliche und erzähltechnische Gestaltung. Letztere haben Sie durch die Untersuchung weiterer Romanauszüge vertiefen können und sich u. a. mit Veränderungen der Raum- und Figurengestaltung in funktionaler Hinsicht beschäftigt.

Auf der Grundlage der von Ihnen geleisteten Arbeit sollen Sie im Rahmen eines Klausurtrainings im Folgenden Schritt für Schritt in den Umgang mit komplexen Aufgabenstellungen eingeführt und Ihre methodischen Fertigkeiten damit gefördert werden. Des Weiteren soll das Klausurtraining Ihnen auch dazu dienen, Ihr Textverständnis zu überprüfen.

Der Aufgabenart I liegt ein Analysebegriff zugrunde, der auf komplexe Interpretationsleistungen abzielt, bei denen beschreibende, deutende und wertende Aussagen im Umgang mit der Mehrdeutigkeit literarischer Texte schlüssig und nachvollziehbar miteinander verknüpft und aufeinander bezogen werden müssen.

1 Analysieren Sie den Auszug aus R. Seethalers Roman „Der Trafikant": S. 52, Z. 23 – S. 55, Z. 30 im Hinblick auf die sich anbahnende Beziehung von Franz Huchel und Anezka unter Berücksichtigung des Verhaltens sowie der inneren Verfassung Franz'. Ordnen Sie dazu die Textstelle knapp in den vorherigen Handlungsverlauf des Romans ein und berücksichtigen Sie dabei die erzählerischen und sprachlichen Gestaltungsmittel.

2 Erläutern Sie im Kontext Ihrer Analyse aus der ersten Aufgabe die Funktion der im Textauszug enthaltenen Kindheitserinnerung Franz' (S. 53, Z. 12 – S. 54, Z. 16) und vergleichen Sie diese mit seiner weiteren Entwicklung im Roman hinsichtlich der Beziehung zu Anezka.

Das Anfertigen einer Analyse will gut überlegt und vorbereitet sein. Eine erfolgreiche Klausur hängt wesentlich auch von Ihrem Zeitmanagement ab.

Zunächst sollten Sie die Anforderungen der Aufgabenstellungen erkennen. In diesem Fall ist es die Analyse eines literarischen Textes (Aufgabe 1).

Daran anknüpfend wird im Folgenden eine differenzierte und gleichzeitig auf ein bestimmtes Phänomen hin fokussierte Darstellung erwartet (Aufgabe 2).

Liegt der Schwerpunkt der Textanalyse zunächst beim Erzähltext selbst, müssen in der weiteren Untersuchung aus dem Unterricht bekannte Texte für die Darstellung genutzt werden.

Um bei den meist sehr komplexen Aufgabenstellungen nicht den Überblick zu verlieren und einzelne Aufgabenteile zu übersehen, markieren Sie alle Verben bzw. Operatoren und die damit verbundenen inhaltlichen Festlegungen mit unterschiedlichen Farben.

Zu Aufgabe 1

Die Aufgabenstellung der ersten Aufgabe weist drei unterschiedliche Arbeitsaufträge an Sie auf:
- *Analysieren Sie das Verhalten und die innere Verfassung von Franz Huchel sowie das Auftreten von Anezka.*
- *Ordnen Sie die Textstelle (knapp) in den bisherigen Handlungsverlauf ein.*
- *Erschließen Sie die erzählerische und sprachliche Gestaltung der angegebenen Textstelle.*

Hieraus wird zunächst ersichtlich, dass der Analyseschwerpunkt sich auf die Anlage und Darstellung einer bestimmten Person – hier Franz –, und zwar an einer ganz bestimmten Stelle der Handlung bezieht. Somit sind zwei unterschiedliche Ebenen zu beachten, nämlich die der Handlung sowie der Figurenkonzeption. Darüber hinaus soll die entsprechende Textstelle noch im Hinblick auf ihre erzählerische und sprachliche Gestaltung untersucht werden.

1. Lesen Sie die angegebene Textstelle aufmerksam durch, auch dann, wenn Ihnen diese bereits bekannt ist. Unterteilen Sie dabei den Textauszug in Sinnabschnitte, deren jeweiliges Thema Sie stichpunktartig notieren, etwa wie folgt:
   - einführende Erklärung der Schießregeln und Gewinnmöglichkeiten durch den Schießbudenbesitzer (S. 52, Z. 23 – S. 53, Z. 2)
   - detaillierte Beobachtung Anezkas durch Franz und deren Wirkung auf ihn (S. 53, Z. ... – ...)
   - eingeschobene Kindheitserinnerung von Franz: Regenfass-Episode (...)
   - .... (S. 54, Z. 17 – S. 55, Z. 9)
   - ....(S. ..., Z. .... – S. ..., Z. ..)
   - ....(S. ..., Z. .... – S. ..., Z. ..)

Im Wesentlichen müssen Sie die Ergebnisse Ihrer vorbereitenden Auseinandersetzung mit der ersten Aufgabe (Notizen und Tabelle) in einem Fließtext verschriftlichen.

2. Markieren Sie bei einem zweiten Textdurchgang alle Textstellen, in denen Franz' Verhalten und seine innere Verfassung deutlich werden. Legen Sie auf Ihrem Konzeptpapier z. B. eine Tabelle an, wie sie in ähnlicher Form schon vorher verwendet wurde, in die Sie zentrale Textstellen zur Kennzeichnung seiner Situation eintragen. Notieren Sie hier auch direkt die genaue Fundstelle (Seiten- und Zeilenzahlen). Sie müssen nicht sämtliche Textstellen herausschreiben, konzentrieren Sie sich – schon aus Zeitgründen – auf Wesentliches.

Franz' Verhalten	Franz' innere Verfassung
– *Franz beobachtet Anezkas Gesicht sehr genau und detailliert: Ohren, Nase, Stirn ...* – *F. assoziiert mit A.s braunen Augen das Regenfass vor der Fischerhütte seiner Mutter* – ... – ... – ...	– *Formen und Farben seiner Beobachtungen führen zu einer zunehmenden sexuellen Erregung bei F.* – *Gefühl der Hilflosigkeit, in ihm entsteht der Wunsch, in A.s Augen zu versinken; dies löst in ihm die Erinnerung an ein Kindheitserlebnis aus, bei dem er Geborgenheit bei seiner Mutter suchte.* –

3. Damit haben Sie die ersten Vorarbeiten für die Bearbeitung dieser Aufgabe geleistet und können sich der eigentlichen Analyse zuwenden. Gehen Sie dabei nach den folgenden Schritten vor:

Schritt 1: Einordnung der Textstelle in den Handlungszusammenhang (Ort, Zeit, beteiligte Personen und Entwicklung des Geschehens)

Schritt 2: Darstellung und Analyse der äußeren und inneren Situation Franz' und Zusammenhang beider Aspekte

Schritt 3: Skizzierung des Verhaltens Anezkas während der Szene an der Schießbude

Schritt 4: Darstellung und Analyse der Erzählweise sowie der sprachlichen Gestaltung der Textstelle

Schritt 5: (kurze) Zusammenfassung der bisherigen Analyseergebnisse unter Einbezug des weiteren Verhaltens Anezkas gegenüber Franz

4. Fertigen Sie zu den Schritten 1, 3 und 4 auf Ihrem Konzeptpapier Notizen an, die Ihnen als Grundlage für die Ausarbeitung Ihrer Analyse dienen.

Schritt 1

Nun können Sie mit Ihrer Analyse beginnen, sollten aber einleitend den Leser/die Leserin Ihrer Analyse über die „technischen" Daten des Textes sowie die gestellten Aufgaben und die weitere Vorgehensweise in Kenntnis setzen. Hierzu gehören die Angabe des Autors (Robert Seethaler), des Titels des Erzähltextes (Der Trafikant), der Textsorte (Roman), des Erscheinungsjahrs (2012) sowie des Themas und des Romanaufbaus.

Eine solche Einleitung könnte wie folgt begonnen werden:
Robert Seethaler erzählt in seinem 2012 veröffentlichten Roman „Der Trafikant" die fiktive Entwicklung des 17-jährigen Franz Huchel, der seine Kindheit in der ländlichen Idylle des Salzburger Landes zusammen mit seiner Mutter verbracht hat. 1937 muss er plötzlich nach Wien übersiedeln, um dort bei einem früheren Geliebten seiner Mutter eine Ausbildung zum Trafikanten zu absolvieren. Die Trennung von seiner Mutter ist notwendig, da sie ihn nicht mehr länger wirtschaftlich unterstützen kann. ...

Formulieren Sie eine eigene Einleitung oder setzen Sie die begonnene in dem Sinne fort, dass Sie den inhaltlichen Aufbau kurz weiter skizzieren und dabei zunehmend den Fokus auf Franz' Wunsch richten, die Bekanntschaft mit einem Mädchen zu machen. Bezüglich des inhaltlichen Aufbaus des Romans können Sie auf Ihre Ergebnisse aus dem von Ihnen geführten Leseprotokoll (s. S. 162) zurückgreifen.

Schritt 2

Die Ausarbeitung dieses Aufgabenteils hängt ganz wesentlich von den geleisteten Vorarbeiten ab. Wählen Sie auf der Grundlage der von Ihnen angelegten Tabelle zentrale Aussagen zum Verhalten Franz' aus. Setzen Sie diese in Beziehung zu seiner inneren Verfassung und arbeiten Sie deutlich seine Position heraus, die er in der Interaktion mit Anezka einnimmt.

1. Stellen Sie möglichst differenziert das Problem dar, das Franz zunehmend überwältigt und ihn daran hindert, hinsichtlich seines Wunsches nach einer Freundin von sich aus aktiv bzw. initiativ zu werden, und erklären Sie die Ursachen für das zugrunde liegende Problem. Kontrastieren Sie das spezifische Verhalten von Franz an geeigneten Stellen auch mit der Art und Weise, wie Anezka in dieser Situation auftritt.

Vergessen Sie nicht, bei der Ausführung von Schritt 2 und 3 auch Textbelege – etwa in Form von Zitaten – in Ihren Text mit einzubeziehen, wie z. B.
Die ganze Hilflosigkeit von Franz wird auch daran deutlich, dass die einzigen beiden Worte, die in dieser Schießbudenszene gesprochen werden, von Anezka stammen. Als sie ihren letzten Schuss erfolgreich absolviert hat, ruft sie begeistert aus: „Bumm, tot!" (S. 55, Z. 6). Sie ist es auch, die ihn dazu auffordert, jetzt selbst zu schießen, indem sie ihn mit „einem sanften Stups ihrer Hüfte" berührt (S. 55, Z. 8f.). Dieser Körperkontakt führt bei Franz dazu, dass seine Hände zittern, als er das Gewehr in die Hand nimmt. Die gesamte Situation verschlimmert sich für Franz noch dadurch, dass ...

Schritt 3

Auch hinsichtlich der Aspekte Erzähltechnik sowie sprachliche Gestaltung – bezogen auf den zugrunde liegenden Text – kann auf bereits gewonnene Analyseergebnisse zurückgegriffen werden. Grundsätzlich sei an dieser Stelle noch einmal an das Erzählmodell von Petersen (s. S. 168) erinnert sowie hinsichtlich der sprachlichen Gestaltung an die Informationen zu den Fachbegriffen zur Epik im Glossar des Arbeitsbuches sowie an die Auflistung wichtiger rhetorischer Mittel hinten auf der inneren Umschlagseite.

Schritt 4

Den Abschluss dieser ersten Klausuraufgabe sollte immer ein kurzes Fazit der bisherigen Untersuchungsergebnisse bilden, wobei eine bloße Zusammenfassung nur zu Redundanzen führt. Dies sollte vermieden werden und ist schon allein aus zeitlichen Gründen wenig effizient. Hier wird eher eine reflektierte Schlussfolgerung – im Sinne einer Verallgemeinerung der dargestellten Phänomene – erwartet. Hierzu und mit Blick auf die sich anschließende Aufgabe sollte auch das Ende des Prater-Besuchs mit einbezogen werden.

K

Zu Aufgabe 2

Die zweite Aufgabe weist eine zweigeteilte Aufgabenstellung auf:
- *Erläutern Sie die betreffende Szene der Erinnerung Franz' an seine Kindheit.*
- *Erörtern Sie – unter Einbezug der (aus dem Unterricht bekannten) Handlungsstränge – die Ich-Entwicklung von Franz.*

War zunächst die Betrachtungsweise in der ersten Aufgabe in hohem Maße rückwärtsgewandt, nämlich an Franz' Kindheitserfahrungen orientiert, so wird nun der Blick auf das zukünftige Geschehen gelenkt. Hieraus ergeben sich folgende Arbeitsschritte:

Schritt 1: Darstellung der Funktion der Kindheitserinnerung für Franz im Moment der ersten Begegnung mit Anezka (Fluchtmöglichkeit aus der angstbesetzten Situation, Sehnsucht nach Rückkehr in die Geborgenheit des Mutterschoßes)

Schritt 2: Wiederaufnahme der Gespräche mit Sigmund Freud durch Franz vor dem Hintergrund seiner Enttäuschung wegen des Verschwindens von Anezka

Schritt 3: Zunehmender Aufbau von Ich-Stärke bei Franz nicht nur in Bezug auf die Beziehung mit Anezka, sondern etwa auch im Hinblick auf weitere Handlungsstränge, wie z. B. sein erwachendes politisches Bewusstsein

Schritt 4: Formulierung eines Fazits der Untersuchungsergebnisse (ggfs. mit einer kurzen persönlichen Positionierung)

Schritt 1

Formulieren Sie zunächst eine aufgabenbezogene Überleitung, in der Sie die bisher gewonnenen Erkenntnisse über das Verhalten von Franz funktional mit der Darstellung der Regenfass-Episode verknüpfen, und leiten Sie von hier aus zum Kern der zweiten Aufgabe über, der Ich- oder Persönlichkeitsentwicklung bei Franz. Dies könnte z. B. wie folgt geschehen:
War das bisherige Verhalten Franz' im Zusammenhang mit seinem Wunsch nach Bindung oder Freundschaft kindlich-naiv ausgerichtet, wie es die Erinnerung an das Erlebnis mit der toten Ratte im Regenfass deutlich macht, so sucht Franz nun von sich aus wegen seines ihn stark belastenden Liebeskummers wieder den Rat des Psychoanalytikers S. Freud. In den nun folgenden Gesprächen mit ihm zeigt sich ...

Schritt 2

Sie können die begonnene Hinführung zur Ich-Entwicklung Franz' fortführen, indem Sie die Ergebnisse des 2., 3. sowie 4. Gesprächs von Franz mit Freud dahingehend auswerten, inwieweit sie den jungen Trafikanten in seiner Persönlichkeitsentwicklung unterstützen. Entsprechende Befunde haben Sie im Unterricht bereits ermittelt. Darüber hinaus haben Sie sich ebenfalls mit dem psychischen Apparat nach Freud beschäftigt und dessen Aufbau aus ES, ICH und ÜBER-ICH sowie die Wechselbeziehungen zwischen den einzelnen Instanzen kennengelernt. Ihre im Unterricht erworbenen Kenntnisse dazu können Sie an dieser Stelle auch einbringen.

Schritt 3

Im Kontext dieses Schrittes empfiehlt es sich, auf der Grundlage aller im Unterricht bisher angesprochenen Handlungsstränge sowie mit der Unterstützung Ihres Leseprotokolls Ereignisse ausfindig zu machen, die im Sinne einer zunehmenden Selbstbehauptung Franz' herangezogen werden können. Dies ist aufgrund der Aufgabenstellung hier nicht zwingend erforderlich, eine Ausweitung – etwa um die politische Dimension – würde u. U. aber die Plausibilität der eigenen Argumentation stärken.

Schritt 4

Sie sollten die Ergebnisse Ihrer Auseinandersetzung mit der gestellten Aufgabe prägnant zusammenfassen. Dabei können sie auch mit einer kurzen persönlichen Positionierung schließen, etwa im Hinblick auf die dynamische Figurenentwicklung des jungen Trafikanten.

„Weil ich Trafikant bin, […] sein will […], immer […] sein werde"

Die Figurencharakterisierung eines Protagonisten entwickeln

Ein weiterer Entwicklungsverlauf lässt sich im Rahmen von Franz' Anstellung in der Trafik nachverfolgen. Diese hat er auf Nachfrage seiner Mutter erhalten, die früher ein Verhältnis mit dem Trafikinhaber Otto Trsnjek hatte. Bei seiner Charakterisierung soll es nicht um äußere Formen der Kontaktpflege gehen, sondern vielmehr darum, den Inhaber der Wiener Tabaktrafik hinsichtlich seiner Einstellungen und Haltung sowie seines Auftretens in den Interaktionen in seinem sozialen Umfeld zu erfassen. Damit sind vor allem seine Kunden, Nachbarn und natürlich Franz Huchel gemeint – um auch hier herauszuarbeiten, welchen Einfluss Trsnjek auf seinen neuen Mitarbeiter hat.

1 Beschreiben Sie die Tätigkeitsmerkmale Franz Huchels in der Trafik bis zur Verhaftung des Geschäftsinhabers.

2 Entwerfen Sie auf der Basis Ihrer Textkenntnis und mit Hilfe Ihres Leseprotokolls einen Steckbrief zu Otto Trsnjek, in dem Sie ein möglichst vollständiges Bild seiner äußeren Merkmale sowie insbesondere seiner Persönlichkeit erstellen.
Erweitern Sie das Raster des Steckbriefes um zusätzliche Kriterien, die Ihnen im Hinblick auf die Darstellung des Trafikinhabers und seines Einflusses auf Franz wichtig erscheinen.

Steckbrief Otto Trsnjek

Merkmal	Texthinweise (stichwortartig) einschl. Textverweisen
Geschlecht	*männlich*
Alter (falls bekannt)	
familiäre und/oder gesellschaftliche Stellung	
Herkunft	
Berufseinstellung	
Umgang mit Kunden	
Verhalten gegenüber Franz	
weitere Ihnen wichtige Informationen	

3 Beschreiben Sie die Möglichkeiten, die sich für Franz im Rahmen seiner Ausbildung durch O. Trsnjek in der Trafik als Ort medialer Vielfalt ergeben, und beurteilen Sie diese auch unter Berücksichtigung von Franz' Herkunft.

Die „neue Geistesfreiheit"

Die repressive Kulturpolitik der Nationalsozialisten erkennen und am Romantext überprüfen

Zwischen Februar 1933 und November 1936 war es den Nationalsozialisten im Deutschen Reich gelungen, alle wesentlichen Stellen des deutschen Kulturbereichs im Rahmen der Gleichschaltungsmaßnahmen der nationalsozialistischen Ideologie zu unterwerfen. Im Vorfeld und bei der Durchsetzung des Anschlusses Österreichs an Deutschland konnten die nun bereits etablierten Strukturen der Repression zügig auf das neue Gebiet übertragen werden. Diese Formen der Unterdrückung richteten sich nicht nur gegen politisch Andersdenkende oder die Freiheit von Kunst und Kultur, sondern gegen jede Form von Pluralität des Denkens, der Meinung und Information. Im Romantext von R. Seethaler spiegelt sich dies in besonderer Form in den Terrorakten gegen die Trafik von Otto Trnsjek wider, der über die zerstörerischen Angriffe auf sein Geschäft hinaus auch um die Freiheit der Berichterstattung zutiefst besorgt ist.

Inge Stephan

Nationalsozialistische Kulturpolitik (1994)

Bereits wenige Tage nach dem Machtantritt der Nationalsozialisten wurden Notverordnungen erlassen, durch die Presse-, Versammlungs- und Demonstrationsfreiheit entscheidend eingeschränkt wurden. Alle Druckschriften, „deren Inhalt geeignet ist, die öffentliche Sicherheit oder Ordnung zu gefährden", konnten beschlagnahmt werden. Im Februar 1933 wurden Heinrich Mann und Käthe Kollwitz zum Austritt aus der Preußischen Akademie der Künste gezwungen, weil sie in einem von ihnen unterzeichneten Wahlaufruf eine Koalition von SPD und KPD für die bevorstehenden Reichstagswahlen gefordert hatten. Nach dem Reichstagsbrand am 27. Februar 1933, der den Nationalsozialisten zumindest sehr gelegen kam, wenn er nicht von ihnen inszeniert war, trat der faschistische Charakter der neuen Machthaber vollends zutage. Durch die „Verordnung des Reichspräsidenten zum Schutz von Volk und Staat" vom 28. Februar wurden wesentliche Paragraphen der Verfassung außer Kraft gesetzt, war „die unwiderrufliche Ablösung des Rechtsstaates durch den Polizeistaat" (Bracher) Tatsache geworden.

Karl D. Bracher (1922 – 2016), deutscher Politikwissenschaftler u. Historiker in Bonn

Opfer der neuen Terror-Gesetze wurden vor allem Kommunisten. Mehr als 10.000 von ihnen sollen in der Nacht des Reichstagsbrands – eine gesetzliche Grundlage dafür bestand noch gar nicht – festgenommen worden sein. Die Beteiligung der KPD, die als Partei offiziell nicht verboten war, an den Reichstagswahlen vom 5. März war unter diesen Umständen nur eine Farce. Noch in der Nacht des 28. Februar wurden zahlreiche Schriftsteller verhaftet, keineswegs nur KPD-Mitglieder. Carl von Ossietzky, Erich Mühsam und Ludwig Renn gehörten zu den ersten. Wenige Tage später folgten Willi Bredel, Anna Seghers und Klaus Neukrantz, andere entgingen nur durch Zufall der Verhaftung; sie konnten rechtzeitig in der Illegalität untertauchen oder ins Ausland fliehen.

Nach der Reichstagswahl vom 5. März, in der die Nationalsozialisten ihre Mandate auf 44 % erhöhen konnten, fühlten sie sich stark genug, den kulturellen Bereich nach ihren Vorstellungen zu organisieren. In seiner Regierungserklärung vom 23. März 1933 fasste Hitler die kulturellen Ziele seiner Regierung wie folgt zusammen: „Gleichlaufend mit der politischen Entgiftung unseres öffentlichen Lebens wird die Reichsregierung eine durchgreifende moralische Sanierung des Volkskörpers vornehmen. Das gesamte Erziehungswesen, Theater, Film, Literatur, Presse. Rundfunk, sie werden alle Mittel zu diesem Zweck sein." In der Praxis bedeutete dies, dass nach dem Verbot der kommunistischen und sozialdemokratischen nun auch die bürgerliche Presse in die Schusslinie der neuen Machthaber geriet.

Zeitungen und Zeitschriften, die sich dem neuen Kurs nicht einfügen, wurden kurzerhand verboten; die Übrigen wurden durch Drohungen, Entlassungen, Verhaftungen und wirtschaftliche Sanktionen zur Anpassung gezwungen.
Neben die Gleichschaltung der Presse traten schon sehr bald Maßnahmen gegen Schriftstellerorganisationen. Der „Schutzverband deutscher Schriftsteller“ (SDS) wurde als Erster „gesäubert“. Dabei konnten sich die Nationalsozialisten auf Gefolgsleute innerhalb des Verbandes stützen, die schon in der Weimarer Republik eine interne Opposition gebildet hatten. Mitglieder der „Arbeitsgemeinschaft nationaler Schriftsteller“, die seit 1931 existierte, übernahmen die Führungsrolle im SDS und begannen umgehend mit der von Hitler geforderten „Entgiftung“. Alle Mitglieder wurden auf ihre politische Zuverlässigkeit im Sinne der neuen Machthaber überprüft, liberale und linke Mitglieder kurzerhand ausgeschlossen; im Mai wurde der leitende Redakteur des Völkischen Beobachters neuer Vorsitzender des SDS, seine Mitglieder mussten sich durch Unterschrift zum nationalsozialistischen Staat bekennen. Im Juli 1933 wurde der SDS in den im Juni gegründeten „Reichsverband Deutscher Schriftsteller“ (RDS) überführt.
Zur gleichen Zeit wurde die Preußische Akademie der Künste, Sektion Literatur, deren Vorsitzender Heinrich Mann im Februar unter fadenscheinigen Gründen zum Rücktritt gezwungen worden war, gleichgeschaltet; Mitglieder der Sektion konnten nur diejenigen bleiben, die eine von Gottfried Benn konzipierte Loyalitätserklärung dem faschistischen Staat gegenüber abzugeben bereit waren. Thomas Mann und Ricarda Huch erklärten daraufhin ihren Austritt, andere wurden zwangsweise ausgeschlossen, weil sie die geforderte Erklärung entweder nicht unterschreiben wollten oder aber als Juden unerwünscht waren. An die Stelle der Ausgetretenen und Ausgeschlossenen rückten überzeugte Nationalsozialisten wie Grimm, Blunck, Johst, Kolbenheyer und Vesper. Umbesetzt wurde auch die deutsche Sektion des Internationalen PEN-Clubs. Der alte Vorstand wurde zum Rücktritt gezwungen und durch einen neuen, „zuverlässigen“ Vorstand ersetzt; politisch unliebsame Mitglieder wurden ausgeschlossen. Auf die Gründung einer zweiten deutschen Sektion von ausgeschlossenen, im Exil lebenden Autoren reagierte die innerdeutsche Sektion mit ihrem Austritt aus dem Internationalen PEN-Club. Die programmatische Gegengründung einer „Union nationaler Schriftsteller“, die von Johst und Benn geführt wurde, war jedoch wenig erfolgreich.
Eine neue Stufe erreichte der Terror gegen oppositionelle Schriftsteller mit der Bücherverbrennung. Am 26. April 1933 erschien in der Berliner Nachtausgabe, einer Zeitung, die dem für Hitlers Machtergreifung maßgeblichen Hugenberg-Konzern

Bücherverbrennung auf dem Opernplatz in Berlin am 10. Mai 1933

Am Kaiser-Friedrich-Ufer in Hamburg am 15.05.1933: NS-Parteimitglieder schleppen beschlagnahmte Bücher aus einem Haus.

gehörte, eine Liste „verbrennungswürdiger" Bücher. Diese Veröffentlichung war Auftakt für eine Fülle von sogenannten schwarzen und weißen Listen, auf denen die missliebigen bzw. genehmen Autoren aufgeführt waren. Am 10. Mai kam es in ganz Deutschland zu einer beispiellosen Bücherverbrennung, die entgegen weitverbreiteter Meinung keine planlose oder spontane Aktion der Bevölkerung darstellte, sondern eine „zeitlich gesteuerte, organisatorisch exakt geplante Kampagne" (H. A. Walter) gewesen ist. In feierlichen, ritualisierten Veranstaltungen wurden die Werke vieler bedeutender und prominenter Autoren „den Flammen übergeben". Führende Nationalsozialisten wie Goebbels und prominente Literaturprofessoren hielten die Reden. Das Heine-Wort: „Wo man Bücher verbrennt, verbrennt man am Ende gar auch Menschen", sollte schon bald schreckliche Realität werden. Wenige Tage später veröffentlichte das Börsenblatt für den Deutschen Buchhandel eine erste amtliche Liste von Büchern, die aus öffentlichen Bibliotheken entfernt werden sollten. Diese Liste umfasste 131 Autoren und wurde regelmäßig auf den neuesten Stand gebracht. Durch das Reichskulturkammergesetz vom 22. September 1933 schließlich fand die Reglementierung des kulturellen Lebens ihre gesetzliche Basis. Unter der Aufsicht von Goebbels traf die am 15. November 1933 eingerichtete Reichskulturkammer im Reichsministerium für Volksaufklärung und Propaganda in Zukunft die Entscheidung darüber, wer sich kulturell betätigen durfte und wer nicht. Unterstützt wurde sie dabei von der Reichsschrifttumskammer unter dem Vorsitz von Blunck, später von Johst, die ihren Mitgliedern den Nachweis „arischer" Abstammung und ein Treuegelöbnis gegenüber dem nationalsozialistischen Staat abverlangte. In der Praxis bedeutete dies für jüdische und politisch andersdenkende Autoren Berufsverbot. Ergänzt wurde die staatliche Beaufsichtigung durch drei verschiedene Zensurbehörden, durch die Schrifttumsabteilung im Propagandaministerium, die Reichsstelle zur Förderung des deutschen Schrifttums, die von Rosenberg persönlich geleitet wurde, und die Parteiamtliche Prüfungskommission zum Schutz des NS-Schrifttums. Durch das formelle Kritikverbot vom 27. November 1936 und die administrative Ersetzung der „zersetzenden Kritik" durch die „fördernde Betrachtung" wurden schließlich die letzten Reste eines literarischen Lebens beseitigt.

Alfred Ernst Rosenberg (1893 – 1946) Politiker und NSDAP-Parteiideologe, sein Buch *Der Mythus des 20. Jahrhunderts* (1930) war nach A. Hitlers *Mein Kampf* das einflussreichste innerhalb der nationalsozialistischen Bewegung

Lernarrangement

Bilden Sie arbeitsgleiche Gruppen von max. fünf Schülerinnen und Schülern. Gehen Sie wie folgt vor:

a) Fassen Sie die zentralen Maßnahmen der nationalsozialistischen Kulturpolitik auf der Grundlage des Textes von I. Stephan übersichtsartig zusammen.

b) Recherchieren Sie an Beispielen ausgewählter Autoren und Autorinnen, welche grundsätzlichen Möglichkeiten diese besaßen, sich gegen den NS-Terror zu wehren bzw. sich diesem zu entziehen. Dabei können Sie sich auch auf Informationen aus dem Lyrik-Kapitel „Flucht und Exil" beziehen (S. 138 – 141).

c) Informieren Sie sich über die Inszenierung und den Ablauf der nächtlichen Bücherverbrennungen, die in mehreren deutschen Universitätsstädten am 10. Mai 1933 bei Dunkelheit durchgeführt wurden, begleitet von sogenannten Feuersprüchen, die auf die Werke zugeschnitten waren. Zu den zahlreichen Autoren aus den verschiedensten Bereichen, u. a. aus Wissenschaften, Literatur und Journalismus, gehörten auch Erich Kästner, Sigmund Freud, Kurt Tucholsky, Carl von Ossietzky sowie Alfred Kerr.
Recherchieren Sie die diesen von den Nazis „gewidmeten" Feuersprüche und erstellen Sie mit entsprechendem Bildmaterial und weiteren Informationen eine Collage zu dieser sog. „Aktion wider den undeutschen Geist".

Die Zusammenhänge zwischen Realgeschichte und dichterischer Wirklichkeit beispielhaft am Romantext erarbeiten

Die Dynamisierung der Auswüchse innerhalb der Nazifizierung der Bevölkerung zeigt sich im Roman beispielhaft an den sich zunehmenden Verschärfungen der öffentlichen Maßnahmen in Wort und Tat gegen Juden und Andersdenkende – in diesem Fall gegen Otto Trsnjek und seine Trafik, da Juden zu seinen Kunden gehören. Diese Entwicklung hin zur Verrohung menschlicher Umgangsformen lässt sich an vier Stationen der Romanhandlung nachvollziehen.

1 *Lernarrangement*

Bilden Sie fünf etwa gleichgroße Arbeitsgruppen – bei einem großen Kurs können die fünf Themen auch doppelt besetzt werden – und ordnen Sie diesen je eine Textstelle zu.
Analysieren Sie den jeweiligen Textauszug, indem Sie wie folgt vorgehen:

a) Lesen Sie zunächst alle fünf angegebenen Textstellen noch einmal aufmerksam durch und ergänzen Sie ggf. Ihr Leseprotokoll.
   1. Schmierereien an der Trafik mit Tierblut (S. 60, Z. 5 – S. 64, Z. 8)
   2. Selbstmord des „Roten Egon" – Vergleich des Erzählberichts (S. 143, Z. 8 – S. 145, Z. 23) mit dem Zeitungsbericht aus der Reichspost (S. 145, Z. 24 – S. 148, Z. 30)
   3. Zerstörung der Trafik bei Nacht (S. 152, Z. 25 – S. 154, Z. 19)
   4. Verhaftung Otto Trsnjeks (S. 154, Z. 20 – S. 158, Z. 15)
   5. Franz' Reaktionen nach Ottos Verhaftung (S. 158, Z. 16 – S. 161, Z. 17)

b) Untersuchen Sie nun die Ihnen zugewiesene Textstelle im Hinblick auf die dargestellten Ereignisse sowie die sprachliche Gestaltung.

c) Beschreiben Sie die Form der dargestellten Gewalt und erarbeiten Sie deren Auswirkungen auf O. Trsnjek.

d) Erläutern Sie, inwiefern dieses Ereignis auch Einfluss auf das Verhältnis zwischen dem Trafikinhaber und Franz hat.

e) Stellen Sie Ihre Gruppenergebnisse in geeigneter Form im Plenum vor und entwickeln Sie dort gemeinsam eine abschließende Beurteilung der behandelten Vorgänge sowie des Verhaltens Franz' nach der Verhaftung O. Trsnjeks. Hierbei können Sie auch Verbindungen zum Text von I. Stephan zum Thema Nationalsozialistische Kulturpolitik (s. S. 194 – 196) herstellen.

f) Stellen Sie das Gesamtergebnis etwa in Form eines Plakates oder als Flussdiagramm dar.

Oben links: Novemberpogrom 1938 in Österreich: verwüstetes Zimmer in einer Wiener Wohnung
Oben rechts: Durch Pogrom zerstörtes Schaufenster
Unten: Brennende Synagoge

Der Königsweg der Psychoanalyse

Die Grundlagen der Traumdeutung erschließen

Der Autor des folgenden Textes, der Biophysiker und Wissenschaftsjournalist Stefan Klein, hat für seine Darstellung der Traumdeutung Freuds die Form eines fiktiven Interviews gewählt, das er auf das Jahr 1921 datiert. Das Besondere hieran ist, dass Klein alle Antworten auf seine Fragen Freuds Schriften entnommen hat. D. h., dass vor den Fragen des Autors die Antworten Freuds schon längst vorhanden waren. Klein hat lediglich geringe Veränderungen an der Syntax von Freuds Ausführungen vorgenommen, um diese besser mit seinen Fragen verknüpfen zu können. Freuds Schrift „Die Traumdeutung" erschien im November 1899, wurde jedoch auf das Jahr 1900 nachdatiert, um die Psychoanalyse als „Jahrhundertwerk" präsentieren zu können. Die Traumdeutung hat in der Folge großen Einfluss auf das kulturelle Schaffen des neuen Jahrhunderts gehabt und wesentlich zu einem neuen Menschen- und Weltbild in der Kultur der westlichen Welt beigetragen. Insofern sind ihre Impulse nicht nur auf die Psychologie, sondern auch auf Philosophie, Literatur und bildende Kunst nicht zu unterschätzen. Vor allem die Surrealisten wandten sich der Darstellung des Traumhaften und Unbewussten zu.

Stefan Klein

Mit der Traumdeutung in die Tiefen der Seele (2014)

Freud: Die Traumdeutung ist die Via regis, der Königsweg, zur Kenntnis des Unbewussten im Seelenleben.

Klein: Das sehe ich ähnlich. Heute wissen wir: Träume können uns tatsächlich zeigen, wer wir sind und wie wir funktionieren. Aber das Unbewusste ist ganz anders, als Sie es sich vorgestellt haben. Forscher haben Zehntausende Träume in Rechenmaschinen erfasst, die wir Computer nennen. Sie können mit speziellen Apparaten sogar einem Schläfer in den Kopf sehen und beobachten, was er gerade träumt.

Freud: Sehr interessant. Aber Sie wollten mir einen Traum erzählen.

Klein: Na schön. Ich träume regelmäßig davon, dass ich noch einmal das Abitur ablegen muss. Aber ich habe nicht die mindeste Ahnung davon, was die Lehrer abfragen könnten, weil ich den Unterricht so oft geschwänzt habe.

Freud: Und, was fällt Ihnen dazu ein?

Klein: In der Oberstufe habe ich wirklich alles daran gesetzt, so wenig Zeit in der Schule zu verbringen wie möglich. Insofern ist der Traum realistisch. Aber fast genauso oft sehe ich nachts statt des Abiturs die Diplomprüfung oder die Verteidigung meiner Doktorarbeit auf mich zukommen, dabei habe ich die Universität gern besucht. Vor allem hatte ich nie ernsthafte Prüfungsangst. [...]

Freud: Er ist ein Stück Ihres überwundenen Kinderseelenlebens. Im Prüfungstraum zeigen sich die unauslöschlichen Erinnerungen an die Strafen, die wir in der Kindheit für verübte Untaten erlitten haben. Es ist dann nicht weiter auffällig, wenn die Vorwürfe wegen der „Dummheiten" und „Kindereien" sich auf die Wiederholung beanstandeter sexueller Akte bezogen.

[...]

Klein: Allerdings ist die Psychoanalyse nicht erst in diesem Moment vor mir aufgetaucht. Ich kenne Ihre Theorien schon lange. Aber wie mein Prüfungstraum mit unterdrückter Sexualität zusammenhängen soll, müssen Sie mir erklären.

Freud: Bitte beachten Sie, dass unsere Lehre nicht auf der Würdigung des manifesten Trauminhalts beruht. Den Weg zum Verständnis des Traumes beschreiten wir, indem wir annehmen, dass das, was wir als Traum nach dem Erwachen erinnern, nicht der wirkliche Traumvorgang ist, sondern nur eine Fassade, hinter welcher sich dieser verbirgt.

Klein: Es geht Ihnen also gar nicht um das, was ich im Schlaf gesehen habe! Ihrer Meinung nach verstellen die Bilder des Traumes dessen wahre Botschaft. Und was wirklich gemeint ist, kommt erst auf der Couch des Analytikers zum Vorschein.

Freud: Der Traum ist ein Bilderrätsel. Die richtige Beurteilung des Rätsels ergibt sich offenbar erst dann, wenn ich mich bemühe, jedes Bild durch eine Silbe oder ein Wort zu ersetzen, das nach irgendwelcher Beziehung durch das Bild darstellbar ist. Die Worte, die sich so zusammenfinden, sind nicht mehr sinnlos, sondern können den schönsten und sinnreichsten Dichterspruch ergeben.

Klein: Sie denken also, dass sich das Unbewusste in Symbolen ausdrückt.

Freud: Die übergroße Mehrzahl der Symbole im Traum sind Sexualsymbole. [...]

Klein: Träume sind nicht zufällig, sie haben eine Bedeutung. Darin stimme ich mit Ihnen überein. Aber das Unbewusste spielt nicht mit uns Verstecken. Träume vermitteln weder verschlüsselte Botschaften, noch bedienen sie sich einer Symbolsprache. Was Träume uns mitzuteilen haben, sagen sie offen.

„Traum, verursacht durch den Flug einer Biene um einen Granatapfel, eine Sekunde vor dem Aufwachen“ (Salvador Dali, 1944)

Salvador Dali (1904–1989), der spanische Maler, Grafiker und Bildhauer wurde mit seinen Kunstwerken weltberühmt, in denen er das Unbewusste darstellen wollte, so wie es in den Träumen erscheint. Diese als Surrealismus bezeichnete Kunstauffassung galt im Nationalsozialismus als „entartete Kunst“.

Freud: Tun sie das? Dann müssen Sie mir erklären, was den Traum so fremdartig und unverständlich erscheinen lässt. Ich sage: Die Traumentstellung ist eine Folge der Zensur, welche vom Ich gegen irgendwie anstößige Wunschregungen ausgeübt wird. Wir brauchen die Ergebnisse unserer Arbeit an der Traumdeutung nicht aufzugeben, auch wenn wir sie befremdend finden müssen. Überall, wo Lücken im manifesten Traum sind, hat die Traumzensur sie verschuldet. Auslassung, Modifikation, Umgruppierung des Materials sind die Mittel der Traumentstellung. Sie gibt dem Traum seine Fremdartigkeit.

Klein: Wie hätten Sie sich die surrealen Szenen auch anders erklären sollen? Die Vorgänge im Gehirn, die dafür verantwortlich sind, wurden lange nach Ihrem Tod entdeckt. Neuerdings können Forscher dem Gehirn bei der Arbeit zusehen. Sie machen das mit Maschinen, die wir Scanner nennen. Daher wissen wir: Im Schlaf funktioniert das Gehirn anders. Es wäre ein Wunder, würden wir im Traum dieselben Erfahrungen machen wie tagsüber. Mit Zensur hat das nichts zu tun. Weshalb sollten wir auch unsere Wünsche verdrängen?

Freud: Weil unsere Kultur ganz allgemein auf der Unterdrückung von Trieben aufgebaut ist.

Klein: Das 19. Jahrhundert, in dem Sie groß wurden, war prüde. Unsere Zeit ist es nicht mehr. Das verdanken wir nicht zuletzt Ihnen. Schon George Orwell, ein Schriftsteller in der Mitte des 20. Jahrhunderts, wunderte sich darüber, warum er im Traum sexuelle Impulse vor sich selbst verbergen sollte, „über die ich im Wachzustand ohne jede Scheu sprechen würde“.

George Orwell (1903–1950), engl. Schriftsteller, Essayist u. Journalist. Zu seinen wichtigsten Werken gehören die „Farm der Tiere“ (1946) sowie der Roman „1984“ (geschrieben 1948, veröffentlicht 1949), in dem er das Schreckensszenarium eines Überwachungsstaates entwirft.

Freud: Wie erklären Sie sich dann Ihren Prüfungstraum?

Klein: Was wir heute wissen, ist: Träume erschließen sich weniger über Bilder als über Gefühle. Auch das erklärt sich aus der Organisation unseres Gehirns. Den Abiturtraum erlebe ich auffallend oft, wenn die Veröffentlichung eines Buches oder eines wichtigen Aufsatzes naht. Da scheint die Angst, ich könnte mich mit meinen Ideen allzu sehr exponieren, eine Rolle zu spielen. Haben Sie diese Erfahrung nie gemacht?

Freud: Oh doch. Im Gymnasialprüfungstraum werde ich regelmäßig in Geschichte geprüft. Er tritt auf, wenn man vom nächsten Tage eine verantwortliche Leistung und die Möglichkeit einer Blamage erwartet.

Klein: Träume wiederholen sich, weil im Schlaf die aktuellen Ereignisse in unser Gedächtnis eingewebt werden. Dabei fallen uns immer wieder Situationen ein, die emotional dem ähneln, was uns gerade beschäftigt. Sehr oft sehen wir dann Erlebnisse unserer späten Kindheit oder der frühen Erwachsenenjahre, in denen wir mit dem entsprechenden Gefühl zum ersten Mal bewusst umgehen mussten. Aber da gibt es keine Verdrängung, keine Zensur. Die neue Erfahrung wird gleichsam in das Raster ihrer vorhandenen Erinnerungen eingeordnet. So kann Ihnen der Traum Ihre Gefühle bewusst machen, die Sie tagsüber vielleicht stärker beachten sollten.

Freud: Im Grundsatz sind wir uns jedenfalls einig: Der Traum stammt aus der Vergangenheit.

Klein: Ja, aber nicht nur! Träume sind weit mehr als die ständige Wiederkehr unbewältigter Erfahrungen. Wir bereiten uns nämlich auch auf die Zukunft vor, während wir träumen. Indem Sie beispielsweise emotional belastende Ereignisse im Schlaf in veränderter Form wiedererleben, verarbeiten Sie sie.

Freud: Was Sie sagen, kommt mir bekannt vor. Nach demselben Prinzip bewältigt auch ein Patient in einer ordentlichen Psychoanalyse seine Vergangenheit.

Klein: Träume sind tatsächlich eine natürliche Psychotherapie. Studien zeigten, dass Frauen besser über den Schmerz einer Scheidung hinwegkommen, wenn sie davon träumen. Wir lernen aber auch neue Fähigkeiten im Schlaf, eben weil Informationen des Tages weiterverarbeitet werden. Träume sind eine virtuelle Realität, in der wir für die Zukunft trainieren. All dies konnten Sie noch nicht ahnen, Professor Freud. Erst im 21. Jahrhundert beginnen wir zu verstehen, was während des Schlafs in unseren Gehirnen geschieht.

Freud: Ich habe nie gesagt, dass mit meiner Lehre das letzte Wort über die innersten Antriebe des Menschen gesprochen sein soll. Im Gegenteil sah ich Entdeckungen von der Art, wie Sie sie beschreiben, sogar kommen. *(Er zieht eine Ausgabe seiner „Traumdeutung“ hervor)* Hören Sie einmal, was ich im Jahr 1899 schrieb: „Selbst wo das Psychische sich bei der Erforschung als der primäre Anlass eines Phänomens erkennen lässt, wird ein tieferes Eindringen die Fortsetzung des Weges bis zur organischen Begründung des Seelischen einmal zu finden wissen.“

Klein: Sie meinen: Eines Tages werden die Menschen verstehen, dass Körper und Seele sich zueinander verhalten wie die zwei Seiten einer Medaille. Und damit werden sich auch unsere Träume auf neue Weise erschließen?

Freud: Ganz genau.

Klein: Heute erkennen wir Träume als Schlüssel, um das Rätsel unseres Bewusstseins zu lösen. Und Sie haben uns mit Ihrer Pionierarbeit den Weg gebahnt. Dafür haben wir allen Grund, Ihnen dankbar zu sein.

Freud: Gegen Angriffe kann man sich wehren. Gegen Lob ist man machtlos. Leben Sie wohl.

Lernarrangement

Erschließen Sie den Textauszug des fiktiven Interviews von Klein mit Sigmund Freud zur Traumdeutung anhand der Methode des reziproken Lesens (wechselseitiges Erarbeiten in jeweils vier Schritten). Vorgehensweise:

Zunächst werden Gruppen von jeweils vier Schülern und Schülerinnen gebildet. Anschließend wird in jeder Gruppe der ersten Textabschnitt von allen Gruppenmitgliedern zwei- bis dreimal leise gelesen.

a) Der/die erste Schüler/-in stellt zwei bis drei Fragen zu wichtigen Informationen im Text. Die Gruppenmitglieder beantworten die Fragen.
b) Im Uhrzeigersinn: der bzw. die zweite Schüler/-in formuliert eine Zusammenfassung dieses Textabschnittes. Die Gruppenmitglieder geben begründete Rückmeldung oder korrigieren.
c) Im Uhrzeigersinn: der bzw. die dritte Schüler/-in identifiziert schwierige Textstellen oder unverständliche Wörter bzw. Begriffe.

d) Im Uhrzeigersinn: der bzw. die vierte Schüler/-in schlägt eine sinnvolle Überschrift für den erarbeiteten Textabschnitt vor. Die Gruppenmitglieder geben begründete Rückmeldung oder korrigieren.

Ist die Arbeit am ersten Textabschnitt abgeschlossen, werden die Rollen in den jeweiligen Gruppen gewechselt (z. B. im Uhrzeigersinn). Die Vorgehensweise wiederholt sich Abschnitt für Abschnitt, bis der Text insgesamt gelesen wurde. Die Schülerinnen und Schüler in den einzelnen Gruppen erstellen eine Zusammenfassung des gesamten Textes. Abschließend werden im Plenum die zentralen Informationen zusammengetragen.

Die Funktion literarischer Symbole am Text erläutern und im Hinblick auf das Textverständnis bewerten

Wie im Text von Klein und an den Aussagen von Freud unschwer zu erkennen ist, spielen Symbole im Traum eine zentrale Rolle. Freud selbst hat in seinem Werk *Die Traumdeutung* eine Vielzahl von Symbolen benannt, die er aus seinen eigenen Träumen sowie denen seiner zahlreichen Patientinnen und Patienten ermittelt hat. Symbole spielen aber nicht nur beim Träumen eine bedeutsame Rolle, auch in der Literatur spielen sie häufig – ob bewusst oder unbewusst verwendet – eine wichtige Rolle. Auch im Roman *Der Trafikant* von Robert Seethaler sind mehrere solcher Symbole zu finden.

In dem vom Institut für Neuere Deutsche Literatur und Medien an der Christian-Albrechts-Universität zu Kiel initiierten und betreuten Projekt *Literaturwissenschaft-online* wird in dem dort angebotenen Glossar der Begriff Symbol folgendermaßen definiert:

Symbol

(n.) bildhaftes Zeichen, das über sich selbst hinaus auf einen höheren, geistigen Bedeutungszusammenhang verweist. Im Gegensatz zur willkürlich gesetzten **Allegorie** ist die Beziehung zwischen Bild und Sinn im Symbol nicht rational auflösbar, sondern offenkundig, wenn auch oft nur vor einem gemeinsamen kulturellen Hintergrund verständlich, in dem das Symbol tradiert ist (Kreuz = Christentum, Taube = Frieden); das Symbol zielt statt auf den Intellekt eher auf eine Gefühlswirkung ab; und Symbole sind ganzheitlich, d. h. ihr Sinn addiert sich nicht aus ihren Bestandteilen (vgl. **Allegorie**). Das im Besonderen des Symbols durchscheinende Allgemeine lässt sich so meist nicht endgültig fassen und auf einen Begriff bringen; nach Goethe verwandelt die Symbolik die Erscheinung in Idee, die Idee in ein Bild, und so, dass die Idee im Bild immer unendlich wirksam und unerreichbar bleibt und, selbst in allen Sprachen ausgesprochen, doch unaussprechlich bliebe (in: „Maximen und Reflexionen").
(Projekt Literaturwissenschaft, Univ. Kiel)

1 Fassen Sie die vorstehende Definition möglichst prägnant zusammen und nennen Sie drei weitere Beispiele für ein literarisches Symbol.

2 Setzen Sie das Begriffsverständnis zwischen einem Symbol in der Literatur in Beziehung mit der Bedeutung eines Traumsymbols bei Freud.

Bereits in der Exposition von Seethalers Roman sind Ihnen solche literarischen Phänomene schon begegnet, etwa im Hinblick auf das heranziehende Gewitter oder die tote Kuh auf den Gleisen bei Franz' Zugfahrt nach Wien. Diese und einige weitere Symbole sind bereits in der linken Spalte der folgenden Tabelle enthalten. Sie können im Folgenden auch in Kleingruppen arbeiten.

1 Ergänzen Sie zunächst die Spalte um weitere Beispiele, die Ihnen beim Lesen des Romans aufgefallen sind.

2 Beschreiben Sie das Symbol im Kontext des Romans und notieren Sie die Fundstelle (mittlere Spalte).

3 Erklären Sie die Bedeutung des jeweiligen Symbols vor dem Hintergrund der besprochenen Definition eines literarischen Symbols.

Symbol	Beschreibung des Kontextes/der Fundstelle	Bedeutung des Symbols
Gewitter (S. 7)		
(geköpfte) Geranie (S. 7, 8, 246, 250)		
Fass mit toter Ratte (S. 53 f.)		
Seidenschwanz/Pestvogel (S. 137 f., 206)		
Zahnverlust (S. 185)		
Anezka auf der Schaukel (S. 50 f.)		
Nachtfalter (S. 109, 113)		
Hose O. Trsnjeks (S. 242)		

4 Beurteilen Sie den Stellenwert literarischer Symbole in Bezug auf die Texterschließung.

Die kommunikative Funktion der Traumzettel erschließen

Auf einen weiteren Ratschlag von S. Freud hin, den Franz bereits als Berater für Liebesfragen zur Bewältigung eines für ihn dringlichen Problems gewinnen konnte (s. S. 187 im Arbeitsbuch), soll der junge Trafikant den Inhalt seiner Träume aufschreiben und diese öffentlich machen. Die Traumzettel von Franz stellen neben den Postkarten bzw. späteren Briefen des Jugendlichen an seine Mutter (s. S. 186) sowie den Gesprächen mit Sigmund Freud (s. S. 187) eine weitere Form der Kommunikation mit seinen Mitmenschen dar.

Im Prinzip entspricht die von dem Wiener Psychoanalytiker vorgeschlagene Methode dessen eigenem Verfahren, das er bei seinen Patientinnen und Patienten im Rahmen der Traumdeutung in den Behandlungsräumen seines Hauses in der Berggasse 19 anwendet.

Freud in seinem Behandlungszimmer

Die Couch in S. Freuds Praxis, auf die sich die Patientinnen und Patienten legten, während der Psychoanalytiker an deren Kopfende saß

Das Wartezimmer (Freud-Museum in Wien)

Arbeitszimmer Freuds mit einem Teil seiner Sammlung antiker Kunstgegenstände im Hintergrund

Lernarrangement

a) Bilden Sie vier arbeitsteilige Gruppen, die Sie nochmals in je zwei arbeitsgleiche Gruppen (Kontrollgruppen) unterteilen.
b) Verteilen Sie die Traumzettel auf die arbeitsteiligen Gruppen.
c) Analysieren Sie nun die Traumzettel hinsichtlich folgender Kriterien:
   - Bedeutung dieser Methode für Franz
   - Wirkung auf die Außenstehenden, die diese Träume zur Kenntnis nehmen
d) Beurteilen Sie abschließend, welchen persönlichen Nutzen Franz durch diese dritte Form der Kommunikation bzw. aus dem Zusammenspiel aller drei Kommunikationsweisen ziehen könnte.

„Was sollte man noch denken?“

Eine inhaltlich und strukturell zentrale Textstelle analysieren und funktional bestimmen

Der Kahlenberg

Eine zentrale Bedeutung in Seethalers Roman *Der Trafikant* kommt der Szene auf dem Kahlenberg nicht nur wegen der topografischen Lage des Hügels nahe Wien zu.

Hinsichtlich des Aufbaus dieser Aufgabenstellung können Sie sich zusätzlich an der Anleitung zum Klausurtraining orientieren (s. S. 189–192). Erarbeiten Sie die Teilaufgaben sukzessive und besprechen Sie Ihre Ergebnisse in Kleingruppen.

1 Ordnen Sie die Szene auf dem Kahlenberg (S. 197, Z. 6–S. 202, Z. 23) in den Handlungszusammenhang ein.

2 Erschließen Sie das Thema des Textauszuges und geben Sie seinen Inhalt strukturiert mit eigenen Worten wieder.

Die Szene enthält keine Interaktionen, an denen weitere Figuren beteiligt sind. Insofern ist sie physisch nur durch die Anwesenheit Franz Huchels bestimmt und weist daher einen monologischen Charakter auf. So rückt das Psychische verstärkt in den Vordergrund.

3 Fassen Sie zusammen, was Franz auf dem Kahlenberg optisch wahrnimmt sowie welche Eindrücke er erinnert und woher diese stammen.

4 Erschließen Sie daraus, in welcher inneren Verfassung sich Franz befindet und inwieweit sich diese in der Erzähltechnik, insbesondere der Wahl der Redeform(en) widerspiegelt.

5 Erläutern Sie den Zusammenhang von Inhalt, Raumgestaltung und spezifischer Erzähltechnik.

6 Beurteilen Sie abschließend die ausgewählte Textstelle funktional im Hinblick auf ihre Verankerung im Handlungszusammenhang.

7 Verfassen Sie abschließend eine vollständige Analyse der gegebenen Textstelle.

Merkmale des Jugendalters

Die spezifischen Anforderungen Jugendlicher auf der Grundlage von Texten und diskontinuierlichen Materialien erschließen

Klaus Hurrelmann und Gudrun Quenzel

Die Entwicklung von Individuation und Identität (2016)

In psychologischer Perspektive ist Jugend vor allem deshalb als vom Kindesalter unterschiedene Lebensphase anzusehen, weil durch die Bewältigung der Entwicklungsaufgaben auf der individuellen Dimension zum ersten Mal im Lebenslauf ein Prozess der selbstständigen und bewussten Individuation einsetzt und zu einem vorläufigen ersten Abschluss kommt [...].

Mit der Individuation, der Entwicklung einer besonderen, einmaligen und unverwechselbaren Persönlichkeitsstruktur, wird [...] das Individuum in die Lage versetzt, sich durch selbstständiges, autonomes Verhalten mit seinem Körper, seiner Psyche und mit seinem sozialen und physischen Umfeld auseinanderzusetzen [...].

Mit der Individuation verbunden ist die Entwicklung der Identität, verstanden als das Empfinden und Erleben situations- und lebensgeschichtlicher Kontinuität: Von Identität kann gesprochen werden, wenn ein junger Mensch über verschiedene Handlungssituationen und über unterschiedliche lebensgeschichtliche Einzelschritte der Entwicklung hinweg eine Kontinuität des Selbsterlebens wahrt. Hierzu müssen die Fähigkeiten der Selbstwahrnehmung, der Selbstbewertung und der Selbstreflexion entwickelt sein. Identität ist das Erleben des Sich-selbst-Gleichseins. Ein Mensch muss sich mit sich selbst identisch erleben, wenn er zum Handeln fähig sein will, auch dann, wenn in den alltäglichen Lebenssituationen unterschiedliche Anforderungen an das Handeln und im Verlaufe des Lebens immer wieder andersartige Anforderungen an die Koordination der Bedürfnisse und Interessen gestellt werden [...].

Die psychodynamische Theorie von Erikson (1966) geht davon aus, dass sich im Verlauf der Jugendphase erstmals im Lebenslauf die individuellen Voraussetzungen bilden, um Identität aufzubauen. In der Jugendphase wird eine Abfolge von psychosozialen Krisen durchlaufen, deren Bewältigung die Persönlichkeitsstrukturen entstehen lässt, die eine stabile Basis für die Entwicklung von Identität sind. Erfolgt im Kindesalter die Verarbeitung der inneren (körperlichen und psychischen) und der äußeren (sozialen und physischen) Realität noch weitgehend unbewusst, so wird dieser Prozess jetzt dem Bewusstsein verfügbar. Als junge Frau und als junger Mann kann man über die Entwicklung des eigenen Körpers, das psychische Temperament und die individuellen Persönlichkeitseigenschaften ebenso reflektieren wie über die familiären und schulischen Lebensbedingungen und den Sinn des Lebens. Zur Identitätsentwicklung im Jugendalter gehört deswegen das bewusste Reflektieren der Entwicklung [...].

Die Identität im Jugendalter entwickelt sich maßgeblich in der Auseinandersetzung mit den vier genannten Entwicklungsaufgaben des Jugendalters. Diese müssen produktiv bewältigt werden, und zwar nicht isoliert voneinander, sondern in einem aufeinander bezogenen Gefüge. In dieser Auseinandersetzung und Bewältigung bildet sich der psychische Kern der jugendlichen Persönlichkeit.

Die Suche nach Orientierung und Sinngebung ist für die Jugend charakteristisch wie für wohl für keine andere Lebensphase davor und danach. Das von Erwachsenen angebotene Weltbild und die dabei zugrunde gelegten Wertorientierungen werden von Jugendlichen systematisch nach ihrer subjektiven Bedeutung abgefragt, wobei Defizite, Leerstellen und Widersprüche sensibel erkannt und heftig kritisiert werden. Die Suche nach dem Lebenssinn kann zugleich Ausgangspunkt und Auslöser für heftige Orientierungs- und Selbstwertkrisen sein [...]. Das Jugendalter gilt deswegen als formative Phase der Persönlichkeitsfindung und -bildung. In dieser Zeit setzt man sich in kritischer und selbstkritischer Reflexion sowohl mit den gesellschaftlichen Deutungsangeboten und Handlungsanforderungen als auch mit der eigenen Kompetenz zu deren Aneignung und Bewältigung auseinander. Man reagiert durch Anpassung und Duldung, aber auch durch Verweigerung und Protest auf die Anforderungen der Umwelt. Dieses unruhige und aufwühlende Sondieren bei der intensiven Suche nach der persönlichen und sozialen Identität ist ein allgemeines Charakteristikum des menschlichen Entwicklungsprozesses, das in dieser intensiven Form aber besonders charakteristisch für das Jugendalter ist.

1 Nennen Sie das Thema des Textes und fassen Sie die zentralen Aussagen zusammen.

2 Erläutern Sie die Aussage im Text, das Jugendalter gelte „als formative Phase der Persönlichkeitsfindung und -bildung“ (Z. 47).

K. Hurrelmann und G. Quenzel haben die in ihrem vorstehenden Text angesprochenen Entwicklungsaufgaben den einzelnen Lebensabschnitten (Kindheit, Jugend- und Erwachsenenalter) entsprechend in der folgenden Grafik zusammengefasst.

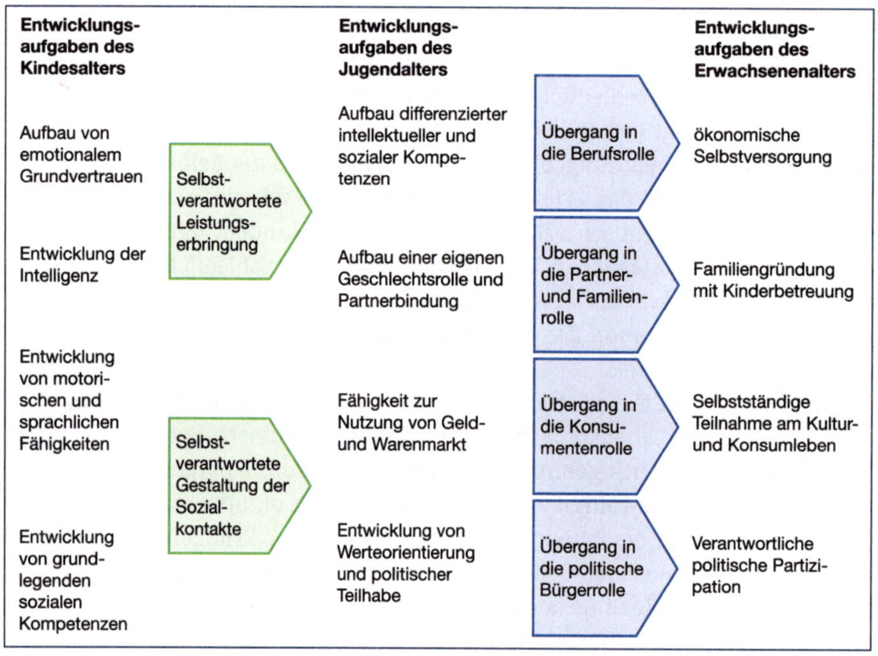

3 Beschreiben Sie den allgemeinen Aufbau der Grafik und formulieren Sie einen kurzen inhaltlichen Überblick.

4 Wenden Sie sich nun im Speziellen dem Jugendalter zu und erläutern Sie die in dieser Lebensphase an die Jugendlichen gestellten Entwicklungsaufgaben. Veranschaulichen Sie Ihre Aussagen zu den vier Aufgabenbereichen durch geeignete Beispiele.

5 Erläutern Sie, aus welchem Grund Hurrelmann und Quenzel ihre grafische Übersicht als „idealtypische Darstellung der Entwicklungsaufgaben“ bezeichnen.

6 Setzen Sie das Modell von Hurrelmann und Quenzel in Beziehung zur fiktiven Lebenssituation Franz Huchels und beurteilen Sie, inwieweit dieser seine Entwicklungsaufgaben erfüllt hat. Berücksichtigen Sie dabei auch die historische Distanz zwischen der gesellschaftlichen Situation 1937/38 und dem von Hurrelmann und Quenzel zugrunde gelegten Wirklichkeitsbezug.

Der Adoleszenzroman

Die gattungsspezifischen Merkmale eines Adoleszenzromans bestimmen und diesen vom Entwicklungs-, Erziehungs- und Bildungsroman abgrenzen

In der Entwicklungspsychologie wird der Begriff Adoleszenz (lat.: *adolescere* für „heranwachsen"), im angelsächsischen Raum auch als „Coming-of-Age" bezeichnet, weitgehend synonym zu dem des Jugendalters verwendet. Nach Hurrelmann haben also die Jugendlichen den Übergang ins Erwachsenenalter vollzogen, wenn sie die Bewältigung der vier Entwicklungsaufgaben *qualifizieren, binden, partizipieren* sowie *konsumieren* abgeschlossen haben, wodurch zugleich individuelle wie auch gesellschaftliche Kriterien aufeinander bezogen werden.

1 Erschließen Sie aus den Ergebnissen Ihrer Auseinandersetzung mit den Materialien in den vorangegangenen Kapiteln die Merkmale, die einen Adoleszenzroman kennzeichnen.

Von einem Adoleszenzroman kann dann gesprochen werden, wenn er eines oder mehrere der folgenden Merkmale aufweist:

____

____

____

____

2 Begründen Sie, weshalb Seethalers Text als Adoleszenzroman bezeichnet werden kann.

Insofern der Adoleszenzroman wegen seiner begrifflichen Festlegung den Übergang einer Altersphase in eine andere kennzeichnet, liegt ihm immer schon das Phänomen einer Entwicklung zugrunde. Daher stellt sich die Frage, inwiefern sich dieser von der literarischen Gattung eines Erziehungs- und Bildungsromans unterscheidet.

3 a) Recherchieren Sie die Merkmale der literarischen Romangattungen Entwicklungs-, Erziehungs- und Bildungsroman.

b) Nennen Sie zu den in a) genannten drei Kategorien je einen Titel eines dazu passenden Romans einschließlich der Autorin bzw. des Autors, sowie über Seethalers „Der Trafikant" hinaus einen weiteren Adoleszenzroman.

c) Informieren Sie sich über den Inhalt und geben Sie eine entsprechende Begründung für Ihre Zuordnung.

	Entwicklungsroman	Erziehungsroman	Bildungsroman	Adoleszenzroman
a)				
b)				
c)				

Modernes vs. traditionelles Erzählen

Einen pragmatischen Text zur Literaturentwicklung erschließen

Karl Migner

Tendenzen der Romangestaltung im 20. Jahrhundert (1970)

Wesentlich sind zwei Tendenzen, die für die Romangestaltung im 20. Jahrhundert bestimmend werden. Erstens: Die Erringung einer nahezu uneingeschränkten Freiheit für den Erzähler, für die Gestaltung des Helden, des Geschehens, der Komposition des Romans und für die Hereinnahme der unterschiedlichsten Darstellungsmittel, Stilelemente und Sprechformen. Und zweitens: Die in verschiedenen Spielarten erkennbar werdende Absicht, zu einer möglichst unmittelbaren Darstellung der ganzen komplexen Wahrheit über Mensch und Welt zu kommen. Das geschieht notfalls unter Verzicht auf äußere Realitätstreue, im Extrem in allen Einzelaspekten des Romans. [...]

Das bedeutet für Autor und Leser des modernen Romans: Der von souveräner Überlegenheit abgerückte Erzähler benutzt alle denkbaren Spielformen erzählerischer Haltung und erzählerischen Vorgehens mit dem Ziel, möglichst viele Aspekte oder eine möglichst intensive Schau der gewählten Thematik zu erschließen. Das reicht von dem Eingeständnis des Autors, alles erfunden zu haben, bis zu seinem völligen Aufgehen in einer Figur, aus deren Perspektive die Welt gesehen wird. [...]

Das bedeutet für das Helden- und Menschenbild des modernen Romans: Der Einzelne ist weder als individueller Charakter noch als Typus, sondern vielmehr in seiner menschlichen Substanz interessant, die wesentlich mehr von seiner Beziehung zur Gesellschaft oder Außenwelt überhaupt abhängig erscheint als von Familie und Tradition. Der Einzelne wird stärker von seinem Innenleben, von Bewusstsein und Lebensgefühl her gesehen als von möglichen Aktivitäten. Und er ist eher ein Versager, ein Scheiternder, eine Don-Quijote-Figur als ein großer Held oder Schurke.

Don Quijote Titelfigur des gleichnamigen Romans von Miguel de Cervantes, veröffentlicht 1605

Und das bedeutet für die Struktur des modernen Romans: Konstruktion und Montageformen beherrschen die Szene. Der Raum und vor allem die Zeit haben häufig genug ihre strukturierende Funktion verloren, aufgegeben zugunsten einer Wirklichkeit, die die verschiedensten zeitlichen Ebenen mischt. Damit ist auch der Erzählvorgang in Einzelteile zerbrochen, die nur noch beispielsweise durch Personen oder Motive zusammengehalten werden. [...] Das bedeutet für den Weltgehalt des modernen Romans: Zur Wirklichkeit des menschlichen Lebens gehört in hohem Maße der Innenraum des Menschen, vor allem sein Bewusstsein von Zeit, Welt und Ich. Die dichterische Wirklichkeit verzichtet eher auf unwesentliche Details der Realität als auf selbst unrealistisch anmutende Erfahrung von Realität. In dieser zweifachen Hinsicht erscheint die Welt des modernen Romans erweitert; dazu tritt noch die auch im deutschen Raum zunehmend stärkere Einbeziehung der gesellschaftlichen Verhältnisse in den Bereich dichterischer Darstellung. [...]

Die Figur

[...] Historisch gesehen, gehört der Romanheld als vorbildhafte, bestimmten Normvorstellungen verpflichtete Figur vergangenen Epochen an und wirkt bis ins 18. Jahrhundert hinein. Er entspricht einem statischen Bild vom Menschen und von der Welt, das in einer festen Ordnung begründet liegt. Im 18. Jahrhundert setzt sich der unverwechselbare individuelle Mensch als Romanheld durch, der erstmals im Don Quijote in Erscheinung trat. Mit ihm ziehen das psychologische Interesse in den Roman ein und eine Gestaltungsweise, die nach dem Prinzip von Ursache und Wir-

kung vorgeht und etwa erkennbar vom Charakter einer Figur auf ihre Handlungen schließt und umgekehrt.
Diese Sicherheit, den Menschen durch Beschreibung und Analyse durchschaubar machen zu können, geht im 20. Jahrhundert endgültig verloren. Auch das Interesse am Einzelschicksal eines Menschen verblasst. Und so dient die Gestaltung der Heldenfigur in zunehmendem Maße der Frage nach den Möglichkeiten und Grenzen des Menschen in der gegenwärtigen Zeitsituation. [...] Die Heldenfigur inmitten einer ihr keineswegs mehr selbstverständlich vertrauten Umwelt, die Heldenfigur in unter Umständen keineswegs mehr schlüssig erklärbaren Aktionen, die Heldenfigur in oftmals unvollständiger, beispielsweise auf bestimmte Verhaltensweisen reduzierter Gestaltung tritt immer mehr in den Mittelpunkt des modernen Romans. [...]

Die Struktur
Neben der neuen Position, die Erzähler und Held im modernen Roman einnehmen, ist vor allem die veränderte Rolle zu nennen, die die Geschichte, die Fabel spielt. In dem Maße, in dem der Erzähler nicht mehr primär um der Unterhaltung willen erzählt und in dem der Held nicht mehr als singuläres Individuum interessant ist, kommt es auch nicht mehr darauf an, eine in größerem oder geringerem Umfang abenteuerliche – und vor allem: geschlossene – Geschichte zu erzählen. Zweifellos kann auch das individuelle Schicksal eines Einzelnen genügend allgemeine Repräsentanz gewinnen, aber insgesamt ist die Gefahr, dass eine solche Darstellung stark verengt, sehr groß. Dabei kommt es heute immer mehr darauf an, die Frage nach dem Menschen, nach seiner Stellung in der Welt prinzipiell zu stellen. Dadurch rückt eine Zuständlichkeit eher in den Mittelpunkt als ein chronologischer Ablauf, ein Einzelproblem eher als eine Folge von Geschehnissen und prinzipiell die offene Frage, der Zweifel, die Unsicherheit eher als die gläubige Hinnahme der vorgefundenen Gegebenheiten.
Für die Bauform eines Romans hat das eine grundsätzliche Konsequenz: Die strukturierende Funktion von Held und Fabel, die durch ihre Konstitution und durch ihren Fortgang gewissermaßen „organisch" für eine gegliederte Form sorgen, fällt ebenso aus wie ordnende Kategorien Raum, Zeit und Kausalität. Artistische Konstruktion, Montage unterschiedlicher Elemente müssen eine sehr viel kunstvollere Bauform herstellen. [...] Das heißt, dass an die Stelle von Anschaulichkeit, Geschlossenheit und Kontinuität des Erzählens andere Kriterien zur Wertung eines Romans treten müssen: die Intensität des Erzählten sowie die Faszination, die von der Formgebung, von der Komposition auszugehen vermag.

1 ***Lernarrangement***
a) In Zeile 5 – 9 wird der Versuch der Darstellung einer komplexen Wahrheit unter Verzicht auf Realitätstreue als Merkmal moderner Literatur genannt. Erschließen Sie in Kleingruppen den Zusammenhang zwischen *Realität* und *Wahrheit*. Formulieren Sie dazu eine oder zwei markante Thesen.
b) Tragen Sie Ihre Thesen im Kursplenum vor und versuchen Sie, Klarheit zu gewinnen.

2 ***Lernarrangement***
a) In dem Text sind deutlich Sinnabschnitte zu erkennen. Teilen Sie diese Abschnitte auf Kleingruppen auf, in denen diese Abschnitte auf prägnante Stichpunkte verdichtet werden.
b) Nutzen Sie nun Ihre Kenntnisse über bereits erarbeitete Texte, um ebenfalls in stichpunktartiger Prägnanz die Gegenposition *des traditionellen Erzählens* zu formulieren.

3 Beurteilen Sie abschließend anhand selbstgewählter Kategorien, inwieweit der Roman dem traditionellen oder eher dem modernen Erzählen zuzurechnen ist. Nutzen Sie dazu Migners Text und Ihre Ergebnisse aus den Aufgaben **1** und **2**, um Ihre Einschätzung zu belegen.

Was soll Franz Huchel tun?

Auf der Grundlage von Kants Ethik mögliche Handlungsoptionen ableiten und beurteilen

Michael Fuchs

Pflicht und Neigung – eine kurze Zusammenfassung der Ethik Kants (2000)

Der gute Wille als Grundlage aller moralischen Handlungen

Die gesamte Philosophie erschöpft sich Kant zufolge in der Beantwortung folgender vier Fragen: „Was kann ich wissen? Was soll ich tun? Was darf ich hoffen? Was ist der Mensch?“ Die zweite Frage: „Was soll ich tun?“ ist die Grundfrage der philosophischen Ethik, die Frage nach dem richtigen moralischen Handeln. Kants Beantwortung dieser Frage in der „Grundlegung zur Metaphysik der Sitten“ beginnt mit einem fulminanten Satz, der schon wesentliche Elemente seiner Ethik beinhaltet: „Es ist überall nichts in der Welt, ja außerhalb derselben zu denken möglich, was ohne Einschränkung für gut könnte gehalten werden, als allein ein guter Wille.“ Wie ist dieser Satz zu verstehen? Zunächst macht Kant darauf aufmerksam, dass bestimmte Charaktereigenschaften oder Geistesgaben durchaus wünschenswert erscheinen, aber nicht an sich gut sind. Ein scharfer Verstand zum Beispiel ist sicherlich begehrenswert, aber er kann zum Bösen missbraucht werden, etwa bei einem Verbrechen. Tapferkeit ist sicher eine löbliche Eigenschaft, aber ihr Wert verblasst völlig, wenn sie für ein bedenkliches Ziel eingesetzt wird. In diesem Sinne spricht man heute bei Tugenden wie Ordnung, Fleiß, Pünktlichkeit, Tapferkeit u. a. von „Sekundärtugenden“. Wertvoll werden sie erst, wenn sie sich auf ein moralisch einwandfreies Ziel beziehen. Kant zufolge werden sie erst gut, wenn sie von dem „guten Willen“ geleitet werden.

Ein Zweites wird durch Kants Aussage über die Einzigartigkeit des guten Willens deutlich: Die Moralität einer Handlung, die Frage also, ob eine Handlung moralisch „gut“ oder „schlecht“ ist, hängt nicht von den angestrebten Folgen der Handlung ab, sondern einzig und allein davon, ob die Handlung dem guten Willen entspringt. Moderner ausgedrückt: Kant stellt die Frage, ob ein guter Zweck eine moralisch bedenkliche Handlung rechtfertigt. Um ein Beispiel anzuführen: Ist es moralisch richtig und daher geboten zu lügen, um mein und das Leben anderer Mitmenschen zu retten? Kant verneint diese Frage entschieden. Lügen ist für ihn eine moralisch schlechte, daher verbotene Handlung, die auch dadurch nicht gut wird, dass ich einen vermeintlich guten Zweck anstrebe. Woran aber ist nun der gute Wille zu erkennen? Kants Antwort: Wenn er allein durch die Pflicht bestimmt wird.

Pflichtgemäßes Handeln und Handlung aus Pflicht

Kant unterscheidet zwischen einer pflichtgemäßen Handlung und einer Handlung aus Pflicht. Pflichtgemäß ist eine Handlung dann, wenn sie zwar moralisch gut, gleichzeitig aber der Handelnde eine Neigung zu der Handlung hat. Unter Neigung versteht Kant die Handlungsantriebe im Menschen, die nach Glückseligkeit streben, d. h. nach einem vergnügten Leben, nach völliger Zufriedenheit mit dem eigenen Zustand. Wir würden heute sagen, dass Neigungen die Handlungsantriebe sind, mit denen wir unsere Bedürfnisse befriedigen. Als Beispiel für eine pflichtgemäße Handlung führt Kant den Krämer an, der seine Kunden, selbst wenn es sich um Kinder handelt, ehrlich bedient. Für Kant hat diese Handlung keinen besonderen sittlichen Wert, denn das Motiv für die Ehrlichkeit des Krämers könnte ja sein, dass er es nicht will, dass seine Kunden ausbleiben. Seine Handlung wäre also von einem Vorteilsdenken bestimmt und von daher moralisch nicht wertvoll.

Moralisch wertvoll für Kant ist nur die Handlung, die gegen die Neigung aus reiner Pflichterfüllung entspringt. Er wählt dafür als Beispiel einen Menschen, der seines Lebens völlig überdrüssig ist, in großer Not lebt, der kein Interesse am Schicksal anderer Menschen hat und den fremde Not nicht anrührt. Reißt er sich nun aus dieser „tödlichen Unempfindlichkeit“ heraus und hilft einem anderen Menschen, so bescheinigt Kant dieser Handlung das Prädikat, sie sei „aus Pflicht“ und „gegen die Neigung“ geschehen und damit eine Handlung von „echtem moralischen Wert“.

Die Bestimmung meiner Pflicht durch das Sittengesetz

Zu fragen ist jetzt natürlich, woran ich denn erkennen kann, was meine Pflicht ist. In diesem Zusammenhang gibt Kant eine berühmte, aber oft missverstandene Begriffsdefinition von Pflicht: „Pflicht ist die Notwendigkeit einer Handlung aus Achtung fürs Gesetz.“ Mit Gesetz meint Kant hier weder ein staatliches noch ein göttliches Gesetz, sondern er meint das Sittengesetz/praktische Gesetz/moralische Gesetz, drei Begriffe, die dasselbe meinen und von Kant nebeneinander benutzt werden. Dieses Gesetz ist Kant zufolge in uns Menschen angelegt, es ist das Gesetz unserer Vernunft. Kant beansprucht nicht, dieses Gesetz aufgestellt zu haben, es kann auch nicht durch empirische Untersuchungen bewiesen werden, es ist ein „Faktum unserer Vernunft“.

Hypothetische Imperative und der kategorische Imperativ

Wie aber lautet das Sittengesetz? Hier ist noch eine kleine Vorüberlegung notwendig. Nach Kant ist es eine Illusion zu glauben, das Handeln des Menschen würde allein durch die Vernunft bestimmt. Im Gegenteil: Zumeist sind es unsere Bedürfnisse, Triebe, Neigungen, die unser Handeln bestimmen. Da wir als Menschen also keine reinen Vernunftwesen sind, kann sich unsere Vernunft nicht automatisch, quasi wie ein Instinkt bei Tieren, durchsetzen. Sie kann nur einen Sollensanspruch an uns stellen. Unsere Vernunft äußert sich in Form eines Imperativs: „Du sollst...“ Kant unterscheidet nun zwischen zwei Arten von Imperativen, dem hypothetischen und dem kategorischen Imperativ: Eine Hypothese ist eine Vorweg-Annahme, der hypothetische Imperativ hat demnach die Form: Wenn du A willst, musst du B tun. Als Beispiel: Wenn du ein guter Fußballspieler werden willst, musst du täglich trainieren. Nun zeigt sich schnell, dass dieser Imperativ nicht allgemein gültig ist, da er sich eben nur auf diejenigen bezieht, die unter die hypothetische Annahme fallen, hier also diejenigen, die eben Fußballspieler werden wollen.
Ein kategorischer Imperativ gebietet dagegen bedingungslos, er beansprucht seine Verwirklichung ohne jede Ausnahme. Während nun eine Unzahl von hypothetischen Imperativen denkbar ist, gibt es Kant zufolge nur einen einzigen kategorischen Imperativ. Er lautet: „Handle nur nach derjenigen Maxime, durch die du zugleich wollen kannst, dass sie ein allgemeines Gesetz werde.“ Diese Formulierung ist sehr kompliziert und soll hier an einem Beispiel erläutert werden. Angenommen, ich kann mir einen finanziellen Vorteil verschaffen, indem ich lüge. Mein Handlungsprinzip, meine Maxime, lautet also: Wenn es mir einen Vorteil verschafft, dann lüge ich. Um zu überprüfen, ob dieses Handlungsprinzip moralisch ist, d. h. meiner Pflicht entspricht, muss ich nun den kategorischen Imperativ anwenden. Das heißt, ich muss mir die Frage stellen, ob die Erlaubnis zu lügen zu einem allgemeinen Gesetz werden kann. Nun zeigt sich aber, dass ein solches Gesetz gar nicht denkbar ist, da die Erlaubnis zur Lüge die Begriffe Wahrheit und Lüge überhaupt vernichtet. Ein solches Gesetz kann also nicht widerspruchsfrei gedacht werden, es kann kein Gesetz der Vernunft sein. Damit aber ist die Lüge grundsätzlich moralisch schlecht und daher von unserer Vernunft verboten, in jeder Situation. Auch die sogenannte Notlüge kann nicht als moralisch gebotene Handlung angesehen werden. Was Kant meint, ist, dass unsere Vernunft an uns den Anspruch stellt, dass wir so handeln sollen, wie ein rein vernünftiges Wesen handeln würde. Natürlich weiß Kant, dass wir

Menschen keine reinen Vernunftwesen sind, gleichwohl aber haben wir die Möglichkeit, moralisch, d. h. vernünftig, und das heißt aus Achtung vor unserer Pflicht, zu handeln.

Lernarrangement

1 Erschließen Sie den Textauszug von Fuchs über Immanuel Kants „Grundlegung zur Metaphysik der Sitten" mithilfe der Methode des reziproken Lesens (wechselseitiges Erarbeiten in jeweils vier Schritten). Vorgehensweise:
Zunächst werden Gruppen von jeweils vier Schülern und Schülerinnen gebildet. Anschließend wird in jeder Gruppe der erste Textabschnitt von allen Gruppenmitgliedern zwei- bis dreimal leise gelesen.

a) Der/die erste Schüler/-in stellt zwei bis drei Fragen zu wichtigen Informationen im Text. Die Gruppenmitglieder beantworten die Fragen.
b) Im Uhrzeigersinn: der bzw. die zweite Schüler/-in formuliert eine Zusammenfassung dieses Textabschnittes. Die Gruppenmitglieder geben begründete Rückmeldung oder korrigieren.
c) Im Uhrzeigersinn: der bzw. die dritte Schüler/-in identifiziert schwierige Textstellen oder unverständliche Wörter bzw. Begriffe.
d) Im Uhrzeigersinn: der bzw. die vierte Schüler/-in schlägt eine sinnvolle Überschrift für den erarbeiteten Textabschnitt vor. Die Gruppenmitglieder geben begründete Rückmeldung oder korrigieren.

Ist die Arbeit am ersten Textabschnitt abgeschlossen, werden die Rollen in den jeweiligen Gruppen gewechselt (z. B. im Uhrzeigersinn). Die Vorgehensweise wiederholt sich Abschnitt für Abschnitt, bis der Text insgesamt gelesen wurde. Die Schülerinnen und Schüler in den einzelnen Gruppen erstellen eine Zusammenfassung des gesamten Textes. Abschließend werden im Plenum die zentralen Informationen zusammengetragen.

2 Setzen Sie sich im Plenum Ihres Kurses abschließend mit der Frage auseinander, inwieweit Franz Huchel aus Pflicht oder aus Neigung handelt.

Warum erzählt der Mensch?

Das Erzählen als anthropologische Konstante erschließen

Roland Barthes
(1915 – 1980)
frz. Philosoph, Schriftsteller u. Literaturkritiker. Er wurde bekannt durch die Untersuchung moderner gesellschaftlicher Phänomene, wie etwa Texte, Filme, Mode und die Liebe

Aus Sicht der Anthropologie wird die Fähigkeit des Erzählens – unabhängig davon, ob es sich dabei um reale Gegebenheiten oder ein fiktionales Ereignis handelt – als Universalie betrachtet, da es sich in einer kaum überschaubaren Vielfalt an Formen darstellt, die zu jeder Zeit, überall und in allen sozio-kulturellen Kontexten präsentiert, sodass Roland Barthes 1966 postulieren konnte: „nirgends gibt und gab es jemals ein Volk ohne Erzählung". Damit ist allerdings nicht gemeint, dass die Erzählfähigkeit ursächlich auf einen biologisch verankerten Erzähltrieb zurückzuführen ist, sondern auf ein vielschichtiges kulturelles Verhalten.
Insofern scheint es vielversprechend, einen Vergleich von zwei Erzähltexten in exemplarischer Form vorzunehmen, hier zwischen Seethalers Roman „Der Trafikant" und der Novelle E. T. A. Hoffmanns „Der Sandmann" (1816). Der erzähltheoretische Vergleich dieser beiden Texte bietet sich vor allem deshalb an, weil sie – bei allen Unterschieden hinsichtlich der literarischen Erzählgattung sowie des literaturgeschichtlichen und historisch-gesellschaftlichen Hintergrundes – auch eine Reihe von Gemeinsamkeiten aufweisen. Diese zeigen sich etwa im Hinblick auf die in beiden Texten zugrunde liegende Entwicklung des jeweiligen Protagonisten, die beide – jeder auf seine eigene Art und Weise – an der Vollendung ihrer ursprünglichen Lebensplanung scheitern. Des Weiteren zeigen sich etwa Parallelen bezüglich der spezifischen Ausformung der Erzähltexte – in beiden wird dem Brief eine besondere Bedeutung als kommunikatives sowie erzählerisches Medium beigemessen.

Nathanaels Kindheit: Die traumatische Begegnung mit dem Sandmann

Merkmale eines Erzähltextes in ihrem funktionalen Zusammenhang darstellen

1 Stellen Sie stichpunktartig Ihre eigenen Kenntnisse über die Figur des Sandmanns dar und tauschen Sie sich über Ihr Vorwissen aus.

E. T. A. Hoffmann: ein Leben in Widersprüchen

Ernst Theodor Wilhelm – den dritten Vornamen ändert er später Mozart zu Ehren in Amadeus um – Hoffmann (1776 – 1822) wächst nach der frühen Scheidung seiner Eltern (1778) in der Familie seiner Mutter auf. Während seiner Schulzeit in Königsberg erhält er zusätzlich noch Musik- und Zeichenunterricht. 1792 nimmt er an der juristischen Fakultät das Studium der Rechte auf.

Insgesamt ist sein Lebensweg geprägt von sehr wechselhaften Phasen, Höhen und Tiefen. Beruflich ist er nach Abschluss des Studiums zunächst als Jurist tätig, wird später Regierungsrat und Kammergerichtsrat. Dieser bürgerlichen Welt stehen seine künstlerischen Begabungen entgegen. Er ist als Komponist erfolgreich – wird sogar Musikdirektor in Bamberg –, zeichnet, malt und erarbeitet sich literarisch einen besonderen Ruf.

Berühren sich beide Sphären, kommt es mehrfach dazu, dass er selbst gerichtlich belangt wird, da er hochstehende Gesellschaftsmitglieder in Karikaturen bloßstellt oder Amtsträger in satirischen Texten angeblich verunglimpft.

Sein weiteres Interesse gilt u. a. der Naturphilosophie, den Naturwissenschaften, der Medizin, hier insbesondere auch den psychischen Erkrankungen. Den Erscheinungen des Zeitgeistes seiner Epoche steht er aufgeschlossen gegenüber. Auch privat ist seine Biografie durch eine große Unstetigkeit gekennzeichnet: Verlobung und deren Auflösung, Heirat und immer wieder wechselnde Liebschaften mit Musikschülerinnen. Dazu kommen Alkoholexzesse. Lebensphasen, die durch Erfolg und Anerkennung geprägt werden, wechseln mit solchen bitterster Not und Armut, Krankheit und Schwermut.

Und so beginnt die Novelle „Der Sandmann": Nach einer kurzen Einführung zu Beginn des 1. Briefs, den der Student Nathanael an Lothar, den Bruder seiner Verlobten Clara, schreibt, den Umschlag aber versehentlich an Clara adressiert (s. den Beginn des 2. Briefes „Clara an Nathanael"), berichtet Nathanael Lothar in einer Rückblende über ein frühes Kindheitserlebnis, das ihn sein Leben lang nicht mehr loslassen wird.

E. T. A. Hoffmann

Der Sandmann (1816)

1. Brief Nathanael an Lothar

[...] Außer dem Mittagsessen sahen wir, ich und mein Geschwister, tagsüber den Vater wenig. Er mochte mit seinem Dienst viel beschäftigt sein. Nach dem Abendessen, das alter Sitte gemäß schon um sieben Uhr aufgetragen wurde, gingen wir alle, die Mutter mit uns, in des Vaters Arbeitszimmer und setzten uns um einen runden Tisch. Der Vater rauchte Tabak und trank ein großes Glas Bier dazu. Oft erzählte er uns viele wunderbare Geschichten und geriet darüber so in Eifer, dass ihm die Pfeife immer ausging, die ich, ihm brennend Papier hinhaltend, wieder anzünden musste, welches mir denn ein Hauptspaß war. Oft gab er uns aber Bilderbücher in die Hände, saß stumm und starr in seinem Lehnstuhl und blies starke Dampfwolken von sich, dass wir alle wie im Nebel schwammen. An solchen Abenden war die Mutter sehr traurig und kaum schlug die Uhr neun, so sprach sie: „Nun Kinder! – zu Bette! zu Bette! der Sandmann kommt, ich merk es schon." Wirklich hörte ich dann jedes Mal etwas schweren langsamen Tritts die Treppe heraufpoltern; das musste der Sandmann sein. Einmal war mir jenes dumpfe Treten und Poltern besonders graulich; ich frug die Mutter, indem sie uns fortführte: „Ei Mama! wer ist denn der böse Sandmann, der uns immer von Papa forttreibt? – wie sieht er denn aus?" – „Es gibt keinen Sandmann, mein liebes Kind", erwiderte die Mutter: „wenn ich sage, der Sandmann kommt, so will das nur heißen, ihr seid schläfrig und könnt die Augen nicht offen behalten, als hätte man euch Sand hineingestreut." – Der Mutter Antwort befriedigte mich nicht, ja in meinem kindischen Gemüt entfaltete sich deutlich der Gedanke, dass die Mutter den Sandmann nur verleugne, damit wir uns vor ihm nicht fürchten sollten, ich hörte ihn ja immer die Treppe heraufkommen. Voll Neugierde, Näheres von diesem Sandmann und seiner Beziehung auf uns Kinder zu erfahren, frug ich endlich die alte Frau, die meine jüngste Schwester wartete: was denn das für ein Mann sei, der Sandmann? „Ei Thanelchen", erwiderte diese, „weißt du das noch nicht? Das ist ein böser Mann, der kommt zu den Kindern, wenn sie nicht zu Bett gehen wollen, und wirft ihnen Händevoll Sand in die Augen, dass sie blutig zum Kopf herausspringen, die wirft er dann in den Sack und trägt sie in den Halbmond zur Atzung für seine Kinderchen; die sitzen dort im Nest und haben krumme Schnäbel, wie die Eulen, damit picken sie der unartigen Menschenkindlein Augen auf." – Grässlich malte sich nun im Innern mir das Bild des grausamen Sandmanns aus; sowie es abends die Treppe heraufpolterte, zitterte ich vor Angst und Entsetzen. Nichts als den unter Tränen hergestotterten Ruf „Der Sandmann! der Sandmann!" konnte die Mutter aus mir herausbringen. Ich lief darauf in das Schlafzimmer, und wohl die ganze Nacht über quälte mich die fürchterliche Erscheinung des Sandmanns. – Schon alt genug war ich geworden, um einzusehen, dass das mit dem Sandmann und seinem Kindernest im Halbmonde, so wie es mir die Wartefrau erzählt hatte, wohl nicht ganz seine Richtigkeit haben könne; indessen blieb mir der Sandmann ein fürchterliches Gespenst, und Grauen – Entsetzen ergriff mich, wenn ich ihn nicht allein die Treppe heraufkommen, sondern auch meines Vaters Stubentür heftig aufreißen und hineintreten hörte. Manchmal blieb er lange weg, dann kam er öfter hintereinander. Jahrelang dauerte das, und nicht gewöhnen konnte ich mich an den unheimlichen Spuk, nicht bleicher wurde in mir das Bild des grausigen Sandmanns. Sein Umgang mit dem Vater fing an, meine Fantasie immer mehr und mehr zu beschäftigen: den Vater darum zu befragen hielt mich eine unüberwindliche Scheu zurück, aber selbst – selbst das Geheimnis zu erforschen, den fabelhaften Sandmann zu sehen, dazu keimte mit den Jahren immer mehr die Lust in mir empor. Der Sandmann hatte mich auf die Bahn des Wunderbaren, Abenteuerlichen gebracht, das so schon leicht im kindlichen Gemüt sich einnistet. Nichts war mir lieber, als schauerliche Geschichten von Kobolden, Hexen, Däumlingen usw. zu hören oder zu lesen; aber obenan stand immer der Sandmann, den ich in den seltsamsten, abscheulichsten Gestalten überall auf Tische, Schränke und Wände mit Kreide, Kohle, hinzeichnete. Als ich zehn Jahre alt geworden, wies mich die Mutter aus der Kinderstube in ein Kämmerchen, das auf dem Korridor unfern von meines Vaters Zimmer lag. Noch immer mussten wir uns, wenn auf den Schlag neun Uhr sich jener Unbekannte im Hause hören ließ, schnell entfernen. In meinem Kämmerchen vernahm ich, wie er bei dem Vater hineintrat, und bald darauf war es mir dann, als verbreite sich im Hause ein feiner seltsam riechender Dampf. Immer höher mit der Neugierde wuchs der Mut, auf irgend eine Weise des Sandmanns Bekanntschaft zu machen. Oft schlich ich schnell aus dem Kämmerchen auf den Korridor, wenn die Mutter vorübergegangen, aber nichts konnte ich erlauschen, denn immer war der Sandmann schon zur Türe hinein, wenn ich den Platz erreicht hatte, wo er mir sichtbar werden musste. Endlich von unwiderstehlichem Drange getrieben, beschloss ich, im Zimmer des Vaters selbst mich zu verbergen und den Sandmann zu erwarten.

2 Beschreiben Sie auf der Grundlage von Nathanaels Darstellung die wesentlichen Merkmale der Figur des Sandmanns.

3 Setzen Sie Ihre eigenen ersten Assoziationen zur Figur des Sandmanns in Beziehung zu dessen Bild aus Nathanaels Brief. Halten Sie schriftlich Gemeinsamkeiten und Unterschiede fest.

Fortsetzung des 1. Briefs

An des Vaters Schweigen, an der Mutter Traurigkeit merkte ich eines Abends, dass der Sandmann kommen werde; ich schützte daher große Müdigkeit vor, verließ schon vor neun Uhr das Zimmer und verbarg mich dicht neben der Türe in einen Schlupfwinkel. Die Haustür knarrte, durch den Flur ging es, langsamen, schweren, dröhnenden Schrittes nach der Treppe. Die Mutter eilte mit dem Geschwister mir vorüber. Leise – leise öffnete ich des Vaters Stubentür. Er saß, wie gewöhnlich, stumm und starr den Rücken der Türe zugekehrt, er bemerkte mich nicht, schnell war ich hinein und hinter der Gardine, die einem gleich neben der Türe stehenden offnen Schrank, worin meines Vaters Kleider hingen, vorgezogen war. – Näher – immer näher dröhnten die Tritte – es hustete und scharrte und brummte seltsam draußen. Das Herz bebte mir vor Angst und Erwartung. – Dicht, dicht vor der Türe ein scharfer Tritt – ein heftiger Schlag auf die Klinke, die Tür springt rasselnd auf! – Mit Gewalt mich ermannend gucke ich behutsam hervor. Der Sandmann steht mitten in der Stube vor meinem Vater, der helle Schein der Lichter brennt ihm ins Gesicht! – Der Sandmann, der fürchterliche Sandmann ist der alte Advokat Coppelius, der manchmal bei uns zu Mittage isst!
Aber die grässlichste Gestalt hätte mir nicht tieferes Entsetzen erregen können, als eben dieser Coppelius. – Denke Dir einen großen breitschultrigen Mann mit einem unförmlich dicken Kopf, erdgelbem Gesicht, buschigen grauen Augenbrauen, unter denen ein Paar grünliche Katzenaugen stechend hervorfunkeln, großer, starker über die Oberlippe gezogener Nase. Das schiefe Maul verzieht sich oft zum hämischen Lachen; dann werden auf den Backen ein paar dunkelrote Flecke sichtbar und ein seltsam zischender Ton fährt durch die zusammengekniffenen Zähne. Coppelius erschien immer in einem altmodisch zugeschnittenen aschgrauen Rocke, eben solcher Weste und gleichen Beinkleidern, aber dazu schwarze Strümpfe und Schuhe mit kleinen Steinschnallen. Die kleine Perücke reichte kaum bis über den Kopfwirbel heraus, die Kleblocken standen hoch über den großen roten Ohren und ein breiter verschlossener Haarbeutel starrte von dem Nacken weg, sodass man die silberne Schnalle sah, die die gefältelte Halsbinde schloss. Die ganze Figur

war überhaupt widrig und abscheulich; aber vor allem waren uns Kindern seine großen knotigen, haarigen Fäuste zuwider, sodass wir, was er damit berührte, nicht mehr mochten. Das hatte er bemerkt und nun war es seine Freude, irgend ein Stückchen Kuchen, oder eine süße Frucht, die uns die gute Mutter heimlich auf den Teller gelegt, unter diesem, oder jenem Vorwande zu berühren, dass wir, helle Tränen in den Augen, die Näscherei, der wir uns erfreuen sollten, nicht mehr genießen mochten vor Ekel und Abscheu. Ebenso machte er es, wenn uns an Feiertagen der Vater ein klein Gläschen süßen Weins eingeschenkt hatte. Dann fuhr er schnell mit der Faust herüber, oder brachte wohl gar das Glas an die blauen Lippen und lachte recht teuflisch, wenn wir unsern Ärger nur leise schluchzend äußern durften. Er pflegte uns nur immer die kleinen Bestien zu nennen; wir durften, war er zugegen, keinen Laut von uns geben und verwünschten den hässlichen, feindlichen Mann, der uns recht mit Bedacht und Absicht auch die kleinste Freude verdarb. Die Mutter schien ebenso, wie wir, den widerwärtigen Coppelius zu hassen; denn sowie er sich zeigte, war ihr Frohsinn, ihr heiteres unbefangenes Wesen umgewandelt in traurigen, düstern Ernst. Der Vater betrug sich gegen ihn, als sei er ein höheres Wesen, dessen Unarten man dulden und das man auf jede Weise bei guter Laune erhalten müsse. Er durfte nur leise andeuten und Lieblingsgerichte wurden gekocht und seltene Weine kredenzt.

Als ich nun diesen Coppelius sah, ging es grausig und entsetzlich in meiner Seele auf, dass ja niemand anders, als er, der Sandmann sein könne, aber der Sandmann war mir nicht mehr jener Popanz aus dem Ammenmärchen, der dem Eulennest im Halbmonde Kinderaugen zur Atzung holt – nein! – ein hässlicher gespenstischer Unhold, der überall, wo er einschreitet, Jammer – Not – zeitliches, ewiges Verderben bringt.

Ich war festgezaubert. Auf die Gefahr entdeckt, und, wie ich deutlich dachte, hart gestraft zu werden, blieb ich stehen, den Kopf lauschend durch die Gardine hervorgestreckt. Mein Vater empfing den Coppelius feierlich. „Auf! – zum Werk“, rief dieser mit heiserer, schnurrender Stimme und warf den Rock ab. Der Vater zog still und finster seinen Schlafrock aus und beide kleideten sich in lange schwarze Kittel. Wo sie die hernahmen, hatte ich übersehen. Der Vater öffnete die Flügeltür eines Wandschranks; aber ich sah, dass das, was ich solange dafür gehalten, kein Wandschrank, sondern vielmehr eine schwarze Höhlung war, in der ein kleiner Herd stand. Coppelius trat hinzu und eine blaue Flamme knisterte auf dem Herde empor. Allerlei seltsames Gerät stand umher. Ach Gott! – wie sich nun mein alter Vater zum Feuer herabbückte, da sah er ganz anders aus. Ein grässlicher krampfhafter Schmerz schien seine sanften ehrlichen Züge zum hässlichen widerwärtigen Teufelsbilde verzogen zu haben. Er sah dem Coppelius ähnlich. Dieser schwang die glutrote Zange und holte damit hellblinkende Massen aus dem dicken Qualm, die er dann emsig hämmerte. Mir war es, als würden Menschengesichter ringsumher sichtbar, aber ohne Augen – scheußliche, tiefe schwarze Höhlen statt ihrer. „Augen her, Augen her!“, rief Coppelius mit dumpfer dröhnender Stimme. Ich kreischte auf von wildem Entsetzen gewaltig erfasst und stürzte aus meinem Versteck heraus auf den Boden. Da ergriff mich Coppelius, „kleine Bestie! – kleine Bestie!“ meckerte er zähnfletschend! – riss mich auf und warf mich auf den Herd, dass die Flamme mein Haar zu sengen begann: „Nun haben wir Augen – Augen – ein schön Paar Kinderaugen.“ So flüsterte Coppelius, und griff mit den Fäusten glutrote Körner aus der Flamme, die er mir in die Augen streuen wollte. Da hob mein Vater flehend die Hände empor und rief. „Meister! Meister! Lass meinem Nathanael die Augen – lass sie ihm!“ Coppelius lachte gellend auf und rief: „Mag denn der Junge die Augen behalten und sein Pensum flennen in der Welt; aber nun wollen wir doch den Mechanismus der Hände und der Füße recht observieren.“ Und damit fasste er mich gewaltig, dass die Gelenke knackten, und schrob mir die Hände ab und die Füße und setzte sie bald hier, bald dort wieder ein. „’s steht doch überall nicht recht! ’s gut so wie es war! – Der Alte hat’s verstanden!“ So zischte und lispelte Coppelius; aber alles um mich her wurde schwarz und finster, ein jäher Krampf durchzuckte Nerv und Gebein – ich fühlte nichts mehr. Ein sanfter warmer Hauch glitt über mein Gesicht, ich erwachte wie aus dem Todesschlaf, die Mutter hatte sich über mich hingebeugt. „Ist der Sandmann noch da?“, stammelte ich. „Nein, mein liebes Kind, der ist lange, lange fort, der tut dir keinen Schaden!“ – So sprach die Mutter und küsste und herzte den wiedergewonnenen Liebling.

1 Beschreiben Sie die wesentlichen Stationen der äußeren Handlung der Enthüllungsszene.

2 Setzen Sie diese Stationen (linke Spalte) jeweils in Beziehung zu der inneren Verfassung Nathanaels.

äußere Handlung	innere Verfassung Nathanaels
Der Sandmann betritt das Haus und nähert sich dem Zimmer von Nathanaels Vater (Z. 4 ff.) Der Sandmann entpuppt sich als Advokat Coppelius (Z. 15 f.)	Sein Herz bebt „vor Angst und Erwartung“ (Z. 11)

3 Analysieren Sie die sprachlich-stilistische Gestaltung (Wortwahl, Satzbau ...) und bestimmen Sie deren Wirkung.

Fantasie oder Wirklichkeit

Textstellen aspektorientiert analysieren und unterschiedlichen Literaturepochen begründet zuordnen

Schauerromantik

Die **Schauerromantik** (auch Schwarze Romantik oder Negative Romantik) stellt eine an der Wende vom 18. zum 19. Jahrhundert sich aus der Romantik entwickelnde Unterströmung dar. Sie wendet sich bewusst von dem die Epoche der Aufklärung dominierenden Vernunftbegriff ab hin zum Irrationalen und den dunklen Seiten menschlicher Existenz. Trotz deutlicher Überschneidungen mit der Romantik allgemein findet sie ihre Motive verstärkt im Fantastischen und Bösen. Die Schauerromantik fühlt sich zur Alchemie und zu parapsychologischen Inhalten hingezogen, das Interesse ihrer Vertreter gilt dem Phänomen der gespaltenen Persönlichkeit und Themen wie Melancholie, Depression, tiefe Verzweiflung und Suizid. Neben E. T. A. Hoffmann *(Der Sandmann, Die Elixiere des Teufels)* zählt etwa Ludwig Tieck *(Der Runenberg)* zu den bekanntesten Literaten, international sind es u. a. Mary Shelley *(Frankenstein)*, Edgar Allen Poe *(Der Untergang des Hauses Usher)* und Charles Baudelaire *(Die Blumen des Bösen)*.

Die Schwarze Romantik hat ihren Ursprung in der englischen Schauerliteratur (Gothic Novel) des ausgehenden 18. Jahrhunderts und bildet die Plattform für die sich später entwickelnde moderne Horrorliteratur.

1. Brief: Nathanael an Lothar (Anfang)

Nathanael beginnt seinen Brief an Lothar nicht mit der Schilderung der Sandmann-Episode und der Ereignisse in seinem Elternhaus während seiner Kindheit, sondern er leitet seinen Brief – kurz nach der Eröffnung – mit einem aktuellen Ereignis ein:

Gewiss seid Ihr alle voll Unruhe, dass ich so lange – lange nicht geschrieben. Mutter zürnt wohl, und Clara mag glauben, ich lebe hier in Saus und Braus und vergesse mein holdes Engelsbild, so tief mir in Herz und Sinn eingeprägt, ganz und gar. – Dem ist aber nicht so; täglich und stündlich gedenke ich Eurer aller und in süßen Träumen geht meines holden Clärchens freundliche Gestalt vorüber und lächelt mich mit ihren hellen Augen so anmutig an, wie sie wohl pflegte, wenn ich zu Euch hineintrat. – Ach wie vermochte ich denn Euch zu schreiben, in der zerrissenen Stimmung des Geistes, die mir bisher alle Gedanken verstörte! – Etwas Entsetzliches ist in mein Leben getreten! – Dunkle Ahnungen eines grässlichen mir drohenden Geschicks breiten sich wie schwarze Wolkenschatten über mich aus, undurchdringlich jedem freundlichen Sonnenstrahl. – Nun soll ich Dir sagen, was mir widerfuhr. Ich muss es, das sehe ich ein, aber nur es denkend, lacht es wie toll aus mir heraus. – Ach mein herzlieber Lothar! wie fange ich es denn an, Dich nur einigermaßen empfinden zu lassen, dass das, was mir vor einigen Tagen geschah, denn wirklich mein Leben so feindlich zerstören konnte! Wärst Du nur hier, so könntest Du selbst schauen; aber jetzt hältst Du mich gewiss für einen aberwitzigen Geisterseher. – Kurz und gut, das Entsetzliche, was mir geschah, dessen tödlichen Eindruck zu vermeiden ich mich vergebens bemühe, besteht in nichts anderm, als dass vor einigen Tagen, nämlich am 30. Oktober mittags um 12 Uhr, ein Wetterglashändler in meine Stube trat und mir seine Ware anbot. Ich kaufte nichts und drohte, ihn die Treppe herabzuwerfen, worauf er aber von selbst fortging.

Du ahnest, dass nur ganz eigne, tief in mein Leben eingreifende Beziehungen diesem Vorfall Bedeutung geben können, ja, dass wohl die Person jenes unglückseligen Krämers gar feindlich auf mich wirken muss. So ist es in der Tat. Mit aller Kraft fasse ich mich zusammen, um ruhig und geduldig Dir aus meiner frühern Jugendzeit so viel zu erzählen, dass Deinem regen Sinn alles klar und deutlich in leuchtenden Bildern aufgehen wird. Indem ich anfangen will, höre ich Dich lachen und Clara sagen: „Das sind ja rechte Kindereien!" – Lacht, ich bitte Euch, lacht mich recht herzlich aus! – ich bitt Euch sehr! – Aber Gott im Himmel! die Haare sträuben sich mir und es ist, als flehe ich Euch an, mich auszulachen, in wahnsinniger Verzweiflung, wie Franz Moor den Daniel. – Nun fort zur Sache!

2. Brief: Clara an Nathanael (Auszug)

Wahr ist es, dass Du recht lange mir nicht geschrieben hast, aber dennoch glaube ich, dass Du mich in Sinn und Gedanken trägst. Denn meiner gedachtest Du wohl recht lebhaft, als Du Deinen letzten Brief an Bruder Lothar absenden wolltest und die Aufschrift, statt an ihn an mich richtetest. Freudig erbrach ich den Brief und wurde den Irrtum erst bei den Worten inne: „Ach mein herzlieber Lothar!" – Nun hätte ich nicht weiter lesen, sondern den Brief dem Bruder geben sollen. Aber, [...] Gibt es eine dunkle Macht, die so recht feindlich und verräterisch einen Faden in unser Inneres legt, woran sie uns dann festpackt und fortzieht auf einem gefahrvollen verderblichen Wege, den wir sonst nicht betreten haben würden – gibt es eine solche Macht, so muss sie in uns sich, wie wir selbst gestalten, ja unser Selbst werden; denn nur so glauben wir an sie und räumen ihr den Platz ein, dessen sie bedarf, um jenes geheime Werk zu vollbringen. Haben wir festen, durch das heitre Leben gestärkten, Sinn genug, um fremdes feindliches Einwirken als solches stets zu erkennen und den Weg, in den uns Neigung und Beruf geschoben, ruhigen Schrittes zu verfolgen, so geht wohl jene unheimliche Macht unter in dem vergeblichen Ringen nach der Gestaltung, die unser eignes Spiegelbild sein sollte. Es ist auch gewiss, fügt Lothar hinzu, dass die dunkle psychische Macht, haben wir uns durch uns selbst ihr hingegeben, oft fremde Gestalten, die die Außenwelt uns in den Weg wirft, in unser Inneres hineinzieht, so, dass wir selbst nur den Geist entzünden, der, wie wir in wunderlicher Täuschung glauben, aus jener Gestalt spricht. Es ist das Phantom unseres eigenen Ichs, dessen innige Verwandtschaft und dessen tiefe Einwirkung auf unser Gemüt uns in die Hölle wirft, oder in den Himmel verzückt. – Du merkst, mein herzlieber Nathanael! dass wir, ich und Bruder Lothar uns recht über die Materie von dunklen Mächten und Gewalten ausgesprochen haben, die mir nun, nachdem ich nicht ohne Mühe das Hauptsächlichste aufgeschrieben, ordentlich tiefsinnig vorkommt. Lothars letzte Worte verstehe ich nicht ganz, ich ahne nur, was er meint, und doch ist es mir, als sei alles sehr wahr. Ich bitte Dich, schlage Dir den hässlichen Advokaten Coppelius und den Wetterglasmann Giuseppe Coppola ganz aus dem Sinn. Sei überzeugt, dass diese fremden Gestalten nichts über Dich vermögen; nur der Glaube an ihre feindliche Gewalt kann sie Dir in der Tat feindlich machen. Spräche nicht aus jeder Zeile Deines Briefes die tiefste Aufregung Deines Gemüts, schmerzte mich nicht Dein Zustand recht in innerster Seele, wahrhaftig, ich könnte über den Advokaten Sandmann und den Wetterglashändler Coppelius scherzen. Sei heiter – heiter! – Ich habe mir vorgenommen, bei Dir zu erscheinen, wie Dein Schutzgeist, und den hässlichen Coppola, sollte er es sich etwa beikommen lassen, Dir im Traum beschwerlich zu fallen, mit lautem Lachen fortzubannen. Ganz und gar nicht fürchte ich mich vor ihm und vor seinen garstigen Fäusten, er soll mir weder als Advokat eine Näscherei, noch als Sandmann die Augen verderben.

1 a) Erschließen Sie die Art der Darstellung Nathanaels in seinem Brief an Lothar.
b) Analysieren Sie die Argumentationsstruktur Claras in ihrem Brief an Nathanael. Berücksichtigen Sie dabei auch ihre Gesprächsstrategie.

2 Vergleichen Sie die beiden Figuren Nathanael und Clara aspektorientiert anhand der Vergleichskriterien Fantasie, Wirklichkeit sowie Schreibanlass miteinander. Nutzen Sie eine Tabelle für die Gegenüberstellung.

3 Ordnen Sie begründend Nathanael und Clara den Ihnen bekannten Literaturepochen zu.

„Bedeutend – originell – ergreifend“: Mehrperspektivität des Erzählens

Die Erzähltechnik untersuchen und deren Wirkung auf die Leser erklären

1 Erschließen Sie zunächst die Erzählsituation der bislang behandelten Auszüge aus den drei Briefen und halten Sie diese stichpunktartig in einer tabellarischen Übersicht fest. Beziehen Sie sich hierbei möglichst genau auf das Erzählmodell von Petersen und dessen Terminologie (s. S. 168)

2 Analysieren Sie nun den auf die Briefe folgenden Textauszug aus der Zwischenrede, die sich direkt an das Ende des dritten Briefes anschließt, hinsichtlich der vorliegenden Erzählsituation.

[Zwischenrede] (Textauszug)

Seltsamer und wunderlicher kann nichts erfunden werden, als dasjenige ist, was sich mit meinem armen Freunde, dem jungen Studenten Nathanael, zugetragen und was ich Dir, günstiger Leser! zu erzählen unternommen. Hast Du, Geneigtester! wohl jemals etwas erlebt, das Deine Brust, Sinn und Gedanken ganz und gar erfüllte, alles andere daraus verdrängend? Es gärte und kochte in Dir, zur siedenden Glut entzündet sprang das Blut durch die Adern und färbte höher Deine Wangen. Dein Blick war so seltsam, als wolle er Gestalten, keinem andern Auge sichtbar, im leeren Raum erfassen und die Rede zerfloss in dunkle Seufzer. [...] Mich hat, wie ich es Dir, geneigter Leser! gestehen muss, eigentlich niemand nach der Geschichte des jungen Nathanael gefragt; Du weißt ja aber wohl, dass ich zu dem wunderlichen Geschlechte der Autoren gehöre, denen, tragen sie etwas so in sich, wie ich es vorhin beschrieben, so zu Mute wird, als frage jeder, der in ihre Nähe kommt und nebenher auch wohl noch die ganze Welt: „Was ist es denn? Erzählen Sie, Liebster?“ – So trieb es mich denn gar gewaltig, von Nathanaels verhängnisvollem Leben zu Dir zu sprechen. Das Wunderbare, Seltsame davon erfüllte meine ganze Seele, aber eben deshalb und weil ich Dich, o mein Leser! gleich geneigt machen musste, Wunderliches zu ertragen, welches nichts Geringes ist, quälte ich mich ab, *Nathanaels* Geschichte, bedeutend – originell, ergreifend, anzufangen: „Es war einmal“ – der schönste Anfang jeder Erzählung, zu nüchtern! – „In der kleinen Provinzialstadt S. lebte“ – etwas besser, wenigstens ausholend zum Klimax. – Oder gleich *medias* in res: „‚Scher er sich zum Teufel‘, rief, Wut und Entsetzen in wildem Blick, der Student Nathanael, als der Wetterglashändler Giuseppe Coppola“ – Das hatte ich in der Tat schon aufgeschrieben, als ich in dem wilden Blick des Studenten Nathanael etwas Possierliches zu verspüren glaubte; die Geschichte ist aber gar nicht spaßhaft. Mir kam keine Rede in den Sinn, die nur im Mindesten etwas von dem Farbenglanz des inneren Bildes abzuspiegeln schien. Ich beschloss gar nicht anzufangen. [...]

3 Beurteilen Sie abschließend die Wirkung auf den Leser, die von der jeweiligen Erzählsituation ausgeht. Orientieren Sie sich bei der Bearbeitung der drei Aufgaben an folgendem Raster:

Briefe	Zwischenrede
Erzählsituation	
⇩ **Wirkung**	⇩

4 Formulieren Sie auf der Grundlage des letzten Textauszugs E. T. A. Hoffmanns poetologisches Grundverständnis.

Die Liebe zu einem Automaten

Das Verhalten und die innere Verfassung Nathanaels produktiv erschließen

In einem dritten und letzten Brief, den Nathanael an Lothar schreibt, bekräftigt er seine Kritik an der vernunftgeleiteten Denk- und Handlungsweise seiner Verlobten Clara.

Im Folgenden – die Erzählperspektive wechselt vom jeweiligen Briefverfasser zu einem Nathanael nahestehenden Ich-Erzähler – wird deutlich, dass der Protagonist zunehmend einem Okkultismus verfällt und unter einer Art Verfolgungswahn zu leiden scheint. Dennoch gelingt es, das drohende Zerwürfnis mit Clara und Lothar zu vermeiden.

An seinen Studienort zurückgekehrt, erwirbt Nathanael von Coppola, dem Wetterglashändler, ein Taschenfernrohr (Perspektiv), mit dem er von seinem Studierzimmer aus die schöne Tochter seines Professors Spalanzani, Olimpia, heimlich beobachtet und sich in sie verliebt.

Die Olimpia-Episode

Nathanael fand eine Einladungskarte und ging mit hochklopfendem Herzen zur bestimmten Stunde, als schon die Wagen rollten und die Lichter in den geschmückten Sälen schimmerten, zum Professor. Die Gesellschaft war zahlreich und glänzend. Olimpia erschien sehr reich und geschmackvoll gekleidet. Man musste ihr schöngeformtes Gesicht, ihren Wuchs bewundern. Der etwas seltsam eingebogene Rücken, die wespenartige Dünne des Leibes schien von zu starkem Einschnüren bewirkt zu sein. In Schritt und Stellung hatte sie etwas Abgemessenes und Steifes, das manchem unangenehm auffiel; man schrieb es dem Zwange zu, den ihr die Gesellschaft auflegte. Das Konzert begann. Olimpia spielte den Flügel mit großer Fertigkeit und trug ebenso eine Bravour-Arie mit heller, beinahe schneidender Glasglockenstimme vor. Nathanael war ganz entzückt; er stand in der hintersten Reihe und konnte im blendenden Kerzenlicht Olimpias Züge nicht ganz erkennen. Ganz unvermerkt nahm er deshalb Coppolas Glas hervor und schaute hin nach der schönen Olimpia. Ach! – da wurde er gewahr, wie sie voll Sehnsucht nach ihm herübersah, wie jeder Ton erst deutlich aufging in dem Liebesblick, der zündend sein Inneres durchdrang. Die künstlichen Rouladen schienen dem Nathanael das Himmelsjauchzen des in Liebe verklärten Gemüts, und als nun endlich nach der Kadenz der lange Trillo recht schmetternd durch den Saal gellte, konnte er wie von glühenden Ärmen plötzlich erfasst sich nicht mehr halten, er musste vor Schmerz und Entzücken laut aufschreien: „Olimpia!“ – Alle sahen sich um nach ihm, manche lachten. Der Domorganist schnitt aber noch ein finstreres Gesicht, als vorher und sagte bloß: „Nun nun!“ – Das Konzert war zu Ende, der Ball fing an. „Mit ihr zu tanzen! – mit ihr!“ das war nun dem Nathanael das Ziel aller Wünsche, alles Strebens; aber wie sich erheben zu dem Mut, sie, die Königin des Festes, aufzufordern? Doch! – er selbst wusste nicht wie es geschah, dass er, als schon der Tanz angefangen, dicht neben Olimpia stand, die noch nicht aufgefordert worden, und dass er, kaum vermögend einige Worte zu stammeln, ihre Hand ergriff. Eiskalt war Olimpias Hand, er fühlte sich durchbebt von grausigem Todesfrost, er starrte Olimpia ins Auge, das strahlte ihm voll Liebe und Sehnsucht entgegen und in dem Augenblick war es auch, als fingen an in der kalten

Figurine der Olympia. Zeichnung von Luigi Sapelli (1865–1936)

Hand Pulse zu schlagen und des Lebensblutes Ströme zu glühen. Und auch in Nathanaels Innerm glühte höher auf die Liebeslust, er umschlang die schöne Olimpia und durchflog mit ihr die Reihen. – Er glaubte sonst recht taktmäßig getanzt zu haben, aber an der ganz eignen rhythmischen Festigkeit, womit Olimpia tanzte und die ihn oft ordentlich aus der Haltung brachte, merkte er bald, wie sehr ihm der Takt gemangelt. Er wollte jedoch mit keinem andern Frauenzimmer mehr tanzen und hätte jeden, der sich Olimpia näherte, um sie aufzufordern, nur gleich ermorden mögen. Doch nur zweimal geschah dies, zu seinem Erstaunen blieb darauf Olimpia bei jedem Tanze sitzen und er ermangelte nicht, immer wieder sie aufzuziehen. Hätte Nathanael außer der schönen Olimpia noch etwas andres zu sehen vermocht, so wäre allerlei fataler Zank und Streit unvermeidlich gewesen; denn offenbar ging das halbleise, mühsam unterdrückte Gelächter, was sich in diesem und jenem Winkel unter den jungen Leuten erhob, auf die schöne Olimpia, die sie mit ganz kuriosen Blicken verfolgten, man konnte gar nicht wissen, warum? Durch den Tanz und durch den reichlich genossenen Wein erhitzt, hatte Nathanael alle ihm sonst eigne Scheu abgelegt. Er saß neben Olimpia, ihre Hand in der seinigen und sprach hochentflammt und begeistert von seiner Liebe in Worten, die keiner verstand, weder er, noch Olimpia. Doch diese vielleicht; denn sie sah ihm unverrückt ins Auge und seufzte einmal übers andere: „Ach – Ach – Ach!" – worauf denn Nathanael also sprach: „O du herrliche, himmlische Frau! – du Strahl aus dem verheißenen Jenseits der Liebe – du tiefes Gemüt, in dem sich mein ganzes Sein spiegelt" und noch mehr dergleichen, aber Olimpia seufzte bloß immer wieder: „Ach, Ach!" – Der Professor Spalanzani ging einige Mal bei den Glücklichen vorüber und lächelte sie ganz seltsam zufrieden an. Dem Nathanael schien es, unerachtet er sich in einer ganz andern Welt befand, mit einem Mal, als würd es hienieden beim Professor Spalanzani merklich finster; er schaute um sich und wurde zu seinem nicht geringen Schreck gewahr, dass eben die zwei letzten Lichter in dem leeren Saal herniederbrennen und ausgehen wollten. Längst hatten Musik und Tanz aufgehört. „Trennung, Trennung", schrie er ganz wild und verzweifelt, er küsste Olimpias Hand, er neigte sich zu ihrem Munde, eiskalte Lippen begegneten seinen glühenden! – So wie, als er Olimpias kalte Hand berührte, fühlte er sich von innerem Grausen erfasst, die Legende von der toten Braut ging ihm plötzlich durch den Sinn; aber fest hatte ihn Olimpia an sich gedrückt, und in dem Kuss schienen die Lippen zum Leben zu erwarmen. – Der Professor Spalanzani schritt langsam durch den leeren Saal, seine Schritte klangen hohl wieder und seine Figur, von flackernden Schlagschatten umspielt, hatte ein grauliches gespenstisches Ansehen. „Liebst du mich – liebst du mich Olimpia? – Nur dies Wort! – Liebst du mich?" So flüsterte Nathanael, aber Olimpia seufzte, indem sie aufstand, nur: „Ach – Ach!" – „Ja du mein holder, herrlicher Liebesstern", sprach Nathanael, „bist mir aufgegangen und wirst leuchten, wirst verklären mein Inneres immerdar!" – „Ach, ach!", replizierte Olimpia fortschreitend. Nathanael folgte ihr, sie standen vor dem Professor. „Sie haben sich außerordentlich lebhaft mit meiner Tochter unterhalten", sprach dieser lächelnd: „Nun, nun, lieber Herr Nathanael, finden Sie Geschmack daran, mit dem blöden Mädchen zu konvergieren, so sollen mir Ihre Besuche willkommen sein." – Einen ganzen hellen strahlenden Himmel in der Brust schied Nathanael von dannen.

1 Erstellen Sie eine Übersicht zum Verhaltensrepertoire Olimpias.

2 Setzen Sie die Reaktionen Nathanaels in Beziehung zu Olimpias Verhalten und entwerfen Sie einen inneren Monolog, in dem die Entwicklung seines Verhältnisses zu Olimpia deutlich wird.

3 Erklären Sie, wie Nathanael die äußere Realität während des Festes wahrnimmt.

Wahnsinn vs. Vernunft

Eine abschließende Textdeutung zum „Sandmann" entwickeln und diese kritisch im Hinblick auf die Epochenmerkmale der Romantik überprüfen

Der Sandmann: [Die Ratsturmszene]

Bei einem erneuten Besuch im Hause Spalanzani trifft Nathanael wieder Coppola an, der sich heftig mit dem Professor um Olimpia streitet. Der Streit eskaliert in einer handgreiflichen Auseinandersetzung, bei der Olimpia, die sich als Automatenmensch entpuppt, zerstört wird. Die Wahrheit über Olimpias Existenz setzt Nathanael psychisch so zu, dass er Spalanzani töten möchte, daran aber noch gehindert werden kann und in eine Nervenklinik eingewiesen wird. Nach längerer Krankheit ist Nathanael nun scheinbar genesen und zu seiner Familie und Clara zurückgekehrt. Während eines Mittagsspaziergangs beschließen Clara und er, vom Ratsturm ihrer Heimatstadt aus den Ausblick in die Umgebung zu genießen, während Lothar, der sie begleitet, die Mühen des Aufstiegs scheut und unten wartet.

Da standen die beiden Liebenden Arm in Arm auf der höchsten Galerie des Turmes und schauten hinein in die duftigen Waldungen, hinter denen das blaue Gebirge, wie eine Riesenstadt, sich erhob.

„Sieh doch den sonderbaren kleinen grauen Busch, der ordentlich auf uns los zu schreiten scheint", frug Clara. – Nathanael fasste mechanisch nach der Seitentasche; er fand Coppolas Perspektiv, er schaute seitwärts – Clara stand vor dem Glase! – Da zuckte es krampfhaft in seinen Pulsen und Adern – totenbleich starrte er Clara an, aber bald glühten und sprühten Feuerströme durch die rollenden Augen, grässlich brüllte er auf, wie ein gehetztes Tier; dann sprang er hoch in die Lüfte und grausig dazwischen lachend schrie er in schneidendem Ton: „Holzpüppchen dreh dich – Holzpüppchen dreh dich" – und mit gewaltiger Kraft fasste er Clara und wollte sie herabschleudern, aber Clara krallte sich in verzweifelnder Todesangst fest an das Geländer. Lothar hörte den Rasenden toben, er hörte Cla-ras Angstgeschrei, grässliche Ahnung durchflog ihn, er rannte herauf, die Tür der zweiten Treppe war verschlossen – stärker hallte Claras Jammergeschrei. Unsinnig vor Wut und Angst stieß er gegen die Tür, die endlich aufsprang – Matter und matter wurden nun Claras Laute: „Hülfe – rettet – rettet –" so erstarb die Stimme in den Lüften. „Sie ist hin – ermordet von dem Rasenden", so schrie Lothar. Auch die Tür zur Galerie war zugeschlagen. – Die Verzweiflung gab ihm Riesenkraft, er sprengte die Tür aus den Angeln. Gott im Himmel – Clara schwebte von dem rasenden Nathanael erfasst über der Galerie in den Lüften – nur mit einer Hand hatte sie noch die Eisenstäbe umklammert. Rasch wie der Blitz erfasste Lothar die Schwester, zog sie hinein, und schlug in demselben Augenblick mit geballter Faust dem Wütenden ins Gesicht, dass er zurückprallte und die Todesbeute fallen ließ. Lothar rannte herab, die ohnmächtige Schwester in den Armen. – Sie war gerettet. – Nun raste Nathanael herum auf der Galerie und sprang hoch in die Lüfte und schrie „Feuerkreis dreh dich – Feuerkreis dreh dich" – Die Menschen liefen auf das wilde Geschrei zusammen; unter ihnen ragte riesengroß der Advokat Coppelius hervor, der eben in die Stadt gekommen und gerades Weges nach dem Markt geschritten war. Man wollte herauf, um sich des Rasenden zu bemächtigen, da lachte Coppelius sprechend: „Ha ha – wartet nur, der kommt schon herunter von selbst", und schaute wie die Übrigen hinauf. Nathanael blieb plötzlich wie erstarrt stehen, er bückte sich herab, wurde den Coppelius gewahr und mit dem gellenden Schrei: „Ha! Sköne Oke – Sköne Oke", sprang er über das Geländer.

Als Nathanael mit zerschmettertem Kopf auf dem Steinpflaster lag, war Coppelius im Gewühl verschwunden. [...]

1 Erläutern Sie mögliche Ursachen für Nathanaels plötzliche Reaktion.

2 Überprüfen Sie – unter Einbezug Ihrer bisherigen Analyseergebnisse –, inwieweit sich die zentralen Motive von E. T. A. Hoffmanns Nachtstück in der Schlussszene widerspiegeln. Vervollständigen Sie dazu das Schaubild unten.

3 Beurteilen Sie, inwiefern diese Motive auch als Kritik an der Aufklärungsepoche gedeutet werden können. Begründen Sie Ihren Standpunkt.

4 Ist der „Sandmann" als prototypisch für die Epoche der Romantik im Allgemeinen und für die Schauerromantik im Besonderen zu betrachten? Erörtern Sie diese Frage kritisch.

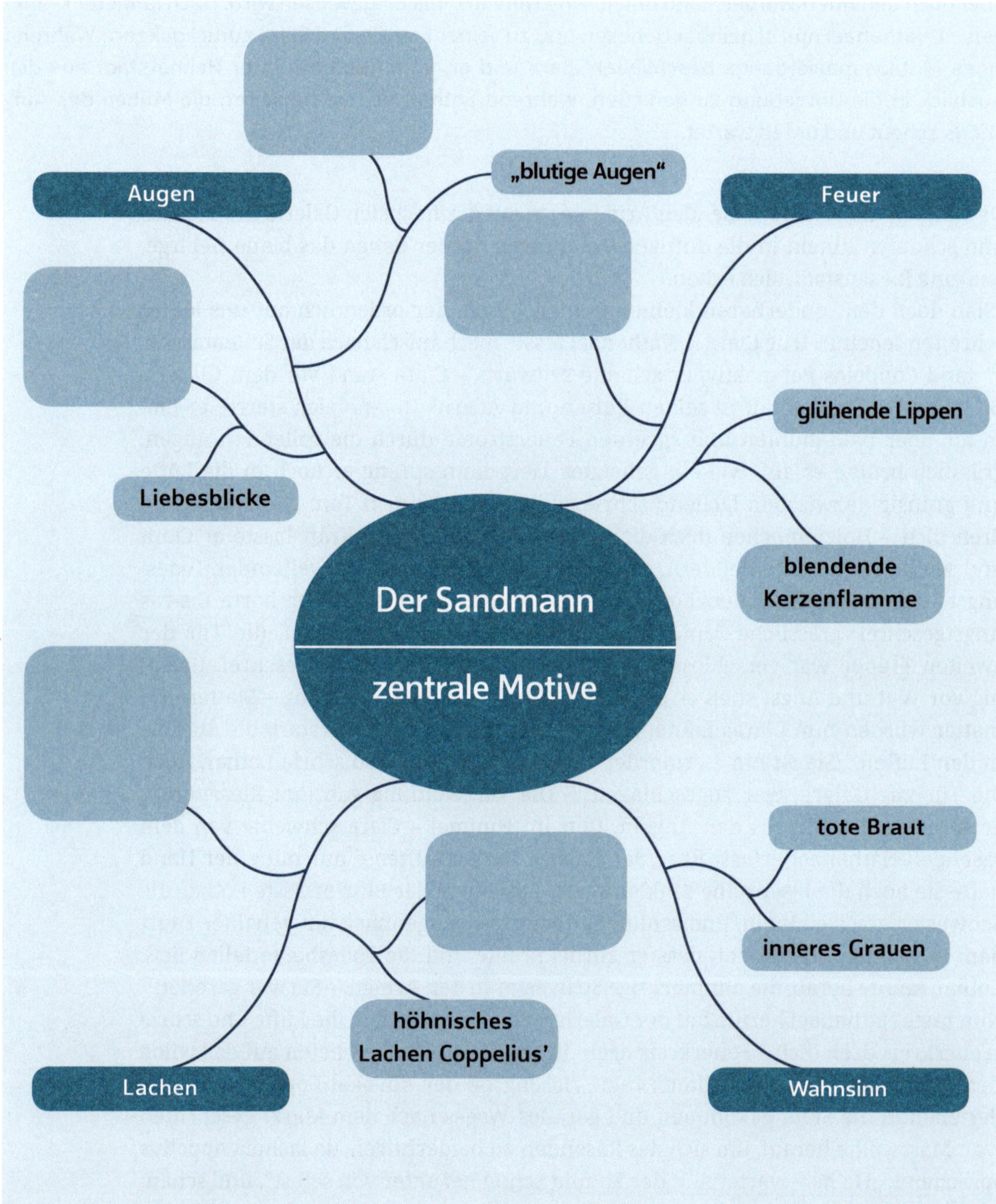

„... – was machen jetzt?"

Die Ergebnisse der Auseinandersetzung mit unterschiedlichen Erzähltexten aus verschiedenen Epochen in Beziehung zueinander setzen und im Rahmen produktionsorientierten Schreibens darstellen sowie bewerten

1 ***Lernarrangement***
Gehen Sie wie folgt vor:
Bilden Sie Gruppen mit drei bis fünf Schülerinnen und Schülern und teilen Sie die folgenden Arbeiten untereinander auf, indem Sie Ihre Unterrichtsergebnisse zunächst arbeitsteilig zusammenfassen im Hinblick auf
a) die erzähltechnische Gestaltung des Romans von Seethaler,
b) die der Novelle Hoffmanns sowie
c) die Merkmale des modernen Romans nach Migner (s. S. 208 f.).
Formulieren Sie nun in Ihrer Gruppe auf der Grundlage Ihrer Notizen einen Essay, in dem Sie der Frage nachgehen, inwieweit die Entwicklung der beiden Protagonisten Franz und Nathanael jeweils als „Heldenreise" bezeichnet werden kann. Berücksichtigen Sie hierbei nicht nur inhaltliche Aspekte, sondern ebenfalls die erzähltechnische Ausgestaltung im Zusammenhang von traditionellem und modernem Erzählen. Schließen Sie Ihren Essay mit einer wertenden Stellungnahme.

Träumen ist wie Kino im Schlaf

Einen Film in seiner narrativen Struktur, ästhetischen Gestaltung und Wirkung analysieren und produktionsorientiert erschließen

Dem fast schon klassisch zu nennenden Ansatz für eine Filmanalyse im Unterricht liegt häufig der grundsätzliche Vergleich zwischen der literarischen Vorlage des zu behandelnden Textes, hier Robert Seethalers Roman „Der Trafikant", und dessen Verfilmung zugrunde. Nicht selten beschränkt sich dieser Unterricht darauf, Abweichungen des Films vom literarischen Text festzuhalten, diese auf ihre Sinnhaftigkeit hin zu befragen, um dann – den Vergleich zu Ende führend – mit einer bewertenden Stellungnahme zu schließen.

Aufgrund der spezifischen Thematik des Romans ergibt sich jedoch auch die Möglichkeit, eine andere Vorgehensweise zu wählen, nämlich auf Spurensuche nach einem zentralen Motiv zu gehen und nach seiner Darstellung zu fragen.

Grundlegende Begrifflichkeiten zum Thema Film finden Sie im hinteren Teill dieses Schülerarbeitsbuchs in der Rubrik „Fachbegriffe (Auf einen Blick)" auf S. 326 f.

Eines der zentralen Motive des Romans ist der Traum. Nicht allein deswegen, weil Franz Huchel sich von seinen Träumen meist bedrängt fühlt, sondern auch wegen des originellen Umgangs mit diesen, den der Protagonist auf Anraten Freuds pflegt.

1 Formulieren Sie noch einmal prägnant den Vorschlag Freuds, wie Franz mit seinen Träumen umgehen und aus welchen Gründen dies geschehen soll.

Freud schlägt Franz vor, ______________________________

Damit will der Psychoanalytiker erreichen, dass ______________________________

____

2 Entwerfen Sie in Partnerarbeit alternative Vorschläge, innerhalb des Romans die Träume von Franz vorzustellen.

Der schon im Roman angelegte besondere Stellenwert des Traums und damit letztlich auch seiner Deutung wird in der Verfilmung nicht nur aufgenommen, sondern erhält noch dadurch eine gesteigerte Bedeutung, dass er über die literarische Vorlage hinaus in zusätzlichen Variationen sowohl inhaltlich als auch formal in Erscheinung tritt.
Wenden Sie sich nun der Verfilmung zu. Innerhalb dieser werden – bereits schon frühzeitig – an verschiedenen Stellen Traumsequenzen von Franz eingeblendet. Hierzu gehört etwa eine Traumszene, während der Franz in einer Regentonne hockt, aus der er herausfällt.

1 ***Lernarrangement***
Bilden Sie Kleingruppen von max. vier Schülerinnen und Schülern und gehen Sie wie folgt vor:
a) Schauen Sie sich diese Filmszene genau und möglichst mehrfach an.
b) Entwickeln Sie Kriterien, anhand derer Sie diese Szene analysieren wollen. Sie sollten darauf achten, dass Sie sowohl Aspekte der Bild- wie auch der Tonebene berücksichtigen.
c) Schauen Sie sich nun noch ein- bis zweimal den betreffenden Filmausschnitt an, sammeln Sie Ihre visuellen und auditiven Eindrücke gemäß den von Ihnen vereinbarten Kriterien und notieren Sie diese.
d) Leiten Sie aus diesen Ergebnissen die Stimmung ab, die dadurch im Film erzeugt wird und
e) beschreiben Sie diese im Hinblick auf deren Wirkung auf Sie als Zuschauer.

Identifizieren Sie nun weitere Traumstellen im Film, um zu prüfen, ob diese Sequenzen nach einem festen Muster angelegt und aufgebaut sind und somit einen funktionalen Zusammenhang innerhalb der Verfilmung erfüllen. Hierzu können Sie entweder – ausgehend von der Rezeption des gesamten Films und unabhängig von seiner Kongruenz mit der Romanhandlung – selbst weitere solcher im Film dargestellte Traumszenen auswählen oder – falls dies zeitlich nicht möglich ist – einen oder mehrere der folgend genannten Auszüge aus Franz' Träumen untersuchen: Franz in rasanter Fahrt im Ruderboot auf einen Eisberg zu (ab 00:19:57), übergroße Ratte am Seeufer (ab 00:31:07), das Kasperletheater im Fenster der Fischerhütte am See (ab 00:37:17; Ähnlichkeit einer Puppe mit Anezka).

2 Gehen Sie hierbei analog zum vorherigen Lernarrangement vor. Überprüfen Sie jeweils auch Ihre Kriterien und passen Sie diese gegebenenfalls an die entsprechende Filmszene an bzw. erweitern Sie dadurch Ihr Analyserepertoire.

3 Stellen Sie mögliche Gründe für die Abweichungen der Film- von der Romanhandlung dar. Berücksichtigen Sie dabei auch die spezifischen Eigenschaften des Mediums Film gegenüber dem Text.

Auf der Grundlage der bisher an verschiedenen Traumsequenzen erstellten Untersuchungsergebnisse kann eine abschließende Betrachtung dieses spezifischen Aspekts der filmischen Umsetzung vorgenommen werden.

4 ***Lernarrangement***

Arbeiten Sie weiter in den zum vorherigen Lernarrangement festgelegten Gruppen.

a) Vergleichen Sie die bisher erarbeiteten Ergebnisse aus der Filmanalyse hinsichtlich möglicher Gemeinsamkeiten und Unterschiede.

b) Überprüfen Sie, inwiefern die einzelnen Traumszenen eine einheitliche Struktur aufweisen. Orientieren Sie sich dabei besonders an der zugrunde liegenden Raumgestaltung, der Rolle der Kindheit im Traum sowie am jeweiligen Traumende.

c) Beurteilen Sie abschließend begründend, ob Ihnen die vom Regisseur gewählte Umsetzung der Träume Franz' gelungen erscheint. Entwickeln Sie gegebenenfalls alternative Ideen.

Die filmische Umsetzung entstand unter der Regie von Nikolaus Leytner und kam unter dem Romantitel im November 2018 ins Kino.
Die Drehzeit betrug ca. sieben Wochen, Drehorte waren neben Wien auch München sowie in Südtirol. Das Einspielergebnis betrug 1.274.040 €, zudem wurde die Produktion durch Fördermittel verschiedener Institutionen im Umfang von 1.029.000 €, der Verleih mit 200.000 € finanziell unterstützt.
Die Hauptrollen wurden mit folgenden Darstellerinnen und Darstellern besetzt: Simon Morzé (Franz Huchel), Johannes Krisch (Otto Trsnjek), Bruno Ganz (Sigmund Freud) und Emma Drogunova (Anezka).
Der Film ist dem Genre *Drama* zugeordnet.

5 Betrachten Sie das Plakat, mit dem der Film nach seiner Entstehung beworben wurde. Beschreiben Sie es in seinem Aufbau und Inhalt.

6 Analysieren Sie es vor dem Hintergrund der Zuweisung des Films zum Genre Drama und nehmen Sie kritisch Stellung dazu.

7 Entwerfen Sie in Gruppenarbeit (max. drei Schülerinnen und Schüler je Gruppe) ein alternatives Filmplakat in Form einer Grafik, eines (gemalten) Bildes oder als Collage, deren Vorlagen Sie recherchiert haben.

8 Stellen Sie sich Ihre Ergebnisse im Plenum gegenseitig vor.

„Magie und Macht der Sprache“

Sprache

Sprachvarietäten und ihre gesellschaftliche Bedeutung

Verhältnis von Sprache, Denken und Wirklichkeit

Texte

Komplexe, auch längere Sachtexte

Kommunikation

Sprachliches Handeln im kommunikativen Kontext

Rhetorisch ausgestaltete Kommunikation in funktionalen Zusammenhängen

Medien

Informationssuche und Informationsdarbietung in verschiedenen Medien

Sprache in politisch-gesellschaftlichen Verwendungszusammenhängen

Kompetenzen

Um die Erwartungen an eine erfolgreiche Auseinandersetzung mit der folgenden Unterrichtsreihe erfüllen zu können, müssen Sie im Unterricht insbesondere folgende Kompetenzen erwerben:

- Strategien und Techniken des Textverstehens unter Nutzung von Fachwissen in Bezug auf mündliche und schriftliche Texte in verschiedenen medialen Erscheinungsformen reflektiert anwenden,
- sprachliches Handeln (auch in seiner Darstellung in literarischen Texten) unter Berücksichtigung kommunikationstheoretischer Aspekte analysieren,
- verschiedene Strategien der Leser- bzw. Hörerbeeinflussung durch rhetorisch ausgestaltete Kommunikation erläutern und beurteilen,
- durch Anwendungen differenzierter Suchstrategien in verschiedenen Medien Informationen zu komplexen fachbezogenen Aufgabenstellungen ermitteln,
- die Qualität von Informationen aus verschiedenartigen Quellen bewerten,
- kontroverse Positionen der Medientheorie zum gesellschaftlichen Einfluss medialer Angebote vergleichen und diese vor dem Hintergrund der eigenen Medienerfahrung erörtern,
- mithilfe geeigneter Medien selbstständig fachlich komplexe Zusammenhänge präsentieren.

Rebus

Ein Thema auf der Grundlage von Bildern erschließen

~~6–8~~

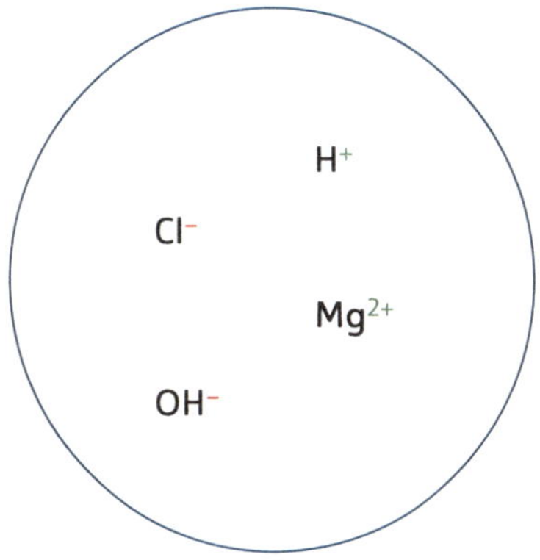

~~1–14~~

~~18–23~~

Sp

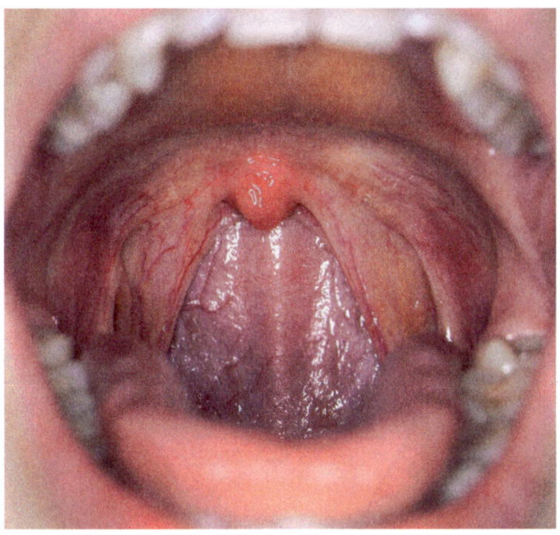

~~6~~

Lösung: ____

1 Bilden Sie in Ihrem Kurs Kleingruppen aus drei bis vier Schülerinnen und Schülern.

2 Recherchieren Sie den Begriff *Rebus* und erklären Sie möglichst prägnant seine Bedeutung.

3 Lösen Sie innerhalb Ihrer Gruppe das oben dargestellte Bilderrätsel.

4 Erläutern Sie in Ihrer Gruppe auf der Grundlage Ihrer bisherigen Kenntnisse den im Rebus dargestellten Sachverhalt.

5 Halten Sie Ihre Ergebnisse schriftlich fest.

Grundlagen der Kommunikation

Zentrale Aspekte sprachlicher Interaktion auf der Basis vorhandener Kenntnisse darstellen und um weiterführende Aspekte ergänzen

Sie haben sich während Ihrer schulischen Laufbahn schon mit dem Thema Kommunikation beschäftigt. Insbesondere **während der Einführungsphase** sollten Sie sich intensiv mit zwischenmenschlicher Interaktion und den damit zusammenhängenden Verständnisprozessen auseinandergesetzt haben. Hierbei ging es nicht nur um gelingende Kommunikation, sondern auch um mögliche Störungen und deren Ursachen. Letztere Phänomene finden sich bekanntlich nicht nur in alltagsweltlichen Kontexten, sie werden vielfach auch in literarischen Texten verarbeitet.

Organon: grch. für Werkzeug

In seinem als „Organon-Modell" bezeichneten Grundschema menschlicher Kommunikation stellt Karl Bühler die Wechselbeziehung dar zwischen Sender, Empfänger sowie der Welt von Gegenständen und Sachverhalten, über die Sender und Empfänger mittels sprachlicher Zeichen kommunizieren. Je nachdem, auf welchen Faktor des Modells das sprachliche Zeichen gerichtet ist, weist Bühler dem sprachlichen Zeichen eine zentrale Funktion zu.

Karl Bühler (1879 – 1963), studierte zunächst Humanmedizin, dann Psychologie, promovierte in beiden Fächern; er erhielt in Wien 1922 eine Professur für Psychologie und emigrierte 1940 in die USA; er war verheiratet mit Charlotte Bühler, einer bekannten Jugendpsychologin. Sein Arbeitsgebiet war die Sprach-, Denk- u. Entwicklungspsychologie

1 Weisen Sie den – nach Bühler – am Kommunikationsprozess beteiligten Faktoren *Sender*, *Empfänger* sowie *Gegenstände und Sachverhalte* die Ihrem Verständnis nach entsprechende Funktion *Ausdruck*, *Darstellung* sowie *Appell* zu.

2 Ordnen Sie nun die von Ihnen in Aufgabe 4 (S. 229) erarbeiteten Funktionen von Sprache in das folgende Schema von Bühlers Organon-Modell bei den entsprechenden Faktoren ein.

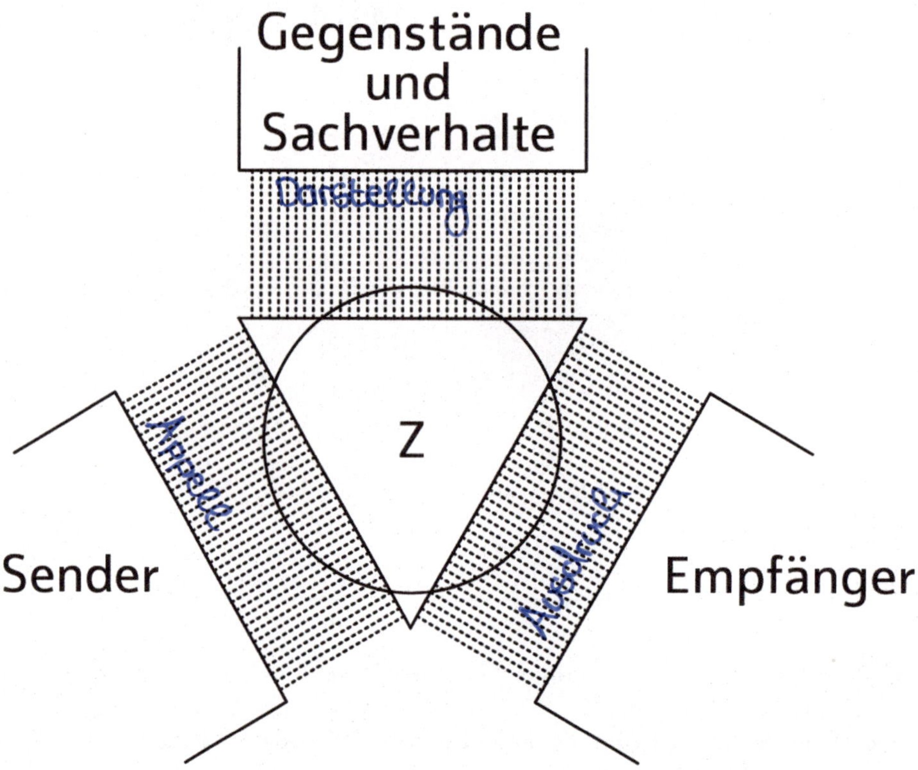

3 Beschreiben Sie den Aufbau von Bühlers Organon-Modell sowie dessen Funktionszusammenhang in einem zusammenhängenden Text.

Roman Ossipowitsch Jakobson (1896 – 1982) war ein bekannter russischer Sprachwissenschaftler und Zeichentheoretiker. Seine Forschungen galten der Erkenntnis der gesetzmäßigen Zusammenhänge, nach denen die Sprache funktioniert. 1926 wurde er Mitbegründer des Prager Linguistenkreises, 1933 erhielt er eine Professur an der Universität in Brünn. Beim Einmarsch der deutschen

Truppen 1939 floh Jakobson zunächst nach Skandinavien, 1941 übersiedelte er in die USA, wo er in den Folgejahren verschiedene Professuren übernahm, u. a. an der Columbia University sowie in Harvard. Sein besonderes Interesse galt der Entwicklung der Kindersprache, außerdem widmete er sich der Erforschung der Aphasie, einer erworbenen Störung durch die Schädigung des Gehirns, wie z. B. nach einem Schlaganfall.

Roman Jakobson

Linguistik und Poetik (1960)

Die **Linguistik** (von lat. Lingua: „Zunge", „Sprache"), gleichbedeutend mit Sprachwissenschaft, widmet sich der wissenschaftlichen Untersuchung der menschlichen Sprache, ihrer Struktur und Geschichte sowie ihres Erwerbs und Gebrauchs im kommunikativen Zusammenhang.

Die Sprache muss in Bezug auf die ganze Vielfalt ihrer Funktionen untersucht werden. Bevor wir die poetische Funktion besprechen, müssen wir ihren Standort unter den anderen sprachlichen Funktionen festlegen. Die Skizzierung dieser Funktionen verlangt eine kurze Übersicht der konstitutiven Faktoren in jedem Sprechereignis, in jedem verbalen Kommunikationsakt. Der SENDER macht dem EMPFÄNGER eine MITTEILUNG. Um wirksam zu sein, bedarf die Mitteilung eines KONTEXTS, auf den sie sich bezieht (Referenz in einer andern, etwas mehrdeutigen Nomenklatur), erfassbar für den Empfänger und verbal oder verbalisierbar; erforderlich ist ferner ein KODE, der ganz oder zumindest teilweise dem Sender und dem Empfänger (oder m. a. W. dem Kodierer und dem Dekodierer der Mitteilung) gemeinsam ist; schließlich bedarf es auch noch eines KONTAKTS, eines physischen Kanals oder einer psychologischen Verbindung zwischen Sender und Empfänger, der es den beiden ermöglicht, in Kommunikation zu treten und zu bleiben. Diese für die sprachliche Kommunikation unabdingbaren Faktoren ergeben folgendes Schema:

	KONTEXT ——— Funktion	
	MITTEILUNG ——— Funktion	
SENDER ——— Funktion		EMPFÄNGER ——— Funktion
	KONTAKT ——— Funktion	
	KODE ——— Funktion	

Jede dieser sechs Komponenten bedingt eine verschiedene sprachliche Funktion. Obwohl wir sechs grundlegende Aspekte der Sprache unterscheiden, gibt es wohl kaum eine sprachliche Mitteilung, die nur eine Funktion erfüllt. Die Vielfalt beruht nicht auf der getrennten Verwirklichung der einzelnen Funktionen, sondern auf ihrer unterschiedlichen hierarchischen Anordnung. Die jeweils dominierende Funktion bestimmt die Struktur der Mitteilung.

1 Markieren Sie die Faktoren in Jakobsons Kommunikationsmodell, die Ihnen aus Bühlers Organon-Modell bereits bekannt sind.

2 Unterstreichen Sie die Faktoren, die über Bühlers Ansatz hinausgehen, mit einer anderen Farbe.

3 Benennen Sie die sprachlichen Funktionen, die Jakobson in Anlehnung an Bühlers Organon-Modell den drei „konstitutiven Faktoren" – Sender, Empfänger und Kontext – beimisst, an den dafür vorgesehenen Stellen (s. S. 232).

In der Fortführung seines Kommunikationsmodells geht der russische Sprachtheoretiker genauer auf die seine Zeichentheorie näher bestimmenden sprachlichen Funktionen ein, indem er zunächst die gemeinsamen Aspekte mit Bühlers Modell vorstellt, um daran anschließend seine eigenen inhaltlichen Erweiterungen zu thematisieren.

Das traditionelle Sprachmodell, das vor allem Bühler entwickelte, beschränkte sich auf diese drei Funktionen – emotiv, konativ und referentiell – und die drei Grundpfeiler dieses Modells – die erste Person des Senders, die zweite Person des Empfängers und „die dritte Person", eigentlich jemand oder etwas, von dem man spricht. Einige zusätzliche sprachliche Funktionen können leicht aus diesem triadischen Modell gewonnen werden. [...]

Es gibt jedoch noch drei weitere konstitutive Komponenten in der verbalen Kommunikation und drei ihnen entsprechende sprachliche Funktionen.

Einige sprachliche Botschaften verfolgen in erster Linie den Zweck, Kommunikation zu erstellen, zu verlängern oder zu unterbrechen, zu kontrollieren, ob der Kanal offen ist [...], die Aufmerksamkeit des Angesprochenen auf sich zu lenken oder sich [des aktiven Zuhörens des Empfängers, d. V.] zu vergewissern. [...] Diese Einstellung auf den KONTAKT, oder [...] die PHATISCHE Funktion, offenbart sich in einem überschwänglichen Austausch ritualisierter Formeln oder zieht sich durch ganze Dialoge hindurch mit dem bloßen Zweck, Kommunikation zu verlängern.

In der modernen Logik werden zwei Ebenen der Sprache auseinandergehalten, „Objektsprache", die sich auf außersprachliche Entitäten bezieht, und „Metasprache", die sich auf Sprache bezieht. Doch die Metasprache ist nicht nur ein unabdingbares wissenschaftliches Werkzeug für Logiker und Linguisten; sie spielt auch eine wichtige Rolle in unserer Alltagssprache. [...] Wenn der Sender und/oder der Empfänger kontrollieren wollen, ob beide denselben Kode gebrauchen, orientiert sich die Rede am KODE: sie vollzieht eine METASPRACHLICHE (d. h. erläuternde) Funktion.

emotiv: Emotionen enthaltend, i. S. v. ausdrucksvoll, expressiv
konativ: von lat. conari streben, sich anstrengen im Hinblick auf eine zielgerichtete Aktivität
referentiell: die Referenz betreffend, auf den Kontext bezogen
phatisch: von grch. phatos („gesagt"), im Sinne von kontaktknüpfend u. -erhaltend
Entität: fachsprachlicher Ausdruck für Größe, Einheit
metasprachlich: Sprache, die zur Analyse und Beschreibung von Sprache selbst verwendet, also verobjektiviert wird

Lernarrangement:

1 Untersuchen Sie die zentralen Aussagen des Textes von Roman Jakobson hinsichtlich der Komponenten seines Kommunikationsmodells sowie den sich daraus ergebenden sprachlichen Funktionen und geben Sie diese prägnant mit eigenen Worten wieder.

2 Ordnen Sie in das Schema der Faktoren von Roman Jakobsons Kommunikationsmodell die entsprechenden sprachlichen Funktionen ein (s. S. 231).

3 Bilden Sie Gruppen von maximal vier Schülerinnen und Schülern und entwerfen Sie in Ihrer Gruppe gemeinsam drei mögliche Kommunikationsverläufe, in denen Sie die referentielle, die phatische und die metasprachliche Funktion von Sprache nach Jakobson deutlich machen.

Wir haben bis jetzt – außer der Botschaft selber – alle sechs Komponenten, die den Sprechvorgang konstituieren, besprochen. Die *Einstellung* auf die BOTSCHAFT als solche, die Ausrichtung auf die Botschaft um ihrer selbst willen, stellt die POETI-

SCHE Funktion der Sprache dar. Diese Funktion kann nur nutzbringend untersucht werden, wenn sie einerseits zusammen mit den allgemeinen, sprachlichen Problemen behandelt wird. Anderseits verlangt die Erforschung der Sprache eine gründliche Berücksichtigung der poetischen Funktion. Jeder Versuch, die Sphäre der poetischen Funktion auf Dichtung zu reduzieren oder Dichtung auf die poetische Funktion einzuschränken, wäre eine trügerische Vereinfachung. Die poetische Funktion stellt nicht die einzige Funktion der Wortkunst dar, sondern nur eine vorherrschende und strukturbestimmende und spielt in allen andern sprachlichen Tätigkeiten eine untergeordnete, zusätzliche, konstitutive Rolle. Indem sie das Augenmerk auf die Spürbarkeit der Zeichen richtet, vertieft diese Funktion die fundamentale Dichotomie der Zeichen und Objekte. Aus diesem Grunde darf sich die Linguistik, wenn sie die poetische Funktion untersucht, nicht nur auf das Gebiet der Dichtung beschränken.

Dichotomie (grch.) Zweiteilung, hier bezogen auf das besondere Verhältnis zwischen (sprachl.) Zeichen und Objekt

4 Erläutern Sie den Stellenwert der poetischen Funktion innerhalb Jakobsons Kommunikationsmodells. Beachten Sie hierbei auch, dass der Autor an dieser Stelle von der „Botschaft um ihrer selbst willen" (S. 232, Z. 3, unten) spricht.

5 Lesen Sie Goethes Gedicht „Wanderers Nachtlied II" aus dem Jahr 1780 (s. S. 116). Analysieren Sie das Gedicht im Hinblick auf Jakobsons Aussage von der „Spürbarkeit der Zeichen" (s. S. 233, Z. 13).

6 Benennen Sie über die Dichtung hinaus weitere Textsorten, in denen die poetische Funktion vorzufinden ist.

Im folgenden Textauszug seines Aufsatzes „Linguistik und Poetik" gibt der Autor zwei Beispiele zur Veranschaulichung der von ihm postulierten poetischen Funktion. Diese entstammen nicht dem Bereich dichterischer Intuition oder Planung, sondern spiegeln Phänomene alltagssprachlicher Kommunikation, die einem eher unbewussten Umgang mit Sprache zuzurechnen sind.

Paronosomie rhetorische Figur, verbindet Wörter in einer Art Wortspiel, die von ihrer Bedeutung oder Herkunft nicht zusammengehören, aber vom Klang her sich ähnlich sind, z. B. „Eile mit Weile", „Wer rastet, der rostet"

„Warum sagst du immer Ruth und Hildegard und nie Hildegard und Ruth? Hast du Ruth etwa lieber als ihre Zwillingsschwester Hildegard?" „Überhaupt nicht, es tönt einfach glatter." Wenn Probleme des Ranges keine Rolle spielen, nimmt der Sprecher bei der Kombination zweier Eigennamen den kürzeren als optimale Anordnung voraus, obwohl er seine Vorliebe nicht erklären kann.
Ein Mädchen pflegte vom „ekligen Erik" zu sprechen. „Warum eklig?" „Weil ich ihn hasse." „Aber warum nicht scheußlich, schrecklich, furchtbar, fies?" „Ich weiß nicht wieso, aber eklig passt besser zu ihm." Intuitiv hielt sie sich an das poetische Verfahren der Paronomasie.

1 Überprüfen Sie, inwieweit Ihnen die Hinweise Jakobsons plausibel erscheinen, und formulieren Sie alternative Erklärungsansätze.

In dem folgenden Beispiel zur poetischen Funktion der Sprache, die für ihn durch die Mitteilung bzw. Botschaft bedingt wird, bezieht sich R. Jakobson auf einen Wahlslogan, der 1952 während des US-amerikanischen Wahlkampfs von den republikanischen Vertretern für Dwight David „Ike" Eisenhower kreiert wurde, um dessen Kandidatur als neuer Präsident der USA zu unterstützen. Im Zuge dieser Kampagne kam es überall in den USA zur Bildung von „I-like-Ike"-Clubs. Eisenhower gewann die Wahl mit deutlichem Vorsprung vor seinem demokratischen Rivalen Adlai E. Stevenson, dessen Namen er während des gesamten Wahlkampfs – zumindest öffentlich – nie ausgesprochen hat. Er blieb für zwei Wahlperioden der 34. Präsident der Vereinigten Staaten von Amerika.

Dwight D. „Ike" Eisenhower, 1890–1969

2 Der Wahlslogan zur Unterstützung Eisenhowers lautet: „I like Ike". Stellen Sie anhand von vier Adjektiven dar, wie dieser Slogan auf Sie wirkt.

1952 in den USA weit verbreiteter Meinungsbutton der Republikaner

Der Bau des bündigen Wahlslogans I like Ike /ay layk ayk/ besteht aus drei Einsilbern und weist dreimal den Diphthong /ay/ auf, der symmetrisch von einem Konsonanten gefolgt wird /..l..k..k/. Die Komposition der drei Wörter richtet sich nach dem Prinzip der Variation: keine konsonantischen Phoneme im ersten Wort, zwei umschließen das zweite und ein Konsonant steht am Ende des dritten. [...]

Kolon (altgrch., Plural: Kola, Begriff aus der Rhetorik bzw. Metrik) Wortgruppe oder rhythmische Sprecheinheit, wird durch Atempausen bestimmt und bildet eine syntaktische bzw. semantische Einheit

Beide Kola der dreisilbigen Formel *I like/Ike* reimen sich, und das zweite der beiden Reimwörter ist im ersten vollständig enthalten (Echoreim), /layk/ -- /ayk/, ein paronomastisches Bild eines Gefühls, das sein Objekt vollständig umschließt. Beide Kola alliterieren und das erste der beiden Alliterationswörter ist im zweiten enthalten: /ay/ -- /ayk/, ein paronomastisches Bild des liebenden Subjekts, umfangen vom geliebten Objekt. Die sekundäre poetische Funktion verstärkt die Eindrücklichkeit und Wirksamkeit dieses Wahlslogans.
Die linguistische Untersuchung der poetischen Funktion hat also einerseits die Grenzen der Dichtung zu sprengen, und anderseits darf sich die linguistische Untersuchung der Dichtung nicht nur auf die poetische Funktion beschränken. Die Eigenarten der verschiedenen poetischen Genres implizieren eine gestaffelte Teilnahme der anderen sprachlichen Funktionen, an deren Spitze die poetische Funktion steht. In der epischen Dichtung, die sich an der dritten Person orientiert, kommt besonders die referentielle Funktion der Sprache zum Zuge; Lyrik, die sich an die erste Person richtet, ist eng mit der emotiven Funktion verbunden; richtet sich eine Dichtung an die zweite Person, so ist sie von der konativen Funktion durchdrungen und nimmt sich entweder anflehend oder ermahnend aus, je nachdem ob die erste Person der zweiten oder die zweite der ersten untergeordnet ist. Soweit die sechs grundlegenden Faktoren der verbalen Kommunikation.

1 Erläutern Sie den gedanklichen Zusammenhang des vorletzten Satzes des Textauszugs (Z. 22 – 27) im Hinblick auf die unterschiedlichen literarischen Gattungen mit eigenen Worten.

2 Erklären Sie unter Bezug auf den dargestellten Wahlslogan den Standpunkt Jakobsons, dass „sich die linguistische Untersuchung der poetischen Funktion" nicht allein auf die Dichtung und andererseits „die linguistische Untersuchung der Dichtung nicht nur auf die poetische Funktion beschränken" darf (Z. 17 – 19).

3 Untersuchen Sie Julius Cäsars Siegesbotschaft „Veni, vidi, vici" analog zu Jakobsons linguistischer Analyse des Wahlslogans „I like Ike".

4 Beurteilen Sie auf der Grundlage Ihrer Kenntnisse zum Kommunikationsmodell Jakobsons, inwiefern Cäsars Aussage die Kriterien der poetischen Funktion erfüllt.

Was ist das empirische linguistische Kriterium der poetischen Funktion? Anders gesagt, worin besteht die unabdingbare Eigenschaft eines Dichtwerks? Um diese Frage zu beantworten, müssen wir uns die beiden grundlegenden Operationen vergegenwärtigen, die jedem verbalen Verhalten zugrunde liegen, nämlich Selektion und Kombination. Wenn „Kind" das Thema einer sprachlichen Botschaft bildet, wählt der Sprecher aus den gegebenen, mehr oder weniger ähnlichen Hauptwörtern Kind, Baby, Knirps, Bengel etc., die alle in einer bestimmten Hinsicht gleichwertig sind, eines aus und wählt dann, um das Thema auszuführen, ein semantisch passendes Verb wie schläft, döst, schlummert, etc. Die beiden ausgewählten Wörter werden zu einer Aussage kombiniert. Die Selektion vollzieht sich auf der Grundlage der Äquivalenz, der Ähnlichkeit und Unähnlichkeit, der Synonymie und Antinomie, während der Aufbau der Sequenz auf Kontiguität basiert. *Die poetische Funktion projiziert das Prinzip der Äquivalenz von der Achse der Selektion auf die Achse der Kombination.* Die Äquivalenz wird zum konstitutiven Verfahren der Sequenz erhoben. In der Dichtung wird eine Silbe einer anderen Silbe angeglichen; Wortakzent gleicht Wortakzent, das Fehlen des Akzentes gleicht einem Fehlen; prosodische Länge gleicht Länge, Kürze gleicht Kürze; Wortgrenze gleicht Wortgrenze, das Fehlen einer Grenze dem Fehlen einer Grenze; syntaktische Pause gleicht syntaktischer Pause, das Fehlen einer Pause gleicht dem Fehlen einer Pause. [...]

Synonymie: Bedeutungsentsprechung von Wörtern

Antinomie: gegensätzliche Wortbedeutung

Kontiguität: Angrenzung von Wortbedeutungen

prosodisch: lautliche Eigenschaften der Sprache, z. B. an Intonation, Satzmelodie, Tempo u. Rhythmus gebunden

5 Erläutern Sie den im Textauszug dargestellten Zusammenhang von Selektion, Äquivalenz sowie Kombination mit eigenen Worten.

6 Erweitern Sie die beiden von Jakobson angesprochenen Wortfelder zum Nomen „Kind" und „schlafen" um zusätzliche Nomen bzw. Verben.

Wortfeld
„Kind"

Wortfeld
„schlafen"

7 Wählen Sie nun Nomen-Verb-Kombinationen aus, die
a) Ihrer Meinung nach – dem Prinzip der Äquivalenz entsprechend – zueinander passen oder
b) nach Ihrem Empfinden eher eine unpassende Sequenz bilden.

Die poetische Funktion erfüllende Nomen-Verb-Kombinationen:

Die poetische Funktion eher nicht erfüllende Nomen-Verb-Kombinationen:

8 Begründen Sie kurz Ihre Auswahl.

Jakobsons Aufgabe, die Darstellung der Beziehung zwischen Linguistik und Poetik, die seinem Aufsatz aus dem Jahr 1960 auch den Titel gegeben hat, verfolgt letztlich das Ziel, die folgende Frage zu klären:

Was macht eine verbale Botschaft zu einem Kunstwerk?
Da nun das zentrale Thema der Poetik in der *differentia specifica* der Wortkunst zu anderen Künsten und zu anderen Arten verbalen Verhaltens liegt, nimmt die Poetik in der Literaturwissenschaft eine führende Rolle ein.
Die Poetik befasst sich mit den Problemen der sprachlichen, die Analyse der Malerei mit denen der bildlichen Struktur. Die Linguistik als umfassende Wissenschaft der Struktur der Sprache behandelt die Poetik als einen integralen Bestandteil ihres Forschungsgebietes. [...]
Zusammenfassend können wir sagen, dass die Analyse des Verses vollkommen innerhalb der Kompetenz der Poetik liegt, und diese kann als jener Teil der Linguistik definiert werden, welche die poetische Funktion in ihrer Beziehung zu den anderen Funktionen der Sprache untersucht. Im weiteren Sinne des Wortes befasst sich die Poetik mit der poetischen Funktion nicht nur in der Dichtung, wo sie alle anderen Funktionen dominiert, sondern auch außerhalb der Dichtung, wenn eine andere Funktion der poetischen den Vorrang abnimmt.

1 Erläutern Sie den Zusammenhang der sechs Funktionen in Jakobsons Kommunikationsmodell an zwei selbst gewählten Beispielen, in denen unterschiedliche Dominanzen einer der sprachlichen Funktionen zugrunde liegen.

2 Poetische Texte wie auch die Malerei sowie die Baukunst, Bildhauerei, Grafik und Fotografie werden zu den bildenden Künsten gezählt. Benennen Sie das Kriterium, das diesen Künsten gemeinsam ist, sowie weitere Merkmale, anhand derer sich diese einzelnen Künste unterscheiden lassen (s. Abbildungen).

3 Informieren Sie sich über den Sammelbegriff der darstellenden Künste und ordnen Sie die unten stehenden künstlerischen Betätigungsfelder den bildenden bzw. darstellenden Künsten zu. Stellen Sie deren *differentia specifica* dar und vergleichen Sie diese mit der der bildenden Künste. Auch hierbei können Sie sich auf die folgenden Bilder beziehen.

Paula Modersohn-Becker: Frau mit Kind, 1902

Hermann Nitsch: Performance oder Aktionskunst

Christo: Installation: Walking on Water, 2016

Die Struktur sprachlicher Zeichen

Den Zusammenhang sprachwissenschaftlicher Phänomene innerhalb eines literarischen Textes erschließen

Der irische Schriftsteller Jonathan Swift (1667–1745) hat den gedanklichen Zusammenhang von sprachlichem Zeichen und zu bezeichnendem Gegenstand in seinem 1726 erschienenen vierteiligen Roman „Gullivers Reisen" satirisch aufgegriffen und literarisch verarbeitet. Vor allem die ersten beiden Teile sind einem breiten jugendlichen Publikum – nicht nur in Deutschland – bekannt: die Reise zu den nur sechs Zoll kleinen Menschen auf Lilliput sowie zu den Riesen im Land Brobdingang. Auf seiner dritten Reise, die den Protagonisten u.a. auf die schwebende Insel Laputa führt, trifft der Ich-Erzähler in deren Hauptstadt Lagado auf Professoren, die den wissenschaftlichen Fortschritt durch die Realisierung absonderlicher Ideen sowie Methoden befördern wollen. So widmen sie sich z.B. der Aufgabe, Sonnenlicht aus Gurken zu gewinnen, neue Nahrung aus Kot zu recyceln oder ein Haus vom Dach aus zu bauen. Bei seinem Rundgang gerät der Protagonist Lemuel Gulliver auch in eine Akademie, die sich abstrusen Sprachprojekten widmet. Während seiner vierten Reise gelangt L. Gulliver schließlich in das Land der Houyhnhnms, wo er einer sonderbaren Tierart, den Yahoos, begegnet, die ihn wegen ihres Fells an Ziegen erinnern, letztlich aber über eine menschliche Gestalt verfügen. Kurz darauf trifft er auf eine Gruppe von Pferden, die Houyhnhnms, die sich in ihrer Sprache unterhalten können und die Yahoos als Haustiere halten, die ihnen z.B. zum Transport von Lasten dienen.
Der durch und durch satirische Roman kann als deutliche Kritik an der aufkommenden Vernunftgläubigkeit im 18. Jahrhundert verstanden werden, richtet sich zugleich aber auch gegen die absolutistischen Herrschaftsformen im damaligen Europa. Schon in der Wahl des Namens des Erzählers und der Hauptfigur, Lemuel Gulliver, in dem sich das englische Adjektiv „gullible" erkennen lässt, das übersetzt so viel wie „naiv", „leichtgläubig" oder „einfältig" heißt, spiegelt sich die satirische Grundhaltung des Romans.

Jonathan Swift

Gullivers Reisen (1726)

3. Teil: Eine Reise nach Laputa, Balnibarbi, Luggnagg, Glubbdubdrib und Japan

Hierauf begaben wir uns in die Sprachschule, wo drei Professoren sich über die zweckmäßigste Methode berieten, ihre Landessprache zu verbessern. Das Projekt des ersten bestand darin, die Rede dadurch abzukürzen, dass man vielsilbige Wörter in einsilbige verwandte, dass man Verben und Partizipien auslasse; alle vorstellbaren Dinge seien in Wirklichkeit nur Hauptwörter.
Das Projekt des zweiten bezweckte die Abschaffung aller Wörter, und dies wurde als eine große Verbesserung der Gesundheit wie der Kürze betrachtet. Denn es ist klar, dass jedes von uns gesprochene Wort eine Verminderung unserer Lungen durch Abnutzung bewirkt, folglich auch die Verkürzung unseres Lebens zur Folge hat. Es wurde deshalb folgendes Auskunftsmittel angeboten: Da Worte allein in Zeichen der Dinge bestehen, sei es passender, wenn die Menschen solche Auskunftsmittel bei sich herumtrügen, die ein besonderes Geschäft bezeichneten, worüber sie sich unterhalten wollten.

Diese Erfindung würde allgemein geworden sein, wenn sich die Weiber nicht mit dem Pöbel und den ungebildeten Menschen verbunden und mit einer Rebellion gedroht hätten, falls ihnen nicht die Freiheit ihrer Zungen nach herkömmlicher Weise verbliebe; der Pöbel ist ja ohnehin der unversöhnliche Feind jeder Wissenschaft.

Die Klügsten und Weisesten jedoch befolgen die neue Methode, sich durch Dinge auszudrücken; die einzige Unbequemlichkeit, die sich daraus ergibt, besteht nur darin, dass ein Mann, dessen Geschäft sehr groß und von verschiedener Art ist, ein Bündel auf seinem Rücken mit sich herumtragen muss, wenn er nicht imstande ist, sich einen oder zwei starke Bediente zu halten.

Zwei dieser Weisen habe ich oft unter ihren Bündeln beinahe zusammenbrechen sehen, wie dies bei Hausierern in England wohl der Fall ist. Wenn sie sich in den Straßen begegneten, legten sie ihre Last nieder, öffneten ihre Säcke und hielten ein stundenlanges Gespräch; alsdann füllten sie ihre Behälter aufs Neue, halfen sich einander, wenn sie die Last wieder auf den Rücken nahmen, und empfahlen sich.

Für ein kurzes Gespräch mag jeder seinen Bedarf in der Tasche oder unterm Arm tragen, weil ihm dann weniger genügt. Zu Hause aber kann niemand in Verlegenheit kommen. Deshalb ist ein Zimmer, wo eine in dieser Kunst gewandte Gesellschaft zusammenkommt, mit allen Dingen angefüllt, die Stoff zu diesem künstlichen Gespräch darbieten.

Ein anderer Vorteil, der sich aus dieser Erfindung ergeben muss, besteht darin, dass dadurch eine allgemeine Sprache erfunden würde, die man bei allen zivilisierten Nationen verstünde, bei denen Güter und Geräte sich glichen, so dass man sich leicht in die verschiedenen Gewohnheiten würde finden können. Somit könnten Gesandte mit fremden Fürsten oder Staatsmännern leicht verhandeln, obgleich sie deren Sprache nicht verstünden.

Ich war auch in der mathematischen Schule, wo die Lehrer nach einer Methode unterrichten, von der man in Europa kaum einen Begriff hat. Satz und Beweis werden mit gehirnartiger Tinktur auf einer dünnen Oblate aufgezeichnet und durch den Mund eingegeben. Der Schüler muss diese schnell hinunterschlucken und dann drei Tage lang nichts als Brot und Wasser genießen. Ist die Oblate verdaut, so steigt die Tinktur ins Hirn und führt dort einen mathematischen Satz ein. Bisher hat aber der Erfolg sich noch nicht erwiesen, ein Umstand, der teilweise aus einem Fehler in der Quantität oder Komposition folgen mag, teilweise auch aus der Störrigkeit der Knaben, denen diese Medizin so ekelhaft ist, dass sie sich gewöhnlich fortstahlen und sich der Dosis von oben entledigten, bevor sie wirken konnte; auch hat man sie bis jetzt nicht überreden können, so lange zu hungern, wie es bei dem Rezept notwendig wäre.

Die schwebende Insel Laputa

1 a) Wenden Sie die Verständigungsmethode des ersten Professors auf die ersten fünf Textzeilen des Romanauszugs von Swift an.

b) Fassen Sie kurz die Folgen dieser Methode für das Textverständnis zusammen.

2 Benennen Sie mehrere Textstellen, in denen der Autor das rhetorische Mittel der Übertreibung (Hyperbel) anwendet, das häufig in satirischen Texten vorzufinden ist.

3 Nach Aussage des bedeutenden deutschen Schriftstellers Friedrich Schiller (1759 – 1805) stellt die Satire die mangelbehaftete Realität einem Ideal gegenüber. Beschreiben Sie die Wirklichkeit der wissenschaftlichen Welt, die Swift in seinem Textauszug kritisiert. [Falls Sie im Unterricht bereits Büchners Drama „Woyzeck" behandelt haben sollten, können Sie sich hierbei zusätzlich auf die Szene 8 (S. 16 ff.) beziehen].

4 Mit der Plansprache „Esperanto" wurde 1887 eine Sprache konstruiert, die den internationalen Austausch vereinheitlichen sowie erleichtern sollte.

a) Informieren Sie sich über den Bau und die Verbreitung dieser Sprache oder weiterer künstlich geschaffener Sprachen.
b) Benennen Sie Vor- und Nachteile eines solchen Projekts und
c) formulieren Sie abschließend Ihre Position in einem begründeten Statement.

Gulliver bei den Houyhnhnms

Die Sprache der Zeichen

Sprachliche, parasprachliche und nicht-sprachliche Zeichenformen unterscheiden sowie in ihrer Funktionalität erschließen

Bislang hat in der Hauptsache das sprachliche Zeichen im Mittelpunkt der Überlegungen gestanden, unabhängig davon, ob es sich hierbei um schriftlich fixierte Zeichen, die wir visuell wahrnehmen, oder – wie in der mündlichen Kommunikation – um Laute handelt, die uns akustisch vermittelt werden. Hinzu kommen auch sprachliche Zeichen, die wir ertasten können, mit denen bspw. Euro-Scheine versehen sind, wenn der optische Sinn nicht ausreichend ausgebildet oder durch eine Erkrankung eingeschränkt ist. In der folgenden Tabelle (1.1) wird zunächst zwischen sprachlichen und nicht-sprachlichen Kommunikationsformen unterschieden, jeweils unter Berücksichtigung der drei genannten Sinneswahrnehmungen visuell, taktil sowie akustisch.

1 Ordnen Sie in das folgende Schema jeweils den drei Formen sinnlicher Wahrnehmung entsprechende Beispiele für Kommunikationsformen zu.

Kommunikationsform / Art der Wahrnehmung	verbal	nonverbal
visuell		
akustisch		
taktil		

Tab. 1.1

2 Beschreiben Sie den Aufbau der untenstehenden Tabelle (1.2) in einem kurzen Text.

3 Tragen Sie beispielhaft in die freien Felder jeweils den Koordinaten entsprechende Zeichenformen ein.
Erläuterung: Mit dem Begriff „parasprachlich“ sind solche Zeichen gemeint, die selbst nicht sprachlich sind und deshalb nur im Zusammenhang mit sprachlichen Zeichen in Erscheinung treten, wie z. B. Lautstärke, Tonhöhe, Sprechgeschwindigkeit, (un)gefüllte Pausen. Insofern bilden sie auch keine eigenständige Kommunikationsform, können grundsätzlich für die Kommunikation aber bedeutsam sein. Informieren Sie sich ggf. vertiefend in den einschlägigen Medien über parasprachliche Zeichen.

Kommunikationsform / Art der Wahrnehmung	verbal	(paraverbal)	nonverbal
visuell			
akustisch			
taktil			

Tab. 1.2

4 Vergleichen Sie abschließend im Kursplenum Ihre Ergebnisse.

5 Erörtern Sie im gemeinsamen Gespräch den Zusammenhang verbaler, paraverbaler sowie nonverbaler Zeichen im kommunikativen Kontext.

Semiotik – Über die Sprache hinaus

Den Zeichenbegriff in seiner universellen Bedeutung erschließen

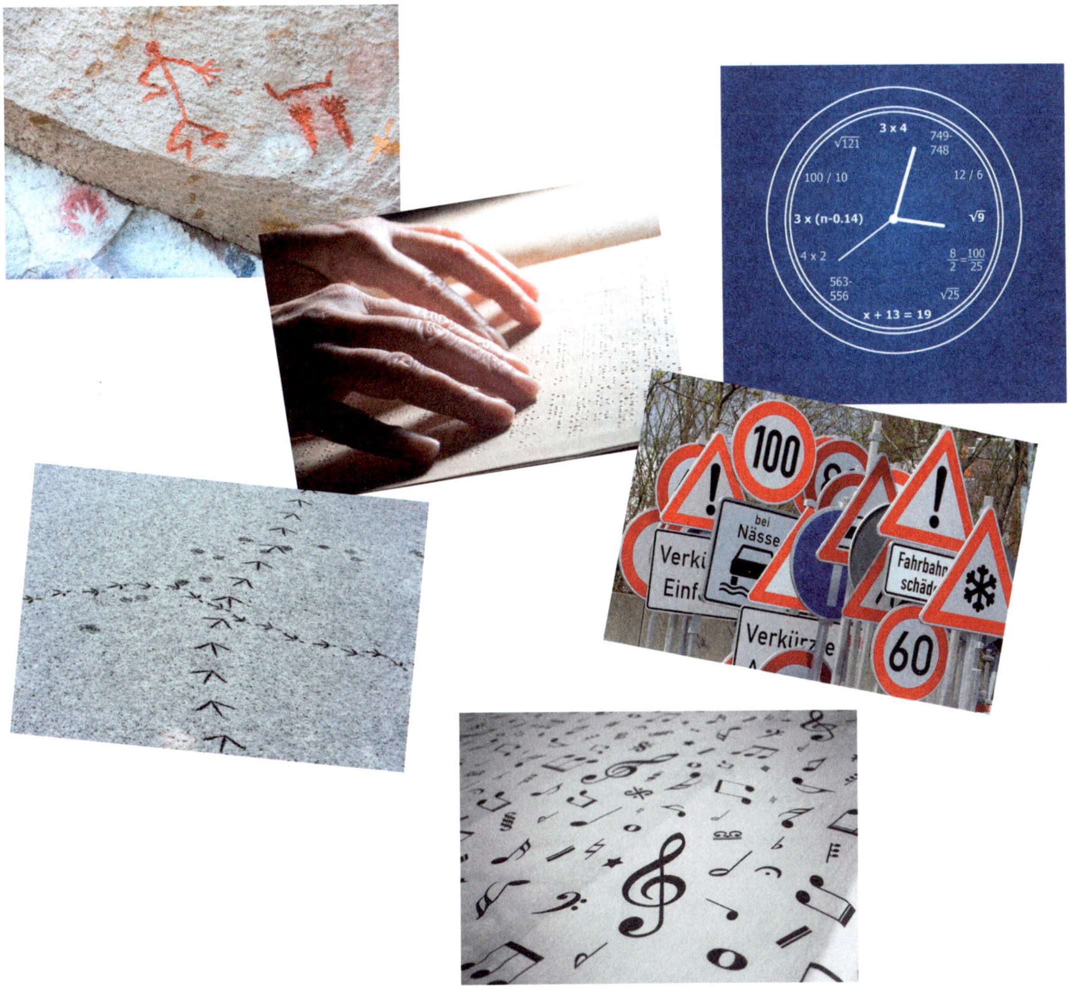

6 Stellen Sie den Inhalt der abgebildeten Fotos kurz mit eigenen Worten dar.

7 Suchen Sie weitere Beispiele, aus denen sich deutlich eine „Stellvertreterfunktion" der dargestellten Zeichen erschließen lässt.

Bis hierher haben Sie sich vorrangig mit sprachlichen Zeichen beschäftigt, was – gemessen an deren Stellenwert für die zwischenmenschliche Kommunikation sowie im Rahmen des Unterrichtsfachs Deutsch – auch sinnvoll erscheint. Dieser Sachverhalt ließe sich noch dahingehend weiter differenzieren, als innerhalb dieses Kommunikationsgeschehens die mündliche Kommunikation der schriftlichen gegenüber einen deutlich höheren Anteil besitzt. Außerdem ist sie die Form der Verständigung zwischen Menschen, mit der sich – so der Medienwissenschaftler K. Hickethier – „die Welt am komplexesten und differenziertesten darstellen" lässt. Unter dem Einsatz der „natürlichen Kommunikation" auf der Basis natürlicher Sprachen – gemeint ist hier die jeweilige Muttersprache – gelingt es dem Menschen schon in seiner frühen Entwicklung, das notwendige Fundament für den Aufbau seiner kognitiven Fähigkeiten zu legen, um sie dann erweitern zu können. Somit gewinnt sie auch zunehmend an Bedeutung für die Eigenkommunikation, wie sie sich auf den unterschiedlichen Stufen des Denkens manifestiert.

Bereits zu Beginn dieser Unterrichtsreihe sind Sie im Rahmen einer Hinführung auf das Inhaltsfeld „Kommunikation" außersprachlichen Zeichen begegnet, nämlich in Form eines Rebus, dessen Botschaft rätselhaft, weil zeichenhaft verschlüsselt war. Somit mussten neue, unkonventionelle Strategien ihrer Decodierung verwendet werden. Entsprechend bedarf es deshalb an dieser Stelle einer Ausweitung des bisherigen Begriffsverständnisses von Zeichen, das einseitig auf das Phänomen der Sprache bezogen ist. So hat sich im Laufe der Zeit eine eigene Wissenschaftsdisziplin entwickelt, die als „Semiotik" oder „Semiologie" bezeichnet wird. Dadurch wurde es auch ermöglicht, im Zuge der rasanten Entwicklung aufseiten der Medien alle nonverbalen Zeichen „systematisch [zu] erfassen [zu] beschreiben".

Knut Hickethier

Semiotik oder Semiologie (2003)

Umberto Eco (1932–2016), ital. Schriftsteller, Philosoph u. Medienwissenschaftler, der durch seinen Roman „Der Name der Rose" (1980) Weltruhm erlangte; Eco erhielt 1975 die erste Professur für Semiotik an der Universität in Bologna

Semiotik als Theorie der Zeichen versteht sich auf der einen Seite als eine allgemeine, die unterschiedlichsten Zeichen umfassende Theorie, auf der anderen als eine spezielle, die Zeichen eines bestimmten Mediums oder eines Bereichs darstellende Theorie (Filmsemiotik, Radiosemiotik, Theatersemiotik usf.). [...]
Alles kann Zeichen sein, aber nicht alles ist Zeichen. **Das Zeichen steht für etwas anderes**, ist also nicht etwas, das nur für sich steht. Zeichen bestehen deshalb aus Relationen. [...]
Zu unterscheiden sind:
- Zeichen, die nur als Zeichen existent sind (z. B. Buchstaben, Ziffern, Abbildungen etc.) und die als **primäre Zeichen** gelten können, und
- Zeichen, die unabhängig von einer Zeichenfunktion auch noch reale Dinge, Sachverhalte sind und als solche genutzt werden können (**sekundäre Zeichen**).

1 Erklären Sie den Unterschied zwischen primären und sekundären Zeichen mit eigenen Worten.

2 Nennen Sie zur Verdeutlichung Ihres Verständnisses jeweils ein Beispiel. Sie können sich dabei auch auf die weiter oben abgedruckten Bilder oder auf von Ihnen selbst ermittelte Zusammenhänge beziehen (s. S. 242).

3 Recherchieren Sie Informationen zu den genannten semiotischen Unterkategorien bezüglich des Films, Radios sowie Theaters und stellen Sie möglichst prägnant deren Aufgabengebiet dar.

4 Erläutern Sie die Aussage K. Hickethiers: „Alles kann Zeichen sein, aber nicht alles ist Zeichen." (Z. 5)

Kommunikation aus soziolinguistischer Sicht

Den Zusammenhang von Sprachhandlungen und sozialer Herkunft untersuchen und überprüfen

Zu den Aufgabengebieten der Sprachwissenschaft gehören über die Erforschung der sprachlichen Struktur hinaus u. a. die der gesellschaftlichen Bedingungen von Sprache und Kommunikation, aber auch die Beantwortung der Frage nach den psychischen Prozessen, die beim Zustandekommen von Sprechakten beteiligt sind. Der erste Bereich wird hauptsächlich von der Soziolinguistik abgedeckt, während der andere vorzugsweise dem Interessensgebiet der Psycholinguistik zuzurechnen ist. Da die Kommunikation als eine Form von sozialer Interaktion zu verstehen ist, an der natürlich Individuen mit ihrer jeweiligen psychischen Verfasstheit beteiligt sind, soll im Folgenden an einem zentralen Beispiel ein soziolinguistisches Thema kurz vorgestellt und – zumindest in Ansätzen – kritisch hinterfragt werden.

Ludwig Helbig

Sprachverhalten und soziale Schichtzugehörigkeit – die frühen Untersuchungen Basil Bernsteins (1979)

Vor allem den Forschungen des Engländers Basil Bernstein ist die Erkenntnis zu verdanken, dass sich Unterschicht und Mittelschicht in ihren sprachlichen Codierungsmöglichkeiten unterscheiden. Auf diese Weise entstehen „Sondersprachen", die nicht nur Funktionen bestimmter Sozialbeziehungen sind, sondern ihrerseits wiederum die Form sozialer Beziehungen bestimmen.
Bernstein unterscheidet den restringierten Code der Unterschicht vom elaborierten Code der Mittelschicht. Die grundlegenden Unterschiede stellt er an einem Beispiel dar, das Peter Hawkins entwickelt hat: Hawkins legte Kindern eine vierteilige Bildergeschichte vor und forderte sie auf, die Geschichte zu erzählen.

In der Darstellung der Untersuchungen Bernsteins heißt es weiter:

Ein Mittelschichtenkind erzählte die Geschichte wie folgt:
„Drei Jungen spielen Fußball und ein Junge spielt den Ball, und er fliegt durch das Fenster, der Ball zertrümmert die Fensterscheibe und die Jungen schauen zu, und ein Mann kommt heraus und schimpft mit ihnen, weil sie die Scheibe zerbrochen haben, also rennen sie fort, und dann schaut diese Dame aus ihrem Fenster und sie schnauzt die Jungen an." (Zahl der Substantive: 13; Zahl der Pronomina: 6)
Die gleiche Geschichte wurde von einem Unterschichtenkind wie folgt wiedergegeben:
Sie spielen Fußball und er schießt ihn und er fliegt rein, dort zertrümmert er die Scheibe und sie schauen zu und er kommt raus und schimpft mit ihnen, weil sie sie zerbrochen haben, deshalb rennen sie weg und dann sieht sie raus und sie schnauze sie an." (Zahl der Substantive: 2; Zahl der Pronomina: 14)
Bei der ersten Geschichte ist es nicht notwendig, dass der Leser auch die vier Bilder sieht, die der Geschichte als Grundlage dienen. Die Geschichte wird relativ kontextungebunden erzählt, die Bedeutungen werden expliziert. Die Sprache des Mittelschichtkindes bringt universale Bedeutungen hervor, d. h., seine Sprache befreit die Bedeutungen vom Zusammenhang und macht sie so für jeden verständlich. Dies sind alles Merkmale des elaborierten (ausgearbeiteten, verfeinerten) Codes.
Bei der zweiten Geschichte versteht der Leser den Zusammenhang ohne die vier Bilder nicht oder nur ungenügend. Die Geschichte wird kontextgebunden erzählt. Die Bedeutungen sind implizit, d. h., das Kind expliziert sie nicht im gleichen Ausmaß wie das erste. Die Sprache des zweiten Kindes schafft partikuläre Bedeutungen in dem Sinne, dass die Bedeutungen eng an den Kontext gebunden sind und nur

dann universal, d. h. für alle verständlich, sind, wenn diese zum Zusammenhang auch Zugang haben (also die Bilder auch vor sich haben).

Restringierte (eingeschränkte) Sprach-Codes lassen sich überall dort feststellen, wo soziale Beziehungen das Bedürfnis nach Verbalisierung individueller Erfahrungen reduzieren, weil eine ausgeprägte Solidarität zwischen den Gruppenmitgliedern besteht. So entstehen restringierte Codes z. B. in Gefängnissen, beim Militär, aber auch etwa in Gottesdiensten mit ihren durchritualisierten Sprechakten. Restringierte Codes sind bestimmt durch eine vorwiegend starre syntaktische Struktur und durch vorgefertigte Begriffe und Wendungen („Worthülsen"), die verschiedenartige Bedeutungen implizit enthalten. Einem Sprecher, der auf einen restringierten Code beschränkt ist, fehlt weitgehend die Möglichkeit, ein individuelles Erlebnis, aber auch bestimmte Intentionen oder Gefühle verbal zu gestalten (vgl. z. B. das in der jugendlichen Subkultur übliche Wort „Klasse", das eine Vielzahl positiver Empfindungen abdeckt).

Dem korrespondiert eine weitgehende Einschränkung der Fähigkeit zu Analyse, Abstraktion und Generalisierung. Der restringierte Code dient vor allem der Betonung des Gemeinsamen, was etwa deutlich wird an der häufigen Verwendung kollektiver Pronomina („wir", „ihr", „sie"). Es handelt sich um eine eher unpersönliche Sprechweise, die die Form der sozialen Beziehung, die mechanische Solidarität, verstärkt, die Bedeutung der Individualität dagegen herabsetzt, die nur durch extraverbale Mittel (Gestik, Mimik, Tonfall usw.) ausgedrückt werden kann.

Der elaborierte Code ist demgegenüber durch eine große Flexibilität gekennzeichnet. Er ermöglicht eine verbale Individualisierung des Einzelnen. Der Sprecher des elaborierten Codes vermag über die Grundlagen seiner Erfahrung zu reflektieren, er hat Zugang zu alternativen Realitäten und einer erweiterten Umwelterfahrung. Durch die Ausnutzung der formalen Möglichkeiten der Sprache erleichtert die Beherrschung des elaborierten Codes die verbale Ausarbeitung einer Intention.

Es muss betont werden, dass die unterschiedlichen Sprachcodes zunächst einmal lebensnotwendig sind für das Leben in der jeweiligen Gruppe, d. h., dass über sie und durch sie soziale Beziehungen und Gruppennormen gelernt werden, die für die jeweilige Gruppe bestandserhaltend sind. Auf der anderen Seite ist aber unsere Kultur an universale Bedeutungssysteme geknüpft, und der elaborierte Code ist insofern der „herrschende", als Führungspositionen in unserer Gesellschaft daran geknüpft sind, dass der Positionsinhaber den elaborierten Code beherrscht.

Lernarrangement:

a) Beschreiben Sie – möglichst prägnant – die in der Bildergeschichte dargestellte Abfolge des Geschehens in einem informativen Text.
b) Wechseln Sie nun zur Partnerarbeit über und stellen sie sich gegenseitig Ihre beiden Darstellungen vor. Besprechen Sie mögliche Unterschiede in Ihren Texten.
c) Lesen Sie nun die beiden Schülererzählungen aus Bernsteins Untersuchung und vergleichen Sie diese hinsichtlich ihrer Vollständigkeit in Bezug auf das Geschehen sowie die sprachliche Ausgestaltung. Fassen Sie schriftlich die Unterschiede zwischen beiden Texten zusammen.
d) Erschließen Sie die einzelnen Aussagen Bernsteins zur Charakterisierung des Unterschieds zwischen restringiertem und elaboriertem Code, indem Sie diese in einer tabellarischen Übersicht einander gegenüberstellen. (Klären Sie mögliche Probleme beim Textverständnis im Rahmen Ihrer Zweiergruppe.)
e) Benennen Sie – über die bereits erwähnten Beispiele für Sprechakte mit restringiertem Code hinaus (Z. 30 f.) – weitere kommunikative Situationen, in denen der restringierte Code vorherrschen kann.
f) Ersetzen Sie das im Text genannte Wort „Klasse" (Z. 37) durch einen zeitgemäßeren Ausdruck und stellen Sie die Bandbreite von dessen Bedeutung dar.
g) Zwei bis drei der Gruppen stellen ihre Ergebnisse im Kursplenum vor, die übrigen Kursmitglieder ergänzen gegebenenfalls.

Wenn die Politik den Ton angibt

Die Beziehung von gesteuerter Kommunikation und totalitärer Politik erklären

Claus Mueller

Gesteuerte Kommunikation (1975)

Gesteuerte Kommunikation tritt gewöhnlich in politischen Systemen auf, in denen alle sozialen und wirtschaftlichen Institutionen erklärtermaßen den Interessen einer Partei oder einer Gruppe unterworfen sind. Totalitäre Systeme manipulieren bewusst Sprache und Denken mittels rigider Kontrolle der Bildungseinrichtungen und der Massenmedien. Die Errichtung der Ideologie des totalitären Systems geschieht häufig in der Form der Neuinterpretation der vorherigen Geschichte und der Eliminierung jedes Hinweises auf ein anderes Interpretationsschema als das herrschende. Während in fortgeschrittenen kapitalistischen Gesellschaften die Öffentlichkeit offensichtlich entpolitisiert ist, da Überfluss herrscht und die Entscheidungsprozesse politischen und technischen Fachleuten überlassen bleiben, ideologisieren totalitäre Gesellschaften die Öffentlichkeit in einem Ausmaß, dass alle Geschehnisse, selbst die des täglichen Lebens, politische Färbung bekommen. Als Teil einer allgegenwärtigen politischen Totalität „partizipiert" das Individuum am politischen Geschehen, bleibt jedoch politisch ohnmächtig.
In Deutschland sind im Dritten Reich und, nach dem Zweiten Weltkrieg, in der DDR Versuche unternommen worden, die Sprache den Erfordernissen und Zielen der jeweils herrschenden politischen Ordnung anzupassen. Massenkommunikation wurde von oben gesteuert, und die ständige Affirmation des Status quo diente zur Stabilisierung dieser Gesellschaften.

Affirmation: Zustimmung, Bejahung

1 Stellen Sie die im Text genannten politisch-ideologischen Maßnahmen dar und ordnen sie diesen die entsprechenden Kennzeichen des zugrunde liegenden totalitären politischen Systems im Nationalsozialismus zu.

politisch-ideologische Maßnahmen	Kennzeichen eines totalitären politischen Systems
ideologisieren die Öffentlichkeit	Ideologisierung
„partizipiert" das Individuum am politischen Geschehen	
manipulieren bewusst Sprache und Denken	Manipulation

2 Erläutern Sie die individuellen Folgen, die sich für das einzelne Mitglied eines solchen Systems ergeben.

Folgen
-> keine eigene Meinung -> eventuell Ausgrenzung -> gezielte Verfolgung

3 ***Lernarrangement:***
Bilden Sie Gruppen von max. 5 Schülerinnen und Schülern. Überprüfen Sie im gemeinsamen Gespräch – auf der Grundlage Ihrer bisherigen Kenntnisse über die nationalsozialistische Herrschaft sowie der politischen Verhältnisse in der Deutschen Demokratischen Republik –, inwieweit die vom Autor vorgenommene Zuordnung nachvollziehbar ist. Protokollieren Sie Ihre Ergebnisse.

Faktoren und Formen der Manipulation von und durch Sprache kritisch überprüfen

Claus Mueller

Grundlagen der Sprachmanipulation im Dritten Reich (1975)

Grundsteinlegung einer Adolf-Hitler-Schule, 1938, Templiner See

Die Sprachmanipulation des Dritten Reiches basierte nicht auf einer besonderen Theorie innerhalb der nationalsozialistischen Ideologie; sie ergab sich allein aus pragmatischen Überlegungen. Instrumente der Manipulation waren die Bildungsinstitutionen und die Massenmedien. Ab 1933, kurz nach der Machtübernahme, mussten Oberschüler einen [...] Unterricht besuchen, der die faschistische Ideologie, die politischen Persönlichkeiten des Dritten Reiches und die „geschichtliche Sendung" der nationalsozialistischen Bewegung behandelte. Ein wesentliches Ziel war, die Schüler mit der regierungsoffiziellen Terminologie vertraut zu machen und „auch bis in die Sprachregelung hinein identische Wertungen der Geschehnisse" herzustellen.
Das ideologische Ziel dieses Unterrichts bestand in der Weitergabe festgelegter Interpretationen und Definitionen. Die zentrale Kontrolle und Überwachung der Massenmedien lag beim Reichspropagandaministerium. Das Reichspresseamt war für Periodika zuständig und die Reichsschriftumskammer überwachte die Produktion von Büchern und Zeitschriften. Unabhängigen oder oppositionellen Ansichten blieben sämtliche Kanäle verschlossen, und zur rigorosen Durchsetzung der Kontrollen wurden Journalisten, die von den Sprachregelungen des Reichspresseamtes abwichen, des Verrates angeklagt. Praktisch sämtliche Publikationen gingen mit der offiziellen Ideologie konform. Selbst akademische Zeitschriften kamen nicht umhin, sich der faschistischen Terminologie zu bedienen. Anti-intellektuelle Vorurteile und germanische Traditionen beeinflussten die Sprache von Fachaufsätzen so unterschiedlicher Disziplinen wie der Geschichte und der Medizin. Mit der Auflösung akademischer Gesellschaften und politischer Vereinigungen wurde der Artikulation alternativer Forderungen und oppositioneller Interessen die organisierte Grundlage entzogen.

Der faschistische Begriff für diesen erzwungenen Konsens ist **Gleichschaltung**.

Wörterbücher und Lexika wurden bearbeitet, indem man Begriffe eliminierte, neue hinzufügte und andere neu definierte. Diese Änderungen stellen einen direkten Eingriff in den Sprachgebrauch dar. [...]

1 Stellen Sie auf der Grundlage des Textes die systematische Kontrolle durch die staatlichen Einrichtungen ab 1933 in einem Schaubild dar. Berücksichtigen Sie dabei Institutionen und Zuständigkeiten.

2 Beschreiben Sie die Bandbreite der Zielgruppen in der Bevölkerung, die von diesen Maßnahmen betroffen sind.

3 Erläutern Sie die Auswirkungen dieser Manipulation hinsichtlich deren Bedeutung für die öffentliche Meinung sowie der Möglichkeit, seine Meinung frei zu äußern.

Begriffsneubildungen und Umdeutungen hinsichtlich ihrer manipulativen Wirkung erschließen

Im Zuge dieser auch die Sprachverwendung in hohem Maße beeinflussenden Steuerungselemente aus Neubildungen sowie Umdeutungen bereits existierender Begriffe wurden sukzessive alle gesellschaftlichen Bereiche erfasst und in Übereinstimmung mit den herrschenden politisch-ideologischen Vorstellungen von Partei und Staat gebracht.
Anhand der beiden folgenden tabellarischen Übersichten lassen sich diese manipulativen Eingriffe in die öffentliche Kommunikation verdeutlichen.

1. Begriffsneubildungen	
neue Begriffe	**Bedeutung**
Ahnenpass	
Aufartung	
Aufnordung	
Blitzkrieg	
Bräuteschule	
Geburtenkrieg	
Rassenbrei	
Rassenschande	
Volksempfinden	
Volksschädling	

1 Recherchieren Sie Informationen zu diesen Begriffsbildungen und erklären Sie deren Bedeutung.

2. Neudefinitionen bestehender Begriffe (Umdeutungen)		
bereits bestehende Begriffe	**ursprüngliche Bedeutung**	**Bedeutung nach 1933**
Abstammungsnachweis		
Blutschande		
Intellekt		
Zucht		
Züchtung		

3. Konnotation		
	positiv	**negativ**
fanatisch		
hart		
rücksichtslos		

2 Erklären Sie zu jedem Begriff zunächst dessen ursprüngliche Bedeutung. Beschreiben Sie anschließend die Bedeutung, die ihm im „Dritten Reich" jeweils beigemessen wurde.

3 Erläutern Sie die unter Punkt 3. genannten Adjektive sowohl hinsichtlich ihrer positiven als auch ihrer negativen Konnotation und ordnen Sie diese dem Verständnis von vor bzw. nach 1933 zu.

Ein Leben im Dienst der Sprache

Die Entlarvung des manipulativen Einflusses von Sprache aus zeitgenössischer Sicht erschließen

Victor Klemperer (1881 – 1960)

Klemperer wurde als Sohn des dortigen Rabbiners in Landsberg an der Warthe geboren. Nach dem Abitur studierte er Romanistik, Germanistik sowie Philosophie in Berlin, München, Genf und Paris; sein Studium schloss er nach mehreren Unterbrechungen erst 1912 ab. Es folgten seine Habilitation in München und eine Tätigkeit als Lektor an der Universität Neapel. Während des Ersten Weltkriegs meldete er sich als Freiwilliger zum Militärdienst an der Westfront. Nach dem Krieg erhielt er eine Professur in Dresden, die er aber nach der Machtergreifung der Nationalsozialisten aufgeben musste, ebenso wie seine Forschungsarbeit.

In dieser Zeit fasste Klemperer den Entschluss, die Zeitumstände in Tagebuchform festzuhalten und sich dabei detailliert und kritisch insbesondere der Sprachverwendung zu widmen. Seine Aufzeichnungen, die er vor dem Zugriff der Gestapo verstecken musste, bildeten die Grundlage für seine LTI (**L**ingua **T**ertii **I**mperii), deren Ertrag unter dem Titel „Ich will Zeugnis ablegen (1933 – 1945)“ erst ab 1995 publiziert wurde. 1945 entkamen er und seine Ehefrau Eva nur knapp einer Deportation durch die Gestapo, indem sie aus Dresden flohen. Durch eine minimale Änderung ihres Namens konnten sie jedoch ihre Identität wechseln und in ihr Haus in Dresden zurückkehren.

Nach dem Ende des Krieges gelangte Klemperer an die Humboldt-Universität im Osten Berlins, wo er seine akademische Laufbahn fortsetzen und beenden konnte. Er erhielt verschiedene wissenschaftliche Auszeichnungen. Darüber hinaus engagierte er sich politisch für die neu entstehende DDR, wurde Mitglied der SED und zum Abgeordneten der Volkskammer gewählt (1950 – 1958), nahm aber eine kritische Distanz dem Marxismus gegenüber ein.

1 Recherchieren Sie den neu angenommenen Namen der Klemperer und erläutern Sie die kleine List, derer das Ehepaar sich bediente, um kurzfristig eine neue Identität annehmen zu können.

Victor Klemperer

Die (eigentliche) Sprache des Dritten Reichs (1947)

Denn ebenso wie es üblich ist, vom Gesicht einer Zeit, eines Landes zu reden, genau so wird der Ausdruck einer Epoche als ihre Sprache bezeichnet. Das Dritte Reich spricht mit einer schrecklichen Einheitlichkeit aus all seinen Lebensäußerungen und Hinterlassenschaften: aus der maßlosen Prahlerei seiner Prunkbauten und aus ihren Trümmern, aus dem Typ der Soldaten, der SA- und SS-Männer, die es als Idealgestalten auf immer andern und immer gleichen Plakaten fixierte, aus seinen Autobahnen und Massengräbern. Das alles ist Sprache des Dritten Reichs, und von alledem ist natürlich auch in diesen Blättern die Rede. Aber wenn man einen Beruf durch Jahrzehnte ausgeübt und sehr gern ausgeübt hat, dann ist man schließlich stärker durch ihn geprägt als durch alles andere, und so war es denn buchstäblich und im unübertragen philologischen Sinn die Sprache des Dritten Reichs, woran ich mich aufs Engste klammerte, und was meine Balancierstange ausmachte über die Öde der zehn Fabrikstunden, die Greuel der Haussuchungen, Verhaftungen, Misshandlungen usw. usw. hinweg.

Man zitiert immer wieder Talleyrands Satz, die Sprache sei dazu da, die Gedanken des Diplomaten (oder eines schlauen und fragwürdigen Menschen überhaupt) zu verbergen. Aber genau das Gegenteil hiervon ist richtig. Was jemand willentlich verbergen will, sei es nur vor andern, sei es vor sich selber, auch was er unbewusst in sich trägt: die Sprache bringt es an den Tag. Das ist wohl auch der Sinn der Sentenz: *le style c'est l'homme*; die Aussagen eines Menschen mögen verlogen sein – im Stil seiner Sprache liegt sein Wesen hüllenlos offen.

Charles-Maurice de Talleyrand-Périgord (1754 – 1838), bekannter frz. Staatsmann u. Diplomat zzt. der frz. Revolution sowie der Napoleonischen Kriege; das Zitat stammt aus einem Gespräch im Jahr 1807 mit dem span. Gesandten Izquierdo u. lautet in der Übersetzung: „Die Sprache ist dem Menschen gegeben, um seine Gedanken zu verbergen.“

Es ist mir merkwürdig ergangen mit dieser eigentlichen (philologisch eigentlichen) Sprache des Dritten Reichs.

Ganz im Anfang, solange ich noch keine oder doch nur sehr gelinde Verfolgung erfuhr, wollte ich so wenig als möglich von ihr hören. Ich hatte übergenug an der Sprache der Schaufenster, der Plakate, der braunen Uniformen, der Fahnen, der zum Hitlergruß gereckten Arme, der zurechtgestutzten Hitlerbärtchen. Ich flüchtete, ich vergrub mich in meinen Beruf, ich hielt meine Vorlesungen und übersah krampfhaft das Immer-leerer-Werden der Bänke vor mir, ich arbeitete mit aller Anspannung an meinem Achtzehnten Jahrhundert der französischen Literatur. Warum mir durch das Lesen nazistischer Schriften das Leben noch weiter vergällen, als es mir ohnehin durch die allgemeine Situation vergällt war? [...]

Aber dann traf mich das Verbot der Bibliotheksbenutzung, und damit war mir die Lebensarbeit aus der Hand geschlagen. Und dann kam die Austreibung aus meinem Hause, und dann kam alles Übrige, jeden Tag ein weiteres Übriges. Jetzt wurde die Balancierstange mein notwendigstes Gerät, die Sprache der Zeit mein vorzüglichstes Interesse.

Grabstein von Eva und Victor Klemperer auf dem Friedhof in Dresden

1 Geben Sie die Kritik Klemperers an der Sprache des Dritten Reichs mit eigenen Worten wieder.

2 Erläutern Sie die Äußerungen des Autors über den Zusammenhang von sprachlichen und nichtsprachlichen Symbolen oder Zeichen (vgl. z. B. Z. 25 ff.) anhand von Ihnen ausgewählten Bildmaterialien, die Sie im Unterricht präsentieren.

3 Beschreiben Sie die unterschiedlichen Reaktionen, die Klemperer bis zum Ende seiner beruflichen Karriere im Dritten Reich sowie danach zeigte.

4 Erklären Sie – unter Einbezug seiner Biografie – die Unterschiede in seinen Verhaltensweisen.

Victor Klemperer

Das schleichende Gift der nationalsozialistischen Propaganda (1947)

Was war das stärkste Propagandamittel der Hitlerei? Waren es Hitlers und Goebbels' Einzelreden, ihre Ausführungen zu dem und jenem Gegenstand, ihre Hetze gegen das Judentum, gegen den Bolschewismus?

Fraglos nicht, denn vieles blieb von der Masse unverstanden oder langweilte sie in seinen ewigen Wiederholungen. Wie oft in Gasthäusern, als ich noch sternlos ein Gasthaus betreten durfte, wie oft später in der Fabrik während der Luftwache, wo die Arier ihr Zimmer für sich hatten und die Juden ihr Zimmer für sich, und im arischen Raum befand sich das Radio (und die Heizung und das Essen) – wie oft habe ich die Spielkarten auf den Tisch klatschen und laute Gespräche über Fleisch- und Tabakrationen und über das Kino führen hören, während der Führer oder einer seiner Paladine langatmig sprachen, und nachher hieß es in den Zeitungen, das ganze Volk habe ihnen gelauscht.

Paladine: Angehörige des Heldenkreises am Hofe Karls des Großen; hier i. S. eines treu ergebenen Anhängers

Nein, die stärkste Wirkung wurde nicht durch Einzelreden ausgeübt, auch nicht durch Artikel oder Flugblätter, durch Plakate oder Fahnen, sie wurde durch nichts erzielt, was man mit bewusstem Denken oder bewusstem Fühlen in sich aufnehmen musste.

Sondern der Nazismus glitt in Fleisch und Blut der Menge über durch die Einzelworte, die Redewendungen, die Satzformen, die er ihr in millionenfachen Wiederholungen aufzwang, und die mechanisch und unbewusst übernommen wurden.

Man pflegt das Schiller-Distichon von der „gebildeten Sprache, die für dich dichtet und denkt", rein ästhetisch und sozusagen harmlos aufzufassen. Ein gelungener Vers in einer „gebildeten Sprache" beweist noch nichts für die dichterische Kraft seines Finders; es ist nicht allzu schwer, sich in einer hochkultivierten Sprache das Air eines Dichters und Denkers zu geben.

Aber Sprache dichtet und denkt nicht nur für mich, sie lenkt auch mein Gefühl, sie steuert mein ganzes seelisches Wesen, je selbstverständlicher, je unbewusster ich mich ihr überlasse. Und wenn nun die gebildete Sprache aus giftigen Elementen gebildet oder zur Trägerin von Giftstoffen gemacht worden ist? Worte können sein wie winzige Arsendosen: sie werden unbemerkt verschluckt, sie scheinen keine Wirkung zu tun, und nach einiger Zeit ist die Giftwirkung doch da. Wenn einer lange genug für heldisch und tugendhaft: fanatisch sagt, glaubt er schließlich wirklich, ein Fanatiker sei ein tugendhafter Held, und ohne Fanatismus könne man kein Held sein.

Die Worte fanatisch und Fanatismus sind nicht vom Dritten Reich erfunden, es hat sie nur in ihrem Wert verändert und hat sie an einem Tage häufiger gebraucht als andere Zeiten in Jahren. Das Dritte Reich hat die wenigsten Worte seiner Sprache selbstschöpferisch geprägt, vielleicht, wahrscheinlich sogar, überhaupt keines.

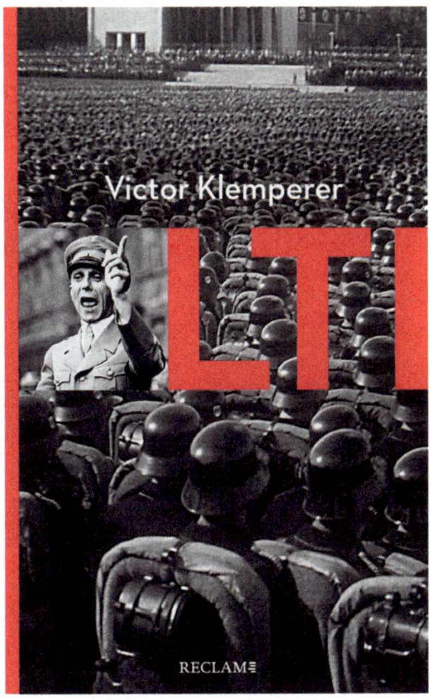

Die nazistische Sprache weist in vielem auf das Ausland zurück, übernimmt das meiste andere von vorhitlerischen Deutschen. Aber sie ändert Wortwerte und Worthäufigkeiten, sie macht zum Allgemeingut, was früher einem Einzelnen oder einer winzigen Gruppe gehörte, sie beschlagnahmt für die Partei, was früher Allgemeingut war, und in alledem durchtränkt sie Worte und Wortgruppen und Satzformen mit ihrem Gift, macht sie die Sprache ihrem fürchterlichen System dienstbar, gewinnt sie an der Sprache ihr stärkstes, ihr öffentlichstes und geheimstes Werbemittel.

Das Gift der LTI deutlich zu machen und vor ihm zu warnen – ich glaube, das ist mehr als bloße Schulmeisterei. Wenn den rechtgläubigen Juden ein Essgerät kultisch unrein geworden ist, dann reinigen sie es, indem sie es in der Erde vergraben. Man sollte viele Worte des nazistischen Sprachgebrauchs für lange Zeit, und einige für immer, ins Massengrab legen.

Distichon (grch., Plural: Distichen): Bezeichnung für einen Zweizeiler bzw. eine zweizeilige Strophenform; Klemperer verweist hier auf die bloße Vereinnahmung der deutschen Sprache im NS ohne eigene schöpferische Leistung; F. Schiller hatte mit den Worten „Weil ein Vers dir gelingt in einer gebildeten Sprache,/Die für dich dichtet und denkt, glaubst du schon Dichter zu sein" den „Dilettanten" gekennzeichnet

1 Fassen Sie mit eigenen Worten zusammen, worin Klemperer die eigentliche Ursache für die manipulative Wirkung der nationalsozialistischen Propaganda sieht.

2 Beurteilen Sie die von den Nationalsozialisten direkt nach der Machtübernahme vorgenommene Gleichschaltung von Bildung und Massenmedien hinsichtlich ihrer Wirkung auf alle Teile der Bevölkerung.

3 Vergleichen Sie die beiden Textzusammenstellungen von C. Mueller und V. Klemperer (S. 245 – 251) unter inhaltlichen, sprachlich-argumentativen sowie emotionalen Gesichtspunkten. Formulieren Sie Übereinstimmungen und Unterschiede in einem begründenden Textzusammenhang.

Die Redeanalyse

Notwendige methodische Schritte zur Anfertigung einer Analyse politischer Reden formulieren

Die Analyse einer politischen Rede stellt im Grundsätzlichen keine wesentlich anderen Ansprüche an Sie, als Ihnen aus der Auseinandersetzung mit anderen Textarten wie literarischen – also dramatische, lyrische und epische Texte – sowie mit Sachtexten bereits bekannt sind.
Bevor Sie sich nun der Analyse der folgenden Reden aus der Zeit des Nationalsozialismus zuwenden, sollten Sie in einer vorbereitenden Gesprächsrunde Ihre Vorkenntnisse über die Rede als Kommunikationsformat allgemein und deren kommunikative Situation klären.

1 Wählen Sie zwei Mitschülerinnen bzw. Mitschüler aus Ihrem Kurs, die im Folgenden Ihr Unterrichtsgespräch moderieren, strukturieren und die Ergebnisse an der Tafel oder mittels eines anderen Mediums stichpunktartig festhalten. Die nachstehenden Aufgabenstellungen können dabei als Orientierungshilfe dienen.

2 Benennen Sie – ausgehend von den abgedruckten Beispielbildern – Ihnen bekannte Erscheinungsformen bzw. Anlässe von Reden im gesellschaftlichen und politischen Bereich.

3 Erläutern Sie, wodurch die spezifische kommunikative Situation dieser Reden in unterschiedlichem Maße und in unterschiedlicher Intensität gekennzeichnet ist.

4 Erläutern Sie mögliche Schwierigkeiten, die für Sie bei der Anfertigung der Analyse einer politischen Rede auftreten können.

5 Entwickeln Sie in Partnerarbeit Arbeitsschritte, die Ihnen notwendig erscheinen, um die Analyse einer politischen Rede angemessen bewältigen können, und ordnen Sie diese in einer Ihnen sinnvollen Reihenfolge an. (Dieser Arbeitsauftrag gilt auch für das Moderatorenduo).

6 Stellen Sie Ihre Ergebnisse im Kursplenum vor.

7 Vergleichen Sie Ihre Vorschläge und setzen Sie sich argumentativ mit möglichen Differenzen auseinander.

8 Versuchen Sie gemeinsam, sich auf ein Modell für eine Redeanalyse zu einigen.

Die „Feuerrede“

Einen Redetext hinsichtlich der Wechselwirkung von Inhalt, Form und Sprache interpretieren

Anhand der drei folgenden Redetexte, die insgesamt dem Phänomen der Manipulation durch Sprache in der Zeit der nationalsozialistischen Diktatur folgen, sollen Sie nun mit der Analyse politischer (Rede-)Texte vertraut gemacht werden. Um die Redetexte angemessen in ihren historisch-politischen Kontext einordnen zu können, erhalten Sie jeweils einige dazu notwendige Hintergrundinformationen.

Hintergrundinformationen zur Rede J. Goebbels am 10. Mai 1933

Bereits vor dem 10. Mai 1933 war es vereinzelt zur Verbrennung von Schriften solcher Autoren gekommen, deren Publikationen nicht der politisch-ideologischen Gesinnung der neuen Machthaber entsprachen. Mit diesem denkwürdigen Tag wurden solche Aktionen nun systematisch durchgeführt. Infolgedessen wurden in den nächsten Monaten insgesamt über 100 Bücherverbrennungen in mehr als 90 Städten des Deutschen Reichs durchgeführt. Betroffen davon waren Hunderte Autorinnen und Autoren, deren Schriften aus den Buchhandlungen und Bibliotheken entfernt, zusammengetragen und während einer öffentlichen Zeremonie dem Feuer übergeben wurden. Betroffen waren vor allem solche literarischen, wissenschaftlichen und journalistischen Publikationen, deren Verfasserinnen und Verfasser jüdischer Abstammung waren oder politisch als sozialistisch bzw. liberal eingestuft wurden. Bei den nächtlichen Aktionen wurden ihre Namen ausgerufen und unter Verlesen eines ihrem Werk angepassten Feuerspruchs in die Flammen eines Scheiterhaufens geworfen. Somit konnte – in der damals üblichen Diktion – das „undeutsche Schrifttum ausgemerzt“ werden.

Zeitgleich mit der Aktion auf dem Berliner Opernplatz (heute: Bebelplatz) hatte das Propagandaministerium unter Leitung J. Goebbels' identische Veranstaltungen in ca. 20 weiteren Universitätsstädten geplant und durchführen lassen. Diesen simultanen Bücherverbrennungen, bei denen Tausende Bücher verbrannt wurden, war knapp einen Monat zuvor – am 12. April 1933 – die Plakatierung von zwölf Thesen in der Berliner Universität durch Vertreter des Nationalsozialistischen Deutschen Studentenbundes (NSDStB) vorausgegangen.

Die Thesen stellten einen massiven Angriff auf das deutsch-jüdische Geistesleben dar.

Dies ist ein Faksimile des von den Vertretern des NSDStB verbreiteten Plakats.

Faksimile (lat. für „mache ähnlich“): originalgetreue Nachbildung

1 Fassen Sie möglichst prägnant die zwölf „Thesen“ des NSDStB mit eigenen Worten zusammen.

2 Erläutern Sie, inwiefern diese „Thesen“ ein Beispiel für die Steuerung von Kommunikation darstellen.

3 Stellen Sie die Konsequenzen dar, die sich aus der hier geforderten Durchsetzung dieser „Thesen“ für den jeweils adressierten Personenkreis ergeben.

4 Nehmen Sie kritisch Stellung zu den Aussagen und Forderungen auf dem Plakat, die an die jüdische Mitbevölkerung gerichtet sind.

5 Prüfen Sie die grundsätzliche Bedeutung der Kenntnis fremder Sprachen für die Persönlichkeitsentwicklung des Menschen.

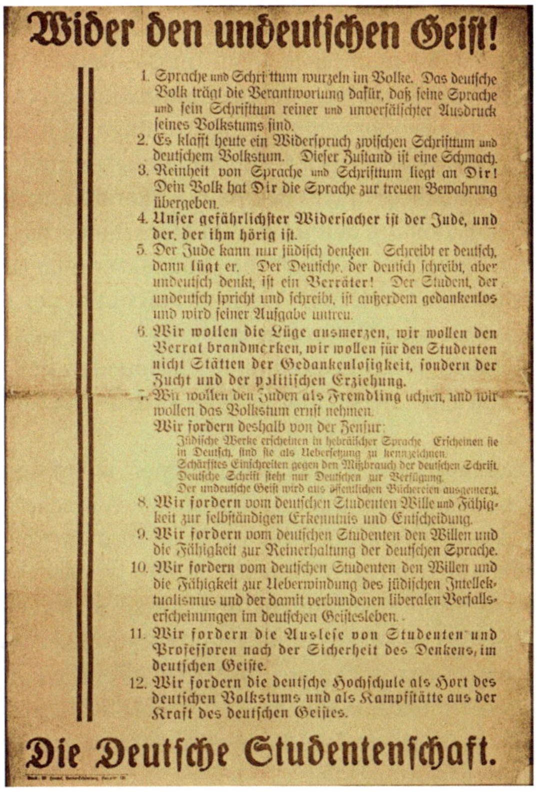

Wider den undeutschen Geist!

1. Sprache und Schrifttum wurzeln im Volke. Das deutsche Volk trägt die Verantwortung dafür, daß seine Sprache und sein Schrifttum reiner und unverfälschter Ausdruck seines Volkstums sind.
2. Es klafft heute ein Widerspruch zwischen Schrifttum und deutschem Volkstum. Dieser Zustand ist eine Schmach.
3. Reinheit von Sprache und Schrifttum liegt an Dir! Dein Volk hat Dir die Sprache zur treuen Bewahrung übergeben.
4. Unser gefährlichster Widersacher ist der Jude, und der, der ihm hörig ist.
5. Der Jude kann nur jüdisch denken. Schreibt er deutsch, dann lügt er. Der Deutsche, der deutsch schreibt, aber undeutsch denkt, ist ein Verräter! Der Student, der undeutsch spricht und schreibt, ist außerdem gedankenlos und wird seiner Aufgabe untreu.
6. Wir wollen die Lüge ausmerzen, wir wollen den Verrat brandmerken, wir wollen für den Studenten nicht Stätten der Gedankenlosigkeit, sondern der Zucht und der politischen Erziehung.
7. Wir wollen den Juden als Fremdling achten, und wir wollen das Volkstum ernst nehmen.
   Wir fordern deshalb von der Zensur:
   Jüdische Werke erscheinen in hebräischer Sprache. Erscheinen sie in Deutsch, sind sie als Uebersetzung zu kennzeichnen.
   Schärfstes Einschreiten gegen den Mißbrauch der deutschen Schrift.
   Deutsche Schrift steht nur Deutschen zur Verfügung.
   Der undeutsche Geist wird aus öffentlichen Büchereien ausgemerzt.
8. Wir fordern vom deutschen Studenten Wille und Fähigkeit zur selbständigen Erkenntnis und Entscheidung.
9. Wir fordern vom deutschen Studenten den Willen und die Fähigkeit zur Reinerhaltung der deutschen Sprache.
10. Wir fordern vom deutschen Studenten den Willen und die Fähigkeit zur Ueberwindung des jüdischen Intellektualismus und der damit verbundenen liberalen Verfallserscheinungen im deutschen Geistesleben.
11. Wir fordern die Auslese von Studenten und Professoren nach der Sicherheit des Denkens, im deutschen Geiste.
12. Wir fordern die deutsche Hochschule als Hort des deutschen Volkstums und als Kampfstätte aus der Kraft des deutschen Geistes.

Die Deutsche Studentenschaft.

Joseph Goebbels

Rede anlässlich der Bücherverbrennung auf dem Berliner Opernplatz (10.05.1933)

J. Goebbels während seiner „Feuerrede“

Meine Kommilitonen!

Deutsche Männer und Frauen!

Das Zeitalter eines überspitzten jüdischen Intellektualismus ist nun zu Ende und der Durchbruch der deutschen Revolution hat auch dem deutschen Weg wieder die Gasse freigemacht. Als am 30. Januar dieses Jahres die nationalsozialistische Bewegung die Macht eroberte, da konnten wir noch nicht wissen, dass so schnell und so radikal in Deutschland aufgeräumt werden könnte. Die Revolution, die damals ausbrach, ist von uns – das können wir heute offen gestehen – von langer Hand und planmäßig vorbereitet worden. Und wenn man sich heute darüber wundert, dass wir die Gesetze sozusagen aus dem Ärmel schütteln: das ist kein Wunder, denn wir brauchen ja nur die Gesetzlichkeit unserer eigenen Bewegung auf den Staat zu übertragen.

Diese Revolution kam nicht von oben, sie ist von unten hervorgebrochen. Sie ist nicht diktiert, sondern das Volk selbst hat sie gewollt. Sie ist deshalb im besten Sinne des Wortes der Vollzug des Volkswillens, und die Männer, die diese Revolution organisiert, mobilisiert und durchgeführt haben, stammen aus allen Schichten, Ständen und Berufen des deutschen Volkes. Hier steht der Arbeiter neben dem Bürger, der Student neben dem Soldaten und neben dem Jungarbeiter, hier steht der Intellektuelle neben dem Proletarier: *Ein* ganzes Volk ist aufgestanden!

[...]

Sie [die Revolution] habt auch Ihr Studenten verspürt, die Ihr als Vortrupp eines wirklich revolutionären deutschen Geistes von den Hochschulen heruntergetrieben wurdet, die man Euch, wenn Ihr das Deutschlandlied anstimmtet oder gegen Versailles protestiertet, mit dem Gummiknüppel traktierte, die Ihr vierzehn Jahre lang in schweigender Schmach die Demütigungen dieser November-Republik über Euch ergehen lassen musstet. Die Bibliotheken füllten sich an mit dem Unrat und dem Schmutz dieser jüdischen Asphaltliteraten. Anstatt dass in Deutschland eine *deutsche* Erziehung den *deutschen* Menschen erzog und anstatt dass von den Kanzeln der Universitäten wirkliche *Volks*führer dem Geist der Zeit das Wort redeten, verschanzte sich die hohe Wissenschaft hinter den Paragraphen und hinter den Aktenbündeln und hinter den Pandekten. Und während die Wissenschaft vom Leben allmählich sich isolierte und abschneiden ließ, hat das junge Deutschland längst schon einen neuen und fertigen Rechts- und Normalzustand wiederhergestellt.

[...]

Man täusche sich nicht: Revolutionen, wenn sie echt sind, machen nirgends halt! Es gibt keine Revolutionen, die nur die Wirtschaft oder nur die Politik oder nur das Kulturleben reformierten oder umstürzten. Revolutionen sind Durchbrüche neuer Weltanschauungen. Und wenn eine Weltanschauung wirklich Anspruch erheben kann auf diesen Titel, dann kann sie sich nicht damit begnügen, *ein* Gebiet des öffentlichen Lebens umstürzend umzuwälzen, sondern dann muss der Durchbruch dieser Weltanschauung das ganze öffentliche Leben erfüllen, es darf davon kein Gebiet unberührt bleiben. So, wie sie die Menschen revolutioniert, so revolutioniert sie die Dinge, und am Ende wird dann Masse, Volk, Staat und Nation ein- und dasselbe geworden sein.

gegen Versailles: gemeint ist der Friedensvertrag von Versailles, den die Vertreter der deutschen Regierung am 28.6.1919 unterzeichnet hatten. Die Polemik der Demokratiefeinde gegen den „Diktatfrieden“ oder „Schmachfrieden“ begleitete die gesamte Geschichte der Weimarer Republik

November-Republik: polemische Bezeichnung der Demokratiefeinde für die aus der Novemberrevolution hervorgegangene Weimarer Republik

jüdische Asphaltliteraten: Schmähbegriff gegen angeblich „wurzellose Großstadtliteraten“ in den 1920er-Jahren

dem Geist der Zeit das Wort redeten: dem Geist der Zeit eine Stimme verliehen

Pandekten: spätantike Sammlung von Schriften römischer Rechtsgelehrter, Kernbestand des lange auch noch in Deutschland angewandten Römischen Rechts

Bücherverbrennung am 10. Mai 1933 in Berlin

Darüber aber sind wir geistigen Menschen uns klar: Machtpolitische Revolutionen müssen geistig vorbereitet werden. An ihrem Anfang steht die Idee, und erst wenn die Idee sich mit der Macht vermählt, dann wird daraus das historische Wunder der Umwälzung emporsteigen. Ihr jungen Studenten seid Träger, Vorkämpfer und Verfechter der jungen, revolutionären Idee *dieses* Staates gewesen. Und so, wie Ihr in der Vergangenheit das Recht hattet, den *falschen* Staat, den *Unstaat* zu berennen und niederzuwerfen, so, wie Ihr das Recht hattet, den *falschen* Autoritäten dieses Unstaates Euren Respekt und Eure Achtung zu versagen, – so habt Ihr jetzt die Pflicht, in den Staat hineinzugehen, den Staat zu tragen und den Autoritäten dieses Staates neuen Glanz, neue Würde und neue Geltung zu verleihen. Ein Revolutionär muss *alles* können: Er muss ebenso groß sein im Niederreißen der Unwerte wie im Aufbauen der Werte! Wenn Ihr Studenten Euch das Recht nehmt, den geistigen Unflat in die Flammen hineinzuwerfen, dann müsst Ihr auch die Pflicht auf Euch nehmen, an die Stelle dieses Unrates einem wirklichen deutschen Geist die Gasse freizumachen. Der Geist lernt sich im Leben und in den Hörsälen, und der kommende deutsche Mensch wird nicht nur ein Mensch des Buches, sondern auch ein Mensch des Charakters sein. Und dazu wollen wir Euch erziehen. Jung schon den Mut zu haben, dem Leben in die erbarmungslosen Augen hineinzuschauen, die Furcht vor dem Tode zu verlernen und vor dem Tode wieder Ehrfurcht zu bekommen – das ist die Aufgabe dieses jungen Geschlechts. Und deshalb tut Ihr gut daran, um diese mitternächtliche Stunde den Ungeist der Vergangenheit den Flammen anzuvertrauen. Das ist eine starke, große und symbolische Handlung – eine Handlung, die vor aller Welt dokumentieren soll: Hier sinkt die geistige Grundlage der November-Republik zu Boden, aber aus diesen Trümmern wird sich siegreich erheben der Phönix eines neuen Geistes – eines Geistes, den *wir* tragen, den *wir* fördern und dem *wir* das entscheidende Gewicht geben und die entscheidenden Züge aufprägen!

[...]

Wenn Ihr mit dem Arbeiter dasselbe braune Ehrenkleid tragt und wenn Ihr, ohne dass man den Unterschied erkennen könnte, im selben Reih' – in derselben Reihe und im selben Glied marschiert, dann bringt Ihr damit für alle Welt sichtbar zum Ausdruck, dass in Deutschland die Nation sich innerlich und äußerlich wieder geeinigt hat. Das Alte liegt in den Flammen, das Neue wird aus der Flamme unseres eigenen Herzens wieder emporsteigen! *Wo* wir zusammenstehen und wo wir zusammengehen, da fühlen wir uns dem Reich und seiner Zukunft verpflichtet.

Und wie so oft in den Zeiten, da wir noch in der Opposition kämpften, so auch jetzt, da wir die Macht und da wir die Verantwortung in Händen halten, schließen wir uns zusammen in *einem* Gelöbnis – in *dem* Gelöbnis, das wir so oft aus tiefster Qual früher, als wir um die Macht kämpften, in den abendlichen Himmel hinaufgeschickt haben – in demselben Gelöbnis, das heute wieder unter diesem Himmel und umleuchtet von dieser Flamme ein Schwur sein soll: Das Reich und die Nation und unser Führer Adolf Hitler – Heil! [Zuhörer: „Heil!"], Heil! [Zuhörer: „Heil!"], Heil! [Zuhörer: „Heil!"]

Phönix
Vogel der griech. Mythologie, der am Ende seines Lebens verbrennt und aus seiner Asche wieder neu entsteht; bereits nach altägypt. mythischen Überlieferungen bedeutete dies „der Wiedergeborene, der neugeborene Sohn"

1 Stellen Sie kurz die historische Situation dar, in der Goebbels diese Rede gehalten hat.

2 a) Erschließen Sie den inhaltlichen Aufbau des Textes, indem Sie diesen in entsprechende Sinnabschnitte einteilen und deren Inhalte mit einer prägnanten Überschrift versehen.
b) Fassen Sie die zentralen inhaltlichen Aspekte stichwortartig zusammen (Textverweise).

3 Untersuchen Sie den Redeauszug im Hinblick auf zwei darin enthaltene metaphorische Bereiche und erläutern Sie diese anhand entsprechender Textverweise.

4 Setzen Sie sich mit dem appellativen Charakter dieser Rede auseinander.

K

Der Aufgabenart II liegt ein Analysebegriff zugrunde, der auf komplexe Verstehensleistungen abzielt, bei denen beschreibende, deutende und wertende Aussagen schlüssig und nachvollziehbar miteinander verknüpft und aufeinander bezogen werden müssen.

Klausurtraining

IIB Vergleichende Analyse von Sachtexten

Sie haben bisher grundlegende Aspekte der Kommunikation im Allgemeinen sowie des Kommunikationsmodells von R. Jakobson kennengelernt. Ihre Kenntnisse hierzu haben Sie anschließend im Rahmen politisch motivierter sowie gesellschaftlich bedingter Kommunikationsstörungen erweitert. Hierdurch haben Sie die Voraussetzungen für eine vertiefende Auseinandersetzung mit der Funktion von Sprache im Rahmen der politischen Kommunikation geschaffen. Mehrfach haben Sie sich grundlegend mit dem öffentlichen Sprachgebrauch in der Zeit der nationalsozialistischen Diktatur beschäftigt und sich darüber hinaus mit einer Rede Joseph Goebbels zur Bücherverbrennung auseinandergesetzt. Dabei standen insbesondere der Aufbau der Rede sowie einzelne Aspekte deren sprachlich-rhetorischer Ausgestaltung im Vordergrund.
Auf der Grundlage der von Ihnen bisher geleisteten Arbeit sollen Sie im Rahmen des folgenden Klausurtrainings nun Schritt für Schritt in den Umgang mit den komplexen Aufgabenstellungen einer Beispielklausur eingeführt und Ihre methodischen Kompetenzen damit gefördert werden. Gleichzeitig bietet das Klausurtraining für Sie eine weitere Möglichkeit, unter klausurähnlichen Bedingungen Ihr Textverständnis hinsichtlich appellativer Texte im Vergleich mit Sachtexten zu schärfen.

Aufgabenstellung

1 Analysieren Sie die vorliegende von Baldur von Schirach 1936 gehaltene Rede hinsichtlich ihres argumentativen Aufbaus sowie der sprachlich-rhetorischen Ausgestaltung.

2 Setzen Sie die Kernaussagen des Textauszugs von Inge Stephan in Beziehung zum Arrangement der Redesituation auf der Zugspitze sowie zum ästhetischen Selbstverständnis der NS-Politik und nehmen Sie abschließend kritisch Stellung zu Veranstaltungen dieser Art unter besonderer Berücksichtigung der Mitglieder der Hitlerjugend.

Baldur von Schirach

Rede zum Fest der Sonnenwende auf der Zugspitze (21.6.1936)

Es ist ein schöner Ausdruck für die Selbstbesinnung der deutschen Nation, dass jahrtausendalte Bräuche wieder zum Leben erwacht sind. Bräuche, die vorübergehend in Perioden ödester materialistischer Aufklärung, aber auch zu Zeiten der Vorherrschaft solcher Mächte, die unserem Volkstum feindlich sind, verspottet und unterdrückt wurden. Es muss aber festgestellt werden, dass die Kraft unseres alten Brauchtums stärker war als jede Gegenbewegung, die es vernichten wollte. So haben denn zu allen Zeiten die Sonnwendfeuer, wenn auch nicht so stark wie heute, von allen Bergen unserer Heimat ins Land geleuchtet und sind zum Wahrzeichen der deutschen Art und zu Symbolen unseres Trotzes geworden. Nach dem Sieg der nationalsozialistischen Bewegung sind die Sonnwendfeuer in Deutschland stärker als je zuvor aufgeflammt. In ihnen und an ihnen bekennen sich Millionen Menschen in unerschütterlicher Treue und Beharrlichkeit zu den alten, heiligen Überlieferungen unseres germanischen Volkstums. So weit die deutsche Zunge klingt, flammen die feurigen Zeichen in den dunklen Himmel und künden die seelische Verbundenheit aller Deutschen in Glück und Leid. Vom höchsten Berg Deutschlands grüße ich in dieser Stunde, die an solchen Feuern stehen. In stolzer Ehrfurcht gedenken wir der unübersehbaren Kette von Generationen, die vor uns an den Sonnenwendstätten die heiligen Feuer entzündeten,

materialistisch vorrangig auf wirtschaftliche und finanzielle Verhältnisse bezogen; häufig abwertend konnotierter Gegenbegriff zu „idealistisch"; im Zusammenhang mit dem Begriff der Aufklärung wird hier eine einseitig an der Vernunft ausgerichtete Haltung kritisiert

gedenken in Dankbarkeit ihres tapferen Lebens, der Taten, die sie vollbracht, um die Voraussetzungen für den Lebenskampf derer zu schaffen, denen sie das Feuer des deutschen Schicksals zu treuen Händen überantworteten. Möge uns diese Stunde läutern, dass wir die letzte Reinheit des Wollens gewinnen und die höchste Kraft, das zu vollbringen, was zum Wohle unseres Volkes und seiner Zukunft vollbracht werden muss. Entzünden wir an diesem Feuer unsere eigenen Herzen und steigen wir selber entflammt hinab in die Täler, um die Botschaft unseres lichten Glaubens zu verkünden. So haben wir ein Licht entzündet, das nie verlöschen kann.
Was der Führer einst als Einziger bekannte, es brennt heute in den Herzen eines Siebzigmillionenvolkes, und wir, die Jugend, geben die flammende Wahrheit weiter an die Jüngsten, damit sie als Hüter und Kämpfer in Ehren bewahren, was unser Volk glücklich und stolz gemacht hat. Wir sehen unsere Aufgabe, das darf ich wohl im Namen der deutschen Jugend hier bekennen, in der selbstlosen Hingabe aller Jugend des Reiches an das Werk des Führers und an die Lehre, die er dem deutschen Volke predigt. Generationen werden kommen, kämpfen und niedersinken, aber immer soll sie die gleiche Idee, der wir dienen, miteinander verbinden, nie wieder soll die ältere Generation hoffnungslos und verzweifelt auf die jüngere blicken mit dem Gefühl, dass sie die Aufgabe nicht wird lösen können, die ihr das Schicksal gestellt hat. Aber auch nie wieder soll die jüngere Generation eine ältere vor sich haben, die kein großes Lebensziel mehr erkennt und ein Beispiel der Uneinigkeit und des Bruderkampfes gibt. Alt und Jung haben sich im Bekenntnis zu einer jungen Lehre gefunden. Um ein Feuer stehen sie alle, von den Kindern bis zu den Greisen, und alle sind sie glücklich im Bewusstsein ihrer großen, ihrer heiligen Kameradschaft.
Hier stehen wir und senden Euch allen durch den Äther unseren Schwur. Über uns nichts als die ewigen Sterne, vor uns das Feuer, das weit hineingrüßt nach unten in unser deutsches Land. Hier, wo Deutschland dem Himmel am nächsten ist, öffnen wir unsere Herzen dem Allmächtigen. Erfüllt von ihm und hingegeben dem Manne, den er uns schenkte als unseren Führer zu Ehre und Freiheit, geloben wir Adolf Hitler, die Treuesten der Treuen zu sein.
Lange Jahre des Kampfes liegen hinter uns. Viele Erkenntnisse und Erfahrungen haben wir ihnen zu verdanken. Am wertvollsten aber erscheint uns das eine, was wir als Erfahrung aus bitterem Erleben gewannen: Unter allen Tugenden des Menschen ist die Treue die größte Tugend, unter allen Lastern ist die Treulosigkeit das schlimmste Laster. Nicht die intellektuelle Fähigkeit, nicht die Kraft des Verstandes allein bestimmen den Wert eines Menschen. Höher als den schärfsten Intellekt schätzen wir ein treues und tapferes Herz. Die kalten Klugen können irren, allein die Treuen sind immer im Recht. Die Klugheit fragt oft nach dem Vorteil, die Treue kennt keinen Vorteil, sie kennt nur eine Pflicht. Wir Nationalsozialisten siegten, weil wir die Gemeinschaft der Treuesten waren. Wir waren weder ein Verein von Universitätsprofessoren noch ein vornehmer Klub erlauchter Geister, wir kamen von überall her, Bauern und Städter vom Norden und vom Süden, vom Osten, vom Westen – wir wussten vieles nicht, was andere als unerlässliche Voraussetzung politischer Arbeit betrachteten, aber eins wussten wir. Ihr SS-Kameraden habt dieses Wissen zum Wahlspruch Eures Ordens erhoben: Unsere Ehre heißt Treue! So soll dieses Feuer zur Sommersonnenwende ein Feuer der Treue sein zu Führer, Volk und Fahne.
Zur Wintersonnenwende 1935 auf dem Brocken, die so wie unsere Sommersonnenwende hier auf der Zugspitze von Hitler-Jugend und SS gemeinsam gefeiert wurde, übergab der Reichsführer SS das Feuer an die Jugend, damit sie es hüte, bis die längsten Tage des Jahres gekommen seien.
Meine Kameraden in der HJ! Wir haben mit großer Freude diese Aufgabe übernommen, in der wir einen schönen Ausdruck der Freundschaft sahen, die Hitler-Jugend und SS seit Jahren miteinander verbindet.
Meine Kameraden in der SS! Ich begrüße Sie hier im Namen der deutschen Jugend und übergebe Ihnen die Wache an diesem Feuer, das Sie hüten sollen bis zum kürzesten Tage des Jahres, an dem wieder wir an Ihre Stelle treten.

Schwur beim Eintritt in das Deutsche Jungvolk bzw. die Hitlerjugend: „Ich verspreche im Deutschen Jungvolk/in der Hitlerjugend allzeit meine Pflicht zu tun und Liebe und Treue zum Führer und zu unserer Fahne."

Brocken mit 1141 m der höchste Berg im Harz, volkstümlich auch „Blocksberg" genannt, galt früher als Treffpunkt der Hexen, z. B. in der Walpurgisnacht

Reichsführer SS war vom 6.1.1929 bis zum 29.4.1945 Heinrich Himmler (1900–1945)

Biografische Hinweise zum Redner B. von Schirach sowie Hintergrundinformationen zu seiner auf der Zugspitze am 21. Juni 1936 gehaltenen Rede

Baldur von Schirach (1907–1974) schloss sich während seines Studiums der Germanistik und Kunstgeschichte der nationalsozialistischen Bewegung an. 1928 wurde er Leiter des NS-Studentenbundes, 1931 „Jugendführer" und Reichsleiter der NSDAP und zugleich Gruppenführer der SA. Zwei Jahre später ernannte A. Hitler ihn zum „Jugendführer des Deutschen Reiches", als der er alle Jugendorganisationen auflöste und in der Hitlerjugend gleichschaltete. Von 1940 bis zum Ende des Zweiten Weltkriegs war B. von Schirach Gauleiter und Reichsstatthalter von Wien. Das Internationale Militärgericht verurteilte von Schirach 1946 während der Nürnberger Prozesse zu einer Haftstrafe von 20 Jahren wegen Verbrechens gegen die Menschlichkeit.

Gruppierungen der Hitlerjugend feierten traditionell gemeinsam mit Formationen der SS zweimal im Jahr das Fest der Sonnenwende jeweils im Sommer (um den 21.6.) sowie im Winter (um den 21.12.), also an den Tagen mit dem höchsten bzw. niedrigsten Sonnenstand. Mit diesen Festen wollte man altgermanische Traditionen wieder aufleben lassen. Auch in der ehemaligen DDR waren „Sonnwendfeiern" üblich.

In Deutschland wird heute der Brauch teilweise noch von politisch rechtsorientierten Gruppen gepflegt, was teilweise aber verboten wird. In Skandinavien werden solche Feiern ganz unpolitisch als „Mittsommerfeste" bezeichnet und offiziell veranstaltet.

Inge Stephan

Faschistische Kunst: monumental, ornamental und kultisch
(1994)

Thingspiel zzt. des NS neu geschaffene Form mit eigenen Schauplätzen für z.T. mehrere tausend Mitspieler und Zuschauer zum Zweck der Volksbeeinflussung

Walter Benjamin (1892–1940) dt. Philosoph, Kulturkritiker und Übersetzer

Perversion Verfälschung, Verderbung, etwas ins Gegenteil, ins Negative verkehren

exekutieren vollstrecken, ausführen; **rezipieren** etwas als Leser, Hörer, Betrachter in sich aufnehmen

Die Tendenz der faschistischen Kunst zum Monumentalen, Ornamentalen und Kultischen wird an den Reichsparteitagen noch deutlicher, die mit größter Präzision als Massentheater inszeniert wurden und dem Thingspiel schließlich den Rang abliefen, weil sie die Formierung von Menschenmassen und deren Verflechtung mit der nationalsozialistischen Ideologie vollendet erreichten. In der Inszenierung der Reichsparteitage liegt die eigentlich „künstlerische" Leistung der Nationalsozialisten.[...]

Bereits 1936 hat Walter Benjamin darauf aufmerksam gemacht, dass die wirklichen ästhetischen und künstlerischen Leistungen des deutschen Faschismus in seiner Politik zu suchen seien, und hat damit das verkehrte Verhältnis von Politik und Kunst im Faschismus aufgedeckt. Diese Perversion von Kunst und Politik und den dahinterstehenden menschenverachtenden Charakter des Faschismus hat Goebbels unmissverständlich ausgedrückt: „Auch die Politik ist eine Kunst, vielleicht die höchste und umfassendste, die es gibt, und wir, die wir die moderne deutsche Politik gestalten, fühlen uns dabei als künstlerische Menschen, denen die verantwortungsvolle Aufgabe anvertraut ist, aus dem rohen Stoff der Masse das feste und gestalthafte Gebilde des Volkes zu formen". [...] Auch Walter Benjamins Äußerungen über die Propagandakunst der Nationalsozialisten lesen sich wie ein Kommentar zu den Masseninszenierungen der Thingspiele bzw. der Reichsparteitage: „Die faschistische Kunst ist eine Propagandakunst. Sie wird also für Massen exekutiert". Eine solche Kunst versetzt „die Exekutierenden ebenso wie die Rezipierenden in einen Bann, unter dem sie sich selber monumental, das heißt unfähig zu wohlüberlegten und selbstständigen Aktionen erscheinen müssen. Die Kunst verstärkt so die suggestiven Energien ihrer Wirkung auf Kosten der intellektuellen und aufklärenden. Die Verewigung der bestehenden Verhältnisse vollzieht sich in der faschistischen Kunst durch die Lähmung der (exekutierenden oder rezipierenden Menschen), welche diese Verhältnisse ändern könnten". Die Massen sind unfähig, über sich selbst und ihre Bedürfnisse nachzudenken, sie werden als Individuen ausgelöscht und sind damit gegen Manipulation und Missbrauch nicht mehr gefeit. Die Formierung der Massen nach den Gesetzen der Schönheit verhilft ihnen zwar kurzfristig zu ihrem „Ausdruck", nicht aber zu ihrem „Recht" (Benjamin).

An die Stelle der notwendigen Gestaltung der Gesellschaft nach den Prinzipien von Freiheit, Gleichheit und Gerechtigkeit tritt der ästhetische Schein der Volksgemeinschaft, indem den Massen die Aufhebung der politischen und sozialen Probleme vorgegaukelt wird. Auch das Ziel der faschistischen „Ästhetisierung der Politik" wird von Benjamin benannt: „Alle Bemühungen um die Ästhetisierung der Politik gipfeln in einem Punkt. Dieser eine Punkt ist der Krieg. Der Krieg, und nur der Krieg, macht es möglich, Massenbewegungen größten Maßstabs unter Wahrung der überkommenen Eigentumsverhältnisse ein Ziel zu geben".

Allgemeine Hinweise:

Das Anfertigen einer Analyse will gut überlegt und vorbereitet sein. Eine erfolgreiche Klausur hängt wesentlich von Ihrem Zeitmanagement ab.
Zunächst sollten Sie die Anforderungen der Aufgabenstellungen erkennen. In diesem Fall ist es die Analyse eines Sachtextes mit Festlegung bestimmter Untersuchungsaspekte (Aufgabe 1).
Daran anknüpfend wird im folgenden Textvergleich eine differenzierte und gleichzeitig auf ein bestimmtes Phänomen hin fokussierte Darstellung einschließlich einer kritischen Überprüfung im Rahmen einer eigenen Positionierung erwartet (Aufgabe 2).
Während die eigentliche Textanalyse ihren Schwerpunkt auf die Auseinandersetzung mit dem zugrunde liegenden Sachtext legt, in diesem Fall die Rede Baldur von Schirachs zur Sonnenwende vor Vertretern der SS sowie Mitgliedern der Hitlerjugend, müssen bei der weiterführenden Untersuchung des literaturgeschichtlichen Textes im Unterricht zusätzlich erarbeitete Aspekte mitberücksichtigt und eingebracht werden.
Um bei den meist sehr komplexen Aufgabenstellungen nicht den Überblick zu verlieren und einzelne Aufgabenteile zu übersehen, markieren Sie alle Verben bzw. Operatoren und die damit verbundenen inhaltlichen Festlegungen mit zwei unterschiedlichen Farben.

Zu Aufgabe 1:

Die Aufgabenstellung der ersten Aufgabe weist zwei unterschiedliche Operatoren auf, die zu zwei verschiedenen Leistungen auffordern:
1.1: die Untersuchung des Aufbaus und der Abfolge der Argumente mit einer entsprechenden Darstellung der Kernaussagen,
1.2: eine genaue Betrachtung der sprachlichen Merkmale im Allgemeinen sowie der rhetorischen Mittel im Besonderen.

zu 1.1: Lesen Sie nun den Text mindestens zwei Mal: beim ersten Lesen können Sie eine Grobgliederung in Sinnabschnitte vornehmen und erste inhaltliche Notizen machen. Falls nötig, können Sie hierbei auch Ihnen zunächst noch unverständliche Aussagen markieren. Deren Verständnis lässt sich häufig nach dem zweiten Lesedurchgang aufgrund Ihres geschärften Kontextwissens klären:
Z. 1 – 10: Kraft zur Selbstbesinnung der deutschen Nation dank Orientierung an alten Bräuchen („Fest der Sonnenwende")
Z. 10 – 29: religiöse Verklärung dieses Festes, die durch die exponierte Lage des Ortes noch zusätzlich unterstützt wird
Z. 30 – 50: Glorifizierung des Führers macht nicht nur die Hinwendung der Jugend zu dessen Überzeugung unabdingbar, sondern zielt auf weite Teile der Bevölkerung ab (Konflikte zwischen den Generationen werden ausgeschlossen); selbstloser „Führerkult" verlangt allerdings auch große Opferbereitschaft
Z. ... – Z. ...: ____________________

____

Z. ... – Z. ...: ____________________

____

K

zu 1.2:

Hierzu gehören zum einen die Untersuchung der sprachlichen Ausgestaltung der Rede, also etwa des Satzbaus und der Wortwahl, vor allem unter dem Gesichtspunkt der Angemessenheit des sprachlichen Niveaus in Bezug auf den Kreis der Adressaten, hier insbesondere der Mitglieder der Hitlerjugend.

Darüber hinausgehend ist ebenso die Verwendung rhetorischer Stilfiguren zu untersuchen, d.h. der Mittel, die der Autor einsetzt, um mit seinen Worten die Zuhörer an sich zu binden und von seinen Aussagen zu überzeugen und die u. U. sogar leitmotivisch seinen Vortrag begleiten.

Das vorliegende Redebeispiel wird rhetorisch eindeutig dominiert von einer exzessiven Feuer- und Lichtmetaphorik. Der Autor bedient sich durchgängig in seiner Ansprache dieses Bildbereichs. Realer Ausgangspunkt für seine Rede ist das Sonnenwendfeuer.

Stellen Sie nun einzelne Beispiele dieser Sprachbilder heraus, notieren Sie jeweils die entsprechende Textstelle (Zeilenzahl) und ordnen Sie deren Wirkung zu. Hilfreich ist hierzu, eine tabellarische Übersicht zu wählen:

Feuer- und Lichtmetaphorik		
Zeile	**Ausdruck**	**Wirkung**
Z. 23	„Entzünden wir in diesem Feuer [...] steigen wir selbst entflammt [...] die Botschaft unseres lichten Glaubens zu verkünden."	
Z.	„flammende Wahrheit"	
Z.		
Z.		
Z.		
Z.		

Sie sollten aber keinesfalls anstreben, sämtliche Textstellen anzuführen, die dem spezifischen Bildbereich zugeordnet werden können, und diese auf ihre Wirkweise hin zu untersuchen. Dies ist unnötig und kostet Sie – arbeitsökonomisch betrachtet – zu viel Zeit. Belassen Sie es lieber bei einigen aussagekräftigen Beispielen. Außerdem finden sich meist auch noch weitere rhetorische Figuren, die Sie benennen und auf deren Wirkung Sie in Ihrer Klausur im Kontext von Redesituation und -text hinweisen können.

Über die den Feuer- und Lichtmetaphern zuzuordnenden Textstellen hinaus bietet es sich eher an, weitere Bildbereiche in Ihre Analyse rhetorischer Mittel einzubeziehen, die ebenfalls typisch für die Propagandasprache im Nationalsozialismus sind und im vorliegenden Textbeispiel verwandt werden, wie bspw. die Kombination mit religiösen Inhalten. Des Weiteren kann die Analyse auch auf zusätzliche rhetorische Mittel ausgedehnt werden. Wählen Sie auch hierfür, um den Überblick zu behalten, eine klar strukturierte Vorlage.

Verknüpfung mit weiteren metaphorischen Bereichen			
Zeile	**Ausdruck**	**Bildbereich**	**Wirkung**
Z. 47 f. Z. 21	„öffnen wir unsere Herzen dem Allmächtigen" „die heiligen Feuer entzündeten"	(Pseudo-)Religiosität	
Z. 29		Ewigkeitsgefühl	

Auch hier gilt: Es müssen nicht alle rhetorischen Mittel gefunden und bestimmt werden.

zusätzliche rhetorische Figuren			
Zeile	**Textstelle**	**Bezeichnung des rhetorischen Mittels**	**Wirkung**
Z. 50	„die Treuesten der Treuen"		
Z. 66	„Treue [...] zu Führer, Volk und Fahne"		

Mit der Zusammenstellung dieser Ergebnisse haben Sie für die Bearbeitung dieser Aufgabe wichtige Vorarbeiten geleistet und können sich nun der Gesamtanalyse zuwenden.

Schritt 1: Klärung der Redesituation sowie des politisch-historischen Hintergrunds
Schritt 2: Inhalt der Rede (Thema, Problemstellung, Kernaussagen)
Schritt: 3: Redeabsicht: Intention und Strategien der Vorgehensweise
Schritt 4: Struktur der Rede und sprachlich-rhetorische Ausgestaltung
Schritt 5: Vortrag der Rede und ggf. Wirkung
Schritt 6: Beurteilung und Wertung der Rede

Fertigen Sie zu den noch nicht bearbeiteten Schritten auf Ihrem Konzeptpapier Notizen an, die Ihnen als Grundlage für die Ausarbeitung Ihrer Gesamtanalyse dienen.

Schritt 1

Nun können Sie mit der Analyse beginnen, sollten aber einleitend die Leserinnen und Leser Ihrer Analyse über die „technischen" Daten des Textes in Kenntnis setzen und sie über die gestellten Aufgaben sowie die weitere Vorgehensweise informieren. Hierzu gehören die Nennung des Redners (Baldur von Schirach), sein Amt (Reichsjugendführer), der Anlass seiner Rede (Rede zum Fest der Sonnenwende), der Ort der Rede (Zugspitze), ihr Zeitpunkt (21.6.1936), die Zusammensetzung der Zuhörerschaft (Mitglieder der SS und der Hitlerjugend) sowie das Thema, hier identisch mit dem Anlass.

Eine solche Einleitung in die Redanalyse könnte folgendermaßen beginnen:
Baldur von Schirach, der damalige Reichsjugendführer, spricht in seiner Rede vom 21.6.1936 auf der Zugspitze vor Vertretern der SS und Mitgliedern der Hitlerjugend anlässlich der Sonnenwende über die wachsende Bedeutung der Brauchtumspflege für das deutsche Volk. Dabei richtet er zum einen den Blick zurück in eine Zeit, in der solche Bräuche vernachlässigt worden seien. Er richtet seinen Blick aber auch in die Zukunft, die große Veränderungen bringen werde und gerade von der Jugend eine große Opferbereitschaft verlange. Die Rede wurde ebenfalls im damaligen Hörfunk übertragen. ...

Formulieren Sie eine eigene Einleitung oder setzen Sie die begonnene in dem Sinne fort, dass Sie den Inhalt der Rede kurz weiter skizzieren.

Schritt 2
Die Weiterführung des Inhalts haben Sie bereits vorbereitet, indem Sie eine Strukturierung des Redetextes in Sinnabschnitte vorgenommen haben, die zudem dessen Kernaussagen enthält.

Schritt 3
Informationen zur Redeabsicht sowie den Strategien, die der Redner mit seiner Ansprache verfolgt, ergeben sich sowohl aus den Zusatzinformationen den Redner betreffend, zum Text der Rede sowie zum Hintergrund des politisch-historischen Kontextes als auch aus der Rede selbst. Die Kenntnisnahme dieser Hinweise ist unerlässlich, da nicht vorausgesetzt werden kann, dass Sie über ein entsprechendes Kontextwissen verfügen.

Schritt 4
Den argumentativen Aufbau sowie die sprachlich-rhetorische Ausgestaltung haben Sie bereits in wesentlichen Teilen vorbereitet und können nun als Grundstock für die Ausformulierung dieses Schritts Ihrer Analyse dienen.

Schritt 5
Das Kriterium des Vortrags sowie der Wirkung ist nicht bei jeder Redeanalyse einzulösen. Insbesondere dann nicht, wenn weder optische noch akustische Aufzeichnungen eines Redevortrags bzw. der Reaktionen des Publikums vorhanden oder verfügbar sind. Dies gilt auch für diese Rede B. von Schirachs. Der Vollständigkeit halber sollte aber hier auf diese beiden Untersuchungsaspekte hingewiesen werden.

Schritt 6
Den Abschluss einer Redeanalyse bildet immer die Beurteilung und Wertung der Rede. Diese sollten sich stringent aus den zuvor erarbeiteten Teilergebnissen ableiten lassen, keinesfalls ihnen widersprechen. Vermieden werden sollten auf jeden Fall Pauschalaussagen wie: *„Die Rede hat mir gut/nicht gefallen ...“*.
Erwartet wird eine differenzierte Stellungnahme, in der die eigenen Aussagen begründend vorgestellt werden.

Alle Aussage, die Sie im Rahmen der Analyse treffen, müssen über entsprechende Textverweise akribisch abgesichert werden, ansonsten sind sie wertlos. Insofern macht es bereits bei den Teiluntersuchungen Sinn, den Fundort für solche Textstellen eigens zu notieren.

Zu Aufgabe 2:

Die Aufgabenstellung der zweiten Aufgabe weist wiederum eine zweigeteilte Aufgabenstellung auf mit zwei unterschiedlichen Operatoren:

- Setzen Sie die Aussagen des zweiten Textes in Beziehung zur Redesituation und deren Inszenierung sowie zum ästhetischen Selbstverständnis der Nationalsozialisten und
- formulieren Sie eine Stellungnahme hinsichtlich dieser im Nationalsozialismus verbreiteten Art von inszenierten Veranstaltungen.

Über die durch die Operatoren benannten Leistungen hinaus müssen jedoch noch vier weitere Erwartungen erfüllt werden:

- Es müssen eine inhaltliche oder methodische Verknüpfung zwischen der ersten und zweiten Aufgabe geschaffen,
- die Kernaussagen des (zweiten) Textauszugs der Autorin (kurz) zusammengefasst,
- diese in Beziehung zur Situation und Inszenierung der Rede B. von Schirachs gesetzt
- und hinsichtlich ihrer Wirkung auf die Anwesenden sowie die Zuhörenden an den Rundfunkgeräten bewertet werden.

Somit empfiehlt es sich, die Bearbeitung der zweiten Aufgabe in fünf Schritten auszuführen, um den Anforderungen gerecht werden zu können:

Schritt 1: Formulierung einer aufgabenbezogenen Überleitung
Schritt 2: Zusammenfassung der Kernaussagen des Textes von I. Stephan
Schritt 3: Benennung von Kriterien, anhand derer sich beide Textauszüge in Beziehung zueinander setzen lassen
Schritt 4: Kriterienorientierte Durchführung des Textvergleichs
Schritt 5: Formulierung einer abschließenden Stellungnahme zur Funktion dieser und ähnlicher Ihnen bekannter Veranstaltungen

Schritt 1

Mit dem Begriff *aufgabenbezogene Überleitung* ist nicht gemeint zu erklären, dass nun die Bearbeitung einer weiteren Aufgabe ansteht, sondern es soll etwa eine thematische Beziehung zwischen den beiden Aufgaben aufgebaut werden. Dies könnte z.B. durch den Hinweis geschehen, dass es über den bisher bearbeiteten sprachlich-rhetorischen Schwerpunkt hinaus auch weitere Bereiche gab, die großen Einfluss auf die Menschen der damaligen Zeit hatten. Vor diesem Hintergrund könnte eine solche aufgabenbezogene Überleitung lauten: *Neben der rhetorisch ausgestalteten Rede und deren sprachlicher Vermittlung verstanden es die Nationalsozialisten, dem deutschen Volk durch eine Vielzahl von Maßnahmen die Überlegenheit ihrer Ideologie zu demonstrieren. Hierzu können beispielhaft die Auswahl besonderer Orte, die Raumgestaltung, Lichteffekte ....*
Formulieren Sie eine eigene aufgabenbezogene Überleitung und erweitern Sie die Auflistung möglicher Bezugsaspekte um drei weitere.

Schritt 2

Fassen Sie die Kernaussagen des Textauszugs von I. Stephan mit eigenen Worten strukturiert zusammen:

1. Benennen Sie vor der inhaltlichen Analyse die „technischen Daten“ zum Text, also den Namen der Autorin, die Überschrift des Textauszugs, die Quellenangabe sowie das Erscheinungsjahr.
2. Faschistisches Kunstverständnis ist monumental, ornamental und kultisch ausgerichtet, was sich besonders bei der Inszenierung der Reichsparteitage zeigen lässt (Z. 1 – 5).
3. Die ästhetischen und künstlerischen Leistungen der Nationalsozialisten zeigen sich für die Autorin vor allem in ihrer Politik, nicht in der Kunst. Deshalb bezeichnet die Autorin das Verhältnis von Kunst und Politik im Faschismus als pervertiert (vgl. Z. 11 f.).
4. ______________________________
   ______________________________ (Z. ... – Z. ...).
5. ______________________________
   ______________________________ (Z. ... – Z. ...).
6. ______________________________
   ____
   ______________________________ (Z. ... – Z. ...).

Vervollständigen Sie die oben begonnene Zusammenfassung der Kernaussagen der Autorin sowie der damit eng verknüpften Folgen für die teilnehmenden Personen.

Schritt 3

Erste Hinweise auf einen kriteriengeleiteten Vergleich beider Texte ergeben sich schon aufgrund der Textüberschrift. Dennoch sollte hier differenziert vorgegangen werden, da nicht alle Elemente der Überschrift im gleichen Maße zutreffend sind, wenn man etwa an die Anzahl der Teilnehmenden an den Reichsparteitagen denkt. Dennoch bietet sich in der Folge eine genauere Betrachtung der beiden exponierten Schauplätze für die Sonnenwendfeste im Sommer (Zugspitze) und Winter (Brocken) an. Ebenso könnte hier auch die Zusammenstellung der Teilnehmergruppen oder die spezifische Bedeutung des Feuers im Dritten Reich aufgegriffen werden.
Beschränken Sie sich im Rahmen der Darstellung des ästhetischen Selbstverständnisses auf zwei bis drei dieser Aspekte, um nicht in Zeitnot zu kommen.
Vervollständigen Sie die Liste möglicher Bezugspunkte.

Schritt 4

Im letzten Schritt wird von Ihnen erwartet, dass Sie die Vorgehensweise der Nationalsozialisten im Hinblick auf die von ihnen damit verfolgten Ziele kritisch betrachten und mit einer eigenen Stellungnahme abschließen. Hierbei können Sie sich auf die im Unterricht besprochenen Zielsetzungen der nationalsozialistischen Propaganda beziehen sowie auch auf andere Reden aus dieser Zeit hinweisen. Grundsätzlich bietet sich an, die Maßnahmen zur schnellen Durchsetzung der Gleichschaltung im Blick zu haben. Die damit verbundene totale Erfassung großer Teile der damaligen Bevölkerung führte vor allem bei den jungen Menschen zu einem immensen Anpassungsdruck, dem sie sich – bis auf wenige Ausnahmen – kaum entziehen konnten.
Damit haben Sie im Hinblick auf den Vergleich der Ansprache von Schirachs mit dem Sachtext von I. Stephan eine breite Basis geschaffen, um eine angemessene Problematisierung durchzuführen. Abschließend können Sie Ihren Klausurtext noch mit einem resümierenden Schlusssatz abrunden. Die restliche Zeit sollten Sie für Korrekturen an Ihrem Text nutzen.

Eskalationsrhetorik

Die Strategien der nationalsozialistischen Propaganda beschreiben und hinsichtlich ihrer Wirkung überprüfen

Die Analyse des nun folgenden Redetextes des Propagandaministers Goebbels vermittelt abschließend einen besonderen Einblick in das Phänomen der Sprachlenkung in der Zeit der nationalsozialistischen Diktatur in Deutschland. Die Rede stammt nicht – wie die beiden zuvor behandelten – aus der Zeit des Aufbaus der faschistischen Ära, sondern kennzeichnet den Wendepunkt, der zum Untergang dieses politischen Systems führte und damit den nationalsozialistischen Terror beendete.

Hintergrundinformationen zur Rede J. Goebbels' am 18. Februar 1943

Die zu den bekanntesten Reden Goebbels' gehörende Sportpalast-Rede bietet einen guten Abschluss für die kritische Auseinandersetzung mit der „Redekunst" der Nationalsozialisten im Allgemeinen sowie des Propagandaministers im Besonderen.

Die ursprünglich von der deutschen Armee verfolgte Strategie eines Blitzkriegs scheiterte, so dass es für den militärischen Erfolg entscheidend war, welches Land über umfassendere Möglichkeiten der Waffenproduktion verfügte. Hier war die Sowjetunion im Vorteil. Hinzu kamen grundlegende Verschlechterungen der militärischen Lage in Afrika sowie die Kapitulation der deutschen Truppen nach dem erbitterten Kampf um Stalingrad, dem mehrere hunderttausend Zivilisten und Soldaten zum Opfer fielen.

In dieser Situation befürchtete Hitler, dass es zu einer kritischen Situation kommen könnte, da sich insgesamt die Stimmung im Deutschen Reich wegen der zu verzeichnenden Misserfolge verschlechterte. Goebbels setzte auf die Möglichkeit, durch ein beherztes Eingreifen die Zweifel zu beseitigen und die Krise zu überwinden.

Ganz im Sinne der nationalsozialistischen Ästhetik wurde die besagte Veranstaltung im Berliner Sportpalast von Goebbels geplant und bis ins Letzte durcharrangiert. Nicht nur, dass er selbst den Text der Rede entworfen und vor dem Spiegel detailliert einstudiert hat, sondern auch im Hinblick auf die Auswahl der Zuhörer ging er kein Risiko ein: Sie waren als überzeugte Anhänger der NSDAP bekannt. Sprechchöre wurden vorab eingeübt, ebenso Textstellen abgesprochen, an denen aus dramaturgischen Gründen applaudiert werden sollte. Um ganz sicher zu gehen, sollte zusätzlich noch Beifall von einer Schallplatte über Lautsprecher in die Halle übertragen werden.

Die Rede begann damit, dass der Propagandaminister zunächst seine Zuhörerschaft aufbaute, indem er dessen Stärke betonte, um dann den Blick in die Zukunft zu richten. Diese sah er durch den Bolschewismus hochgradig gefährdet, dem er unterstellte, das deutsche Volk durch psychologische Tricks („Bluffs") hintergangen zu haben. Allein die deutsche Wehrmacht sei imstande, ganz Europa davor zu schützen, dazu müsse aber rasch und mit den hierfür notwendigen Anstrengungen der bolschewistischen Gefahr begegnet werden.

Im letzten Teil der Rede bindet Goebbels die Zuhörer mit in seinen Vortrag ein, indem er den Anwesenden die folgenden zehn Fragen stellt. [In den durch eckige Klammern gekennzeichneten Textpassagen werden die Reaktionen der anwesenden Zuhörer auf die Worte Goebbels' zusammengefasst].

Die Rede, die zeitgleich im Rundfunk übertragen und in Teilen gefilmt wurde, dauerte etwa 108 Minuten, das von Goebbels verfasste Manuskript hatte einen Umfang von ungefähr 21 eng maschinenbeschriebenen Seiten.

Bolschewismus: Sammelbegriff für die Lehre und Praxis der Kommunistischen Partei in Russland und der Sowjetunion

Joseph Goebbels

Rede im Berliner Sportpalast (18.02.1943)

Propagandaminister Joseph Goebbels

Meine deutschen Volksgenossen und Volksgenossinnen!

[...]

Ihr also, meine Zuhörer, repräsentiert in diesem Augenblick die Nation. Und an euch möchte ich zehn Fragen richten, die Ihr mir mit dem deutschen Volke vor der ganzen Welt, insbesondere aber vor unseren Feinden, die uns auch an ihrem Rundfunk zuhören, beantworten sollt. [Nur mit Mühe kann sich der Minister für die nun folgenden Fragen Gehör verschaffen. Die Masse befindet sich in einem Zustand äußerster Hochstimmung. Messerscharf fallen die einzelnen Fragen. Jeder Einzelne fühlt sich persönlich angesprochen. Mit letzter Anteilnahme und Begeisterung gibt die Masse auf jede einzelne Frage die Antwort. Der Sportpalast hallt wider von einem einzigen Schrei der Zustimmung.]

Die Antwort der Nation

Die Engländer behaupten, das deutsche Volk habe den Glauben an den Sieg verloren.

Ich frage euch: Glaubt ihr mit dem Führer und mit uns an den endgültigen totalen Sieg des deutschen Volkes?

Ich frage euch: Seid ihr entschlossen, dem Führer in der Erkämpfung des Sieges durch Dick und Dünn und unter Aufnahme auch der schwersten persönlichen Belastungen zu folgen?

Zweitens: Die Engländer behaupten, das deutsche Volk ist des Kampfes müde.

Ich frage euch: Seid ihr bereit, mit dem Führer als Phalanx der Heimat hinter der kämpfenden Wehrmacht stehend diesen Kampf mit wilder Entschlossenheit und unbeirrt durch alle Schicksalsfügungen fortzusetzen, bis der Sieg in unseren Händen ist?

Phalanx (grch). die geschlossene Schlachtreihe

Drittens: Die Engländer behaupten, das deutsche Volk hat keine Lust mehr, sich der überhandnehmenden Kriegsarbeit, die die Regierung von ihm fordert, zu unterziehen.

Ich frage euch: Seid ihr und ist das deutsche Volk entschlossen, wenn der Führer es befiehlt, zehn, zwölf, und wenn nötig vierzehn und sechzehn Stunden täglich zu arbeiten und das Letzte herzugeben für den Sieg?

Viertens: Die Engländer behaupten, das deutsche Volk wehrt sich gegen die totalen Kriegsmaßnahmen der Regierung. Es will nicht den totalen Krieg, sondern die Kapitulation. [Zurufe: Niemals! Niemals ! Niemals !]

Ich frage euch: Wollt ihr den totalen Krieg? Wollt ihr ihn, wenn nötig, totaler und radikaler, als wir ihn uns heute überhaupt noch vorstellen können?

Fünftens: Die Engländer behaupten, das deutsche Volk hat sein Vertrauen zum Führer verloren.

Ich frage euch: Ist euer Vertrauen zum Führer heute größer, gläubiger und unerschütterlicher denn je? Ist eure Bereitschaft, ihm auf allen seinen Wegen zu folgen und alles zu tun, was nötig ist, um den Krieg zum siegreichen Ende zu führen, eine absolute und uneingeschränkte?

[Die Menge erhebt sich wie ein Mann. Die Begeisterung der Masse entlädt sich in einer Kundgebung nicht dagewesenen Ausmaßes. Vieltausendstimmige Sprechchöre brausen durch die Halle: „Führer befiehl, wir folgen!" Eine nicht abebbende Woge von Heilrufen auf den Führer braust auf. Wie auf ein Kommando erheben sich nun die Fahnen und Standarten, höchster Ausdruck des weihevollen Augenblicks, in dem die Masse dem Führer huldigt.]

Ich frage euch als sechstes: Seid ihr bereit, von nun ab eure ganze Kraft einzusetzen und der Ostfront die Menschen und Waffen zur Verfügung zu stellen, die sie braucht, um dem Bolschewismus den tödlichen Schlag zu versetzen?

Ich frage euch siebentens: Gelobt ihr mit heiligem Eid der Front, dass die Heimat mit starker Moral hinter ihr steht und ihr alles geben wird, was sie nötig hat, um den Sieg zu erkämpfen?

Ich frage euch achtens: Wollt ihr, insbesondere ihr Frauen selbst, dass die Regierung dafür sorgt, dass auch die deutsche Frau ihre ganze Kraft der Kriegführung zur Verfügung stellt und überall da, wo es nur möglich ist, einspringt, um Männer für die Front frei zu machen und damit ihren Männern an der Front zu helfen?

Ich frage euch neuntens: Billigt ihr, wenn nötig, die radikalsten Maßnahmen gegen einen kleinen Kreis von Drückebergern und Schiebern, die mitten im Kriege Frie-

Berliner Sportpalast

den spielen und die Not des Volkes zu eigensüchtigen Zwecken ausnutzen wollen? Seid Ihr damit einverstanden, dass, wer sich am Krieg vergeht, den Kopf verliert?

Ich frage euch zehntens und zuletzt: Wollt ihr, dass, wie das nationalsozialistische Parteiprogramm es gebietet, gerade im Kriege gleiche Rechte und gleiche Pflichten vorherrschen, dass die Heimat die schweren Belastungen des Krieges solidarisch auf ihre Schultern nimmt und dass sie für Hoch und Niedrig und Arm und Reich in gleicher Weise verteilt werden?

Ich habe euch gefragt; ihr habt mir eure Antwort gegeben. Ihr seid ein Stück Volk, durch euren Mund hat sich damit die Stellungnahme des deutschen Volkes manifestiert. Ihr habt unseren Feinden das zugerufen, was sie wissen müssen, damit sie sich keinen Illusionen und falschen Vorstellungen hingeben.

Somit sind wir, wie von der ersten Stunde unserer Macht an und durch all die zehn Jahre hindurch, fest und brüderlich mit dem deutschen Volk vereint. Der mächtigste Bundesgenosse, den es auf dieser Welt gibt, das Volk selbst, steht hinter uns und ist entschlossen, mit dem Führer, koste es was es wolle, und unter Aufnahme auch der schwersten Opfer den Sieg kämpfend zu erstreiten. Welche Macht der Welt könnte uns jetzt noch hindern, alles das durchzusetzen und zu erfüllen, was wir uns als Ziel gesteckt haben. Jetzt wird und muss es uns gelingen! Ich stehe hier vor euch nicht nur als Sprecher der Regierung, sondern auch als Sprecher des Volkes. Um mich herum sitzen meine alten Freunde aus der Partei, die hohe Ämter in der Führung von Volk und Staat bekleiden. Neben mir sitzt Parteigenosse Speer, der vom Führer den geschichtlichen Auftrag erhalten hat, die deutsche Rüstungswirtschaft zu mobilisieren und der Front Waffen in Hülle und Fülle zu liefern. Neben mir sitzt Parteigenosse Dr. Ley, der vom Führer den Auftrag erhalten hat, die Führung der deutschen Arbeiterschaft durchzuführen und sie in unermüdlichem Einsatz für ihre Kriegspflichten zu schulen und zu erziehen. Wir fühlen uns verbunden mit unserem Parteigenossen Sauckel, der vom Führer den Auftrag erhalten hat, ungezählte Hunderttausende von Arbeitskräften ins Reich zu bringen, die einen Zuschuss an die nationale Wirtschaft darstellen, der vom Feind überhaupt nicht eingeholt werden kann. Darüber hinaus sind mit uns vereinigt alle Führer der Partei, der Wehrmacht und des Staates.

Albert Speer (1905 – 1981), Architekt, hat maßgeblich die Architektur im Nationalsozialismus geprägt, seit 1942 Reichsminister für Bewaffnung und Munition

Robert Ley (1890 – 1945), Reichsleiter der NSDAP sowie Leiter der Arbeitsfront

Fritz Sauckel (1894 – 1946), Gauleiter in Thüringen u. Generalbevollmächtigter für den Arbeitseinsatz, einschl. der Zwangsarbeit

Speer, Goebbels und Ley 1943 im Berliner Sportpalast

Wir alle, Kinder unseres Volkes, zusammengeschweißt mit dem Volke in der größten Schicksalsstunde unserer nationalen Geschichte, wir geloben euch, wir geloben der Front, und wir geloben dem Führer, dass wir die Heimat zu einem Willensblock zusammenschweißen wollen, auf den sich der Führer und seine kämpfenden Soldaten unbedingt und blindlings verlassen können. Wir verpflichten uns, in unserem Leben und Arbeiten alles zu tun, was zum Siege nötig ist. Unsere Herzen wollen wir erfüllen mit jener politischen Leidenschaft, die uns immer in den großen Kampfzeiten der Partei und des Staates wie ein ewig brennendes Feuer verzehrte. Nie wollen wir in diesem Kriege jener falschen und scheinheiligen Objektivitätsduselei verfallen, der die deutsche Nation in ihrer Geschichte schon so viel Unglück zu verdanken hat.

Als dieser Krieg begann, haben wir unsere Augen einzig und allein auf die Nation gerichtet. Was ihr und ihrem Lebenskampf dient, das ist gut und muss erhalten und gefördert werden. Was ihr und ihrem Lebenskampfe schadet, das ist schlecht und muss beseitigt und abgeschnitten werden. Mit heißem Herzen und kühlem Kopf wollen wir an die Bewältigung der großen Probleme dieses Zeitabschnittes des Krieges herantreten. Wir beschreiten damit den Weg zum endgültigen Sieg. Er liegt begründet im Glauben an den Führer. So stelle ich denn an diesem Abend der ganzen Nation noch einmal ihre große Pflicht vor Augen.

Der Führer erwartet von uns eine Leistung, die alles bisher Dagewesene in den Schatten stellt. Wir wollen uns seiner Forderung nicht versagen. Wie wir stolz auf ihn sind, so soll er stolz auf uns sein können.

In den größten Krisen und Erschütterungen des nationalen Lebens erst bewähren sich die wahren Männer, aber auch die wahren Frauen. Da hat man nicht mehr das Recht, vom schwachen Geschlecht zu sprechen, da beweisen beide Geschlechter die gleiche Kampfentschlossenheit und Seelenstärke. Die Nation ist zu allem bereit. Der Führer hat befohlen, wir werden ihm folgen. Wenn wir je treu und unverbrüchlich an den Sieg geglaubt haben, dann in dieser Stunde der nationalen Besinnung und der inneren Aufrichtung. Wir sehen ihn greifbar nahe vor uns liegen; wir müssen nur zufassen. Wir müssen nur die Entschlusskraft aufbringen, alles andere seinem Dienst unterzuordnen. Das ist das Gebot der Stunde. Und darum lautet die Parole:

Nun Volk steh' auf und Sturm brich los!

[Die letzten Worte des Ministers gehen in nicht enden wollenden stürmischen Beifallskundgebungen unter.]

„Nun Volk steh' auf und Sturm brich los!“: Mit diesem Schlachtruf bedient sich Goebbels des ersten Verses aus dem Gedicht *Männer und Buben* (1813) von Theodor Körner (1771–1813), der im Original lautet: „Das Volk steht auf, *der Sturm bricht los*.“

1 Beschreiben Sie den Aufbau des hier abgedruckten letzten Teils von Goebbels' Rede.

2 Bilden Sie Thesen darüber, welche Absichten der Redner mit seiner Vorgehensweise bezweckt haben könnte, den Zuhörern zehn Fragen zu stellen, auf die sie ihm eine Antwort geben sollen.

3 Untersuchen Sie die Abfolge der zehn Fragen hinsichtlich ihrer dramaturgischen Bedeutung.

4 Untersuchen Sie beispielhaft die rhetorische Ausgestaltung des Auszugs von Goebbels' Rede.

5 Vergleichen Sie die von Goebbels am Ende seiner Rede geäußerte Parole „Nun Volk steh' auf und Sturm brich los!“ mit dem entsprechenden Vers „Das Volk steht auf, der Sturm bricht los“ aus Körners Gedicht „Männer und Buben“ hinsichtlich der damit jeweils verbundenen sprachlichen Funktionen.

6 Überprüfen Sie den während der Sportpalast-Rede vom Publikum vielfach wiederholten Sprechchor „Führer befiehl, wir folgen!“ im Hinblick auf die nationalsozialistische „Propagandakunst“ und deren Folgen unter Einbezug des von W. Benjamin hergestellten Kontexts von Exekutieren und Rezipieren. (s. S. 258, Z. 21 – 27)

7 Fertigen Sie nach dem Muster der ersten Aufgabe des Klausurtrainings eine Analyse der Rede Goebbels' an.

Gendergerechtes Sprechen und Schreiben – Sprachwandel zwischen Traditionspflege und modernem Leitbild

Einen Sachtext aus unterschiedlichen Perspektiven untersuchen und kritisch Stellung zu dessen Aussagen nehmen

Liebe Schülerinnen und Schüler,
liebe Schüler/-innen,
liebe SchülerInnen,
liebe Schüler_innen,
liebe Schüler:Innen,
liebe Schüler*innen,
liebe Lernende,
nicht nur in der Sprachwissenschaft und in akademischen Institutionen, sondern auch in vielen Unternehmen, darunter zahlreiche Dax-Firmen, wird über eine gendergerechte Kommunikation mit Angestellten und Kunden bzw. Kundinnen nachgedacht. Nicht zuletzt sind auch Sie als Schüler/-innen und später in Ihrer Ausbildung oder im Studium davon betroffen und wollen eine falsche oder unpassende Anrede Ihres Gegenübers vermeiden.

Bevor Sie sich näher mit grundlegenden Aspekten dieses Problembereichs beschäftigen, ist es ratsam, einige grundlegende Begrifflichkeiten zu klären.

Gender – Geschlecht – Sexus – Genus

Im Gegensatz zum englischen Begriff des „gender", der auf die soziale Seite von „Geschlecht" abzielt, ist das Verständnis des deutschen Wortes „Geschlecht" deutlich vielschichtiger, da es u. a. sowohl auf das biologische als auch auf das gesellschaftliche, ja sogar das Adelsgeschlecht bezogen werden kann.

Die gesellschaftliche Dimension von Geschlecht ist vor allem bestimmt durch spezifische Einflüsse der Kultur, in die man hineingeboren wird, sowie historisch bedingt. D. h., sie wird wesentlich geprägt durch die jeweils herrschenden Rollenzuschreibungen und -erwartungen sowie die diesen zugrunde liegenden Werte.

Simone de Beauvoir (1908–1986), eine französische Philosophin und Schriftstellerin, hat diesen Zusammenhang mit einem bekannten Zitat prägnant zum Ausdruck gebracht: „Man kommt nicht als Frau zur Welt, man wird es." Diese Aussage trifft allerdings in gleichem Maße auch auf den Mann zu.

Während das Wort „sexus" sich auf die Bezeichnung des biologisch-körperlichen Geschlechts bezieht, das jedem Menschen bei der Geburt attestiert wird, stammt der Begriff „genus" aus dem Bereich der Sprachwissenschaft. Während das Deutsche über drei Genera verfügt, kennt die englische Sprache nur ein Genus. Viele Sprachen kommen auch ohne ein solches Genussystem aus, wie z. B. das Finnische, Ungarische, Türkische sowie einzelne Sprachen im asiatischen Raum, etwa das Japanische.

1 Recherchieren Sie weitere Sprachen, die über ein Genussystem verfügen.

2 ***Lernarrangment:***
Arbeiten Sie in Kleingruppen von jeweils drei Schülerinnen und Schülern.
Sammeln Sie Informationen zu folgenden Instititutionen bzw. Gremien: Gesellschaft für deutsche Sprache e. V., Rat für deutsche Rechtschreibung, Duden-Verlag.
Fassen Sie jeweils deren Zusammensetzung, Aufgabenbereiche sowie Zielsetzung zusammen und erklären Sie deren besondere Funktion im Hinblick auf eine gendergerechte Sprache.
Präsentieren Sie Ihre Ergebnisse in Form eines Posters, machen Sie dabei auch mögliche Überschneidungen zwischen den Aufgabenbereichen deutlich.

In seiner Titelgeschichte zur Ausgabe vom 6. März 2021 gibt das Nachrichtenmagazin DER SPIEGEL einen Einblick in die Entwicklung der Problematik um eine gendergerechte Sprache, die weniger auf einen Sprachwandel zurückzuführen ist, als vielmehr durch einen gesellschaftlichen Wandel hervorgerufen wurde und nun als „Kulturkampf" durch das Land tobt.

Felix Bohr, Lisa Duhm, Silke Fokken, Dietmar Pieper

Krieg der Sterne (2021)

Cover des „Spiegel", Nr. 10/2021

Die einen sagen, dass die UNO den Anfang gemacht habe, als sie 1995 das Gender-Mainstreaming zum Leitbild für die ganze Welt erhob. Bald darauf sei in der deutschen Sprache etwas ins Rutschen gekommen. Andere blicken nach Karlsruhe, wo das Bundesverfassungsgericht 2017 entschied, dass die Zweiteilung der Menschen in Frauen und Männer für manche diskriminierend sei. „Divers" heißt darum inzwischen die dritte Option im Geburtsregister und in Stellenanzeigen. Um dieser Gruppe auch sprachlich gerecht zu werden, verwenden mittlerweile nicht mehr nur Aktivist*innen besondere Schreibweisen wie dieses Gendersternchen.

Luise Pusch (*1944) Mitbegründerin der femnistischen Sprachwissenschaft in Deutschland

Aber vielleicht begann alles schon mit Luise Pusch. 1980 veröffentlichte die Sprachwissenschaftlerin gemeinsam mit drei weiteren Linguistinnen die ersten deutschen „Richtlinien zur Vermeidung sexistischen Sprachgebrauchs". Ihr Ziel war es, die Sprache weiblicher zu machen, damit die Frauen sichtbarer würden, Gleichberechtigung mit den Mitteln von Wortschatz und Grammatik.

Die deutsche „Männersprache" verstecke die Frauen besser als eine Burka, hat Pusch einmal polemisiert. Heute ist sie 77 Jahre alt und beobachtet nach wie vor aufmerksam, wie die Deutschen mit ihrer Sprache umgehen, worüber sie streiten, was sich verändert. Am Ziel sieht sie sich noch nicht. „Heftigen Gegenwind gab es schon immer", sagt sie, freut sich aber, dass inzwischen Feministinnen in führende Ämter aufgestiegen seien und der Debatte Nachdruck verliehen. [...]

Mit gewachsenem Selbstbewusstsein beanspruchen Gruppen das Recht, sich über den Sprachgebrauch sichtbar zu machen und ihren Platz in der Gesellschaft zu definieren. Die amerikanische Homosexuellenbewegung führt seit den Achtzigerjahren vor, wie es geht. Zunächst erweiterte sie sich zum LGB-Spektrum („lesbian, gay, bisexual"). Später kam das T für „transgender" dazu, dann das Q für „queer". Inzwischen hat die Abkürzung einige Mutationen durchgemacht, LGBTQIA+ ist noch nicht die längste Reihung.

LGBTQIA+: Abkürzung für lesbian, gay, bisexual, transsexual/transgender, queer, intersexual, asexual + weitere noch nicht festgelegte sexuelle Orientierungen

Das Ziel ist in allen Variationen vermutlich das gleiche: Wo bisher Diskriminierung war oder gewesen sein könnte, sollen jetzt Identität und Anerkennung wachsen.

Die Vergangenheit ist bei diesem Aufbruch so etwas wie die natürliche Feindin. Alles, was eine lange Geschichte hat, steht im Verdacht, unter der polierten Oberfläche der Traditionspflege ein Werkzeug der Unterdrückung zu sein. Nicht zufällig wächst parallel zu den sozialen Bewegungen und dem Wunsch nach sprachlicher Differenzierung seit einigen Jahren auch die Skepsis gegenüber den vermeintlichen Helden von früher. [...]

Luise Pusch hat nach vielen Jahren des Kampfes Verständnis für ihre Gegner: „Wir wollen vor allem mit zunehmendem Alter nicht alles neu lernen." Außerdem gehöre die Sprache zum „Intimbereich", sagt sie. „Wenn andere da eindringen und wollen, dass ich anders spreche, ist das fast, als ob mir jemand in der Nase bohrt."

Regenbogenflagge als Zeichen für Vielfalt, Toleranz, Offenheit und Stolz, gegen jede Art von Diskriminierung

Warum bohrt sie dann? Was berechtigt sie und all jene, die den Deutschen vorgeben wollen, wie sie künftig reden und schreiben sollen, zu dieser Einmischung?

Nur „ein ganz hoher Wert" könne den Vorstoß in den sprachlichen Intimbereich begründen, sagt Pusch, und dieser Wert sei die Gerechtigkeit. Die Dominanz der Männer habe sich in Begriffen verfestigt und bestimme unser Bild der Welt. „Wenn 99 Lehrerinnen in einem Raum sind und ein Lehrer kommt dazu, werden daraus laut Grammatik 100 Lehrer." Dies zeige, „wie ungerecht die Sprache ist".

Pusch ist geübt darin, für ihre Sache zu werben; was sie erzählt, klingt einleuchtend. Aber stimmt es auch? Das generische Maskulinum hat immer noch viele Verteidiger, darunter Linguisten und Schriftstellerinnen. Ihre Argumente sind nicht leicht von der Hand zu weisen.

Sie sagen, dass niemand verwundert sei, wenn beim Bäcker eine Frau das Geschäft führt, denn die männliche Form schließe Frauen mit ein. Sie erklären, warum zwischen dem grammatikalischen Genus und dem biologischen Sexus ein himmelweiter Unterschied liege. Sie beharren darauf, dass Doppelnennungen („Kolleginnen und Kollegen") und Genderschreibweisen unschön und umständlich seien. Und außerdem schaffe eine vermeintlich gerechtere Sprache keine gerechtere Welt.

Zu allen Argumenten gibt es wiederum Gegenargumente, eine Kette ohne Ende. Da sich der Streit um die geschlechtergerechte Sprache auf hohem Abstraktionsniveau führen lässt, gehört er zu den Lieblingsdebatten akademischer Kreise. Doch die Entscheidungen fallen woanders, die Wirklichkeit wartet nicht auf Konsens.

Sie laufen zum Beispiel in den Vorstandsetagen deutscher Dax-Konzerne, wo die Geschäftsberichte den letzten Schliff bekommen. „Die gewählte männliche Form steht stellvertretend für alle Geschlechter", heißt es im Bayer-Bericht für das Geschäftsjahr 2020. Adidas und BMW, Deutsche Post und Munich Re gehören ebenfalls zu den Konzernen, die wegen der „besseren Lesbarkeit" oder zur „Sprachvereinfachung" Frauen und Transpersonen nicht eigens ansprechen – ein Sieg für das generische Maskulinum.

Dax, auch DAX: (Abk. für Deutscher Aktien Index) Kennzahl für die Wertentwicklung der dreißig wichtigsten Aktien

Die Entscheidungen fallen aber auch in den deutschen Rathäusern. Städte wie Hannover und Lübeck, Stuttgart und Frankfurt am Main legen Wert darauf, dass sich die Amtssprache explizit an alle Menschen wende – ein Sieg für das Gendern.

Die Redaktionen einiger großer Medien sind ebenfalls sprachlich in Bewegung geraten. Wer den Deutschlandfunk oder die ZDF-Nachrichten einschaltet, kann seit einiger Zeit bei manchen Wörtern eine ungewohnte kurze Pause hören. Das Genderzeichen wird dann mitgesprochen, zum Beispiel bei den Wähler*innen. Vor der zweiten Worthälfte macht die Stimme das, was Linguisten einen Glottisschlag nennen wie vor dem „Ei" in „Spiegelei".

Die Stimmritze, wissenschaftlich Glottis, schließt sich kurz und lässt dann schlagartig Luft entweichen.

Dass sich Kommunen und etablierte Sendeanstalten auf die ungewohnten Sprachformen einlassen, dürfte vor allem auf die Überzeugungsarbeit einer Minderheit zurückgehen. Kampferprobte Feministinnen beobachten es mit staunendem Respekt, wohl nicht ganz frei von Neid. Pusch sagt: „Die Queer-Bewegung mit ihrem hohen Männeranteil hat sehr viel mehr Lobbypower gehabt als die Feministinnen und der Debatte Schwung verliehen."

Der Schwung sei bloß künstlich erzeugt, wenden Kritikerinnen und Kritiker ein. Sie sehen in den Genderformen keinen Ausdruck der natürlichen Sprachentwicklung, sondern ein gesellschaftspolitisches Projekt, „ein von außen aufgesetztes Reförmchen", wie der Konstanzer Linguist Josef Bayer es nennt. Auch Alice Schwarzer, die Grande Dame der deutschen Frauenemanzipation, fremdelt ein wenig mit dem neuen Aktivismus und seinen Folgen: „Diese Art von Sprachpolitik ist reichlich elitär."

[...]

Wer heute in Deutschland auf die Uni geht, dürfte über so etwas den Kopf schütteln. Die Studierenden, wie sie häufig genannt werden, bewegen sich in einem Umfeld, in dem schon lange für eine geschlechtergerechte Sprache gestritten wird.

Seit mehr als zwei Jahrzehnten veröffentlichen viele Hochschulen Leitfäden, um „allen Personen, unabhängig von ihrem Geschlecht, respektvoll zu begegnen", wie es auf der Website der Universität Hamburg heißt.

Angelika Paschke-Kratzin, die Gleichstellungsbeauftragte der Hamburger Uni, hat ihre Empfehlungen mehrmals überarbeitet und an die Diskussion angepasst. Wenn zu Beginn einer akademischen Arbeit darauf hingewiesen werde, dass die männliche Form alle Geschlechter einschließe, sei dies früher akzeptiert worden.

Heute entspreche das nicht mehr den Erwartungen und gesellschaftlichen Diskussionen, sagt sie: „Etwas mehr Umdenken und Kreativität ist schon gefragt." Um offene Fragen zu klären, hat die Uni eine Kommission mit zwölf Personen eingesetzt, deren Empfehlungen zur „genderinklusiven Sprache" nun veröffentlicht wurden. Favorisiert wird darin die neutrale Formulierung. Wenn die nicht möglich ist, dann der Doppelpunkt.

Bekommen Studierende, die beim Gendern nicht mitmachen, schlechtere Noten? Gegner der neuen Sprachpraxis hegen diesen Verdacht schon länger, obwohl die Hochschulen ihn stets bestreiten.

Eine Bemerkung auf der Homepage der Kasseler Uni untermauert den Verdacht aber: „Im Sinne der Lehrfreiheit steht es Lehrenden grundsätzlich frei, die Verwendung geschlechtergerechter Sprache als ein Kriterium bei der Bewertung von Prüfungsleistungen heranzuziehen", schreibt die Stabsstelle Gleichstellung. Auf Nachfrage heißt es dort, weder über konkrete Fälle noch über Beschwerden sei etwas bekannt. [...]

1 Lesen Sie den Auszug aus der SPIEGEL-Titelgeschichte als vorbereitende Hausaufgabe und fassen Sie deren Kernaussagen zusammen. Notieren Sie auch mögliche Fragen zum Textverständnis.

2 a) Beschreiben Sie in einem kurzen Text das Titelblatt der SPIEGEL-Ausgabe und nehmen Sie kritisch Stellung dazu.

b) Entwerfen Sie ein eigenes Titelblatt zum Thema „Geschlechtergerechte Sprache" mit Schlagzeile(n) und einem angemessenen Bildanteil, die nach Ihrer Meinung die zugrunde liegende Problematik des Themas verdeutlichen.

3 Erklären Sie die unterschiedlichen Formen von sexueller Orientierung, die in der Abkürzung LGBTQIA+ vertreten sind.

Lernarrangement:

a) Teilen Sie Ihren Kurs in zwei Hälften. Eine Hälfte vertritt den Standpunkt für die gendergerechte Sprache, die andere nimmt die Gegenposition ein. (Idealerweise finden sich ausreichend viele Kursmitglieder, um die beiden Gruppen zu besetzen.)

b) Beide Gruppen sammeln ausgehend vom Text und unabhängig voneinander Argumente für ihre Position und formulieren ein Eingangsstatement.

c) In jeder Gruppe werden vier Schülerinnen bzw. Schüler benannt, die aktiv die Diskussion führen.

d) Die acht an der Diskussion direkt beteiligten Schüler/-innen bilden einen Sitzkreis, die übrigen Kursteilnehmer/-innen übernehmen die Rolle des Publikums, können sich nach Meldung aber auch aktiv am Gespräch beteiligen.

e) Zwei Kursmitglieder achten darauf, dass die beiden Statements und Redebeiträge die Dauer von einer Minute nicht überschreiten und dass beide Gruppen abwechselnd zu Wort kommen.

f) Abschließend erfolgt im Plenum eine Reflexion der Diskussionsrunde sowohl im Hinblick auf inhaltlich-argumentative Aspekte als auch auf das Gesprächsverhalten.

g) Stellen Sie nach Ende der Diskussion in einem Museumsrundgang Ihre alternativen Titelblätter zur SPIEGEL-Ausgabe erläuternd vor.

Sich in einem produktiven Schreibprozess mit dem Standpunkt anderer Rezipienten auseinandersetzen

In der nächsten Ausgabe des SPIEGEL (Nr. 11 vom 13. März 2021) fand sich unter der Rubrik „Briefe" eine von der Redaktion vorgenommene Auswahl von Zuschriften der Leserinnen und Leser, die sich zu der Titelgeschichte aus der Vorwoche geäußert haben, um ihre eigene Meinung zu dem Beitrag bzw. zum Thema Gendern generell zu äußern.

Briefe

Die Unfähigkeit vieler Männer, den Kontrollverlust zu ertragen, sollte die Frage aufwerfen, ob die Gattung der modernen Menschen anstelle von ‚Homo sapiens' einen passenderen Namen tragen sollte."
Ulrike Carambellas, Zürich

Um Ihre auf dem aktuellen SPIEGEL-Cover aufgeworfene Frage direkt vorab zu beantworten: Ja, das ist noch Deutsch. Und das sage ich nicht nur, weil ich mit meinen 18 Jahren zur jüngeren – und damit vermutlich dem Gendern gegenüber offeneren – Generation gehöre, sondern schlichtweg, weil es zu einer jeden Sprache gehört, dass sie sich wandeln kann, sich dem Zeitgeist anpasst und von immer neuen gesellschaftlichen Impulsen geprägt wird.
Yannick Rinne, Hildesheim

Diese ganze Diskussion bringt die Emanzipation in keinster Weise voran. Ziel ist doch, gleichen Lohn für gleiche Arbeit, gleiche Chancen in allen Berufssparten zu erhalten und nicht eine verkorkste Sprache.
Ingeborg Bruckert, Ulm

Da ich sowohl im privaten als auch im beruflichen Umfeld viel über gendergerechte Sprache diskutiere, habe ich mich sehr über das Titelthema gefreut. Gewundert habe ich mich jedoch über die momentane Lösung des SPIEGEL – männliche und weibliche Ausdrücke werden abwechselnd benutzt? Das stiftet wirklich Verwirrung! Bessere Lösungen haben Sie doch zuhauf vorgestellt – ich werde aufgrund Ihres sehr informativen Textes nun vom Binnen-I zum Doppelpunkt übergehen.
David Conrad, Siegen

Man gewinnt nicht mehr Frauen für die Raumfahrt mit dem Wort AstronautInnen. Die gesellschaftliche und ökonomische Benachteiligung von Frauen in Deutschland kann man nicht über Sprachregelungen beseitigen.
Manfred Schreiner, Rückersdorf (Bayern)

Jedes Mal, wenn Hubertus Heil sich an „Arbeitnehmerinnen und Arbeitnehmer" wenden muss oder Jens Spahn auf „Pfleger_innen" angesprochen wird, wird es ein Stück schwieriger, die geschlechtsbezogenen Ungerechtigkeiten der aktuellen Situation zu ignorieren. Daher sollten Sie am Ende auch innerhalb der Redaktion konsequent auf geschlechtergerechte Sprache setzen und beobachten, wie sich damit Ihr Blick auf die Welt verändert.
Helga Hansen, Braunschweig

Hubertus Heil, geb. 1972, deutscher Politiker, Mitglied der SPD, seit 2018 Bundesminister für Arbeit; **Jens Spahn**, geb. 1980, von 2018 – 2021 Bundesgesundheitsminister der CDU

Tatsächlich wird dem allmählich darüber ermüdenden Zeitungsleser in vielen vor allem liberalen Medien – derzeit mehr Bekenntnis als Erkenntnis aufgetischt. Als wäre in den Redaktionen die blanke Panik eingezogen, auf der als falsch empfundenen Seite zu stehen. Also wird hart durchgegendert.
Kai Ritzmann, Berlin

Wenn Sprache weiterhin für gute Verständigung sorgen soll – und zwar für alle, nicht nur für Akademiker, kann sie keinen Platz bieten für Partikularinteressen jeglicher Identitäten. Sprache darf nicht missbraucht werden.
Robert Krause, Iserlohn (NRW)

Lese ich „das generische Maskulinum“, zwängt sich mir der Gedanke an eine patriarchalische, von Sexismus geprägte Gesellschaft nur so auf.
Luisa Frisch, Augsburg

DER SPIEGEL, Nr. 11, vom 13.3.2021, S. 128

1 Markieren Sie in der Randspalte die Zuschriften, die Ihrem Standpunkt entsprechen, mit einem Plus-Zeichen, diejenigen, die von Ihrer Position grundlegend abweichen, mit einem Minus-Zeichen.

2 Wählen Sie einen der Briefe aus und verfassen Sie einen entsprechenden Antwortbrief, in dem Sie Ihre Position zur gendergerechten Sprache darstellen.

Theorie des Genderns

Rechtliche Voraussetzungen im Zusammenhang mit gendergerechtem Sprechen erschließen

Das Gleichstellungsbüro der Rheinisch-Westfälischen Technischen Hochschule in Aachen, eine der größten Hochschulen des Landes NRW sowie bundesweit und zugleich seit Jahren mit dem Prädikat „Exzellenzhochschule“ ausgezeichnet, ist schon längere Zeit engagiert, seine interne wie externe Kommunikation an den Forderungen nach einer geschlechtergerechten Sprache auszurichten. Nach einigen grundsätzlichen gesellschaftspolitischen Überlegungen zur Gleichstellung von Frauen und Männern bieten einzelne Formulierungshinweise aus der vom Gleichstellungsbüro herausgegebenen Broschüre „Geschlechtergerechte Sprache“ die Möglichkeit, sich selbsttätig beim „Gendern“ zu erproben.

Gleichstellungsbüro der RWTH Aachen (Hrsg.)

Gendergerechte Sprache (2021)

Die RWTH Aachen hat in ihrer Strategie das Leitbild der geschlechtergerechten Hochschule verankert. Dies äußert sich unter anderem im Gebrauch einer geschlechtergerechten Sprache in Wissenschaft, Studium, Lehre und Verwaltung.
Die für die RWTH Aachen verbindliche gesetzliche Grundlage für sprachliche Gleichstellung von Mann und Frau findet sich im Landesgleichstellungsgesetz NRW: Gesetze und andere Rechtsvorschriften tragen sprachlich der Gleichstellung von Frauen und Männern Rechnung. In der internen wie externen dienstlichen Kommunikation ist die sprachliche Gleichbehandlung von Frauen und Männern zu beachten. In Vordrucken sind geschlechtsneutrale Personenbezeichnungen zu verwenden. Sofern diese nicht gefunden werden können, sind die weibliche und die männliche Sprachform zu verwenden. (§ 4 LGG NRW)
Spätestens seit dem Beschluss des Bundesverfassungsgerichtes vom 10. Oktober 2017 und der danach erfolgten Novellierung des Personenstandsrechtes ist darüber hinaus ins Bewusstsein gerückt, dass die sprachliche Abbildung aller Geschlechter notwendig ist. Es gibt jedoch bisher keine abschließende Empfehlung des Rates für deutsche Rechtschreibung für eine Sprache, die die Vielfalt aller Geschlechter berücksichtigt. Die Festlegung einer Sprachvariante, die allen gerecht wird, ist eine echte Herausforderung. Gabriele Diewald, Professorin für Germanistische Linguistik und Autorin des vom Dudenverlag herausgegebenen Leitfadens „Richtig gendern“, fasst dies in einem Interview treffend zusammen:

LGG NRW: Abkürzung für Landesgleichstellungsgesetz

Personenstandsrecht: seine Änderung ermöglicht seit 2018 den Eintrag „divers“ ins Geburtenregister

F: Frau Diewald, die einen wollen ein Sternchen, die anderen ein Binnen-I. Wir haben mehr als 20 Varianten für Gender Wortzusätze gefunden. Ein ziemlicher Wildwuchs! Wie schätzen Sie es als Linguistin ein: Wann haben wir eine allgemeingültige Lösung gefunden?

A: Diese Vielfalt ist symptomatisch für Sprachwandelprozesse. Wenn erstmal eine Veränderung angestoßen ist, entfaltet sich zunächst Varianz. Und dann gibt es einen Prozess der Ausdifferenzierung, bei dem bestimmte Formen aussortiert werden, während andere Variationen für unterschiedliche Zwecke zum Zuge kommen. Wie schnell das geht, lässt sich kaum prognostizieren.

RWTH-Aachen, Hauptgebäude mit Super C

Warum geschlechtergerechte Sprache?
Diskriminierungsfreiheit ist ein Grundwert unserer Gesellschaft. „Alle Menschen sind vor dem Gesetz gleich" und „Niemand darf wegen seines Geschlechtes [...] benachteiligt oder bevorzugt werden" heißt es im § 3 des Grundgesetzes. Daraus erfolgt das Erfordernis einer geschlechtergerechten wertschätzenden Sprache. Der Linguist Anatol Stefanowitsch sieht politisch korrekte Sprache als „eine Frage der Moral" an und formuliert folgende goldene Regel:
Stelle andere sprachlich nicht so dar, wie du nicht wollen würdest, dass man dich an ihrer Stelle darstelle.
Stelle andere sprachlich stets so dar, wie du wollen würdest, dass man dich an ihrer Stelle darstelle.
In der Sprache sollten alle Geschlechter adressiert werden, damit sich alle angesprochen fühlen. Sprache beeinflusst unser Bewusstsein und unsere Wahrnehmung. Immer noch ist die Nutzung des Maskulinums, das als „generisch" postuliert wird, also Frauen und Menschen anderer Geschlechter „mitmeint", sehr verbreitet. Tatsächlich wirkt das sogenannte generische Maskulinum keinesfalls generisch, sondern schließt andere Geschlechter aus und macht Frauen unsichtbar.

generisch: unspezifisch, hier: beide Geschlechter umfassendes Maskulinum

Als die Universität Leipzig 2013 ihre Grundordnung in generischem Femininum verfasste und erläuterte, dass Männer mit der Bezeichnung „Professorinnen" mitgemeint sind, brach ein Sturm der Entrüstung aus, da sich die Männer eben nicht angesprochen fühlten. Verallgemeinernde Sprachformen wirken ex- und nicht inkludierend.
Geschlechtergerechte Sprache dagegen kann den gesellschaftlichen Wandel unterstützen; sie ist ein wichtiger Beitrag zur Gleichstellung der Geschlechter, wie zahlreiche Studien belegen. Geschlechtergerechte Sprache führt z. B. dazu, dass Frauen als Beteiligte stärker wahrgenommen werden.
Festgelegt wurden folgende Grundsätze:
- Vorrangig sollen genderneutrale Formulierungen genutzt werden.
- Weiterhin sollen durch Beidnennungen (Femininum/Maskulinum) Frauen sichtbarer gemacht werden.
- Zur Adressierung aller Geschlechter soll einheitlich das Gendersternchen genutzt werden (statt Gender Gap oder Doppelpunkt).

1 Beschreiben Sie möglichst prägnant die rechtlichen Vorgaben, nach denen die Gleichstellung innerhalb der Vielfalt von Geschlechtern erfolgen soll.

2 Fassen Sie die im Text genannten Gründe zusammen, die eine geschlechtergerechte Sprache notwendig erscheinen lassen.

3 Stellen Sie den von Frau Professorin G. Diewald dargestellten Sprachwandelprozess mit eigenen Worten dar.

4 Beziehen Sie Stellung zu der Aussage im Text, „verallgemeinernde Sprachformen wirken ex- und nicht inkludierend." (Z. 56 f.)

Gendern – ~~Übung macht den Meister~~ Praktische Übungen meistern

Spezifische Formen sprachlicher Varianz anwenden

Zielgruppe/Anlass	Ansprache
Gesamte Hochschule (z. B. in Rundschreiben)	– –
Studentinnen und Studenten	
Beschäftigte	– –
Gremien	
Team, Abteilung	– – – –
Verwendung neutraler Formen	
Studenten	
Mitarbeiter	
Lehrer	
Verwendung neutraler Sachbezeichnungen	
Seminarleiter	
Teilnehmergebühr	
Rednerliste	
Verwendung von Paarformen	
die Schüler	
die Professoren	
die Kollegen	
Verwendung des Passivs	
Der Angestellte erhält das Gehalt am ...	
Man sollte beachten ...	
Hat der Bewerber die Prüfung bestanden ...	
Umschreibung mit Adjektiv	
Behandlung beim Arzt	
Rat eines Fachmanns	
Verben statt Personenbezeichnungen	
Als Referenten werden geladen ...	
Der Herausgeber des Bandes ist ...	
Es waren 100 Teilnehmer.	
Verwendung der direkten Anrede	
Die Mitarbeiter, die den Raum nutzen, sollten beachten ...	
Den Benutzern steht die Funktion ab Januar zur Verfügung ...	

Geschlechtergerechte Sprache. Hrsg. vom Gleichstellungsbüro der RWTH Aachen, Januar 2021, S. 8–12 (in Auszügen)

1 Übertragen Sie die in der linken Spalte angegebenen Anreden bzw. Aussagen in eine gendergerechte Sprache gemäß der jeweils genannten Vorgabe sowie unter Beachtung der drei zuvor von der RWTH Aachen festgelegten Grundsätze.

2 Erklären Sie, welche Schwierigkeiten Sie bei der sprachlichen Umsetzung der geschlechterneutralen Sprache hatten.

3 Erörtern Sie Möglichkeiten, diesen Schwierigkeiten angemessen zu begegnen.

Quotenfrau oder -mann

Die Doppelbödigkeit einer Absichtserklärung analysieren und einordnen

Während einer Debatte zum Internationalen Weltfrauentag 8.3.2022 sorgte eine Abgeordnete der AfD für erhebliche Unruhe im Plenarsaal, als sie die Abgeordnete der Partei Die Grünen, Tessa Ganserer, öffentlich verbal angriff. In verschiedenen berichtenden Medien wurde diese Attacke als empörend, „transphob", „beleidigend", „verächtlich", Provokation oder auch als Eklat bezeichnet.

dpa

AfD-Politikerin sorgt mit Aussagen zu trans Abgeordneter für Kritik (2022)

AfD-Vizechefin von Storch hat im Bundestag eine verächtliche Rede über die Grünenabgeordnete Tessa Ganserer gehalten. Das löste parteiübergreifend heftige Kritik aus.

Beatrix von Storch, MdB für die AfD

Die stellvertretende AfD-Partei- und Fraktionsvorsitzende Beatrix von Storch hat mit Äußerungen über die trans Bundestagsabgeordnete Tessa Ganserer (Grüne) parteiübergreifend viel Kritik ausgelöst. In einer Debatte zum Internationalen Frauentag am 8. März im Bundestag warf von Storch zunächst dem Großteil der Abgeordneten im Bundestag vor, einer „Genderideologie" anzuhängen.
Anschließend sagte von Storch unter Verwendung des abgelegten, männlichen Namens der Abgeordneten Ganserer, es sei „völlig in Ordnung", wenn sie Rock, Lippenstift und Hackenschuhe trage. Dies sei jedoch ihre Privatsache. „Biologisch und juristisch" bleibe Ganserer ein Mann und wenn sie als solcher „über die grüne Frauenquote in den Bundestag einzieht und hier als Frau geführt wird, ist das schlicht rechtswidrig", sagte von Storch. Bundestagsvizepräsidentin Katrin Göring-Eckardt (Grüne) bat von Storch nach ihrem Beitrag um „Respekt vor der Kollegin Tessa Ganserer". Bei Twitter sprach sie später von einer „furchtbaren Diffamierung".

„Abscheulich", „menschenverachtend", „eine Schande"

In einer direkten Reaktion auf von Storchs Rede trat Grünenfraktionschefin Britta Haßelmann ans Mikrofon und bezeichnete deren Aussagen als abscheulich und erschütternd. „Das, was die Abgeordnete Storch sich gerade in diesem Haus erlaubt hat, ist niederträchtig, bodenlos, es ist homophob und zutiefst menschenverachtend", sagte Haßelmann. „Tessa Ganserer ist eine von uns. Niemand von uns hat darüber zu richten oder darüber zu reden oder zu entscheiden, wie diese Frau ihr Selbstbestimmungsrecht wahrnimmt", sagte Haßelmann unter dem Applaus weiter Teile des Parlaments.
Grünen-Parteichef Omid Nouripour twitterte: „Was die AfD heute im Bundestag abgezogen hat, ist schlicht eine Fortsetzung ihrer facettenreichen Menschenverach-

T. Ganserer wenige Stunden nach der Verbalattacke von Storchs bei ihrer ersten Bundestagsrede am selben Tag zum Thema Nachhaltigkeit. Dabei erwähnte sie den Vorfall nicht.

tung und ein Ausdruck ihrer Angst vor allen, die nicht uniformiert leben wollen.“ Tessa Ganserer sei „eine von uns“, die Partei stehe ihr „gegen diese Hetze“ bei, fügte er hinzu.

Der für transgenderpolitische Fragen zuständige Sprecher der FDP-Fraktion, Jürgen Lenders, warf der AfD-Politikerin vor, von sexueller Identität und geschlechtlicher Vielfalt „keine Ahnung“ zu haben. „Die Beleidigung gegenüber der Kollegin der Grünen, Tessa Ganserer, ist unerträglich. Ich verurteile diesen transfeindlichen Angriff gegen sie.“

Bundesgesundheitsminister Karl Lauterbach (SPD) twitterte: „Alle Parteien außer der AfD stellen sich gegen die menschenverachtende Rede @Beatrix_vStorch von der AfD zum Weltfrauentag im Bundestag.“ Die beleidigende und sarkastische Rede der AfD-Politikerin nannte er „eine Schande“.

Ganserer selbst hielt später ihre erste Rede im Bundestag zum Thema nachhaltige Entwicklung, ohne auf die vorangegangenen Äußerungen einzugehen. Die 44-Jährige ist eine von zwei trans Frauen im neuen Bundestag und saß zuvor im bayerischen Landtag. Im November 2018 hatte Ganserer ihr Coming-out als transident. Trans Menschen sind Personen, die sich dem Geschlecht, das ihnen bei der Geburt zugeschrieben wurde, nicht zugehörig fühlen.

Auf dem Wahlzettel zur Bundestagswahl stand Ganserer mit dem männlichen Vornamen, den sie abgelegt hatte. Wie viele andere Menschen in ihrer Situation lehnt sie es ab, ihren Vornamen und ihr Geschlecht nach dem Transsexuellengesetz offiziell ändern zu lassen. Das 40 Jahre alte Gesetz sieht vor, dass Betroffene das erst nach einem psychologischen Gutachten und einer gerichtlichen Entscheidung dürfen – dabei müssen sie sich oft sehr intime Fragen gefallen lassen.

1 Fassen Sie die Aussagen von Storchs mit eigenen Worten zusammen und erklären Sie, worin ihr Vorwurf besteht.

2 Erläutern Sie, welche Absicht B. von Storch offiziell mit ihren Äußerungen verfolgt und was sie eigentlich damit bezweckt.

3 Formulieren Sie auf der Grundlage Ihrer bisherigen Arbeitsergebnisse eine kurze Rede zu dem Vorfall am 8. März 2022 im Bundestag, in der Sie persönlich Stellung dazu nehmen.

Sprachwandel

Aus Sicht der sprachwissenschaftlichen Forschung können zurzeit drei grundlegende Ansätze zur Erklärung von Sprachwandel unterschieden werden. Zum einen wird er als Folge eines natürlichen Prozesses betrachtet, zum anderen als ein Phänomen, das vom Menschen bewusst herbeigeführt wird. Ein weiterer moderner Erklärungsansatz sieht im Sprachwandel ein „Wirken einer unsichtbaren Hand“, auch als „System der Trampelpfade“ bekannt, dem individuell gestaltete Sprachentscheidungen zugrunde liegen, die sich im Laufe der Zeit zu neuen Sprachstrukturen verfestigen. Auslöser solcher Erscheinungen können etwa sprachliche Nachlässig- oder Bequemlichkeit, gesellschaftliche Veränderungen oder auch Ausdruck der Distanzierung von anderen sozialen Gruppen sein, wobei diese Faktoren nicht immer scharf voneinander zu trennen sind.

1 Im Zusammenhang Ihrer Auseinandersetzung mit der Sprache im Nationalsozialismus ist Ihnen eine bestimmte Form von Sprachwandel begegnet. Ordnen Sie diesem den entsprechenden Erklärungsansatz begründend zu.

Chancen und Gefahren des Internets

Ein Nutzungsprofil zum Umgang mit dem Internet erstellen und mögliche Chancen sowie Gefährdungen durch social media anhand eigener Erfahrungen erschließen

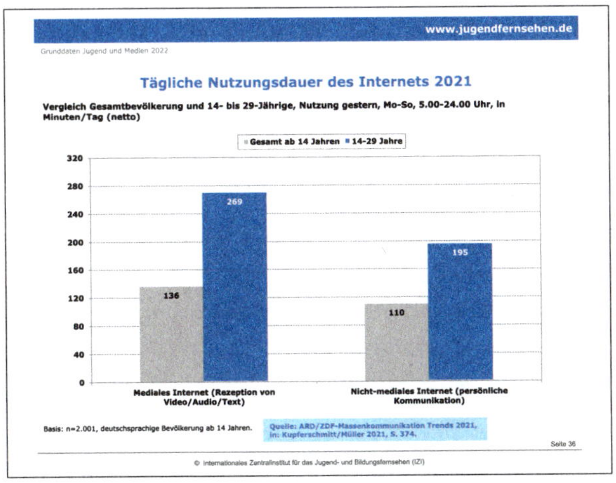

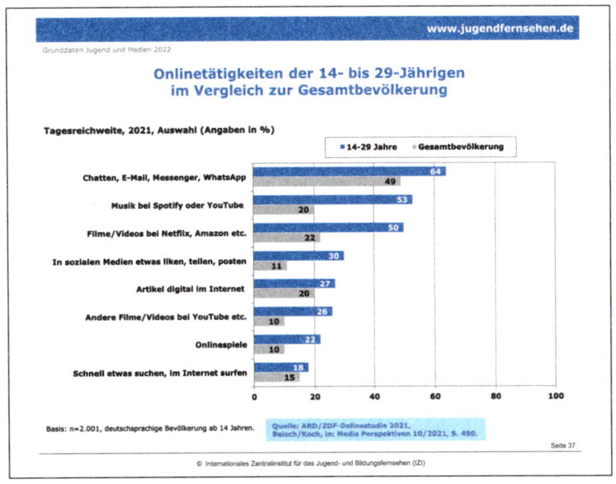

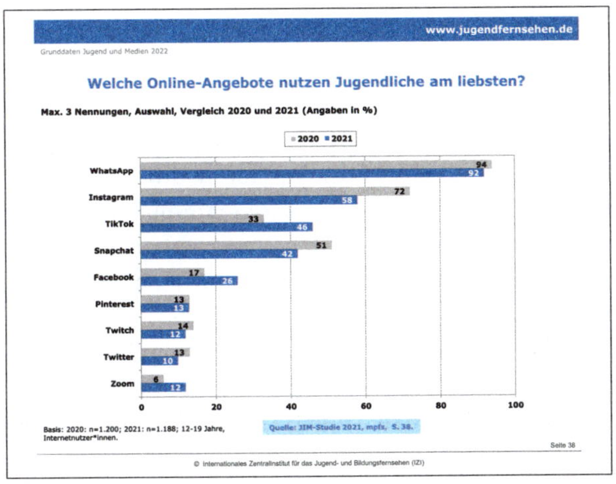

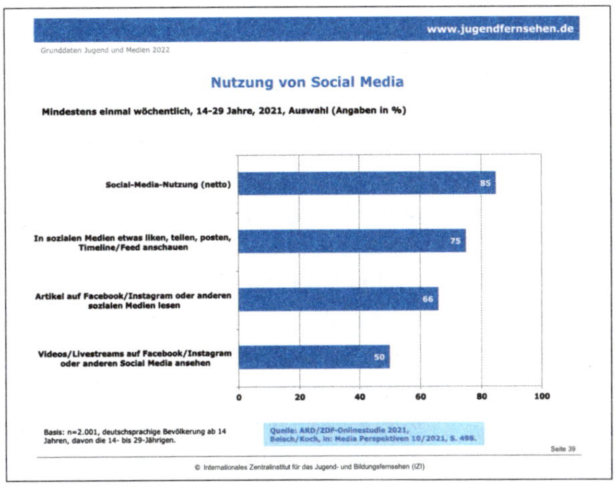

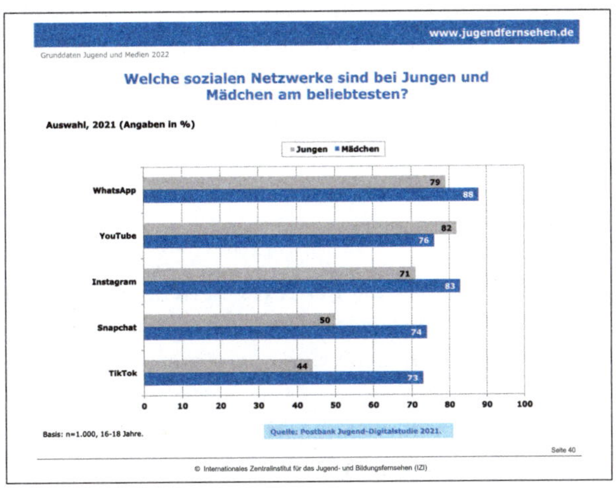

1 Teilen Sie den Kurs in fünf Gruppen. Beschreiben Sie pro Gruppe je eines der abgebildeten Diagramme zum Mediennutzungsverhalten bei Jugendlichen und stellen Sie den jeweils dargestellten Sachverhalt im Plenum vor.

2 Reflektieren Sie insbesondere die Werte, die deutlich von Ihren Erwartungen abweichen.

3 ***Lernarrangement:***

a) Schaffen Sie anhand eines Losverfahrens die Voraussetzung für eine Partnerarbeit mit einem weiteren Kursmitglied.
b) Führen Sie anhand der Ihnen im Schülerarbeitsbuch vorliegenden Kriterien (fünf Folien auf S. 279) ein Interview zur Mediennutzung durch, d. h., alle Kursmitglieder führen ein Interview durch und werden einmal befragt.
c) Berücksichtigen Sie über die genannten Erhebungskriterien hinaus dabei Ihre eigenen Erfahrungen im Hinblick auf die Nutzung von social media. Differenzieren Sie bei Ihren Antworten hierbei zwischen „schlecht“, „eher schlecht“, „indifferent“, „eher gut“ und „gut“.
d) Alle Interviewerinnen und Interviewer protokollieren die Aussagen der Interviewten stichpunktartig.
e) Führen Sie im Rahmen Ihrer Kleingruppe ein Interview mit Ihrer Lernpartnerin bzw. Ihrem Lernpartner durch und notieren Sie stichpunktartig deren/dessen Angaben.
f) Stellen Sie im Kursplenum Ihre Nutzungsprofile vor und berichten Sie über Ihre Erfahrungen. (Dies kann auch durch die Interviewerin/den Interviewer geschehen.)
g) Beantworten Sie ggf. noch Fragen zum Inhalt Ihres Interviews.

Hate Speech

Ursachen aggressiven Verhaltens gegenüber Mitmenschen untersuchen und hinsichtlich seiner Folgen prüfen

Margarete Stokowski, 1986 in Polen geboren, lebt seit 1988 in Berlin. Dort studierte sie Philosophie und Sozialwissenschaften. Nach mehreren Jahren als Journalistin bei der „taz“ wurde sie Kolumnistin bei Spiegel Online. Darüber hinaus ist sie als freie Autorin tätig. Ihre erste Buchveröffentlichung hat den Titel „Untenrum frei“ und wurde zu einem grundlegenden Werk moderner feministischer Literatur. Diesem folgte 2018 das Buch „Die letztenTage des Patriarchats“, eine Sammlung ihrer bisher erschienenen Kolumnen. 2019 erhielt M. Stokowski den Kurt-Tucholsky-Preis für literarische Publizistik für ihre „kompromisslose Entlarvung gesellschaftlicher Missstände, präzise Sprache und gekonnte Ironie“, wie es in einer Pressemitteilung des Rowohlt Verlags heißt.
Immer wieder erhielt sie wegen ihrer scharfsinnigen Äußerungen wütende Reaktionen mit beleidigendem Charakter bis hin zu Hasskomentaren, die teils in Morddrohungen gipfelten.
Der folgende Essay fasst ihre Erfahrungen im Zusammenhang mit solchen gegen sie gerichteten Attacken zusammen. Er zeigt dabei die negativen Folgen für die Betroffenen auf sowie die Zurückhaltung der Strafverfolgungsbehörden, lässt zugleich aber auch ihr Durchsetzungsvermögen erkennen, sich diesen Angriffen gegenüber zu behaupten.

Margarete Stokowski

Hate Speech (2022)

Es geht nicht um Kritik. Der Hass im Netz wird vor allem zum Problem, wenn der Hass das Netz verlässt. Betroffene sind auf sich gestellt – denn weder Polizei noch Justiz sind ausreichend geschult.

Wenn man über die polarisierte Gesellschaft und den öffentlichen Diskurs redet, landet man immer wieder beim Thema Hass im Netz: – aber was damit gemeint ist, ist oft eigenartig unklar. Alle wissen – oder scheinen zu wissen – dass Hass im Netz schlimm ist und schlimmer wird, Debatten schädigt und zur Spaltung der Gesellschaft beiträgt. Aber wenn es um die Details geht, ist die Kenntnislage bei Nichtbetroffenen oft eher dünn.
Ich habe das häufig bei Lesungen oder anderen Veranstaltungen erlebt, fast immer werde ich bei solchen Anlässen gefragt, wie ich als

Autorin damit umgehe, dass ich von Hass im Netz betroffen bin. Die Fragen gehen dann meistens in die Richtung: „Wie ist das für Sie, was macht das mit Ihnen?" Und: „Was kann man dagegen tun?"

[...]

Der Hass ist mir persönlich egal. Wenn man politische Autorin ist, gewöhnt man sich daran; oder man hört auf und macht etwas anderes. Ich habe mich daran gewöhnt.

[...]

Was man aber nicht ignorieren kann, ist, wenn Leute ankündigen, dem Hass Taten folgen zu lassen. Und damit sind wir bei einem zentralen Problem! Hass im Netz bleibt nicht notwendigerweise im Netz. Das wird spätestens dann klar, wenn sich Menschen auf Telegram zu Fackelmärschen vor Häusern verabreden oder live streamen, wie sie jemanden am Arbeitsplatz „besuchen".

Ein häufiger Ratschlag an Leute, die sogenannte Shitstorms erleben, ist: Mach doch mal das Handy aus. Ein weiterer Ratschlag: Zeig die doch an, wenn sie dich beleidigen oder bedrohen. Das erste Problem daran: Beide Ratschläge widersprechen sich. Wenn man jemanden anzeigen will, muss man alles dokumentieren, man braucht Links zu Postings und Profilen und zusätzlich Screenshots. Das kann man nicht zusammenstellen, wenn man „einfach mal das Handy ausmacht".

Und das zweite Problem: Es geht nicht weg, wenn man wegguckt. Im Zweifel kann es sogar gefährlich werden, wenn man nicht mitbekommt, dass Leute einen Angriff oder die Wohnadresse veröffentlichen. Sogenanntes Doxing ist längst ein zentraler Bestandteil von Hass im Netz geworden: die Veröffentlichung privater Daten einer Person, also etwa von Politiker:innen oder Journalist:innen, gegen deren Willen, zwecks Einschüchterung. Dabei kann es um die Wohnadresse gehen, aber auch um die Telefonnummer, Mail-Adresse, um Auto und Autokennzeichen, die Namen der Kinder oder anderer Familienmitglieder oder um Orte, an denen die Person oder ihre Familienmitglieder sich häufig aufhalten.

Spätestens wenn man Opfer von Doxing wird, ist der Hass im Netz nicht mehr nur im Netz. Dann kann es passieren, dass man, um ein paar Beispiele zu nennen, am Tag 20 Pizzen geliefert bekommt, die man nicht bestellt hat, oder dass jemand vor der Tür steht und Sturm klingelt oder dass man tote Vögel und Hundekot im Briefkasten findet, Graffiti im Treppenhaus, ein Hakenkreuz an der Wohnungstür und so weiter. Das ist eine Auswahl der Dinge, die Journalist:innen oder Aktivist:innen, die ich kenne, in den vergangenen Jahren passiert sind.

Das kann für Betroffene die Folge haben, dass sie umziehen, den Job wechseln, eine Kamera am Hauseingang installieren oder die Familie warnen, dass merkwürdige und unangenehme Dinge passieren könnten. Oder all die kleinen, aber sehr nervigen und oft teuren Dinge, die den Alltag erschweren: den Namen am Klingelschild ändern, nichts mehr nach Hause bestellen, um die eigene Adresse zu schützen, alle Post an ein Postfach umleiten, die Wohnungstür verstärken.

[...]

In einer Forsa-Umfrage im Frühjahr 2021 gaben 78 Prozent der Befragten an, strafrechtliche Verfolgung sei eine effektive Maßnahme gegen Hasskommentare. Nur: Zur tatsächlichen Strafverfolgung kommt es mitunter nicht; teils weil die Situation von den Ermittlern als nicht schlimm genug wahrgenommen wird, teils weil Verfahren schnell wieder eingestellt werden.

Deswegen wäre ein notwendiger Schritt im Kampf gegen Hass im Netz, das zuständige Personal bei Polizei und Justiz in allen Bundesländern so zu schulen, dass Betroffene ernst genommen werden. Bis man nicht selbst in der Situation war, glaubt man nicht, wie schlecht geschützt Betroffene sind. Als ich einmal eine konkrete Drohung anzeigte, in der mir meine angeblich bevorstehende brutale Vergewaltigung sehr explizit und brutal beschrieben wurde, ermittelte zwar die Staatsanwaltschaft. Allerdings lautete der Straftatbestand nicht etwa Bedrohung, sondern „Verbreitung pornographischer Schriften".

[...]

Telegram kostenloser Instant-Messaging-Dienst, der 2013 in Russland entwickelt wurde, die App wird zzt. von ca. 18 % der dt. Bevölkerung genutzt; steht unter Beobachtung des Verfassungsschutzes, da u. a. bei Rechtsextremen und Verschwörungstheoretikern beliebt

Doxing (von engl. dox als Abk. für documents, teils auch Doxxing): Veröffentlichung personenbezogener Informationen im Internet, wie Anschrift, Telefonnummer, finanzielle Situation ohne Einverständnis der Betroffenen; Doxing wird mit Geld- bzw. Freiheitsstrafen geahndet

Polizei und Justiz zu schulen ist eine Forderung, die man leicht erheben kann. Aber natürlich können auch Einzelne etwas tun. Selbst unter Journalist:innen ist es nicht selbstverständlich, sich Betroffenen gegenüber solidarisch zu zeigen. Ich hatte schon Gespräche mit Kolleg:innen, die auf die Tatsache, dass ich mal wieder Morddrohungen erhalten hatte, mit Sätzen reagierten wie: „Also, ich bin ja nicht so wichtig, tja, mich bedroht ja keiner.“ Oder: „Tja, das ist halt die andere Seite der Medaille, wenn man Bestseller schreibt, ne?“

Als wären Drohungen der Preis für Ruhm und Ehre. Alles daran ist falsch. Denn man kann natürlich auch Bestseller schreiben, ohne bedroht zu werden. Manchmal denke ich, in einer Welt, in der Aufmerksamkeit und möglichst große Followerzahlen manchen Leuten so unbedingt erstrebenswert erscheinen, werden wir nie einen vernünftigen Umgang mit Hass im Netz finden. [...]

Man weiß aus anderen Umfragen auch: Jüngere sind öfter betroffen als Ältere, und wer im Alltag von Sexismus, Rassismus, Queer- oder Transfeindlichkeit betroffen ist, ist es im Netz auch. „Mädchen und Frauen erhalten viel heftigere Inhalte zugeschickt als Männer, etwa Vergewaltigungsandrohungen. [...]

Wer Angst hat, zu Hause angegriffen zu werden, löscht womöglich erst mal hektisch sämtliche öffentlich geposteten Fotos vom eigenen Balkon, das Schneefoto aus dem Schlafzimmerfenster, die Fotos der Kinder. Wer schon länger beleidigt und bedroht wird, postet so etwas längst nicht mehr. Der weiß: Die Hauptaufgabe besteht darin, dich selbst zu schützen, anderen zu helfen und dabei – und das ist vielleicht das Schwierigste – nicht paranoid zu werden.

paranoid: Persönlichkeitsstörung, bei der jmd. unter Verfolgungswahn leidet

Ein bitterer Schluss, ich weiß. Um aber am Ende doch noch was dazu zu sagen, was „es“ mit mir macht: Manchmal antworte ich den Leuten, die mich bodenlos beleidigen, und beleidige sie zurück. Bisschen Psychohygiene zwischendurch. Sollen sie mich von mir aus anzeigen – da passiert meistens eh nix.

1 Geben Sie die Kernaussagen des Textes von M. Stokowski mit eigenen Worten wieder.

2 Stellen Sie die unterschiedlichen Formen und Intensitäten von Hassreden bzw. -kommentaren dar, die der Autorin bislang begegnet sind.

3 Nehmen Sie kritisch Stellung zu der Aussage der Autorin am Schluss ihres Textes: „Manchmal antworte ich den Leuten, die mich bodenlos beleidigen, und beleidige sie zurück. Bisschen Psychohygiene zwischendurch. Sollen sie mich von mir aus anzeigen – da passiert meistens eh nix.“ (Z. 94 ff.)

4 Im Anhang des Schülerarbeitsbuchs finden Sie auf S. 326 unter der Rubrik „Auf einen Blick, Fachbegriffe“ eine kurze Erläuterung zum Begriff „Essay“. Prüfen Sie, inwiefern Stokowskis Text den Merkmalen eines Essays gerecht wird.

Politische Kommunikation heute

Merkmale der politischen Kommunikation in einer demokratischen Gesellschaft im Rahmen zunehmender Digitalisierung erschließen und darstellen

In einer der vorangegangenen Sequenzen zu dieser Unterrichtsreihe haben Sie sich ausführlich mit der politischen Kommunikation in der Zeit der nationalsozialistischen Diktatur auseinandergesetzt und dabei unterschiedliche Formen der Manipulation kennengelernt, denen die damalige Bevölkerung in nahezu sämtlichen Bereichen des öffentlichen bis hinein in ihr privates Leben ausgesetzt war. Ziel dieser unter dem Begriff der Gleichschaltung durchgeführten Beeinflussung war es, die

nationalsozialistische Ideologie in den Köpfen der Menschen so festzusetzen, dass sie sich dieser nicht mehr entziehen konnten, um alle Ziele der nationalsozialistischen Politik widerstandslos durchsetzen zu können und möglichst viel Zustimmung zu erhalten.
Inzwischen haben sich die politischen Verhältnisse in Deutschland nach dem Ende des Zweiten Weltkriegs durch die Schaffung einer demokratischen Verfassung und durch einen Wandlungsprozess der Bevölkerung über viele Jahre hinweg grundlegend geändert. Hinzu kommt seit den 1990er-Jahren des letzten Jahrhunderts ein enormer technologischer Vorschub aufgrund der fortschreitenden Digitalisierung unserer Gesellschaft. Hierdurch haben sich Mediengesellschaften entwickeln können, deren Zukunft wesentlich davon abhängt, inwieweit es gelingt, politische Prozesse und Entscheidungen abzustimmen und angemessen zu vermitteln.

Marianne Kneuer

Politische Kommunikation und digitale Medien in der Demokratie (2017)

Marianne Kneuer (* 1964), studierte Hispanistik, Politikwissenschaft u. Philosophie in Bonn u. Madrid; seit 2021 Professorin für Politische Systeme und Systemvergleich an der TU Dresden

Seit der Entstehung der Mediengesellschaften im 20. Jahrhundert wird Politik als kommunikativer Prozess verstanden. Die Handlungen der Akteure im politischen Raum – seien es die Bürgerinnen und Bürger, die gesellschaftlichen Organisationen, die Parteien und Verbände und letztlich die politischen Entscheidungsträgerinnen und -träger – beruhen in großem Maße auf kommunikativen Mechanismen. Das gilt für die Artikulation politischer Interessen ebenso wie für deren Bündelung zu programmatischen Positionen im politischen Wettbewerb und schließlich auch für die politischen Entscheidungen, ihre Durchsetzung und Legitimierung. Insofern Politik kommunikativ vermittelt werden muss – der Begriff der Politikvermittlung geht auf Ulrich Sarcinelli (1987) zurück – rücken neben der Informierung und Orientierung der Bürgerinnen und Bürger die Zustimmungsabhängigkeit und die Begründungsbedürftigkeit von Politik in den Vordergrund. Für diese kommunikative Gestaltung des öffentlichen Raumes, insbesondere für die Verständigungs- und Aushandlungsprozesse zwischen den politischen Eliten, gesellschaftlichen Akteuren und der Bevölkerung sind in demokratischen Gesellschaften Medien unverzichtbar.
Klassischerweise werden Medien verschiedene politische Funktionen zugeschrieben [...]. Dies ist erstens die Informierung und Bildung der Bürger. Bildung ist hier zu verstehen als die Fähigkeit, Informationen aufzunehmen, sie zusammenhängend zu begreifen und sich auf dieser Grundlage eine Meinung zu bilden. Die Verbreitung von umfassenden Informationen über das politische Geschehen und seine Hintergründe ist hierzu, zweitens, eine wesentliche Grundlage. Drittens fungieren Medien selbst als Akteur im politischen Willensbildungs- und Entscheidungsprozess und in dieser Rolle leisten sie einen wichtigen Beitrag zur Kontrolle der politischen Akteure (Stichwort: „Vierte Gewalt").
Auf der Grundlage der klassischen Massenkommunikation ergibt sich, viertens, eine zentrale Funktion in der Herstellung von Öffentlichkeit. Dieser Funktion kommt deshalb eine gewichtige Bedeutung zu, weil Öffentlichkeit mit dem Raum gleichzusetzen ist, in dem die politischen Akteure ihre Ideen, Programme und Ziele zur Diskussion stellen und sich demzufolge die „öffentliche Meinung" bildet, die wiederum – potenziell entscheidungswirksam – Einfluss auf Regierungshandeln nimmt. Medien – in Zeiten der Massenkommunikation Rundfunk und Presse – stellen diesen Raum der Öffentlichkeit für die politische Debatte und Willensbildung her. Verbunden mit dieser Funktion ist die Strukturierung der politischen Kommunikation, nämlich im Sinne Luhmanns als Selektionshilfe und als Mechanismus zur Reduktion von Komplexität [...]. In diesem Zusammenhang liefern Medien, fünftens, eine Integrationsleistung, deren Bedeutung wächst, je stärker sich die moderne Gesellschaft ausdifferenziert und damit der Gefahr des Auseinanderfallens ausgeliefert ist. Demgegenüber wurde klassischen Medien zugeschrieben, Unübersichtlichkeit,

Luhmann, Niklas (1927 – 1998): dt. Soziologe und Gesellschaftstheoretiker, vor allem bekannt durch seine Systemtheorie

die Entstehung von Subkulturen oder politischen Absentismen zu vermeiden, das Gesamtinteresse gegenüber den Einzelinteressen bewusst zu machen und so den Blick vom Persönlichen zum Allgemeinen zu lenken [...]. Die technischen Merkmale und die damit verbundenen Funktionslogiken sozialer Medien haben die politischen Kommunikationsstrukturen massiv verändert. Diese Veränderung wirkt sich einerseits quantitativ in einer Vervielfachung der Kanäle politischer Kommunikation aus, andererseits schlägt sie sich qualitativ in der Art der Kommunikation sowie in den Interaktionsmöglichkeiten zwischen politischen Akteurinnen und Akteuren, gesellschaftlichen Gruppen und Bürgerinnen und Bürgern nieder. Zudem ergibt sich ein erweitertes politisches Potenzial sozialer oder digitaler Medien, dessen Bewertung noch nicht als abgeschlossen betrachtet werden kann.

Bereits mit den Anfängen des Internets in den 1990er-Jahren haben sich vor allem die Möglichkeiten der Informationsverbreitung ebenso wie die der Informationsgewinnung deutlich erweitert. Websites stellten neue Orte der Selbstdarstellung von Akteuren dar und gaben deren Zielsetzungen einen neuen Rahmen. E-Mails vereinfachten insbesondere internen Informationsaustausch in Parteien, Organisationen und Gruppen, machten Vernetzung billiger, schneller und erhöhten die Reichweite der Kommunikation. Das Aufkommen neuer Anwendungen im Web 2.0 hat die Vernetzung noch sehr viel stärker vorangetrieben. Die Dynamik der technischen Entwicklung (drahtlose Netzwerke, Internet über mobile Endgeräte, Social Software, Social Media) hat die Formen der Online-Kommunikation und -Interaktion, aber vor allem auch der weitgehenden, nämlich unendlichen, und grenzüberschreitenden Vernetzung auf sozialen Plattformen erheblich erweitert. Über rein kommunikativen Austausch hinaus ermöglichen soziale Medien Interaktionen zwischen den Nutzerinnen und Nutzern etwa von Microblogs wie Twitter, content communities wie Tumblr oder sozialen Netzwerken wie Facebook.

Ähnlich wie bei vorhergehenden Innovationen stellt sich in Bezug auf die Emergenz des Internets und sozialer Medien die Frage, inwieweit sich die Rahmenbedingungen von Politikvermittlung verändert haben [...]. Dieser Beitrag widmet sich vor allem zwei Fragen: Wie verändern sich politische Prozesse aufgrund der Nutzung digitaler Medien durch politische Akteure? Und wie sind diese Veränderungen im Hinblick auf die demokratischen Prozesse zu beurteilen?

content communities ermöglichen den Austausch mutimedialer Inhalte und deren Kommentierung, wie z. B. YouTube, FlickR

Emergenz: (lat. emergere: „Herauskommen", „Emporsteigen"); Herausbilden neuer Eigenschaften oder Strukturen eines Systems infolge des Zusammenspiels seiner Elemente; so lässt das Internet neue Effekte entstehen, durch deren weitere Vernetzung diese Effekte noch verstärkt werden (s. das Fallbeispiel „Lisa" auf S. 286 ff.)

1 Die Autorin des Textauszugs nimmt selbst eine Strukturierung Ihres Aufsatzes vor. Markieren Sie zunächst die entsprechenden Textsignale.

2 Unterteilen Sie nun den Text in Sinnabschnitte und fassen Sie die jeweilige Kernaussage zusammen.

3 Stellen Sie die im Text von M. Kneuer beschriebenen politischen Funktionen der Medien in übersichtlicher Form dar und erläutern Sie diese jeweils an einem selbstgewählten Beispiel.

4 Stellen Sie thesenartig mögliche Gefährdungen dar, die sich im Rahmen der gesellschaftlichen sowie politischen Kommunikation bezüglich der Informationsgewinnung und -verbreitung ergeben können (vgl. Z. 73 ff.).

5 Nehmen Sie auf der Grundlage Ihrer Kenntnis des Textes von M. Kneuer Stellung zu der Frage, inwieweit der Begriff „Mediengesellschaft" zutreffend ist.

Kleine Entwicklungsgeschichte der Medienlandschaft

Zeitpunkt	Entwicklungsschritt
4. Jahrtausend v. Chr.	Bilderschrift der Sumerer (erste bekannte Schrift der Menschheit)
1450	Erfindung des modernen Buchdrucks durch Johannes Gutenberg
1605	erstes gedrucktes periodisches Nachrichtenblatt in Straßburg
1861	Telefon
1877	Phonografie
1887	Schallplatte
1889	Aufbau des öffentlichen Telefonnetzes in Deutschland
1895	erste Vorführung eines Stummfilms
1913	erste Radio-Musiksendung
1933	Vorstellung des ersten Volksempfängers
1934	regelmäßiger Fernsehprogrammdienst in Deutschland
1954	Deutsches Fernsehen, Vorläufer der ARD
1971	Erfindung des ersten Mikroprozessors
1975	Entwicklung des ersten Personal Computers (MITS Altair 8800)
1983	CD
1984	deutsches Kabelfernsehen
1995	weite Verbreitung des Internetzugangs in Deutschland
ab 1990	DVD
2007	erstes iPhone
2020	Ausweitung der Multimedia-Nutzung

6 Ergänzen Sie den Überblick über wesentliche Schritte zur Entwicklung der Medienlandschaft durch zusätzliche Angaben im Rahmen der Digitalisierung.

Eine Lüge und ihre weitreichenden Folgen

Die Handlungsschritte eines Ereignisses in eine in sich logische Reihenfolge bringen

Die folgende Darstellung des Falls „Lisa" hat sich tatsächlich so ereignet, ist also kein fiktives Geschehen, das sich etwa ein Schriftsteller ausgedacht und niedergeschrieben hat oder spiegelt nicht den Inhalt eines Traums wieder, den eine 13-jährige Schülerin eines Morgens nach dem Aufwachen erinnert hat. Vielmehr liegt dieser Abfolge von Ereignissen ein Geschehen zu Grunde, dessen Anfänge eigentlich kaum der Rede wert sind, weil sie ständig und überall so oder ähnlich hätten ablaufen können. Es geht um die schulischen Probleme eines jungen Mädchens und eine Lüge ihrer Mutter gegenüber, um häuslichem Ärger aus dem Weg zu gehen.
Im Vordergrund steht hier dagegen, wie ein eher alltäglicher Vorgang durch die Vernetzung digitaler Medien eine so starke Eigendynamik entwickeln kann, dass er am Ende in internationale politische Verwicklungen mündete.

Der renommierte Medienwissenschaftler Bernd Pörsken hat den Fall „Lisa“ nach akribischer „Auswertung unterschiedlichster Kommentarseiten und Fernsehsendungen“ sowie weiterführender journalistischer Artikel recherchiert und in seinem Buch „Die große Gereiztheit. Wege aus der kollektiven Erregung“ 2018 veröffentlicht.

Bernhard Pörksen

Der Fall Lisa (2018)

Bernhard Pörksen (* 1969), studierte Germanistik, Journalistik u. Biologie; er ist Direktor des Instituts für Medienwissenschaft an der Universität Tübingen; zu seinen Forschungsschwerpunkten gehören u. a. der Medienwandel im digitalen Zeitalter u. die Skandalforschung

Die Fakten

Berlin-Marzahn

Es ist der 12. Januar des Jahres 2016, irgendwo in den Häuserschluchten von Berlin-Marzahn. An diesem Tag lügt die 13-jährige Lisa, nachdem sie 30 Stunden lang nicht auffindbar und nicht erreichbar war, ihre Mutter an. Lisa ist am Vortag auf dem Weg zur Schule verschwunden. Sie war die Nacht über nicht zu Hause, und die Familie hat sie als vermisst gemeldet. Nun berichtet das russischstämmige Mädchen, drei südländisch aussehende Männer hätten sie in ein Auto gezerrt, in eine Wohnung gebracht, sie entführt, geschlagen, vergewaltigt. Später stellt sich heraus, dass es Schwierigkeiten in der Schule gab und man ihre Eltern zu einem Gespräch einbestellt hatte, vor dessen Ausgang sie sich offenbar fürchtete. Später wird klar, dass es in dieser Nacht keine Vergewaltigung gegeben hat, sondern eine Übernachtung in der Wohnung eines Freundes, der ihr nichts angetan hat. Später wird offenbar, dass Lisa sich die Verletzungen, die von der Horror-Nacht herrühren sollen, vermutlich selbst beigebracht hat.

Aber da hat die Lüge längst das Zwiegespräch von zwei Menschen verlassen. Sie diffundiert durch die digitale Welt und hinterlässt ihre Spuren im analogen Leben. Schon am 14. Januar 2016 brodelt es im Netz. Innerhalb der russischsprachigen Gemeinschaft in Deutschland, auf Facebook und Twitter kursiert das Gerücht, die 13-Jährige sei von Migranten missbraucht worden, Politiker und Medien würden jedoch die Wahrheit verschweigen und den Fall gezielt vertuschen. Nur einen Tag später tauchen aufgebrachte Russen am Eingang eines Flüchtlingsheims in Berlin-Marzahn auf. Fensterscheiben splittern, ein Sicherheitsmann wird verletzt. Die Erregung innerhalb der russlanddeutschen Gemeinschaften, von denen viele nach wie vor die Medien ihrer früheren Heimat konsumieren, nimmt weiter zu, als der Erste Kanal, der beliebteste Fernsehsender Russlands, am 16. Januar 2016 den Fall aufgreift. Die Moderatorin, die den Beitrag anmoderiert, behauptet, es gebe eine „neue Ordnung“ in Deutschland. Sie bestünde darin, dass die Menschen im Angesicht der ungehindert ins Land strömenden Flüchtlinge nicht mehr sicher seien und sich nun auch an Kindern vergreifen würden. In den Städten herrsche längst Gewalt und Chaos. Der Berliner Korrespondent des Senders, Iwan Blagoj, berichtet, Ausländer hätten Lisa dreißig Stunden vergewaltigt und dann „auf die Straße“ geschmissen, die Polizei hätte das Mädchen zwar mehrere Stunden lang verhört, würde jedoch nichts tun. All dies verbreitet sich in Hochgeschwindigkeit. Ausschnitte aus der Fernsehsendung werden blitzschnell übersetzt, tauchen auf den unterschiedlichsten Seiten im Netz auf, werden millionenfach geklickt. Noch am selben Tag veranstaltet die rechtsextreme NPD eine Kundgebung vor dem Einkaufszentrum Eastgate in Berlin-Marzahn. Auf einer weiteren NPD-Veranstaltung wird die Todesstrafe für Kinderschänder gefordert. Eine angebliche Cousine beklagt hier unter Tränen, was man dem Mädchen zugefügt habe.

Aber ist diese Zeugin der Anklage ernst zu nehmen, kann sie als authentisch gelten? Es gebe Hinweise, so wird in verschiedenen Medien angedeutet, dass es sich bei diversen, öffentlich auftretenden Verwandten des Mädchens um Schauspieler gehandelt haben könnte – eine Behauptung, die sich nicht verifizieren lässt, aber doch ein Indiz einer allgemeinen Verunsicherung darstellt und die Frage aufkommen lässt, ob man womöglich einer großen Inszenierung beiwohnt. Jedenfalls verwandeln russische Medien die Geschichte eines vermeintlich vertuschten Verbrechens mit aller Macht in ein beherrschendes Thema. Mal ist auch die Rede von fünf Vergewaltigern und einer Art „Sex-Gefangenschaft“. Es kommt zu Demonstrationen von Russlanddeutschen in verschiedenen Städten. Allein vor dem Kanzleramt in Berlin tauchen 700 Demonstrierende auf. „Lisa! Lisa!“-Rufe ertönen hier, Schilder mit Parolen werden hochgehalten: „Heute mein Kind – morgen Dein Kind“, „Unsere Kinder sind in Gefahr!“, „Schützt unsere Frauen und Kinder“. Manche tragen T-Shirts, auf denen zu lesen steht: „Lisa, wir sind mit Dir“. Im digitalen Paralleluniversum haben sich längst Verschwörungstheoretiker und rechtsradikale Agitatoren des Themas angenommen. Man attackiert die angeblich lügende, vermeintlich kollektiv paktierende Front aus Polizei, Politik und etablierten Medien. Ein verwackeltes Amateurvideo, das seit 2009 im Netz kursiert und in dem sich junge Ausländer mit der Gruppenvergewaltigung einer Jungfrau brüsten, erscheint als eine Art dokumentarischer Beweis gänzlich haltlos gewordener Zustände. Der Fall wird komplizierter, als sich herausstellt, dass das Mädchen tatsächlich Sex mit einem Türken und einem türkischstämmigen Deutschen hatte, dies jedoch zu einem früheren Zeitpunkt und nach Aussage der Ermittler auch einvernehmlich, was nichts daran ändert, dass es sich um eine schwere Straftat handelt, den Missbrauch einer Minderjährigen. Aber den eigentlichen Fall hat es nicht gegeben, gleichwohl ist die Geschichte längst auf unzähligen Seiten zur gefühlten Gewissheit geworden, die selbst dann real sein könnte, wenn sie sich nicht in den entscheidenden Details bestätigen sollte. „Es ist Krieg“, so heißt es etwa im Kommentarforum eines rechtsradikalen Online-Magazins. „Im Krieg wird Propagandamunition verschossen! [...] Lisa steht beispielhaft! Selbst wenn eine Vergewaltigung nicht vollendet worden wäre, so wurde das Mädchen gekidnappt und gequält bzw. hätte es vergewaltigt werden können, so wie unzählige zuvor. Ja zu Tode gebracht werden können, wie in so vielen Fällen, in denen Deutsche durch Fremdstämmige dieses Schicksal erleiden mussten.“ Am 26. Januar wirft der russische Außenminister Sergej Lawrow im allgemeinen Getöse den deutschen Behörden vor, dem Verbrechen aus Gründen der politischen Korrektheit nicht wirklich nachzugehen – eine Behauptung, die vom deutschen Außenminister Frank-Walter Steinmeier scharf zurückgewiesen und auch von Seiten anderer Regierungsmitglieder ins Reich der Fabel verbannt wird. Die große Gereiztheit hat nun das Parkett der internationalen Diplomatie erreicht. Ein paar Tage später erklärt die Staatsanwaltschaft abschließend, dass das Mädchen das Verbrechen lediglich erfunden habe.

1 Übernehmen Sie das folgende Muster eines Flussdiagramms (S. 288) in Ihre Unterlagen und erweitern Sie dieses um die Anzahl von Feldern, die Sie zur Bearbeitung der Aufgabe benötigen werden. Stellen Sie nun den Ablauf der Ereignisse des Falls „Lisa“ im Zusammenhang mit dem Gesamtgeschehen dar. Erweitern Sie dazu die begonnene Übersicht durch die entsprechende Beschriftung weiterer Felder.

Die 13-jährige Lisa verschwindet auf dem Weg zur Schule für 30 Stunden.

↓

Ihre Eltern melden sie als vermisst.

↓

....

2 Erläutern Sie, inwiefern es Lisa gelungen ist, durch ihr Verhalten die Menschen in ihrer Umgebung zu beeinflussen.

3 Prüfen Sie kritisch ihr Verhalten.

Im Anschluss an die Darstellung der Ereignisse unterzieht Pörksen das rekonstruierte Geschehen einer Analyse aus medienwissenschaftlicher Sicht. D. h., es geht ihm weniger um das Schicksal des 13-jährigen Mädchens aus Berlin-Marzahn, das letztlich selbst – wenn möglicherweise auch ungewollt – den Ablauf des Geschehens initiiert hat. Ihn interessiert vielmehr die Frage, wie es dazu kommen konnte, dass sich aus dem vordergründigen Ereignis um eine Schülerin mit schulischen Problemen, die ihre Mutter belügt, innerhalb von etwa drei Wochen ein derartiges Medienspektakel hat entwickeln können.
B. Pörksen bedient sich bei der Titelzuschreibung seines Buches „Die große Gereiztheit" einer Kapitelüberschrift aus Thomas Manns Roman „Der Zauberberg". In diesem beschreibt Mann die Stimmung in einem schweizerischen Sanatorium unter den Patientinnen und Patienten kurz vor Ausbruch des Ersten Weltkriegs, die geprägt ist von einem „Gefühl des Unbehagens und des drohenden Unheils", „weil sich die Luft der Epoche ändert".

Einen medientheoretischen Text im Hinblick auf Analysekriterien untersuchen und diese anschließend anwenden

Bernhard Pörksen

Der Fall Lisa (2018)

Eine Geschichte schreibt Geschichte
Die große Gereiztheit (2019)

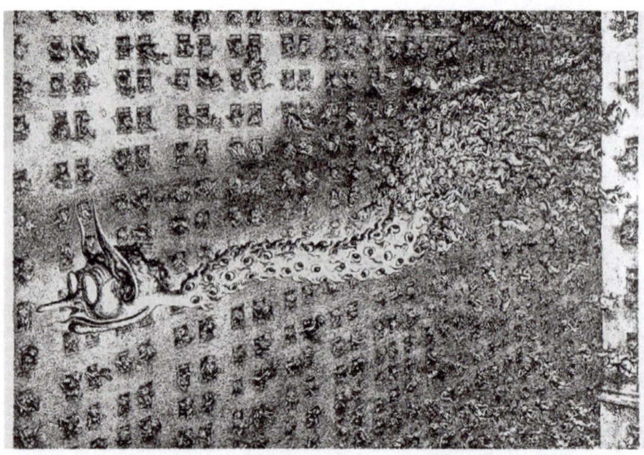

Die Verbreitung eines Gerüchts, Lithografie von A.Paul Weber, 1943

[Somit] illustriert diese Geschichte eine größere Geschichte, die von medialen Tiefeneffekten handelt. Sie macht offenbar, mit welcher Unmittelbarkeit und Geschwindigkeit Parallelöffentlichkeiten unter den modernen Medienbedingungen aufeinanderprallen. Sie lässt deutlich werden, wie leicht es ist, sich in Protestgemeinschaften zu verbünden und in den eigenen Selbstbestätigungsmilieus Gewissheiten zu verkünden, die zu gefühlten Realitäten werden. Sie macht klar, dass die Grenzen zwischen Peripherie und Zentrum in der Sphäre des Öffentlichen durchlässig werden, dass Gerüchte plötzlich in den medialen Mainstream gelangen und sich hier zu Themen verdichten, zu denen sich schließlich die Außenminister zweier Länder und die unterschiedlichsten Regierungsmitglieder äußern. Ohne die indiskreten Medien des digitalen Zeitalters hätte es die Ereignisse rund um das 13-jährige Mädchen Lisa *so nicht* gegeben. Was ist damit gemeint? Es ist die Digitalisierung von Daten und Dokumenten im Verbund mit der Vernetzung, der leichten Zugänglichkeit und der barrierefreien Benutzbarkeit, die Medien in einem doppelten Sinne indiskret werden lässt. Zum einen wird vor dem Hintergrund dieses Bedingungsgefüges die Veröffentlichung des gerade noch Privaten ungleich leichter möglich. Indiskretion heißt hier also konkret: das Vertrauliche und Verborgene offenbaren. Überdies werden, allgemeiner betrachtet, eben durch die Digitalisierung und Vernetzung und die Durchdringung der Welt durch Medientechnologien einst diskrete, voneinander getrennte Bewusstseins- und Lebenssphären miteinander verbunden. Indiskretion bedeutet somit auch: Verschmelzung des gerade noch Unterscheidbaren. Es verschmelzen im Zuge der Digitalisierung, der Vernetzung des weltweiten Einsatzes von digitalen Medien das Hier und das Dort, das Vergangene und das Gegenwärtige, die Information und die Emotion, das Gesprochene und das Geschriebene, das Reale und das Simulierte, die Kopie und das Original. Das ist eine entscheidende Veränderung in der globalen Organisation von Information, ein Wechsel von der stärker *publikums- und kontextspezifischen Segmentierung hin zur integrierenden Konfrontation*. Man hat nicht mehr oder minder strikt getrennte Informationssphären für Junge und Alte, Kinder und Erwachsene, sondern alle können potenziell alles sehen. Sie können fortwährend senden und empfangen, immer und zu jeder Tages- und Nachtzeit, bei der Arbeit oder in der Freizeit, von jedem Ort der Welt. Es sind also einerseits die Ereignisse, die uns beunruhigen, die Kriege und Krisen, die schmutzigen Wahlkämpfe, die Zeichen für den Zerfall Europas, die Wiederkehr des Autoritarismus, die eskalierenden Konflikte. Und es ist – andererseits – die plötzliche Sichtbarkeit des Schreckens, die eine Stimmung der großen Gereiztheit forciert. Wir spüren ein untergründiges Beben, eine konstante Verstörung durch Vernetzung und können uns ihr kaum entziehen.

1 Geben Sie die Kernaussagen dieses Textauszugs mit eigenen Worten wieder.

2 Erläutern Sie an einem selbstgewählten Beispiel die These des Autors, dass „die Digitalisierung von Daten und Dokumenten im Verbund mit der Vernetzung, der leichten Zugänglichkeit und der barrierefreien Benutzbarkeit, die Medien in einem doppelten Sinne indiskret werden lässt." (Z. 18 – 21)

3 Bestimmen Sie möglichst prägnant, welches Verständnis der Autor mit den Begriffen „große Gereiztheit" und „Sichtbarkeit des Schreckens" verbindet.

4 Nehmen Sie Stellung zu der Aussage Pörksens, die ständige Bereitschaft, „senden und empfangen" zu können, fördere ein Klima der „großen Gereiztheit" und die „Sichtbarkeit des Schreckens" (Z. 40 f.).

Pörksen differenziert im Verlauf seines Textes zwischen unterschiedlichen Erscheinungsformen der Informationsverarbeitung, von denen er sagt, dass sie unser Realitätsverständnis entscheidend normieren. So führt er weiter aus:

Es sind drei zentrale, unser Welt- und Wirklichkeitsbild prägende Gesetze der Informationsverarbeitung, [...]. Erstens, Information ist unter digitalen Bedingungen irrwitzig schnell (*das ist das Gesetz der blitzschnellen Verbreitung*). Sie lässt sich, zweitens, barrierefrei einer Weltöffentlichkeit zugänglich machen (*das ist das Gesetz der ungehinderten Veröffentlichung*). Sie ist, drittens, gerade im Falle von emotionalisierenden Themen hochgradig kombinations- und reaktionsbereit, wird rasch kopiert,

Informationsflut und Schnelligkeit des Internets

von Website zu Website transportiert, in immer neuen Kontexten publiziert, mit anderen Informationen kombiniert (*das ist das Gesetz der einfachen Dekontextualisierung und Verknüpfung*). Diese Formen der Informationsverbreitung sind für sich genommen weder gut noch schlecht, aber sie sind, um eine erhellende Formulierung des Technikhistorikers Melvin Kranzberg aufzugreifen, auch nicht neutral. Sie wirken verschärfend, begünstigen und befördern eine Dynamik der unmittelbaren Eskalation und erzeugen den Schock der direkten Gegenwart, der totalen Präsenz des Ereignisses. Dieser medial produzierte Gegenwartsschock kann äußerst positive Folgen haben, wenn entsetzliches Unrecht sofort bekannt wird. Er kann enorm lehrreich sein, wenn weit entfernte Ereignisse mit Hilfe von Smartphones und sozialen Netzwerken im Live-Modus übertragen werden und sich eine Weltgemeinde von Augenzeugen bildet, die ungefiltert betrachtet, was sich auf den Straßen von Kairo, Kiew oder auf den Plätzen von Istanbul ereignet. Und doch geraten die Gesetze der *Informationsverbreitung* unvermeidlich in Widerspruch zu einem Ideal der *Informationsverarbeitung* und dem Bemühen um die ausgeruhte Wahrheitssuche, die möglichst vorurteilsfreie, abwägende Überprüfung von Annahmen, die sich eben nicht im Ad-hoc-Modus bestätigen oder widerlegen lassen. „Information ist schnell", so formuliert der Netzphilosoph Peter Glaser das Dilemma der digitalen Moderne, „Wahrheit braucht Zeit."
Dass wir zwar rasch informiert sind, dass irgendetwas Furchtbares passiert ist, aber nicht in vergleichbarer Geschwindigkeit wissen können, was von alldem wirklich stimmt, wird offensichtlich, wenn man sich mit der Berichterstattung über Attentate und Terroranschläge befasst. Hier zeigen sich in brutaler Regelmäßigkeit folgende Muster: Sofort-Berichte, Sofort-Reaktionen, Falschmeldungen in Serie, allgemeine Desorientierung, pauschale Verdächtigungen; dies alles in den sozialen Netzwerken, aber durchaus auch in den etablierten Medien und den klassischen Redaktionen, die im Wettlauf um Geschwindigkeitspokale unbedingt mitmischen wollen.

Peter Glaser (* 1957): österr. Schriftsteller und Journalist sowie Ehrenmitglied des Chaos Computer Clubs; er gewann 2002 den Ingeborg-Bachmann-Preis, eine der wichtigsten literarischen Auszeichnungen

1 Erklären Sie die Bedeutung des Begriffs Dekontextualisierung (vgl. Z. 9).

2 Erläutern Sie den vom Autor thematisierten Widerspruch zwischen den Gesetzen der Informationsverbreitung und dem Ideal der Informationsverarbeitung möglichst prägnant.

3 Fassen Sie die möglichen Folgen für die Berichterstattung insbesondere über „Attentate und Terroranschläge" (Z. 31 f.) zusammen und setzen Sie diese in Beziehung mit den technischen Möglichkeiten der Informationsverbreitung sowie der defizitären Informationsverarbeitung.

4 Setzen Sie Ihre Analyseergebnisse aus der Untersuchung der beiden letzten Textauszüge von Pörksen in Beziehung zu Ihren Thesen, die Sie im Hinblick auf den Text von M. Kneuer aufgestellt haben (s. Aufgabe 4 auf S. 284).

5 ***Lernarrangement:***
Teilen Sie den Kurs in zwei Hälften. Jede Gruppe bildet ein Redaktionsteam. Es geht um zwei verschiedene Ereignisse, die arbeitsteilig unter den zuvor erarbeiteten Kriterien B. Pörksens untersucht werden sollen:
- die Terroranschläge in Boston am 15. April 2013 im Rahmen des dortigen Marathons,
- der Flugzeugabsturz eines German-Wings-Airbusses 320 auf seinem Flug von Barcelona nach Düsseldorf (2015), bei dem alle an Bord befindlichen Passagiere tödlich verunglückten.

a) Recherchieren Sie hierzu in Ihrem Redaktionsteam die wesentlichen Ereignisse des jeweiligen Vorfalls und erstellen Sie eine Präsentation.
b) Prüfen Sie unter den von B. Pörksen entwickelten Kriterien in Ihrer Gruppe die Mängel der Berichterstattung und fügen Sie diese Ihrer Präsentation hinzu.

Wovon Verschwörungstheoretiker träumen

Die zentralen Aussagen eines Interviews erschließen und mit selbst erarbeiteten Vorschlägen zur Lösung eines kommunikativen Problems beitragen

Nicht erst seit den mehr oder weniger bewussten Fehlinformationen, die sich um naturwissenschaftliche Erkenntnisse etwa zum Klimawandel oder Covid-19-Impfungen ranken, sind Verschwörungstheorien bekannt. Diese hat es bereits in der Antike sowie im Mittelalter gegeben und sie erlebten während der Französischen Revolution eine Art Hochkonjunktur. Ganz gleich, ob es sich um die Mondlandung handelte oder den Tod Marilyn Monroes, den tödlichen Unfall Lady Dianas, die Terroranschläge am 11. September 2001, QAnon, Pizzagate u. Ä. m. Immer wieder wurden Zweifel an der Echtheit der Ereignisse und deren Folgen geäußert, die sich dann zu Verschwörungstheorien verfestigt haben.

Michael Butter

Die Corona-Impfung ist ein Traum für Verschwörungstheoretiker (2021)

Michael Butter (* 1977): deutscher Amerikanist, Professor für amerik. Literatur und Kulturgeschichte an der Universität Tübingen, zu seinen Forschungsschwerpunkten zählen u. a. Verschwörungstheorien

Verschwörungstheoretiker seien in der Pandemie extremer geworden, sagt Forscher Michael Butter. Trotzdem ist er dagegen, sie in sozialen Medien einfach zu löschen.
Interview: Caroline Lindekamp und Lisa Hegemann
23. Januar 2021 Die ZEIT.de
[...]

ZEIT ONLINE: Herr Butter, um das Thema Impfen ranken sich schon seit Jahrzehnten Verschwörungstheorien, seit Anfang der Pandemie auch um Sars-CoV-2. Nun treffen die beiden Themen mit der Corona-Impfung aufeinander. Klingt nach der perfekten Kombination für eine Verschwörungserzählung, oder?

Corona-Proteste in Berlin ...

... und Gegendemonstration

Michael Butter: In der Erzählung von Verschwörungstheoretikern ist es jedenfalls der nächste logische Schritt. Die Verschwörungstheorien in der Corona-Pandemie zeigen sich im Grunde seit Mitte März relativ stabil: Manche glauben, dass Bill Gates eine Zwangsimpfung einführen wolle, manche auch, dass uns Chips implantiert werden sollen. In der Welt der Verschwörungstheoretiker ist völlig klar, dass das passieren wird. Auch den zweiten Lockdown wollen sie schon vor Monaten vorhergesagt haben – ebenso übrigens wie seriöse Wissenschaftlerinnen und Wissenschaftler, natürlich aus anderen Gründen: Die Verschwörungstheoretiker verbreiteten die Mär eines Lockdowns Ende August, während dem alle Bürgerinnen und Bürger zwangsgeimpft werden sollten.

[Der Amerikanist Michael Butter forscht aktuell unter anderem zu der Frage, wie Populistinnen und Populisten Verschwörungstheorien gezielt in Wahlkämpfen einsetzen.]

ZEIT ONLINE: Werden wir durch den Beginn der Corona-Impfungen noch eine weitere Zuspitzung dieser Theorien erleben?

Butter: Nein. Ich glaube nicht, dass sich die Verschwörungstheorien noch weiter zuspitzen werden oder dass sich die Menschen, die an sie glauben, noch weiter radikalisieren. Die, die im Rahmen der Querdenker-Bewegung zuletzt auf die Straße gegangen sind, sind schon radikalisiert genug. Das sind auch nicht mehr die Menschen, die noch im August oder April bei den ersten Hygiene-Demos gegen die Corona-Maßnahmen der Politik protestiert haben. Verschwörungstheoretiker gewinnen über das Thema Impfen nicht unbedingt noch neue Anhänger hinzu. Aktuell sieht es eher so aus, dass die gesellschaftliche Spaltung größer wird: Eine Minderheit verfängt sich in Corona-Zeiten immer stärker in Verschwörungstheorien und protestiert immer lauter gegen die Corona-Maßnahmen. Der Großteil der Gesellschaft findet diese Haltung problematisch und hat immer weniger Verständnis für die Proteste. Die Verschwörungstheorien sind in der Corona-Pandemie sichtbarer geworden und damit ist das Problembewusstsein gestiegen.

ZEIT ONLINE: Was ist mit denen, die keine Verschwörungstheoretiker sind, aber eine gewisse Skepsis gegenüber der Impfung haben? Schließlich kommt hier ja viel zusammen: ein Impfstoff, der vergleichsweise schnell zugelassen wurde, und zumindest im Fall des mRNA-Impfstoffs von BioNTech und Pfizer auch eine völlig neuartige Methode. Das wirkt wie ein guter Nährboden für Skepsis.

BioNTech u. Pfizer: Unternehmen der Pharmaindustrie, produzieren u. a. einen mRNA-Impfstoff gegen Covid-19

Butter: Natürlich, die Corona-Impfung ist ein Traum für Verschwörungstheoretiker, überhaupt die gesamte Corona-Pandemie. Ich glaube aber, dass man diesen Erzählungen etwas entgegensetzen kann: klare Kommunikation. Wir haben eine Chance, die Skeptiker zu erreichen. Gerade die, die gar nicht mal allen Impfungen gegenüber skeptisch sind, aber gegenüber dieser spezifischen. Ihre Sorgen sind vielleicht sogar nachvollziehbar, nur man kann sie entkräften. Anders ist es bei einem Verschwörungstheoretiker, der an ein großes Komplott der WHO oder des Merkel-Regimes glaubt: Den erreicht man sowieso nicht.

ZEIT ONLINE: Wie sollte die Kommunikation mit jemandem, der noch erreichbar ist, optimalerweise aussehen?

Butter: Man muss die Hintergründe erklären, zum Beispiel, dass die schnelle Entwicklung einfach mit den hohen Investitionen in die Impfforschung zusammenhängt. Dass Wissenschaftlerinnen und Wissenschaftler viel mehr Zeit im Labor verbringen, mehr Mitarbeiterinnen und Mitarbeiter einstellen, mehr Materialien anschaffen konnten. Das ist nicht ganz mein Metier, aber vielleicht muss man auch einfach mal Christian Drosten, Sandra Ciesek und andere Experten um 20.15 Uhr auf allen Kanälen 30 Minuten geben und erklären lassen, wie die Impfungen funktionieren. Eine Rede zur Lage der Nation sozusagen.

Christian Drosten (* 1972), Leiter des Instituts für Virologie an der Charité in Berlin; **Sandra Ciesek** (* 1978), Direktorin des Instituts für Med. Virologie am Universitätsklinikum in Frankfurt/M.

ZEIT ONLINE: Warum sind Verschwörungstheorien in Krisen wie der Corona-Pandemie so attraktiv?

Butter: In unsicheren Zeiten wie der jetzigen gaukeln Verschwörungstheorien Stabilität und Ordnung vor. Es gibt Gut und Böse, alles ist eindeutig erklärbar. Corona hat interessanterweise keine neuen Verschwörungstheorien hervorgebracht. Alle, die jetzt in der Pandemie hervorgezogen werden, gab es vorher schon: über die Weltgesundheitsorganisation, über Bill Gates, über 5G, über das Impfen. Corona wird einfach nur als das neueste Kapitel erzählt.

1 Am Beginn des Interviews reden die Gesprächspartner darüber, dass das Thema Impfen schon seit Jahrzehnten von Verschwörungstheoretikern besetzt ist (vgl. Z. 7 f., 11 f.). Stellen Sie Hypothesen zur Erklärung dieser Behauptung auf.

2 Im Interview unterscheidet M. Butter zwischen zwei Gruppierungen von Impfgegnern. Fassen Sie deren Grundeinstellungen kurz und treffend zusammen.

3 Erläutern Sie, welche Bedeutung Butter den Verschwörungstheorien für die Impfgegner beimisst.

4 Stellen Sie begründend dar, worin für Butter das eigentliche Problem der abwehrenden Einstellung gegen die Sars-CoV-2-Impfung besteht.

5 Prüfen Sie den Vorschlag Butters, einzelnen Fachleuten eine bestimmte Zeit der Medienpräsenz einzuräumen, um die unterschiedlichen Formen des Impfens angemessen zu erläutern, um damit bestehende Vorurteile abzubauen.

6 Diskutieren Sie weiterführende Vorschläge, um den Sars-CoV-2-Infektionsschutz weiter zu erhöhen.

Das Internet als Retter oder Gefährder der Demokratie?

Aspekte gesellschaftlicher und politischer Kommunikation in einem produktiven Schreibprozess in Beziehung zueinander setzen

Zuletzt haben Sie sich in der vorliegenden Unterrichtsreihe im Wesentlichen im Rahmen von Hassreden, einer „Skandalgeschichte" sowie von Verschwörungstheorien mit den Gefährdungen von öffentlicher und privater Kommunikation auseinandergesetzt, denen auch Sie in der heutigen Zeit häufiger begegnet sein dürften. Insofern erscheint es abschließend in diesem Kontext als durchaus legitim, nicht nur nach möglichen negativen Effekten zu suchen, sondern auch die Frage nach positiven Einflüssen zu stellen.

Marina Weisband (* 1987 in Kiew) deutsch-ukrainische Politikerin, zunächst Mitglied der Piratenpartei, später bei Bündnis 90/ Die Grünen

Marina Weisband

Digitalisierung: Wie retten wir das Internet und machen jungen Menschen wieder Lust auf die Demokratie? (21. Juli 2021)

Manchmal, wenn ich mich auf Twitter mal wieder durch das Best-of aus Corona-Verschwörungstheorien, Beschimpfungen und unverlangt eingesandten Penisbildern in meinen privaten Nachrichten scrolle, fange ich an, mir recht grundlegende Gedanken über das Internet zu machen.

Dieses Internet, über das ich vor mehr als zehn Jahren als Mitglied der Piratenpartei noch vollmundig schrieb, dass es unsere Gesellschaft freier mache, Menschen zusammenbringe und die Demokratie revolutioniere. Manchmal frage ich mich jetzt, ob es nicht vor allem meinen passiven Wortschatz an Beleidigungen revolutioniert hat – die nämlich werden mir unter beinahe jedem meiner Tweets ungefragt präsentiert.

Klar, ich kann über Twitter und andere Social-Media-Kanäle relativ unkompliziert selbst hochrangige Politiker erreichen. Ich kann aber ebenso gut von einem mir völlig unbekannten @trollnummerdrölfzehn dafür angepampt werden, dass ich überhaupt mit diesen Politikern rede. Und seit der Nahostkonflikt neu aufgeflammt ist, reicht es für mich als Jüdin schon, zu existieren, um angegriffen zu werden. Wenn nicht für etwas, das ich gesagt hätte, dann halt dafür, dass ich nichts sage.

Jugendliche machen aus diesem Nahostkonflikt auf TikTok mal eben 15-Sekunden-Clips. Daneben leugnet jemand fröhlich den Klimawandel. Unterdessen bezahlen russische Agenturen Influencer, um Falschinformationen über Impfstoffe zu verbreiten. Je näher die Bundestagswahl rückt, desto lustiger wird das mit den Troll-Armeen noch werden.

Troll-Armeen: Bezeichnung für eine verdeckt arbeitende Organisation in Russland, die im Auftrag der russ. Regierung das Internet manipuliert

marginalisierte Menschen: an den Rand der Gesellschaft gedrängte Menschen

Unnötig, an dieser Stelle zu erwähnen, dass die völlige Freiheit, sich zu allem äußern zu dürfen, ironischerweise ganz besonders die Stimmen ohnehin schon marginalisierter Menschen unterdrückt. Frauen und Minderheiten werden bisweilen so hart mit Dreck beworfen und eingeschüchtert, dass manche die Plattformen gleich ganz verlassen. Das alles schaut man sich an und fragt sich still: „War das mit dem Internet eigentlich ein Fehler ...?"

Aber weil es auch keine Lösung sein kann, mit Abrissbirnen den Serverfarmen zu Leibe zu rücken, möchte ich etwas anderes vorschlagen – am Ende ist das Internet ja doch nur eine Maschine, die das Beste und das Schlimmste in uns hervorholt: Wir müssen endlich lernen, diese Maschine richtig zu bedienen.

Denn diese Wahrheit habe ich in Jahren der Auseinandersetzung mit dem Thema gelernt: Digitalisierung macht uns weder demokratischer noch weniger demokratisch. „Digitalisierung ist der große Verstärker", sagt der Erziehungswissenschaftler Jöran Muuß-Merholz. „Wer anfällig für Manipulation und Bevormundung ist, kann mit digitalen Medien noch besser manipuliert und bevormundet werden. Wer jedoch die Welt kritisch hinterfragen und gestalten möchte, kann die Welt mit digitalen Medien noch besser kritisch hinterfragen und gestalten."

Wie die Digitalisierung auf uns wirkt, hängt also davon ab, wer wir sind. Welche Werte wir teilen. Und ob wir es gelernt haben, das viele Wissen um uns herum aktiv einzusetzen, um die Welt zu verbessern, Ziele zu setzen, Verbündete zu suchen, Kompromisse zu finden. Zu planen. Zu hinterfragen. Uns unseres Verstandes zu bedienen. Kurzum, wir brauchen im Angesicht der Digitalisierung nichts Geringeres als eine zweite Welle der Aufklärung.

Ursachen für Politikverdrossenheit

Genau aus diesem Grund habe ich begonnen, an Schulen zu arbeiten. Ich habe mit aula ein Konzept und eine Online-Plattform entwickelt, die Schülerinnen und Schülern mehr Mitbestimmung ermöglicht. Als ich aula – es ist nun auch schon fünf Jahre her – in den ersten Schulen vorstellte, stand ich vor einer zehnten Klasse in einem Raum, der schmerzhaft vertraut wie mein altes Klassenzimmer aussah, und erklärte: „Mit dieser Online-Plattform könnt ihr eure eigenen Ideen für diese Schule einbringen. Ihr könnt sie hier besprechen und abstimmen. So kann jeder von euch mitreden!" Ausrufezeichen.

aula: online-Plattform zur Förderung demokratischer Praktiken und Kompetenzen bei Jugendlichen

In der ersten Reihe am Fenster saß eine Schülerin, vielleicht 14 Jahre alt, mit verschränkten Armen. Sie sah genervt aus. „Warum soll ich mich überhaupt beteiligen? Die Lehrer machen doch eh, was sie wollen." Für einen kurzen Moment durchzuckte mich das Bild von Pegida-Demonstranten, die rufen: „Die da oben machen doch eh, was sie wollen!" Ich dachte: Wie haben wir es geschafft, unseren Nachwuchs so sehr zu frustrieren?

Pegida: seit 2014 rechtsgerichtetes Aktionsbündnis; Akronym für: Patriotische Europäer gegen die Islamisierung des Abendlandes

Es sind meist die älteren Schülerinnen und Schüler, die demotiviert oder misstrauisch sind. Das ist „erlernte Hilflosigkeit". Sie entsteht, wenn Menschen so lange in einem System nichts ausrichten können, dass sie sich daran gewöhnen. Gibt man ihnen dann echte Entscheidungsfreiheit, haben sie weder die Fähigkeiten noch die Motivation, wirklich etwas zu verändern. Wenn ich mich also zehn Jahre lang jeden Morgen früh aus dem Bett quälen muss, um alle 45 Minuten ein neues mir vorgeschriebenes Fach zu pauken, wobei benotet wird, wie viel ich mir von alledem gemerkt habe, wovon dann meine Zukunft abhängt, kann es durchaus sein, dass ich keine zu große Erwartung an meine Fähigkeit entwickle, die Welt zu gestalten. Ich kann ja nicht mal meinen eigenen Tagesablauf gestalten, wie ich will. Und das trotz Lehrerinnen, die sich innerhalb der engen Gestaltungsräume sehr bemühen.

1 Fassen Sie die Erfahrungen zusammen, die M. Weisband in den letzten Jahren mit dem Internet gesammelt hat.

2 Erklären Sie ausgehend von dem Begriff „erlernte Hilflosigkeit" (Z. 62) das Phänomen der Politikverdrossenheit bei vielen jungen Menschen.

3 Wählen Sie fünf Begriffe aus der Sammlung von Ursachen für Politikverdrossenheit aus, die Ihrer Meinung nach für dieses Phänomen bei Jugendlichen verantwortlich sind. Begründen Sie Ihre Auswahl.

4 Erschließen Sie Möglichkeiten, wie diesem Phänomen aus Ihrer Sicht begegnet werden könnte.

5 ***Lernarrangement***
Sie haben sich u. a. auch in dieser Unterrichtsreihe mit der Textsorte des Essays auseinandergesetzt und dabei dessen spezifischen Merkmale untersucht (s. Aufgabe **4** auf S. 282). Verschaffen Sie sich – die Unterrichtsreihe resümierend – einen Überblick über die Themen, die Sie im Rahmen der digitalen Medien behandelt haben. Wählen Sie aus diesem Fundus mindestens drei, aber nicht mehr als fünf Aspekte aus und verfassen Sie dazu einen Essay.

Klausurtraining

Materialgestütztes Schreiben – informierend (Aufgabenart IV)

Aufgabenstellung

Als Mitglied der Vertretung der Schülerinnen und Schüler für die gymnasiale Oberstufe an Ihrer Schule sind Sie von der Schulleiterin angesprochen worden, einen Beitrag für die Schulhomepage zu verfassen, in dem Sie aus Ihrer Sicht Stellung nehmen zu den Verschwörungstheorien rund um das Thema „Coronapandemie".
Aktueller Hintergrund dieser Aktion ist, dass seit einiger Zeit zunehmend Mitschülerinnen und Mitschüler gemobbt werden, die sich haben impfen lassen. Dabei wird häufig auf Argumente zurückgegriffen, die aus den Aussagen von Befürwortern einschlägiger Verschwörungstheorien stammen. Die Wahl auf Sie, so hat Ihnen die Schulleiterin mitgeteilt, sei auch deshalb gefallen, weil Sie positiv in den Gesprächen im Unterricht, aber auch seit Jahren als Vermittler/-in in der Streitschlichtung aufgefallen sind. Darüber hinaus hätten Sie sich bei Ihrer Teilnahme am Wettbewerb „Jugend debattiert" als ausgesprochen sprachgewandt gezeigt.
Insofern halten Schul- und Oberstufenleitung Sie für geeignet, sich mit einem Beitrag an Ihre Mitschülerinnen und Mitschüler zu wenden, um die spürbare Unruhe in Ihrer Stufe positiv zu beeinflussen und damit zu einem angenehmeren Klima in der Schülerschaft beizutragen.
Verfassen Sie also einen Beitrag für die Homepage Ihrer Schule, in dem Sie sich argumentativ mit der Bedeutung von sogenannten Verschwörungstheorien im Kontext von Covid-19 auseinandersetzen.

In Ihrem Artikel sollten folgende Aspekte behandelt werden:

- Arten und Aufbau von Verschwörungstheorien (beispielhaft)
- Funktionen von Verschwörungstheorien für Ihre Anhänger
- Formen ihrer Verbreitung
- eine eigene Positionierung

Da Sie sich während dieser Unterrichtsreihe u. a. auch mit dem Thema „Verschwörungstheorien" im Zusammenhang mit Covid-19 beschäftigt haben, können Sie sich zusätzlich – über die im Folgenden bereitgestellten Materialien hinaus – auf Ihnen bereits bekannte Aspekte beziehen.

Material 1 (531 Wörter)

Katrin Elger, Alexander Kühn, Jurek Skrobala, Sara Wess

Irrsinn: Die Pandemie ist ein Konjunkturprogramm für Verschwörungstheoretiker (2020)

Verschwörungstheorien bieten Erklärungen für fast jede undurchsichtige Situation. „Eine Krise, wie wir sie jetzt erleben, beschleunigt die Radikalisierung", sagt die österreichische Politologin Natascha Strobl. Wer zu Verschwörungstheoretikern dazustoße, dem werde vermittelt, er stelle „sich im Kampf zwischen Gut und Böse auf die richtige Seite. Dieses Gefühl der Zugehörigkeit zu einem exklusiven Kreis kann sehr verlockend sein".
Das Angebot abstruser Theorien und Mythen ist in Zeiten von Corona fast unerschöpflich. Christliche Fundamentalisten sehen die Apokalypse nahen, Islamisten glauben ebenfalls, Covid-19 sei eine Strafe Gottes für die Ungläubigen, Antisemiten behaupten, eine jüdische Lobby sei die Wurzel allen Übels. Andere gehen davon aus, dass die Chinesen etwas vertuschen wollten: Der neue Mobilfunkstandard 5G habe in der Stadt Wuhan zu höherer elektromagnetischer Strahlung geführt – und die wiederum zu zahlreichen Todesfällen. Um davon abzulenken, hätten die Chinesen Sars-CoV_2 kreiert.

Doch der fieseste aller Fieslinge ist in den Augen der meisten Verschwörungstheoretiker Microsoft-Gründer Bill Gates. Er ist in den vergangenen Wochen und Monaten zur Hassfigur Nummer eins avanciert. Manche meinen gar, er habe Corona erfunden, um die Weltbevölkerung zu reduzieren oder zwangszuimpfen, auf jeden Fall, um die Weltherrschaft zu erlangen – mit Unterstützung von Angela Merkel und Jens Spahn. Und den Juden. Möglicherweise. Wahrscheinlich hängen alle Mächtigen der Welt mit drin. Außer Donald Trump. Denn denkbar ist für die Wirrköpfe dieser Tage vieles – dass der US-Präsident ein Schuft sein könnte aber eher nicht.

Für viele ist es leichter zu akzeptieren, dass ein Bösewicht die Strippen zieht, als dass man gar nicht weiß, was vor sich geht, sagt der Amerikanist Michael Butter, zu dessen Forschungsschwerpunkten Verschwörungstheorien gehören. „Und Gates ist eine Hassfigur, auf die sich alle einigen können." Er ist reich, er agiert weltweit, und er setzt sich für die Entwicklung von Impfstoffen ein. [...]

Er [Hildmann] habe Belege dafür, dass „sie uns mit einer Impfung chippen wollen". Der Verschwörungstheoretiker vermutet, dass Gates eine neue Weltordnung für Eliten anstrebe. Dafür wolle der US-Milliardär mithilfe von Corona erst einmal die „überbevölkerte Menschheit" auf weniger als 500 Millionen Menschen reduzieren. Eine zentrale, globale Regierung könne die Verbliebenen dann mithilfe der zuvor implantierten Chips steuern. Hildmann hat sich das nicht selbst ausgedacht, er greift auf die „New World Order"-Verschwörungstheorie zurück, nach der Geheimgesellschaften und Eliten eine autoritäre Weltregierung anstreben. [...]

Auch Naidoo ist im internationalen Sumpf des Irrsinns unterwegs, er neigt der sogenannten QAnon-Erzählung zu. An eine ähnliche Theorie glaubte offenbar auch der Attentäter, der im Februar neun Menschen mit ausländischen Wurzeln im hessischen Hanau ermordete. Laut QAnon gehören zahlreiche Banker, Politiker und Prominente einem internationalen Kinderhändlerring an, der Jungen und Mädchen in unterirdischen Lagern hält, um ein Lebenselixier aus ihnen zu gewinnen: Adrenochrom. Auch Gates stehe mit ihnen in Verbindung. [...]

Hildmann, Attila (* 1981) Autor von veganen Kochbüchern, Anhänger von Verschwörungstheorien

Naidoo, Xavier (* 1971) dt. Sänger, Komponist, Musikproduzent; Anhänger der „Reichsbürger"-Ideologie u. von Verschwörungstheorien

QAnon: Bezeichnung für eine vermutlich US-amerikanische Gruppierung, die Verschwörungstheorien verbreitet, teils mit rechtsradikaler Ausrichtung

Adrenochrom: Stoffwechselprodukt des Adrenalins

Material 2 (232 Wörter)

Bernhard Pörksen

Clash der Codes – oder das Zeitalter der indiskreten Medien
(2018)

Es ist womöglich nur sehr wenig geschehen und doch gleichzeitig unendlich viel passiert. Wir sind, so der kanadische Medientheoretiker Marshall McLuhan in einem prophetischen Aphorismus aus dem Jahre 1964, „von den Nerven der gesamten Menschheit umgeben. Sie sind nach außen gewandert und bilden eine elektrische Umwelt." Heute trifft das zu. Alles, was geschieht, was das Nervenkostüm anderer Menschen an irgendeinem Ort der Welt erreicht, was sie bewegt, verstört, ängstigt, vermag auch uns zu erreichen und zu verstören. Es ist eine Zeit der Empörungskybernetik, in der miteinander verschlungene, sich wechselseitig befeuernde Impulse einen Zustand der Dauerirritation und der großen Gereiztheit erzeugen. Jeder, der postet und kommentiert, Nachrichten und Geschichten teilt, ein Handyvideo online stellt, leistet seinen Beitrag, wirkt daran mit, die Erregungszonen der vernetzten Welt endgültig zu entgrenzen. Und es vergeht kein Tag ohne Verstörung, keine Stunde ohne Push-Nachrichten, kein Augenblick ohne Aufreger. Man könnte, selbst wenn man wollte, den digitalen Fieberschüben nicht entkommen. Sie regieren die öffentliche Agenda der klassischen Medien und bestimmen, was kommentiert wird. Und es ist längst eine eigene Emotionsindustrie entstanden, die genau beobachtet, was funktioniert und viral geht, um durch die Analyse von Echtzeit-Quoten die Aufreger systematisch zu verstärken. Bis am Ende des Tages Millionen von Menschen über ein einzelnes Foto diskutieren, sich über einen Tweet erregen oder rund um den Globus über einen einzigen Scherz lachen.

K

Material 3 (366 Wörter)

Michael Butter

Verschwörungstheorien (2021)

Das Coronavirus existiert gar nicht, aber die Regierung schürt Panik, um unsere Grundrechte einzuschränken. Bill Gates steckt hinter der „Plandemie“, um einen globalen Impfzwang durchzusetzen und so die Weltbevölkerung zu dezimieren. Vielleicht ist aber auch die 5G-Technologie für die Entstehung des Virus verantwortlich. Verschwörungstheorien sind derzeit in aller Munde. Ein signifikanter Teil der Bevölkerung glaubt an sie, und diejenigen, die nicht an sie glauben, betrachten sie mit wachsender Sorge.

Beides, der Glaube wie die Sorge, ist verständlich. Verschwörungstheorien erfüllen wichtige Funktionen für die Identität derjenigen, die an sie glauben. Sie schließen Zufall und Kontingenz aus und betonen stattdessen menschliche Handlungsmacht. Sie bedienen Vorstellungen von autonom handelnden Individuen, die besser ins 18. oder 19. Jahrhundert als in die Gegenwart passen. Zudem ermöglichen sie es, vermeintlich Schuldige zu identifizieren. Während in den klassischen Sündenbocktheorien meist Einzelpersonen aus der Gemeinschaft ausgestoßen werden, nehmen Verschwörungstheorien immer Kollektive ins Visier. Und gerade in Zeiten, in denen es (noch) nicht (wieder) normal ist, an solche Theorien zu glauben, ermöglichen es Verschwörungstheorien ihren Anhänger*innen, sich aus der Masse der Menschen hervorzuheben. Wer an Verschwörungstheorien glaubt, kann von sich behaupten, „aufgewacht“ zu sein und erkannt zu haben, wie die Welt wirklich funktioniert, während die Mehrheit dies noch immer verkennt.

Auch die Sorge über Verschwörungstheorien ist berechtigt. Zwar sind nicht alle Verschwörungstheorien gefährlich und beileibe nicht alle Menschen, die an sie glauben. Doch Verschwörungstheorien können problematische Konsequenzen haben. Sie können Gewalt legitimieren, wie nicht zuletzt die Attentate von Halle und Christchurch gezeigt haben. Wer sich als Opfer eines globalen Komplotts sieht, kann sich dazu berufen fühlen, zur Waffe zu greifen. Medizinische Verschwörungstheorien sind darüber hinaus gefährlich, weil sie dazu führen können, dass man sich und andere unabsichtlich gefährdet. Wer denkt, dass das Coronavirus nicht existiert oder harmlos ist, hält Abstands- und Hygieneregeln weniger streng ein oder verletzt sie gar bewusst als Akt zivilen Ungehorsams. Schließlich können Verschwörungstheorien das Vertrauen in die Demokratie beschädigen. Wer meint, dass alle Politiker*innen unter einer Decke stecken, beteiligt sich vielleicht nicht mehr an Wahlen oder gibt seine Stimme den Populist*innen. Wer glaubt, dass eine demokratische Wahl gefälscht wurde, geht dagegen womöglich mit Gewalt vor, wie es am 6. Januar 2021 beim Sturm auf das Kapitol in Washington geschah.

Material 4 (783 Wörter)

Michael Butter

Corona (2021)

Psychologie und Politikwissenschaft versuchen seit einigen Jahren, die Verbreitung einer allgemeinen Verschwörungsmentalität zu bestimmen. Solche Studien sind einerseits aufschlussreich, andererseits aber mit Skepsis zu betrachten, da sie nicht bestimmen können, wie fest die geäußerten Überzeugungen und wie wichtig sie für die Identität der Befragten sind. Rechnet man verschiedene Umfragen gegeneinander auf, kommt man auf etwa ein Viertel bis maximal ein Drittel der Deutschen, das empfänglich für Verschwörungstheorien ist. Überzeugte Verschwörungstheoretiker*innen machen etwa 10 Prozent der Bevölkerung aus.

Dies hat sich in der Pandemie nicht verändert, wie mehrere Studien zeigen, die ihre Daten im Sommer 2020 oder Frühjahr 2021 erhoben haben. Wenn überhaupt, hat der Glaube an Verschwörungstheorien seit Beginn der Pandemie in Deutschland abgenommen.

Das ist insofern nicht überraschend, da die in Deutschland populären Verschwörungstheorien zu Corona alle nicht neu sind. In den meisten Fällen wurde die Pandemie lediglich zum neuesten Kapitel bereits vorher existierender Verschwörungstheorien zum Impfen, zur angeblichen Abschaffung der Grundrechte, zur 5G-Technologie oder zum „Großen Austausch". Dass viele Beobachter*innen zunächst von einem Anstieg ausgingen, ist dennoch verständlich. Zum einen wissen wir aus der psychologischen Forschung, dass Menschen, die Ambivalenzen oder Unsicherheit schlecht akzeptieren können oder sich ohnmächtig fühlen, besonders empfänglich für Verschwörungstheorien sind. [...]

Man darf jedoch stärkere Sichtbarkeit nicht mit zunehmender Popularität verwechseln. Der sicherste Indikator dafür, dass jemand an eine Verschwörungstheorie glaubt, ist, dass er bereits an andere solche Theorien glaubt. Nur fällt dies oft nicht auf. Die meisten Menschen, die an Verschwörungstheorien glauben, sind nicht psychisch krank, wie man früher vermutete, sondern ganz normal. Sie wissen, dass ihre Überzeugungen von vielen, mit denen sie täglich zu tun haben, abgelehnt werden. Entsprechend behalten sie ihre Ansichten für sich und äußern sie nur unter Gleichgesinnten. Selbst ein Thema wie das Impfen, das handfeste Auswirkungen auf das eigene Leben hat, kann im Gespräch mit Freund*innen und Familie normalerweise ausgespart werden. Die Coronakrise dagegen macht aufgrund der vielfältigen Einschränkungen des sozialen Lebens eine ständige Positionierung notwendig – gerade im Umgang mit Freund*innen und Familienangehörigen. [...] In den allermeisten Fällen aber, das belegen die Zahlen, glaubten Kolleg*innen, Freund*innen und Verwandte schon vorher an Verschwörungstheorien; man wusste es nur nicht.

Zu der Wahrnehmung, dass der Glaube an Verschwörungstheorien in der Krise sprunghaft zugenommen habe, hat auch die große Aufgeregtheit beigetragen, mit der das Thema mitunter diskutiert wird. [...]

Die sogenannten „Hygienedemos" gegen die Kontaktbeschränkungen, die bereits Ende März begannen, die bundesweite „Querdenken"-Bewegung mit ihrer problematischen Nähe zur Neuen Rechten und die Impf-Verschwörungstheorien, die 2021 zunehmend dominant wurden, befeuerten die Sorgen der Öffentlichkeit.

Diese Sorgen sind – wie gesagt – nicht unberechtigt. Der Glaube an Verschwörungstheorien kann gefährliche Folgen haben, aber es gibt keinen Grund, in Panik zu verfallen, wie dies im öffentlichen Diskurs bisweilen geschieht. Verschwörungstheorien sind Teil aller modernen Gesellschaften seit der Frühen Neuzeit, und bis vor wenigen Jahrzehnten waren sie noch viel populärer und akzeptierter als heute. Ihre große Sichtbarkeit in der Gegenwart ist vor allem eine Folge der Skepsis, mit der sie in Deutschland – die USA sind ein anderes Thema – noch immer von der breiten Mehrheit und fast allen politischen Entscheidungsträger*innen betrachtet werden. Die Coronakrise hat dies nicht geändert; sie hat vielmehr zu einer noch größeren Sensibilisierung der Öffentlichkeit geführt. Auf vielen Ebenen werden derzeit Maßnahmen zur Eindämmung von Verschwörungstheorien diskutiert. Daher kann man verhalten optimistisch sein, dass der Glaube an sie in den nächsten Jahren eher ab- als zunehmen wird. Verschwinden wird er allerdings nie.

Großer Austausch: Verschwörungstheorie der rechtsextremen „Identitären Bewegung"; danach soll die einheimische Bevölkerung durch Migranten ausgetauscht werden

Ambivalenzen: Doppelwertigkeiten

K

Material 5

Abbildung 1:

Verschwörungsmentalität in Deutschland 2020/21

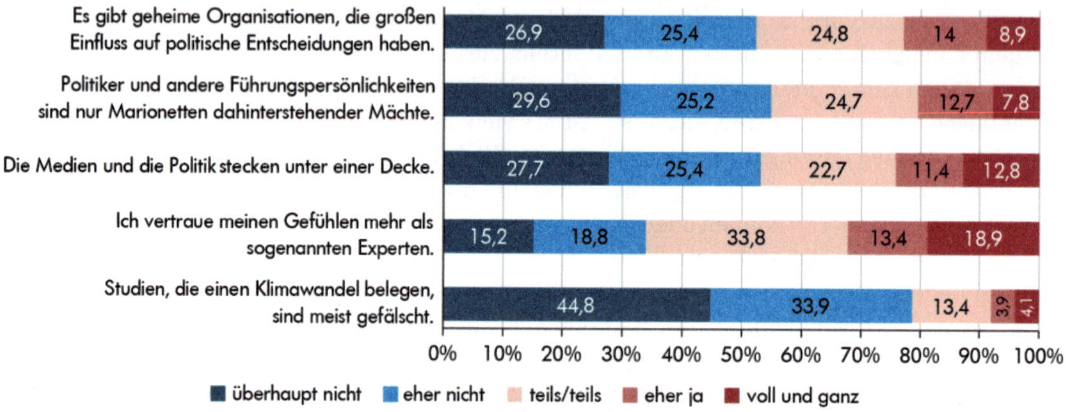

Quelle: Pia Lamberty/Jonas H. Rees, Gefährliche Mythen: Verschwörungserzählungen als Bedrohung für die Gesellschaft, in: Andreas Zick/Beate Küpper (Hrsg.), Die geforderte Mitte. Rechtsextreme und demokratiegefährdende Einstellungen in Deutschland 2020/21, Bonn 2021, S. 283–300, hier S. 290f.

Abbildung 2:

Verschwörungsmentalität in Deutschland 2020/21

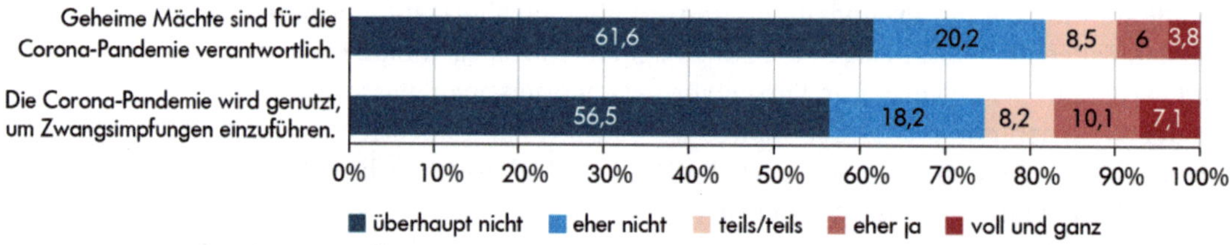

Quelle: Pia Lamberty/Jonas H. Rees, Gefährliche Mythen: Verschwörungserzählungen als Bedrohung für die Gesellschaft, in: Andreas Zick/Beate Küpper (Hrsg.), Die geforderte Mitte. Rechtsextreme und demokratiegefährdende Einstellungen in Deutschland 2020/21, Bonn 2021, S. 283–300, hier S. 292.

Materialgestütztes Schreiben – informierend

Aus der Aufgabenstellung geht hervor, dass Sie einen Beitrag für die Homepage Ihrer Schule schreiben sollen. Damit wird der Kreis der Adressaten im Wesentlichen eingeengt auf die Schülerschaft Ihrer Schule im Allgemeinen und die der gymnasialen Oberstufe im Besonderen. Darüber hinaus werden sich sicherlich auch die Lehrerinnen und Lehrer Ihrer Schule dafür interessieren. Aber ebenso Eltern, deren Kinder die Schule besuchen, erfahren von solchen Vorfällen, auch wenn die eigenen Kinder selbst nicht direkt davon betroffen sind. Insofern können Sie davon ausgehen, dass Ihr Beitrag und das diesem zugrunde liegende Problem vielfältigen Anlass zur Diskussion auch außerhalb des Rahmens Ihrer Schule bietet – ganz zu schweigen von den vielfältigen Möglichkeiten der digitalen Verbreitung. Eine derartige Reaktion der Schulleitung, eine gewisse Problemkonstellation seitens der potenziell Betroffenen selbst thematisieren zu lassen, ist durchaus nachvollziehbar. Hierdurch kann die belehrende sowie bewertende Funktion der Unterrichtenden ausgeblendet werden, die Kommunikation innerhalb der Schülerschaft verläuft auf „Augenhöhe".
Da also davon ausgegangen werden kann, dass das Problem über die Schule hinaus öffentlich wahrgenommen wird und eine solche Wirkung erzielt, sollten Sie als Autorin oder Autor des Beitrags auf der Schulhomepage bemüht sein, eine angemessen gehobene Ausdrucksweise zu verwenden. Vermeiden sollten Sie – schon allein aus datenschutzrechtlichen Gründen – solche Hinweise, aus denen Insider des Schullebens auf bestimmte Personen, ganz gleich ob aus der Schülerschaft, dem Kreis der Eltern oder dem Lehrkörper, schließen können.

Als erster Schritt Ihrer Erarbeitung bietet sich an, die vorliegenden Materialien zur Kenntnis zu nehmen und sie ihrem Charakter und ihrer Bedeutung gemäß zu sortieren.

Schritt 1: Kenntnisnahme der fünf Materialien: Textverständnis, Textsorte und Bedeutung

Schritt 2: Erstellung einer Struktur Ihres Textes: Reihenfolge und Gewichtung

Schritt 3: Verfassen des Textes

Schritt 1

Die Auseinandersetzung mit den Materialien sollte in einem mehrschichtigen Verfahren durchgeführt werden, da nicht damit zu rechnen ist, dass die von Ihnen zu berücksichtigenden Aspekte isoliert in den einzelnen Texten abgehandelt werden. Daher empfiehlt sich folgendes Vorgehen:

1.1 Nehmen Sie zunächst nacheinander die fünf Materialien aufmerksam zur Kenntnis. Stellen Sie sicher, dass Sie alle Sachverhalte, Fachausdrücke und inhaltlichen Zusammenhänge richtig verstehen.

1.2 Werten Sie nun jedes Material inhaltlich aus, indem Sie sich der üblichen Methoden bedienen, also Unterstreichungen, Randnotizen etc. Streichen Sie dabei auch Textstellen, die Ihnen im Rahmen Ihrer Aufgabenstellung unergiebig erscheinen.

1.3 Fertigen Sie zu jedem Material eine stichwortartige Kurzfassung wesentlicher Informationen, Argumente, Zusammenhänge an.

1.4 Erstellen Sie nun eine Übersicht, in der Sie vermerken, welche der geforderten Aspekte in welchen Materialien behandelt werden. Damit vermeiden Sie ein rein additives Vorgehen und erleichtern sich die Orientierung innerhalb der Materialien. Denken Sie bitte schon an dieser Stelle daran, in Ihren Unterlagen die genauen Fundstellen in den einzelnen Materialien zu notieren, um sich später zeitaufwändiges Suchen zu ersparen.

Nun haben Sie festgestellt, dass es sich bei den fünf Materialien um vier pragmatische Texte handelte, während das fünfte Material zwei statistische Auswertungen aufweist, also einen diskontinuierlichen Text darstellt.
Material 1 ist ein journalistischer Text, der einen Überblick über Verschwörungstheorien gibt, die im Umfeld der Pandemie seit ihren Anfängen zu Beginn des Jahres 2020 im Umlauf waren, teils aber schon früher entstanden sind. Hier werden Ursachen genannt sowie Erklärungsansätze und Absichtsvermutungen vorgestellt. Der zweite Textauszug des Materials 2 stammt von dem Kommunikationswissenschaftler Pörksen, der die digitalen Medien wegen ihrer permanenten Datenproduktion und der sich immer stärker ausweitenden Vernetzung in hohem Maße als „indiskret" bezeichnet. Die beiden folgenden Textauszüge des Amerikanisten Butter sehen in den Anhängern von Verschwörungstheorien ein Aufbegehren vermeintlicher Wissender gegen die Mehrheit, wenn nötig auch mit Gewalt (Material 3). In seinem zweiten Text (Material 4) hält Butter fest, dass die sogenannten Verschwörungstheorien in Bezug auf die Corona-Pandemie sich eigentlich alter Denkmuster bedienen, die inzwischen Teil unserer Alltagserfahrungen geworden sind. Er bezeichnet es allerdings als durchaus positiv, dass diese Verschwörungstheorien inzwischen auch einen Beitrag zur Sensibilisierung der Menschen während der Pandemie geleistet haben. Das Material 5 weist auf der Grundlage von aktuellen empirischen Untersuchungen den hochgerechneten prozentualen Anteil von Verschwörungsanhängern im Vergleich zu diesen gegenüber eher skeptisch eingestellten Bevölkerungskreisen aus.

Schritt 2

Hier geht es um die Struktur Ihres Textes. Bei Ihren Überlegungen sollten Sie sich vollständig von der Reihenfolge lösen, in der Ihnen die fünf Materialien dargeboten werden. Lassen Sie sich einzig und allein von Ihrem Sachverstand und Ihrer Kreativität leiten. Die Beantwortung der folgenden zwei Fragen kann Ihnen dabei behilflich sein, Ihrem eigenen Beitrag eine angemessene Struktur zu geben:

1. Welche gedankliche Struktur soll meinem Text zugrunde liegen?
2. Wie sollen die einzelnen Teile meines Beitrags quantitativ gewichtet werden?

Zur ersten Frage:
Sie müssen sich nicht zwingend an die Reihenfolge der erforderlichen Aspekte halten, so wie diese in der Aufgabenstellung angeordnet sind. Wenn auch die ersten drei genannten Aspekte in ihrer inneren Logik zusammengehören, ist die eigene Positionierung durchaus als Einstieg in Ihren Beitrag geeignet. In diesem Fall sollten Sie am Schluss Ihres Artikels Ihre Haltung gegenüber dem Phänomen der Verschwörungstheorien kurz zusammenfassen.

Zur zweiten Frage:
Im Zusammenhang mit der Beantwortung der ersten Frage erscheint es sinnvoll, das Hauptgewicht des eigenen Textes auf die Darstellung der einzelnen Analysegesichtspunkte hinsichtlich der Verschwörungstheorien zu legen, also deren Formen, Struktur, Funktionen sowie Verbreitung.

Schritt 3

Entscheidend für den jetzt sich anschließenden Schreibprozess zur Fertigstellung Ihres Beitrags wird die Beachtung der Punkte 1.1 – 1.4 (s. Schritt 1) sein. Haben Sie die hier enthaltenen Hinweise weitgehend befolgt, liegt Ihnen ein entsprechender Schreibplan vor, an dem Sie sich bei der Abfassung Ihres Gesamttextes orientieren können.
Wie bei jeder Klausur sollte auch beim materialgestützten Schreiben eine abschließende Sichtung des eigenen Textes erfolgen, um mögliche Fehler noch beheben zu können.

Auf einen Blick

Auf einen Blick – was finden Sie hier?

Im Folgenden erhalten Sie – kurz und knapp und *auf einen Blick* – die wichtigsten Informationen, die Sie im Deutschunterricht der Sekundarstufe II benötigen: vor allem hilfreiche Tipps für Ihre Klausuren sowie Fachwissen, das Sie schnell im Unterricht oder zu Hause nachschlagen können (ohne googeln zu müssen).

Bei den **Arbeitstechniken** können Sie z. B. nachlesen, wie Sie sinnvoll Markierungen vornehmen, wie Sie richtig zitieren oder wie Sie Ihre Texte überarbeiten.

Im **Klausurwissen** erfahren Sie, was bei den verschiedenen Aufgabenarten von Ihnen erwartet wird, u. a. bei einer Textanalyse und beim materialgestützten Erörtern, wenn Sie sich nicht mehr daran erinnern, welche Bestandteile z. B. eine Einleitung enthalten sollte. Das Klausurwissen umfasst somit all das in Theorie, was Sie in den unterschiedlichen Klausurtrainings bereits praktisch erproben konnten.

Im Deutschunterricht begegnen Ihnen immer wieder **Fachbegriffe** aus zahlreichen Bereichen. Wenn Sie Ihr Wissen über den Anapäst, den stream of conciousness, Erzählperspektiven, Kamerabewegungen oder Morphologie auffrischen wollen, finden Sie hier die entsprechenden Definitionen.

Nicht fehlen darf die **Literaturgeschichte**! Die wichtigsten Epochen werden Ihnen noch einmal kurz und bündig vorgestellt. Wenn es ganz schnell gehen muss, können Sie in nur zehn Sekunden Ihr Wissen über eine Epoche wieder auffrischen: Dabei helfen Ihnen wenige prägnante Begriffe, die jeder Epochenzusammenfassung vorangestellt sind. Zusätzlich erleichtert Ihnen ein aussagekräftiges Symbol die Erinnerung.

Werfen Sie doch einmal einen Blick auf die nächsten Seiten ...

Methoden/Arbeitstechniken

Texte lesen und verstehen

Ansprache an die Leserinnen und Leser

Sie sind Schüler/-in der gymnasialen Oberstufe in NRW. Das bedeutet, dass Sie schon einige Jahre in der Schule verbracht haben und Ihnen viele Methoden der Texterschließung näher gebracht wurden. Deswegen ist es nicht unsere Intention, Ihnen noch einmal einzelne Lesemethoden zu erläutern, vielmehr wollen wir daran erinnern, wie entscheidend der Lesezugang zu welchem Text auch immer ist. Egal ob Gesamtwerk, literarischer Auszug, Gedicht oder Sachtext, die Frage, wie gut wurde der Text beim Lesen erschlossen, bleibt zentral für die Qualität der im Anschluss verfassten Analysen und Erörterungen.

Darum: Die erste Analyse, die stattfinden muss, ist immer die Analyse der Aufgabenstellung! Was wird eigentlich genau von mir verlangt? Wo soll die Reise hingehen? Werden Schwerpunkte durch die Aufgabenstellung gesetzt? Wenn das geklärt ist, dann kann der Text einmal allgemein und dann ein zweites Mal spezifisch in Bezug auf die Aufgabenstellung gelesen werden. Und spätestens beim zweiten Lesen sollten dann Markierungen zielgerichtet vorgenommen werden...

Einen Text bearbeiten

Markierungen

Egal, ob es sich um Sach- oder literarische Texte handelt: Wenn Sie einen Text bearbeiten, versehen Sie diesen immer mit Markierungen. So behalten Sie besonders bei längeren Texten den Überblick und verlieren nicht zu viel Zeit durch wiederholtes Lesen auf der Suche nach bestimmten Textstellen. Dies sollten Sie beim Markieren beachten:

Weniger ist mehr! Markieren Sie vor allem einzelne Begriffe oder Satzteile, möglichst aber keine ganzen Sätze. Wenn zu viel gekennzeichnet ist, leidet die Übersichtlichkeit und Sie müssen wieder nach Informationen suchen.

Farben erwünscht! Nutzen Sie für verschiedene Aspekte Textmarker verschiedener Farben. Ergänzen Sie Textmarker durch Fineliner. Aber auch hier gilt: Weniger ist mehr! Bei zehn verschiedenen Stiften blicken Sie kaum noch durch! Und am besten passen Sie die Farben den Schwerpunkten der Aufgabenstellung an.

Kreativität gefragt! Markieren heißt nicht nur, Textstellen mit Textmarkern hervorzuheben. Seien Sie kreativ und entwickeln Sie Ihr individuelles System: Umkreisen Sie z.B. Schlüsselbegriffe. Nutzen Sie doppelte Unterstreichungen und Wellenlinien. Skizzieren Sie Symbole an den Rand wie Frage-, Ausrufezeichen, Blitze oder Glühlampen. Und vergessen Sie nicht die Aufgabenstellung!

Zwischenüberschriften

Zwischenüberschriften dienen der Orientierung im Text, indem sie einen Abschnitt schlagwortartig zusammenfassen. Wenn Sie einen längeren Text bearbeiten, der über keine Zwischenüberschriften verfügt, formulieren Sie sie selbst und schreiben Sie sie an den Rand. Nicht jeder einzelne Absatz benötigt eine eigene Überschrift, doch eine pro Sinnabschnitt ist empfehlenswert.

Texte verfassen

Nachdem Sie nun Tipps zum Lesen und Bearbeiten von Texten erhalten haben, soll Ihnen die folgende Übersicht beim Schreiben von eigenen (Klausur-)Texten behilflich sein. Sie finden Ratschläge für Ihre Arbeit *vor* dem Verfassen von Texten, *während* des Schreibens und *nach* dem Schreiben.

Vor dem Schreiben: Text planen

Hypothese aufstellen

Für die Erarbeitung eines Textes kann es hilfreich sein, eine sogenannte Deutungshypothese aufzustellen. Eine Hypothese ist eine Annahme oder Behauptung, die entweder verifiziert oder falsifiziert werden muss/soll/kann. Wenn Sie bspw. ein Gedicht interpretieren, kann es sein, dass das Gedicht auf den ersten Blick heiter wirkt, bei genauerer Betrachtung jedoch eine herbe Gesellschaftskritik aufweist. Auf Ihrem ersten *Leseeindruck* basierend können Sie diese Hypothese jetzt für Ihre Erarbeitung aufstellen, und durch das geübte Erschließen des Gedichtes diese Annahme entweder verifizieren oder falsifizieren. Ihre Markierungen und Stichpunkte dienen damit der Überprüfung der Hypothese. Wenn Sie selber Ihre eigene Hypothese verifizieren können, also am Text belegen, dann auf in die Analyse. Wenn Sie Ihre eigene Hypothese widerlegen, dann stellen Sie auf Grundlage dieser Erarbeitung eine neue auf und versuchen diese zu belegen. Wichtig ist, dass Ihre Hypothesenbildung vor allem dazu dient, den Erarbeitungsprozess zu strukturieren. Ihre Erarbeitungshypothese findet sich in Ihrer Analyse, die unter Beweis stellen soll, dass Sie den zu erarbeitenden Text verstanden haben, nicht direkt wieder, sondern mündet zum einen in die Themenformulierung und ist zum anderen Hauptbestandteil der abschließenden Deutung des Textes.

Ideen sammeln und ordnen

Je nachdem, welche Art von Text Sie verfassen sollen, kann Ihre Vorbereitung auf den Schreibprozess variieren. Sie können auf der Basis von Material schreiben, d.h., Sie müssen zunächst einen Text bearbeiten. Es ist aber auch möglich, dass Ihnen eine Aufgabe ohne Textgrundlage gegeben wird, z.B. bei einer freien Erörterung. Das Sammeln und Ordnen von Ideen ist in allen Fällen eine notwendige Voraussetzung für den Schreibprozess. So können Sie z.B. vorgehen:

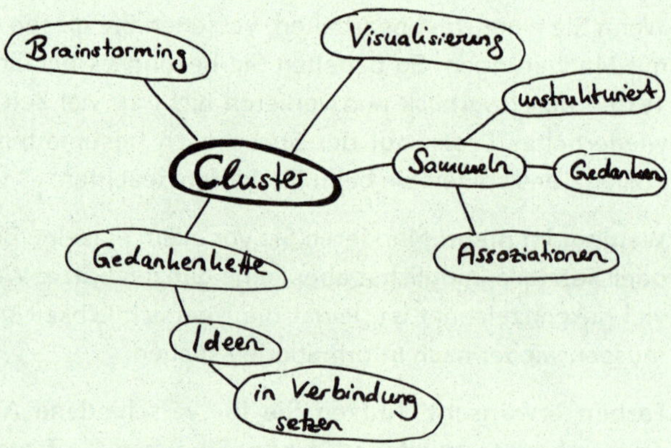

Cluster

Zum unstrukturierten Sammeln von Ideen, z.B. in einem Brainstorming, bietet sich ein Cluster an. In einen Kreis in der Mitte schreiben Sie Ihr Thema. Alle Ideen und Assoziationen notieren Sie in Kreisen rund um Ihr Thema herum. Mehrere Ideen zu einem Gedanken ergeben eine Gedankenkette. Zur Übersichtlichkeit können Sie Stichwörter wieder streichen, die Sie doch nicht in Ihren Text integrieren wollen.

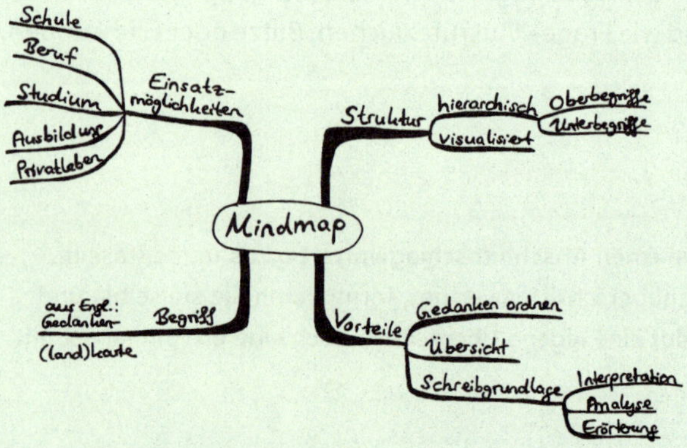

Mindmap

Eine Mindmap sieht auf den ersten Blick ähnlich wie ein Cluster aus. Auf den zweiten Blick stellen Sie aber fest, dass die um das Thema gruppierten Stichwörter bereits logisch angeordnet sind. Dabei helfen Oberbegriffe auf den Hauptästen. An die Äste zeichnen Sie Zweige, die die jeweiligen Unterbegriffe zum Ast aufweisen. So können Sie einen Fremdtext oder Ihre eigenen Ideen anschaulich und hierarchisch darstellen.

Flussdiagramm

In einem Flussdiagramm können Sie durch Pfeile Abläufe sowie Gedankengänge darstellen, z. B.
Text lesen → Brainstorming → Cluster erstellen → Stichwörter in Mindmap ordnen

Strukturdiagramm

Eine andere Möglichkeit, Ideen anschaulich darzustellen, ist das Strukturdiagramm. Hier können Sie das Verhältnis einzelner Begriffe zueinander durch beschriftete Pfeile, Klammern und Symbole verdeutlichen. Es bietet sich z. B. an für das Beziehungsgeflecht zwischen literarischen Figuren oder für eine Übersicht über komplexe Handlungen.

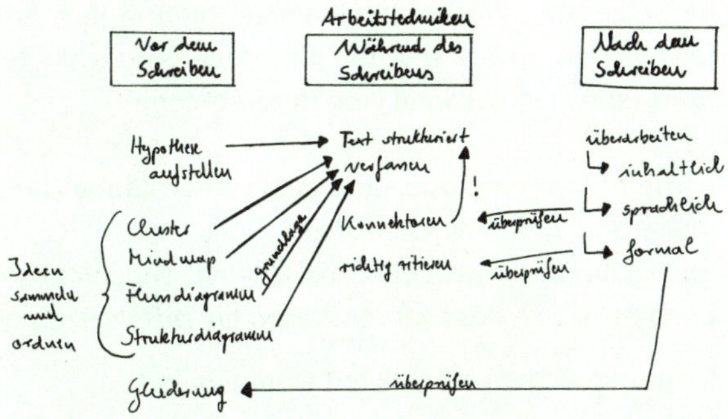

Gliederung erstellen

Möglicherweise hilft Ihnen aber bei Ihrer Vorbereitung auch eine lineare *Gliederung nach Einleitung*, *Hauptteil* und *Schluss*.
In dieser ordnen Sie Ihre Gliederungspunkte listenartig und nummeriert an, z. B.
1. Einleitung
1.1 Einleitungssatz mit Autor, Titel etc.
1.2 begründete Themenformulierung
1.3 kurze Zusammenfassung des Textes
2. Hauptteil
2.1 Inhaltszusammenfassung
2.2 formale Analyse
Beim Schreiben können Sie dann die bereits ausformulierten Gliederungspunkte abhaken.

Während des Schreibens: Text verfassen

Die Vorarbeiten sind abgeschlossen, Sie können Ihren Text beginnen. Nutzen Sie nun Ihre Übersichten, deren Struktur Sie auch daran erinnert, *Absätze* zu machen. Denken Sie beim Verfassen eigener Texte – vor allem bei Inhaltsangaben – immer daran, eigene Formulierungen zu finden und keine Wörter oder ganze Sätze aus dem Bezugstext zu übernehmen. Während in Inhaltsangaben Zitate nicht unbedingt erwünscht sind, können Sie im Analyseteil auf wortwörtliche Übernahmen zurückgreifen. Diese müssen Sie kenntlich machen.

Konnektoren

Durch Konnektoren können Sie Sätze oder Satzteile verknüpfen und Ihren Text so sprachlich interessanter gestalten. Eine Auswahl finden Sie hier:

Sie möchten …	Beispiele für Konnektoren
… etwas hinzufügen (additiv)	und, außerdem, ferner, sowie
… etwas erklären (explikativ)	und zwar, das heißt, nämlich
… einen Grund anführen (kausal)	weil, denn, da, nämlich
… eine Bedingung angeben (konditional)	wenn, falls, vorausgesetzt (dass)
… ein Mittel nennen (instrumental)	dadurch, hierdurch, anhand dessen
… etwas zeitlich einordnen (temporal)	als, während, bevor, nachdem, zugleich
… einen Gegensatz darstellen (adversativ)	aber, allerdings, wohingegen
… etwas einräumen (konzessiv)	obwohl, trotzdem, ungeachtet dessen
… etwas vergleichen (komparativ)	als ob, als wenn, dementsprechend, so
… eine Aussage einschränken (restriktiv)	insofern, jedenfalls, zwar, nur (dass)
… etwas ersetzen (substitutiv)	(an)statt, eher, sondern, anstelle dessen
… eine Folge verdeutlichen (konsekutiv)	daher, damit, deshalb, infolgedessen

M

Richtig zitieren

Wenn Sie auf der Grundlage eines Textes schreiben und diesen z. B. analysieren, sollten Sie „nah am Text" arbeiten. Ihre Deutungen müssen Sie anhand von Textstellen belegen. Das bedeutet aber nicht, dass Sie einzelne Sätze oder Wörter ungekennzeichnet in Ihre Arbeit übernehmen dürfen. Im Folgenden sind die einzelnen Möglichkeiten der Zitation aufgeführt (zitierte Passagen sind unterstrichen):

I. Integration einer Aussage durch Übernahme der zentralen Originalformulierung in den eigenen Text:
Sapir führt aus, Sprache sei dermaßen „eng mit unserem Alltagsleben verbunden" (Z. 1), dass wir ihr Wesen nie reflektieren würden.

II. Anschluss eines Zitats mit Doppelpunkt:
Hinsichtlich des Gehens sieht Sapir eine spezielle Veranlagung: „Der Mensch ist eigentlich schon zum Gehen prädestiniert" (Z. 13).

III. Paraphrase: Wiedergabe durch sinngemäße Übernahme, diese steht mit der Abkürzung Vgl. und Quellenangabe oder wird durch ein Stück Originaltext ergänzt bzw. gestützt:
Er meint, der Mensch sei wie geschaffen zum Gehen (vgl. Z. 13). } *Den Konjunktiv nicht vergessen!*
Er meint, der Mensch sei „zum Gehen prädestiniert" (Z. 13).
Hinsichtlich des Gehens spricht Sapir dem Menschen eine spezielle natürliche Eignung zu (vgl. Z. 13).

Regeln des Zitierens

- Zitate werden durch Anführungszeichen gekennzeichnet. Im Deutschen werden die Anführungszeichen am Anfang des Zitats **unten** gesetzt und am Ende **oben**!
- Zitate müssen genau übernommen werden, auch hinsichtlich der Rechtschreibung und Zeichensetzung. Von diesem generellen Übernahmegebot gibt es nur wenige Ausnahmen (s. Anpassung des Zitats).
- Werden Auslassungen vorgenommen, weil sie für das Gemeinte nicht so wichtig scheinen, so darf dadurch der Sinn nicht entstellt werden. Auslassungen innerhalb eines Zitates **(nicht am Anfang und am Ende)** müssen durch drei Punkte in eckigen Klammern gekennzeichnet werden. *„Ambanelli zählte die Wörter [...], wie man die Säcke voll Korn zählt"* (Z. 12).
- Werden nur Teilsätze zitiert, so müssen auch sie im Wortlaut genau übernommen werden; d. h., **der eigene Satz** muss dem **Zitat angepasst** werden, nicht umgekehrt. Die eigene Formulierung und das Zitat müssen zusammen einen **grammatikalisch korrekten Satz** ergeben. Zitieren Sie vollständige Sätze, wenn die Gefahr besteht, dass das Zitat sonst grammatisch oder inhaltlich verstümmelt wird. *Und es kam dazu, „dass er nachts von ihnen träumte"* (Z. 13).
- Muss das Zitat in der Groß- oder Kleinschreibung oder grammatikalisch dem eigenen Satz angepasst werden, ist jede Änderung des Originals in eckigen Klammern sichtbar zu machen. *„Der Mann war im Zimmer."* → *Er sah bald, dass „ [d]er Mann [...] im Zimmer „ (Z. 14) war. „Er hatte einige Freunde."* → *Er spricht von „einige[n] Freunde[n]"* (Z. 15).
- Die Quelle des Zitats wird in Klammern direkt nach dem Zitat angegeben, der Punkt steht dahinter **am Ende der gesamten sprachlichen Einheit**. Bezieht sich das Zitat auf zwei Zeilen, dann wird an die Zeilenangabe ein f. angehangen (Z. 21 f.); bezieht sich das Zitat auf mehr als zwei Zeilen, dann wird ein ff. angehangen (Z. 21 ff.).
- Sind im Originaltext bereits Anführungszeichen enthalten, so erscheinen diese im Zitat als einfache Anführungszeichen. *„Beginnen wir mit dem ‚Alphabet', sagte der Junge, der elf Jahre alt war"* (Z. 16).

Nach dem Schreiben: Text überarbeiten

Nach dem Verfassen des Schlussteils sollten Sie noch ausreichend Zeit für Ihre *Überarbeitung* zur Verfügung haben. Planen Sie diese Zeit beim Schreiben mit ein! Die Überprüfung und gegebenenfalls Überarbeitung erfolgt auf den drei Ebenen: inhaltlich, formal und sprachlich:

M

inhaltlich

- Haben Sie alle in der Aufgabenstellung geforderten Aspekte berücksichtigt?
- Enthält Ihr Text alle Gliederungspunkte / alle Ideen aus Ihren Diagrammen?
- Sind Ihre Überlegungen fachlich korrekt?
- Sind Ihre Ausführungen logisch nachvollziehbar und folgen einem roten Faden?

formal

- Haben Sie die geforderte Textsorte berücksichtigt, z. B. Analyse oder Erörterung?
- Enthält Ihr Text eine Einleitung, einen Hauptteil und einen Schluss?
- Ist der Text in Abschnitte gegliedert?
- Sind alle Zitate richtig mit Anführungszeichen und Textquellen versehen?

sprachlich

- Sind Satzteile / Sätze / Gedankengänge / Absätze durch Konnektoren sprachlich verbunden?
- Enthält Ihr Text den nötigen Fachwortschatz?
- Müssen umgangssprachliche Ausdrücke entfernt werden?
- Finden Sie noch Fehler in den Bereichen **R** Rechtschreiben, **Z** Zeichensetzung, **Gr** Grammatik, **T** Tempus?

K

Aufgabenarten und Anforderungsbereiche

Im Folgenden erhalten Sie einen Überblick über sechs verschiedene *Aufgabenarten*, die Ihnen in den Deutsch-Klausuren der Qualifikationsphase sowie im Abitur begegnen können. Konkrete Tipps zur Vorgehensweise beim Verfassen einer Klausur finden Sie im Anschluss an die Übersichtstabelle.

Aufgabenart I	Typ A	Analyse eines literarischen Textes (ggf. mit weiterführendem Schreibauftrag)
	Typ B	Vergleichende Analyse literarischer Texte
Aufgabenart II	Typ A	Analyse eines Sachtextes (ggf. mit weiterführendem Schreibauftrag)
	Typ B	Vergleichende Analyse von Sachtexten
Aufgabenart III	Typ A	Erörterung von Sachtexten
	Typ B	Erörterung von Sachtexten mit Bezug auf einen literarischen Text
Aufgabenart IV	Typ A	Materialgestütztes Verfassen informierender Texte
	Typ B	Materialgestütztes Verfassen argumentierender Texte

Unabhängig davon, um welche Aufgabenart es sich bei Ihrer nächsten Klausur handelt, werden die Arbeitsaufträge **Operatoren** enthalten. Deren jeweilige Definitionen können Sie schnell in der vorderen Umschlagsinnenseite nachlesen. Operatoren geben Ihnen bereits Hinweise auf den **Anforderungsbereich** (AFB) der jeweiligen Aufgabe.
Im **AFB I** geht es um *Reproduktion*. Sie sollen einen vorgegebenen Text wiedergeben. Dies wird meist mit den Operatoren *beschreiben, wiedergeben* oder *benennen* formuliert. Die Arbeit in diesem Anforderungsbereich ist meist die Grundlage für die weiteren Aufgaben. Insofern besteht eine gewisse Abfolge und auch eine gewisse Hierarchie.
Im **AFB II** geht es um *Reorganisation* und *Transfer*. Sie sollen Ihre erworbenen Kompetenzen und Ihr fachliches Wissen anwenden und Zusammenhänge herstellen. Dies wird meist mit den Operatoren *vergleichen* oder *erläutern* formuliert.
Im **AFB III** geht es um *Reflexion* und *Problemlösung*. Sie sollen komplexe Denkvorgänge organisieren und zu einem eigenständigen, begründeten Urteil kommen. Dies wird meist mit den Operatoren *beurteilen* oder *Stellung nehmen* formuliert.
Mit Ausnahme der Aufgabenart IV sind alle Aufgabenstellungen im Zentralabitur Deutsch in NRW immer zweigliedrig, das heißt, dass Sie entweder einen Text zunächst analysieren und dann in Bezug auf eine bestimmte Fragestellung erörtern müssen, oder aber Sie müssen zwei Texte vergleichend zueinander analysieren. Auch die Aufgabenart III bezieht sich auf einen in der Klausur vorliegenden und zu analysierenden Text, der Unterschied zur Analyse mit weiterführendem Schreibauftrag besteht dann hauptsächlich in der höheren Gewichtung der zweiten Aufgabe.

Die 5-Schritt-Klausurmethode

- **1. Zeitplanung**
  Auch Zeit für Überarbeitung am Ende berücksichtigen!
- **2. Vorbereitung: Text planen**
  Aufgabenstellung verstehen, Material erschließen, Arbeitshypothese formulieren, Ideen sammeln (Brainstorming → Cluster)
- **3. Strukturierung des Inhalts**
  Mindmap, Gliederung erstellen
- **4. Schreibprozess: Text verfassen**
  Jeder Gliederungspunkt = 1 Abschnitt
- **5. Überarbeitung: Text überarbeiten**

Der Aufbau einer Klausur

Bei der Aufgabenstellung der Klausuren wird Ihnen immer die *Gewichtung* bekannt gegeben, woran Sie erkennen können, mit welchem Punktanteil welche Aufgabe in die Gesamtbenotung eingeht. Dies gibt Ihnen einen brauchbaren Hinweis darauf, welche *zeitlichen* und *quantitativen* Ausmaße Sie für die Bearbeitung einzelner Aufgaben einplanen sollten. Sie können die oben dargestellte 5-Schritt-Klausurmethode auch dahingehend variieren, dass Sie aufgabenweise vorbereiten, strukturieren und schreiben. Gestalten Sie die Materialien, mit denen Sie vorbereiten und strukturieren, übersichtlich und auch für andere Personen lesbar. Falls Sie nämlich aus irgendwelchen Gründen in Zeitnot geraten und Sie Ihren Schreibprozess nicht wie geplant abschließen, können Ihre Planungs- und Strukturierungsunterlagen bei der Bewertung Ihrer Klausur herangezogen werden.

Verfassen Sie den Text Ihrer Klausur so, dass auf den ersten Blick eine **Struktur** erkennbar ist, etwa durch Absätze. Operatoren, die Sie zur Reproduktion auffordern (AFB I), können meist mit einer recht schlichten Struktur bearbeitet werden, die häufig durch die Art des vorgelegten Textes gegeben ist.

Die komplexeren Operatoren aus den Anforderungsbereichen II und III legen nahe, dass Sie Ihre Texte nachvollziehbar strukturieren. Ganz allgemein geschieht dies am besten mit der Unterteilung in *Einleitung, Hauptteil* und *Schluss*. Es bietet sich an, an diesen Stellen mindestens eine **Leerzeile** zu lassen.

Welche Bestandteile Ihre Einleitung, Ihr Hauptteil und Ihr Schlussteil enthalten sollten, können Sie im Folgenden nachlesen.

Dort erhalten Sie Antworten auf die Fragen: Worauf muss ich bei ...

... analysierenden Aufgaben (**Textanalyse** und **Textdeutung**) achten?

... erörternden Aufgaben (**literarische Erörterung** und **Texterörterung**) achten?

... materialgestützten Aufgaben (**materialgestütztes Verfassen informierender und argumentierender Texte**) achten?

Analysierende Aufgaben

Analysieren kann man auch verstehen als: *durchleuchten* oder *in einzelne Bestandteile zerlegen*. Die Analyse ist die entscheidende Voraussetzung für eine Deutung. In erster Linie geht es um das Erfassen des Textes: Wesentliche Elemente und Strukturen müssen erkannt werden. Dabei ist immer zu unterscheiden zwischen *inhaltlichen* Aspekten (z. B. Stichhaltigkeit, Schlüssigkeit, Adressaten-/Situationsbezug, Aussageabsicht, übergreifende Zusammenhänge), Aspekten der *formalen* Gestaltung (z. B. Aufbau, Stil) und *sprachlichen* Merkmalen (z. B. Wortwahl, Satzbau).

Deuten kann man auch verstehen als: *Bedeutung zuweisen bzw. Bedeutungsebenen erkennen*. Dies erfordert ein hohes Maß an selbstständigem Denken. Entscheidend für eine gelungene Deutung ist die durchdachte und differenzierte Begründung der eigenen Beurteilung. Wenn nicht anders gefordert, bieten sich selbst gewählte Deutungsansätze an, wie z. B. Intention, Wirkung, Rezeption, Wertvorstellungen, Zeithintergrund, Autorenbiografie. Grundlagen für den Analyse- und Deutungsauftrag können sowohl literarische als auch pragmatische Texte oder eine Kombination beider sein. Bei **literarischen** Texten kann es sich um epische Werke (z. B. Romanauszug oder Kurzgeschichte), um lyrische Texte wie Gedichte und Balladen oder um dramatische Texte handeln. Beispiele für **pragmatische** Texte sind: journalistische Formen, (populär-)wissenschaftliche und philosophische Texte, Reden, Essays, Tagebücher, Memoiren, Reisebeschreibungen und Biografien.

In der **Einleitung** wird anfangs Bezug genommen auf *Autor, Ort* und *Zeit* der Veröffentlichung sowie auf die *Gattung* und das *Thema* des Textes. Ein wichtiger und manchmal komplizierter Aspekt ist der *zeitliche Zusammenhang* der Entstehung und der Veröffentlichung. Gerade bei literarischen Texten kann es von Bedeutung sein, ob der Autor beim Verfassen des Textes jung oder alt war, ob der Text thematisch einen offensichtlichen Zeitbezug hat und ob er zeitnah mit dem Verfassen oder erst später veröffentlicht worden ist. So kann es sein, dass ein Autor als junger Mensch Kriegsgeschehen verherrlicht, was er im hohen Alter aber nicht mehr tut.

Auch wäre möglich, dass ein Text verloren geht, zensiert wird oder bewusst zurückgehalten wurde, sodass zwischen Entstehen und Veröffentlichen eine große Zeitspanne liegt. Ein bemerkenswertes Beispiel dafür ist das Drama *Dantons Tod* von Georg Büchner, das 1835 geschrieben wurde und erst 1902 zur Uraufführung kam. Solche Zusammenhänge sollten in der Einleitung erwähnt werden. Bei pragmatischen Texten sollte die *Zielgruppe* benannt werden, wenn sie klar bestimmbar ist.

Für den **Hauptteil** bietet es sich an, eine Unterteilung in *Sinnabschnitte* vorzunehmen. In einem *ersten* Abschnitt sollte der *Inhalt* wiedergegeben werden, wobei zunächst der Kern der inhaltlichen Aussage formuliert wird. Dies ist eine große gedankliche und sprachliche Herausforderung, und deshalb sollte dieser Satz gut überlegt und sprachlich ausgefeilt werden. An dieser Stelle ist es durchaus angebracht, erste *Deutungsansätze* zu skizzieren, indem auf Widersprüche, Brüche oder andere Auffälligkeiten im Text hingewiesen wird. Schwer verständliche Textelemente sollten als solche benannt und problematisiert werden. Bei literarischen Texten spielen Gefühle und Stimmungen eine große Rolle, deshalb sollten erkennbare emotionale Elemente des Textes benannt werden.

Für die Analyse und Deutung literarischer Texte bietet sich an, in einem *zweiten Abschnitt* eine Beziehung zwischen den formalen, gestalterischen Mitteln und dem Inhalt herzustellen. Je nach Charakter des literarischen Textes kann mit einer gründlichen Formanalyse begonnen werden, der dann eine Bedeutungszuweisung für den Inhalt folgt, oder beides kann integriert erfolgen, indem einem Gestaltungselement unmittelbar inhaltliche Aussagekraft zugeschrieben wird. Je nach Gattung des Textes (Epik, Drama, Lyrik) gibt es einen ganzen Strauß formaler Analyseaspekte:

Aufbau des Textes, Formelemente wie Absätze oder Schriftbild, erkennbare Sinnabschnitte, sprachliche Besonderheiten wie Mundart oder wissenschaftliche Ausdrücke, Wortschatz, Wortstellung, Satzarten, rhetorische Mittel, Metaphorik und Erzählsituation. Je nach Themenstellung erfolgt diese Detailanalyse entweder *textlinear* oder *aspektorientiert*. Wenn diese Aspekte selbst gewählt sind, sollten sie klar formuliert und hergeleitet werden.

Mögliche Aspekte sind Epochenzuweisung, Wirkungsgeschichte, Autorenbiografie oder Textintention. Für die Herstellung durchdachter und plausibler Zusammenhänge zwischen formaler Gestaltung und inhaltlicher Aussage ist von großer Wichtigkeit, dass folgende Fragen geklärt sind: Gibt es ein Grundthema des Textes oder mehrere Themen- und Problemfelder? Gibt es eine Übereinstimmung zwischen Titel und Thema und existieren Abweichungen und Gegensätze? Spielt Ironie eine Rolle? Weist der Text eine gedankliche Entwicklung auf? Sind möglicherweise inhaltliche Elemente des Textes wegen seines Entstehungsdatums dem zeitgenössischen Leser nicht mehr unmittelbar deutlich?

In einem *dritten Abschnitt* erfolgt die Darlegung Ihres Deutungsansatzes und dessen Herleitung und Formulierung. Damit wird erläutert, mit welcher Absicht ein Text ein bestimmtes Thema mit einer spezifischen formalen und sprachlichen Gestaltung behandelt.

Bei der Analyse pragmatischer Texte ist im Prinzip ähnlich zu verfahren. Im Gegensatz zu literarischen Texten geht es aber eher um inhaltliche Aspekte und eine intendierte *Wirkungsabsicht (Intention)*: Die Leser sollen informiert oder überzeugt werden, an sie wird appelliert oder sie werden mit Fragen zurückgelassen.

Schlüsselbegriffe spielen meist eine zentrale Rolle bei der Darlegung argumentativer Zusammenhänge. Pragmatische Texte benutzen oft Beispiele zur Erhellung zentraler Thesen.

Analysiert werden muss auch, ob Gegenpositionen erwähnt und behandelt werden. Hinsichtlich der sprachlichen Gestaltung muss untersucht werden, ob ein sachlicher Stil benutzt wird oder ob Gegenpositionen mit Herabsetzungen, Über- oder Untertreibungen bedacht werden. Mit der Formulierung der zentralen Textaussage, also der Position des Autors/der Autorin beginnt die Analyse, mit dem Wiederaufgreifen der Position und der Klärung der Wirkungsabsicht wird die Analyse pragmatischer Texte im Hauptteil beendet.

Der **Schlussteil** der Textanalyse kann recht kurz gefasst werden. Fassen Sie Ihr Untersuchungs- bzw. Analyseergebnis knapp zusammen. Hier kann zudem auf Unstimmigkeiten eingegangen werden, die nicht zu klären waren. Auch ist hier Platz für recht subjektiv-persönliche Befindlichkeiten, die beim Lesen des Textes aufgetreten sind. So kann man sich an dieser Stelle gegen inhaltliche Positionen des Textes verwahren, wenn sie im krassen Gegensatz zur eigenen Überzeugung stehen. Ebenso können an dieser Stelle Schwierigkeiten umrissen werden, die möglicherweise in dem großen zeitlichen Abstand zwischen Entstehung und Rezeption des Textes begründet sind.

Es sollte vermieden werden, im Schlussteil klischeehafte Äußerungen vorzunehmen, etwa dergestalt, dass der Text pauschal gelobt wird oder dass er den Leser zum Nachdenken anregt. Bei der Analyse eines pragma-

tischen Textes könnte eingeschätzt werden, ob er dem Wirklichkeitsausschnitt, auf den er sich bezieht, gerecht wird.
Generell müssen Sie bei allen Analyseaufgaben darauf achten, dass Sie bestimmte Fragen durch Ihren Text beantworten: Was wird von wem auf welche Art und Weise mit welcher Intention zum Ausdruck gebracht? Und warum wird das, was zum Ausdruck gebracht wird, ausgerechnet auf diese Art zum Ausdruck gebracht? Und wie kann das Ausgedrückte vor dem zeitgenössischen und dem gegenwärtigen Hintergrund begründet, also fachlich und inhaltlich reflektiert, beurteilt werden? Wenn diese Fragen durch Ihre Analyse beantwortet werden, kann es eigentlich nicht wirklich schiefgehen.

Erörternde Aufgaben

Literarische Erörterung und Texterörterung

Grundsätzlich gibt es zwei Möglichkeiten der erörternden Aufgaben: Im ersten Fall geht es um die erörternde Bearbeitung literarischer Texte und deren Bedeutung oder Wirkung. Im zweiten Fall geht es um die erörternde Auseinandersetzung mit pragmatischen Texten und den in ihnen vertretenen Positionen. Generell bedeutet **Erörtern**, unterschiedliche Standorte zu einer Fragestellung zu erkennen, sie zu gewichten und letztlich selbst eine *begründete Position* zu formulieren. Eine grundlegende Tätigkeit beim Erörtern ist das **Argumentieren**. Dabei wird eine **These** (Behauptung) mit **Argumenten** (Begründungen) gestützt und jeweils anhand von **Beispielen**, **Belegen**, **Erläuterungen** und/oder **Folgerungen** untermauert. Während bei einer *mündlichen Erörterung* (Diskussion) die unterschiedlichen Argumentationen von einzelnen Diskussionsteilnehmern vorgetragen werden und es einen Diskussionsleiter gibt, der den gesitteten Ablauf des Geschehens sicherstellt, ist der Verfasser einer schriftlichen Erörterung alles zusammen: Moderator, Befürworter und Ablehner, zumindest im Hauptteil des Textes.

Erörterung eines literarischen Textes

Die Erörterung eines literarischen Textes kann in den Abiturformaten in NRW nicht alleine stehen, das heißt, die Erörterung schließt immer an eine vorherige Analyseaufgabe, eines literarischen oder pragmatischen Textes, an und die beiden Aufgaben bilden für die Klausur einen Gesamtzusammenhang. Deswegen sollten Sie sich auch nicht scheuen, sich in der erörternden Aufgabe auf Ihre Analyseergebnisse zu beziehen. In der **Einleitung** zu einer Erörterung eines literarischen Textes empfiehlt es sich, grundlegende Einordnungen vorzunehmen. Voraussetzung dafür ist, dass das Thema und die dort angesprochenen Sachverhalte klar sind. Möglicherweise wird erwartet, dass Sie sich mit einer *Epoche* auseinandersetzen oder ein bestimmtes *Motiv* untersuchen und vergleichen. Eine erste grundlegende Einordnung wäre also das *Grundthema*, um das es geht. Diese Denkleistung entspricht etwa der Formulierung des Kernsatzes einer Inhaltsangabe.
Die zweite grundlegende Zuordnung bestünde im Verfassen eines *Problemaufwurfs*. Hier würden Sie ankündigen, wie Sie gemäß der Aufgabenstellung planen und inhaltlich sowie formal auf das Grundthema zugreifen.
Im **Hauptteil** einer Erörterung eines literarischen Textes besteht die entscheidende Aufgabe darin, eine übersichtliche Struktur Ihrer Argumentation zu gestalten. Es geht um *dialektisches Argumentieren*, also um die Behandlung von **Pro- und Kontrapositionen**. Während Ihrer Vorbereitungsphase haben Sie in Gestalt einer *Stoffsammlung* alles zusammengetragen, was Sie dafür brauchen. In der Schreibphase kommt es nun darauf an, eine übersichtliche und eindrucksvolle Form der Darstellung zu finden. Es spricht viel dafür, dies in Gestalt einer Übersichtsskizze zu machen, die dann abgearbeitet wird. Dadurch können Sie assoziative Einwürfe und Abschweifungen in Nebensächlichkeiten vermeiden. Grundsätzlich bieten sich zwei Darstellungsformen an: die *Sanduhr-* und die *Reißverschluss-* bzw. *Ochsenfurchenmethode*.

Sanduhrprinzip Das Bild der Sanduhr entspricht einem X. Es soll also begonnen werden mit den *Gegen*argumenten zur Fragestellung. Das stärkste („breiteste") Kontra-Argument wird als erstes angeführt, gefolgt von weiteren bis hin zum schwächsten („schmalsten"). Dann erfolgt der Übergang zur Pro-Argumentation. Es wird jetzt umgekehrt verfahren, bis das stärkste („breiteste") Pro-Argument am Schluss des Hauptteils erscheint. Diese Vorgehensweise setzt voraus, dass Sie wissen, welche Position Sie selbst als Beurteilender einnehmen wollen, weil Sie diese ja im Schlussteil ausformulieren. Gewissermaßen folgt das Sanduhr-Prinzip rhetorischen Überlegungen: Es ist, als ob Sie als Redner ein Publikum *überzeugen* wollten.

K

Deshalb fangen Sie überraschend mit dem stärksten Gegenargument zu Ihrer eigenen Beurteilung an. Achten Sie immer darauf, dass Sie die passenden sprachlichen *Konnektoren* (Anbindungsfloskeln) verwenden und diese variieren.

Reißverschlussprinzip Das andere Darstellungsprinzip folgt der Idee, dass Sie einen Pro-Gedanken unmittelbar mit einem Kontra-Gedanken in Verbindung bringen und abwägen. Sie *verzahnen* also Ihren Argumentationsgang („Reißverschluss") oder Sie machen es wie der Ochse am Feldrain: Er dreht um und pflügt in die andere Richtung. Das Reißverschlussprinzip bietet sich an, wenn es keine klare Hierarchie in der Gewichtung der Argumente gibt. Auch eignet es sich dann, wenn Pro und Kontra sehr nah beieinander liegen. Welches der beiden Darstellungsschemen sich am besten eignet, hängt von der Komplexität der Themenstellung ab und muss von Ihnen entschieden werden. Halten Sie sich aber auf jeden Fall an den Ratschlag, *ein* Prinzip auszuwählen und es vorher differenziert zu planen. Meist geht es bei Erörterungen literarischer Texte um großdimensionierte Problemaufwürfe. Es handelt sich vielleicht um große Motive wie Sehnsucht, Verlorenheit oder Aufbruch, vielleicht auch um Epochen. Grundlegende Fragen der menschlichen Existenz sollen möglicherweise erkannt, durchdacht und beurteilt werden. Ein Aspekt der Beurteilung ist die *Problematisierung*, was bedeutet, dass keine klaren, eindeutigen Beurteilungen getroffen werden können, sondern dass Fragen *unbeantwortet* bleiben müssen. Fühlen Sie sich also nicht unter Druck gesetzt, unbedingt eine eindeutige Stellungnahme abfassen zu müssen. Eine argumentativ gut fundierte Problematisierung ist ebenfalls möglich.

Im **Schlussteil** einer Erörterung eines literarischen Textes erscheint also Ihre *persönliche Stellungnahme*, sei es als klare Position oder als offene, problematisierende Frage. Sie können auf Nebenaspekte eingehen, die nicht zum Kern des Problemaufwurfs gehören. Das könnten zum Beispiel Aspekte der Relevanz sein, wenn Sie etwa das Lesen von Büchern vor dem Hintergrund der digitalen Medien problematisieren oder die berechtigte Frage anschneiden, inwiefern der Besuch von Theaterveranstaltungen heute zum Standardrepertoire des Durchschnittsbürgers gehört.

Erörterung von Sachtexten

Bei der Erörterung von pragmatischen Texten können Sie im Prinzip ähnlich verfahren. Auf der Grundlage und ausgehend von einem **Sachtext** sollen Sie ein vorgegebenes Problem erörtern. Genauso wie bei der Erörterung literarischer Texte nimmt die Erörterung von Sachtexten in NRW immer Bezug zu einem vorher zu analysierenden Text.

In Ihrer **Einleitung** sollten Sie also sowohl das Grundthema und den Problemaufwurf als auch den Charakter des zuvor analysierten Textes erläutern.

Im **Hauptteil** der Erörterung pragmatischer Texte bietet sich an, eines der oben vorgestellten Darstellungsmuster auszuwählen. Bei der Anlage Ihrer Stoffsammlung muss jetzt allerdings darauf geachtet werden, dass *Argumentationszusammenhänge*, die im vorgegebenen Sachtext enthalten sind, mit einfließen.

Sachtexte können informieren, darstellen, argumentieren, erörtern, appellieren oder regulieren (Gesetze). Je nachdem, was sie tun oder nicht tun, kann es also sein, dass sie voller – möglicherweise einseitiger – Argumente stecken oder kaum welche aufzuweisen haben. Bei Ihrer Darstellung müssen Sie daher darauf achten, welche Argumente dem vorliegenden Sachtext entnommen wurden, und diese entsprechend sprachlich kennzeichnen. Diese Argumentation des Autors/der Autorin muss dann von Ihnen diskutiert, sprich erörtert werden. Achten Sie dabei darauf (s. Prinzipien), dass Sie keine einseitige Diskussion der Argumente vornehmen, sondern sich dialektisch mit der zu erörternden Position bzw. Fragestellung auseinandersetzen. In vielen Aufgabenstellungen wird zudem auf eine persönliche Reflexion (eigene Erfahrungen) hingewiesen, sodass die fachliche Erörterung von Positionen eben mit Ihren persönlichen Erlebnissen gestützt bzw. konterkariert werden kann.

Im **Schlussteil** der Erörterung pragmatischer Texte geht es wiederum um Ihre begründete und argumentativ hergeleitete Beurteilung und Stellungnahme. Je nachdem, wie deutlich Sie diesbezüglich im Hauptteil geworden sind, brauchen Sie an dieser Stelle nur noch zusammenzufassen und zu pointieren.

K

Vergleichende Analysen

Vergleichende Analysen können sich sowohl auf literarische als auch pragmatische Texte beziehen. Im Kern bedeutet das, dass Sie zwei Texte unabhängig voneinander analysieren müssen und diese Texte dann in Bezug auf einen vorgegebenen oder selbst zu setzenden Schwerpunkt miteinander vergleichen. Die Aufgabenstellung ist dabei in NRW zumeist in zwei Aufgaben gestaffelt: 1. Aufgabe – Analyse des ersten Textes; 2. Aufgabe – Analyse des zweiten Textes mit anschließendem Vergleich der beiden Texte. Damit gilt für den analytischen Teil beider Texte (ob literarisch oder pragmatisch) dieselbe Vorgehensweise wie bei analysierenden Aufgaben. Nach Abschluss der Einzelanalysen muss dann der Vergleich der Texte vorgenommen werden, und generell orientiert sich dieser immer an der Auseinandersetzung mit Gemeinsamkeiten und Unterschieden. Grundsätzlich sollte aber schon in der Einleitung der zweiten Analyse auf mögliche Vergleichsaspekte der beiden Texte hingewiesen werden.
Mögliche Schwerpunkte des literarischen Vergleichs sind Motivumsetzung, Epochenbezug, Erzählsituation oder bspw. Dramenform. Der Vergleich kann aber auch inhaltlicher Art sein, also z. B. in Bezug auf die Darstellung der Möglichkeiten menschlicher Existenz in der Moderne etc.
So oder so sollten Sie Ihren Vergleich ebenso einleiten wie eine erörternde Aufgabe, stellen Sie also zunächst einen Gesamtzusammenhang her. Im Kern beantworten Sie hier die Frage, wieso sich die beiden vorliegenden Texte zu einem Vergleich anbieten.
Im Hauptteil des Vergleichs bietet es sich ähnlich der Erörterung an, entweder zunächst die Gemeinsamkeiten/Unterschiede in Bezug auf den Schwerpunkt darzulegen und dann den jeweils anderen Aspekt, oder aber die Gemeinsamkeiten und Unterschiede miteinander zu verzahnen, etwa im Sinne von „Beide Gedichte setzen ein ähnliches Motiv in den Mittelpunkt, bedienen sich dabei aber einer anderen Formalität...". Sie können also linear oder dialektisch vorgehen.
Der Schluss eines Vergleichs dient der zusammenfassenden Darstellung und der begründeten Beurteilung der Gründe für die entweder unterschiedliche oder ähnliche Umsetzung des zu vergleichenden Schwerpunktes.

Die vergleichende Analyse pragmatischer Texte verfolgt im Prinzip denselben Aufbau, der Hauptunterschied besteht darin, dass hier meist ein positionaler Vergleich vorgenommen wird im Kontext eines übergeordneten Gesamtzusammenhangs oder Diskurses, bspw. die Debatte über Vor- und Nachteile von Dialekten, innere Mehrsprachigkeit oder das Verhältnis von Sprache Denken, Wirklichkeit. Grundsätzlich müssen dabei die Argumentationen der beiden Texte gegenübergestellt und eben verglichen werden. Möglich ist aber auch ein Vergleich der Rhetorik, sprich der Leserlenkung der beiden Texte. Damit stünde dann die Frage im Raum, mit welchen Mitteln beide Texte die Leser/-innen durch den Text leiten und welche Gemeinsamkeiten und Unterschiede diesbezüglich festzustellen sind.

Materialgestütztes Schreiben

Das materialgestützte Verfassen eines Textes kombiniert im Kern alle anderen Aufgabenformate. Zielvorstellung ist zumeist eine Form der Erörterung, der Diskussion eines Themas mit adressatenspezifischem Bezug. Was heißt das aber? Insbesondere bei diesem Aufgabenformat ist die Analyse der Aufgabenstellung entscheidend. Im Grunde gibt es zwei Möglichkeiten: Es wird entweder ein darstellend/erklärender Text von Ihnen verlangt oder ein erörternd/diskursiver. So oder so ist es aber auf jeden Fall ein fachspezifischer Bezug, der von Ihnen erwartet wird. Damit kann sich dieses Format sowohl auf literarische, literaturtheoretische oder auch linguistische Komplexe beziehen.
Die **Vorbereitung** Ihres Textes ist für dieses Aufgabenformat entscheidend. Zunächst müssen Sie sich klar machen, was die Aufgabenstellung von Ihnen verlangt: Zu welchem Thema soll ein Text verfasst werden? Was sind inhaltliche Aspekte? Wer soll mit Ihrem Text adressiert werden? Was ist die genaue Situation? Welche Art von Text sollen Sie verfassen

K

(Rede, Essay, Flugblatt, Diskussionspapier, Leserbrief etc.). Mit welcher Intention soll Ihr Text verfasst werden? Anschließend müssen Sie sich mit dem vorliegenden Material auseinandersetzen: Was kann ich den einzelnen Quellen für meinen eigenen Text entnehmen? Welche Informationen sind überflüssig? Welches zusätzliche Wissen über die Quellen hinaus habe ich? Mit anderen Worten: Nachdem die Aufgabenstellung analysiert wurde, wird jetzt das Material analysiert.

Erst dann sollten Sie mit dem eigentlichen Verfassen Ihres Textes beginnen. In der **Einleitung** klären Sie den Textanlass und den Diskurs, also den Gesamtzusammenhang, in den sich auf Grund der Aufgabenstellung Ihr Text einbettet. Sie nehmen also sowohl eine kommunikative Situierung (bspw. Vortrag oder Leserbrief) als auch eine thematische Situierung vor. Daran anschließend sollte immer eine Einführung in das Thema auf inhaltlicher Ebene stattfinden. Meist wird dies in der Schrittigkeit auch in der Aufgabenstellung vorgegeben werden.

Im **Hauptteil** müssen Sie sich dann kritisch mit dem zu erarbeitenden Themenkomplex auseinandersetzen, Sie müssen also in diesem Sinne eine Erörterung der jeweiligen Fragestellung vornehmen. Nur kann es sein, dass der Schwerpunkt Ihrer Leistung eher darstellend, erklärend ist (bspw. bei einem Fachvortrag für eine Projektwoche o. Ä.), oder aber argumentativ (bspw. bei einem Leserbrief). Der grundsätzliche Aufbau des Hauptteils unterscheidet sich aber bei beiden Formen nur gering. Wichtig ist, dass Sie der Schrittigkeit der Aufgabenstellung genau folgen, denn die Aufgabenstellung wird Ihnen klar die einzelnen Abschnitte Ihres Zieltextes vorgeben.

Im **Schluss** findet entweder eine resümierende Gesamtbetrachtung oder aber eine Beurteilung/Stellungnahme statt. Meist wird es in Bezug auf den Kommunikationsanlass eine konkrete, oft problematisierende Fragestellung geben. Der Schluss ist die Stelle, an der Sie, vor dem Hintergrund Ihrer Gesamtausführungen, Ihre begründete Antwort auf diese Frage geben. Diese Antwort muss nicht eine klare Entscheidung darstellen, sondern kann abwägend bleiben.

Insgesamt ist für dieses Aufgabenformat wichtig, dass Sie sich klarmachen, was die Hauptbewertungskriterien sind:

- schlüssige Entfaltung des Themas unter Einbezug fachlichen Kontextwissens,
- funktionale Nutzung der Materialien zur Erfüllung des Schreibauftrags (durch angemessene Ausschöpfung des gesamten Informationsangebots, funktionale Integration von Referenzen auf die Materialien in den eigenen Text, Konzentration auf Wesentliches und Vermeidung unnötiger Redundanzen, sachliche und auftragsbezogene Verarbeitung der aus unterschiedlichen Perspektiven gestalteten Beiträge, eigenständiges Verknüpfen von relevanten Informationen mit eigenen Kenntnissen),
- Gestaltung eines Textes unter Berücksichtigung der Anforderungen des aufgabenbezogenen Zieltextformats im Hinblick auf den Adressaten, die für die Textsorte charakteristischen Merkmale, die Intention des Textes und das Erreichen des Kommunikationsziels.

Am Ende des Tages geht es neben den Inhalten also darum, dass Sie verstehen, für wen Sie welche Form von Text verfassen, dass Sie sich der Anforderungen dieser Textsorte bewusst sind und diese Kenntnisse sinnstiftend in Ihrem Text anwenden. Und dabei sollten Sie nicht vergessen, sich in angemessener Art und Weise auf die zur Verfügung gestellten Materialien zu beziehen.

Fachbegriffe

Lyrik

Begriff Ursprünglich handelt es sich bei der *Lyrik* um Gesänge, die mit Lyra-Begleitung vorgetragen wurden. Die enge Bindung dieser Gattung an den Tanz, das Lied und an die Musik wird sinnfällig in den die Lyrik prägenden Gestaltungselementen *Vers, Rhythmus, Klang, Reim, (Sprach-)Melodie* und *Strophe*. Lyrik realisiert sich in Gedichten, deren notwendiger Baustein der Vers ist. Aber auch Dramen, Heldenepen und Fabeln können in Versform gestaltet sein und wurden bis ins 19. Jahrhundert häufig als Gedichte bezeichnet (z. B. *Dramatisches Gedicht*).

Vers Die in Form einer Druckzeile (häufig beginnend mit einem Großbuchstaben) hervorgehobene Sprecheinheit, die durch eine rhythmische Ordnung geprägt ist.

Vers – Prosa Vers und Prosa lassen sich graduell unterscheiden. DieVerssprache ist zwar wie die Prosasprache durch unterschiedliche Sprecheinheiten/-phasen (Kola) und durch die Verteilung von je unterschiedlichen Tonstärken auf die verschiedenen Silben gegliedert, doch zeigt die Verssprache gegenüber der Prosa das größere Maß an Ordnung: Die einzelnen Sprecheinheiten (Verse) sind in ihrer jeweiligen Länge zahlenmäßig festgelegt und auch die Abfolge von betonten und unbetonten Silben fügt sich zu einer deutlich sichtbaren Ordnung.

Verslehre Die jeweilige Realisierung von betonten und unbetonten Silben innerhalb eines Verses wird erfasst.

Metrum Dem Vers kann ein bestimmtes Metrum bzw. ein bestimmter Takt zugrunde liegen, ein festes Muster der Anordnung von betonten und unbetonten Silben bzw. eine regelmäßig wiederkehrende Folge von *Hebungen* und *Senkungen*.

Versfuß auch Taktart. Die kleinste Einheit, durch deren Wiederholung eine messbare Reihe entsteht. Dabei werden folgende Taktarten unterschieden:

Jambus als Folge einer unbetonten und einer betonten Silbe **xx́**,

Trochäus als Folge einer betonten und einer unbetonten Silbe **x́x**,

Daktylus als Folge einer betonten und zweier unbetonter Silben **x́xx**,

Anapäst als Folge von zwei unbetonten und einer betonten Silbe **xxx́**.

Der Vers lässt sich durch die Angabe der Anzahl seiner Takte oder Hebungen genau beschreiben. Enthält er z. B. vier Takte oder Hebungen, spricht man von einem *vierhebigen* Vers. Ist der Vers durch einen regelmäßigen Wechsel von betonten und unbetonten Silben bestimmt, so ist er *alternierend* (Alternation).

Versanfang Beginnt der Vers mit einer oder mehreren unbetonten Silbe(n), so spricht man von einem Auftakt oder einem auftaktigen Vers.

Versende Der Versausgang wird auch als *Kadenz* bezeichnet. Verse, die mit betonter Silbe enden, heißen *stumpf* oder *männlich*, solche, die mit unbetonter Silbe enden, *klingend* oder *weiblich*.

Versformen Je nach Art des Verses, des Versanfangs, der Kadenz und der Anzahl seiner Hebungen ergeben sich verschiedene Versformen, z. B.:

xx́ xx́ xx́ xx́ xx́

Blankvers Ungereimter fünfhebiger Jambus, der häufig im klassischen Drama verwendet wurde. Blank bedeutet *leer, unverziert*, also reimlos. *Darf ich's mir deuten, wie es mir gefällt?* (Heinrich von Kleist: *Prinz Friedrich von Homburg*, V. 711)

xx́ xx́ xx́ | xx́ xx́ xx́ (x)
xx́ xx́ xx́ | xx́ xx́ xx́

Alexandriner Sechshebiger Jambus mit einer Zäsur – einem Einschnitt – nach der dritten Hebung bzw. sechsten Silbe. *Du siehst, wohin du siehst, / nur Eitelkeit auf Erden. // Was dieser heute baut, / reißt jener morgen ein* (Andreas Gryphius: *Es ist alles eitel*)

Knittelvers Vierhebiger Vers, der stets im Paarreim auftritt. *Eins abents spat da schaut ich aus / zu eim fenster in meinem haus* (Hans Sachs: *Hans Unfleiß*)

Hexameter Aus sechs Daktylen bestehender antiker Vers, deren erste vier durch Spondeen (Versfüße mit zwei Hebungen) ersetzt werden können und deren letzter katalektisch (unvollständig) ist.

x́xx | x́xx | x́x́ | x́xx | x́x́
x́xx | x́xx | x́ | x́xx | x́xx | x́

Pentameter Trotz des Namens bestehend aus sechs Daktylen, wobei dem dritten und sechsten Daktylus die Senkungen fehlen. *Lass dich, Geliebte, nicht reun, dass du mir so schnell dich ergeben!* [Hexameter] *Glaub' es, ich denke nicht frech, denke nicht niedrig von dir.* [Pentameter] (J. W. von Goethe: *III. Römische Elegie*)

Volksliedzeile Mit drei oder vier Hebungen bei Freiheit in der Wahl der Senkungen.

Reimlose Verse Von beliebiger Länge, Hebungszahl und Senkungsfüllung, d. h. metrisch ungebundene Verse werden als Freie Rhythmen bezeichnet.

Rhythmus Beim Vortragen von Gedichten wird die metrische Ordnung von Versen durch andere sprachliche Bewegungen überlagert. Diese realisieren sich im *Sprechtempo* (*schnell – langsam*), in der *Klangfarbe* (*hell – dunkel*), in der *Betonungsstärke* (*laut – leise*) und in der *Pausierung* (*lang – kurz*). Diese Bewegung bezeichnet man als Rhythmus. Besondere Möglichkeiten der rhythmischen Gliederung ergeben sich aus der Ver-

F

wendung von *Zäsuren* (Einschnitte innerhalb des Verses, die beim Sprechen kleine Pausen erfordern) und aus der Beziehung von Satz- und Versgestaltung. Fallen die syntaktische Einheit / der Satz und das Versende zusammen, so spricht man vom *Zeilenstil*. Überspielt die syntaktische Einheit die Vers- bzw. Strophengrenze, so bezeichnet man dies als einen *Zeilensprung* (Enjambement) bzw. *Strophensprung*.

Reim Verse können durch Gleichklang von Silben und Lauten miteinander verbunden werden. Die am häufigsten verwendete Klangform ist der *Endreim*: der Gleichklang zweier oder mehrerer Verse vom letzten betonten Vokal an.
Reimarten Unterscheidung nach Stellung der miteinander reimenden Verse: *Haufenreim* (a a a a, b b b b), *Paarreim* (a a b b), *Kreuzreim* (a b a b), *umschließender/umarmender Reim* (a b b a), *Schweifreim* (a a b c c b). Wird ein Vers am Schluss einer Strophe wiederholt, so spricht man von einem *Kehrreim*.
Alliteration Ein weiteres Klangmittel, das die Übereinstimmung der anlautenden Konsonanten von Wörtern eines Verses oder einer Strophe bezeichnet. Diese werden dadurch besonders hervorgehoben (z. B. *Das Wallen und Wogen der Wipfel*).
Assonanz Die betonten Silben zweier oder mehrerer benachbarter Wörter besitzen den gleichen vokalischen Laut (z. B. Ledas Schwan / Megastar).

Strophe Ursprünglich in der antiken Tragödie ein Teil des Chorgesangs, heute die Unterteilung in mehrere formal gleich oder zumindest sehr ähnlich gebaute Versgruppen. In der Regel erfolgt die Verbindung mehrerer Verse zur nächsthöheren Einheit der Strophe durch den Reim. Die einfachste Form der Strophenbildung ergibt sich aus der Verbindung von zwei Versen durch den Endreim (Zweizeiler). Darüber hinaus stellt die Strophe innerhalb der thematischen Gestaltung des Gedichts zumeist eine Sinneinheit dar.
Strophen- und Gedichtform Je nach Art und Anzahl der Verse, die zu Gruppen zusammengefasst werden, ergeben sich unterschiedliche Strophen- und Gedichtformen wie z. B.
- die Volksliedstrophe, die sich aus vier im Kreuzreim angeordneten Volksliedzeilen zusammensetzt.
- das Sonett, eine strenge 14-zeilige Gedichtform, die durch die Reimstellung meist in je zwei *Quartette* (Vierzeiler) und *Terzette* (Dreizeiler) unterteilt wird.
- das Madrigal als freies strophisches Gebilde von etwa 3 bis 20 Versen, die unterschiedlich lang und von wechselndem metrischen Charakter sind.
- das Distichon als eine zweizeilige, klassisch-antike Strophenform, die sich aus einem Hexameter und einem Pentameter zusammensetzt. Die Aneinanderreihung von Distichen führt zur Gedichtform der Elegie.
- die Ode als ernstes, weihevolles Gedicht, das in der Regel an einen Adressaten – Gott, Held, Freund – gerichtet ist. Bestimmend für sie ist eine strenge Formgebung, die für die Strophe – je nach Odenart – ein festes metrisches Schema vorsieht.
- das Epigramm als Sinngedicht in Reimen, in dem seit der Antike eine Idee oder eine Beobachtung kurz und pointiert, manchmal auch satirisch formuliert wird.
- die Hymne, ursprünglich ein kirchlicher Lob- und Preisgesang, der seit dem *Sturm und Drang* auch weltliche Themen aufgreift und meist in freien Rhythmen verfasst wird.
- die Ballade als eine Sonderform, die alle drei poetischen Gattungen in sich vereint, denn sie erzählt eine Geschichte (episch) in Versform (lyrisch) mit Dialogelementen (dramatisch).
- die Visuelle/Konkrete Poesie als experimentelle Form, in der die Sprache selbst zum Inhalt und Zweck des lyrischen Textes wird und oft optische und/oder akustische Elemente zum Tragen kommen.

Epik

Begriff Die Epik oder erzählende Literatur bildet neben Lyrik und Dramatik die dritte der großen literarischen Gattungen. Sie vereint erzählende Texte in Vers- oder Prosaform in sich. Der Begriff „Epik" meint dann auch so viel wie Rede, Bericht oder Erzählung, wobei jeweils ein Erzähler dem Leser oder Hörer Inhalt und Handlung des Textes vermittelt.

Erzählsituation

In epischen Texten fungiert ein Erzähler als vermittelnde Instanz zwischen *Autor* und *Text* und *Rezipient*. Dem Rezipienten wird das Geschehen vom jeweiligen Erzähler präsentiert. Der Autor darf nicht mit dem Erzähler gleichgesetzt werden. Letzterer kann sowohl als Teil des Personals der Erzählung wahrgenommen werden als auch gänzlich hinter das Erzählte zurücktreten.
Erzählverhalten liegt dem Erzählten zugrunde und lässt sich unterscheiden in *auktoriales, personales* und *neutrales* Erzählverhalten.
Ein *auktorialer Erzähler* steht „allwissend" über seiner Erzählung, kommentiert und reflektiert sie, kann im

Geschehen vor- und zurückspringen und lenkt so die Deutung des Textes.
Der *personale Erzähler* berichtet direkt aus der Sicht einer Figur oder mehrerer Figuren und steht somit unmittelbar innerhalb des Geschehens. Seine Sichtweise und Wahrnehmung ist begrenzt auf das, was die jeweilige Figur äußerlich und innerlich wahrnimmt.
Der *neutrale Erzähler* schaltet sich nicht kommentierend oder reflektierend in das Geschehen ein.
Erzählverhalten zeigt die Einstellung des Erzählers zum Erzählten an: *neutral, ironisch, kritisch, (ab)wertend, zustimmend, euphorisch, ambivalent, mitfühlend ...*
Erzählform Sie weist die Art der Beteiligung des Erzählers an der Erzählung aus. Berichtet der Erzähler von sich selbst und ist er am erzählten Geschehen direkt beteiligt, so liegt dem Text die *Ich-Form* zugrunde. Hier tritt ein Ich-Erzähler auf, der subjektiv und beschränkt auf seine persönliche Wahrnehmung berichtet und dabei durch eigenen Charakter, persönliche Ansichten und Interessen selbst als Figur greifbar wird. Bei der *Er-/Sie-Form* berichtet jemand Außenstehendes von den Erlebnissen eines anderen. Der Erzähler selbst ist hier also nicht am Geschehen beteiligt.
Erzählperspektive Entweder nimmt der Erzähler eine *Außensicht* auf Figuren und Geschehen ein oder er verfügt über eine *Innensicht* in die Figuren und kennt z. B. ihre Ängste und Sehnsüchte.
Erzählerstandort beschäftigt sich mit dem Standpunkt des Erzählers selbst. Dieser kann sich durch besondere räumliche und zeitliche Nähe oder Distanz zum Erzählten auszeichnen.

Raum

Die *Raumgestaltung* kann eine wirkliche Topografie abbilden, der Text kann aber auch in einem gänzlich fiktiven Raum angesiedelt sein. Die Figurenhandlung erfolgt immer an bestimmten Orten, die sowohl völlig nebensächlich als auch von besonderer Bedeutung für das Geschehen sein können. Dabei tragen die räumlichen Begebenheiten für die Erzählung ganz unterschiedliche Funktionen. Der Raum kann Voraussetzung für das sich ereignende Geschehen sein und bestimmte Inhalte des Textes symbolisieren. Er kann die Stimmung des Textes und seiner Figuren widerspiegeln und indirekte Aussagen über ihren Charakter machen.

Zeit

Die zeitliche Struktur eines Erzähltextes wird unterschieden in *erzählte Zeit* und *Erzählzeit.*
Erzählte Zeit ist diejenige Zeit, die innerhalb der erzählten Geschichte dargestellt wird.
Erzählzeit ist die Zeitspanne, die der Leser oder die Leserin zur Lektüre des Textes benötigt. Anders als die erzählte Zeit liegt die Erzählzeit demnach außerhalb des Erzähltextes und bezieht sich nicht auf seinen Inhalt, sondern auf seine sprachliche Realisierung. Dabei können Erzählzeit und erzählte Zeit sowohl deckungsgleich sein als sich auch – durch in der erzählten Zeit vorliegende *Zeitdehnung* oder *Zeitraffnung* – deutlich voneinander unterscheiden.
Rückblenden und *Vorausdeutungen* innerhalb des Erzähltextes ermöglichen eine Loslösung von einer streng chronologischen Erzählweise. Dabei kann die Erzählung in Form von Rückblenden (*Retrospektiven*) durch das Erzählen bereits vergangener Geschehnisse oder durch Vorausdeutungen zugunsten eines Ausblicks auf künftige Ereignisse unterbrochen werden.

Figuren

Als Trägern der Handlung kommt den Figuren eines Erzähltextes eine besondere Bedeutung zu.
Figurencharakterisierung Man unterscheidet zwischen der *direkten* und der *indirekten* Figurencharakterisierung. Meist setzt sich das Bild des Lesers von der Figur aus beiden Formen der Charakterisierung zusammen. Die *direkte Form* der Charakterisierung erfolgt durch den Erzähler oder andere Figuren, indem z. B. das äußere Erscheinungsbild der Figur näher beschrieben, ihre Handlung kommentiert und beurteilt wird und der Leser die Figur im Beziehungsgeflecht mit anderen Figuren erlebt.
Durch die *indirekte Charakterisierung* kann der Leser zusätzlich anhand der Äußerungen, Gedanken und Handlungsweisen der Figur selbst ein Bild von ihr entwickeln.
Figurenkonzeption wird vom Autor als *statisch* (sich nicht verändernd) oder *dynamisch* (sich im Verlauf der Erzählung verändernd), als *Typus* (auf einige wenige Charakterzüge reduziert) oder *Individuum* (mit vielschichtigen Charaktereigenschaften) angelegt.
Figurenkonstellation Bei der Untersuchung der Figurenkonstellation wird eine Figur hinsichtlich ihres Alters, Geschlechts, sozialen Status, ihrer Herkunft, der Wertvorstellungen, des Verwandtschaftsgrades sowie ihrer Handlungen und Einstellungen zu den anderen Figuren in Bezug gesetzt. Sie beschreibt die *Beziehung*, in welcher die Figuren zueinander stehen. Aus der Figurenkonstellation resultiert in der Regel auch der zentrale *Konflikt* des Textes.

Redeformen

Zur Vermittlung des Erzähltextes gibt es in epischen Texten unterschiedliche Formen der *Rede*, die dem Rezipienten die Inhalte vermitteln.

Erzählerrede Redeform, die man direkt dem Erzähler des Textes zuordnen kann. Dazu gehören Erzählerkommentar und -bericht sowie die Wiedergabe der Figurenrede in *indirekter Rede*.

Figurenrede bezeichnet die *direkte Rede*, welche die Figuren innerhalb des Erzähltextes verwenden. Der Erzähler tritt hinter die Aussagen der Figuren zurück.

Erlebte Rede Kombination aus direkter und indirekter Rede. Die Gedanken einer Figur werden (im Indikativ Präteritum der 3. Person Singular) aus der *Innensicht* wiedergegeben.

Innerer Monolog Hier erfolgt die direkte Wiedergabe der Gedanken einer Figur in Form eines Selbstgespräches in der Regel in der 1. Person Singular Präsens, während der Erzähler vollkommen hinter die Rede der Figur zurücktritt.

stream of consciousness (*Bewusstseinsstrom*) ist dem inneren Monolog verwandt und bezeichnet ebenfalls das Selbstgespräch einer Figur, jedoch noch stärker losgelöst von grammatikalischen und syntaktischen Regeln. Häufig weist er Ellipsen und Wiederholungen bestimmter Leitmotive auf, vollständige Sätze sind hier selten. Der rational nicht bewusste, inkohärente Strom von Gedanken und Empfindungen wird so gestaltet.

Epische Gattungsformen

Anekdote Eine epische Kurzform, die eine besondere authentische oder fiktive Begebenheit im Leben einer berühmten (historischen) Persönlichkeit zum Inhalt hat. Sie beschreibt die Begebenheit in auf wesentliche Züge reduzierter Form, beschäftigt sich mit nur einer kleinen Zahl von Figuren und schließt mit einer überraschenden Wende, der *Pointe*.

Epos Das bereits in der Antike geläufige Epos beschäftigt sich mit mündlichen Überlieferungen historischen oder mythologischen Charakters. Götter und Heldenfiguren stehen im Mittelpunkt der Erzählung eines bedeutenden Ereignisses. Mit der mündlichen Überlieferung hängt die Versform des Epos zusammen, welche dem Vortragenden als Gedächtnisstütze dient. Antike und mittelalterliche Epen lassen sich aufgrund der mündlichen Übertragung mitunter keinem bestimmten Autor zuordnen, wie z. B. das *Nibelungenlied*.

Erzählung Der Begriff wird im weiteren Sinn als Oberbegriff für alle epischen Gattungen genutzt. Im engeren Sinn bezeichnet er eine erzählerische Gattung, die zumeist kürzer ist als ein Roman sowie weniger Handlungsstränge aufweist. Es wird meist ein durchgängiger Handlungsverlauf in chronologischer Abfolge und aus lediglich einer Erzählperspektive heraus dargestellt.

Fabel Eine lehrhafte und sozialkritische erzählende Kurzform, die sowohl in Vers- als auch in Prosaform gestaltet sein kann. Ihre Protagonisten sind meist Tiere, seltener Pflanzen oder Dinge, die neben ihren natürlichen auch menschliche Charakterzüge und Fähigkeiten (z. B. Sprache) besitzen. Abgeschlossen wird sie oft mit einer lehrhaften Moral.

Gleichnis Ein zumeist kürzerer Text, der mit belehrender Absicht einen komplexen Sachverhalt auf eine bildhafte und damit sehr anschauliche Art darstellt. Explizit Gesagtes und implizit Gemeintes stehen im Gleichnis stets in Bezug zueinander und werden im sogenannten Vergleichsmoment einander gegenübergestellt. Der Rezipient muss anders als bei der *Parabel* die Sachebene nicht aus der Bildebene ableiten, sondern bekommt sie zusammen mit der Bildebene ausdrücklich erläutert.

Kalendergeschichte Ein kürzerer Prosatext, der merkwürdige Begebenheiten aus dem alltäglichen Erfahrungsbereich zum Inhalt hat und dabei Merkmale aus *Schwank*, *Anekdote* und anderen epischen Kurzformen in sich vereint. Sie weist eine schlichte Sprache und Figuren aus dem volkstümlichen Milieu sowie die Absicht auf, den Rezipienten eine bestimmte Moral zu vermitteln.

Kurzgeschichte In Anlehnung an die amerikanische *short story* entwickelt sich in Deutschland nach 1945 die Kurzgeschichte als knappe Prosaform, deren Hauptmerkmal ihre besondere Kürze ist. Inhaltlich stellt die Kurzgeschichte in zumeist lakonischer, d. h. schmuckloser und trockener Sprache einen charakteristischen Ausschnitt aus dem Leben ihrer Protagonisten in den Fokus, wobei sie unvermittelt in die eigentliche Handlung einsteigt und durch Andeutungen, Aussparungen und sprachliche Bilder eine erzählerische *Verdichtung* hervorruft. Klar auf das Wesentliche reduziert, ist die Handlung der Kurzgeschichte *linear* angelegt. Auch die Gestaltung von Raum, Zeit und Figuren zeichnet sich durch eine besondere Reduktion und Skizzenhaftigkeit aus, was dem Rezipienten eine gute Übertragbarkeit auf seine eigenen Lebensumstände ermöglicht. Das unvermittelte Einsetzen der Erzählung entspricht dem offenen Schluss, der den Leser zum Nachdenken über ein mögliches Ende und damit zum Transfer auf seine eigene Lebenswirklichkeit anregen soll.

Legende Der Ursprung liegt in der Lesung der Leidenswege von Märtyrern und Heiligen innerhalb der mittelalterlichen Kirche. Ab dem 15. Jahrhundert entstehen zusätzlich zu den kirchlichen auch weltliche Legenden, d. h. weitgehend fiktive Erzählungen mit moralisch belehrendem Charakter.

Märchen Eine kurze, frei erfundene Erzählung mit fantastischen Elementen in Prosaform. Man unterscheidet zwischen *Volksmärchen*, die vor ihrer Verschriftlichung zunächst mündlich und ohne Rückbezug zum Autor überliefert wurden, und *Kunstmärchen* mit direkter Zuordenbarkeit zum Verfasser. Die Märchenwelt ist klar unterteilt in Gut und Böse und stellt zumeist einen Helden in den Mittelpunkt, der sich im Spannungsfeld guter und böser Kräfte beweisen muss. Charakteristisch für die Gattung des Märchens sind darüber hinaus ein formelhafter Anfang und ein gutes Ende sowie die indirekte Übermittlung bestimmter Lehren an den Adressaten.

Novelle Eine Erzählung mit linearer Handlung ohne Nebenhandlung von kürzerer bis mittlerer Länge in Prosaform, die eine neue, unerhörte und einzigartige Begebenheit in den Fokus des Erzählens stellt. Die Gestaltung ist klaren Regeln unterworfen: Die geschlossene Form zeichnet sie ebenso aus wie die Verwendung immer wiederkehrender *Leitmotive* oder *Dingsymbole*. Häufig ist die beschriebene Binnenhandlung in eine Rahmenhandlung eingebettet, welche die Situation des Erzählens erläutert.

Parabel Eine kurze lehrhafte Erzählung, die ihrem Charakter nach dem *Gleichnis* verwandt ist. Auch die Parabel setzt sich zusammen aus einer Bild- und einer Sachebene. Im Unterschied zum Gleichnis wird die Sachebene in der Parabel aber nicht explizit dargelegt, sondern muss im Zuge der Übertragung auf die Lebensumstände des Rezipienten von diesem selbst erschlossen werden.

Roman Die Großform der Epik. In Prosaform legt er meist das Schicksal einer einzelnen Figur oder einer Figurengruppe dar, weist ein umfangreiches Personal sowie eine komplexe, in mehrere Stränge unterteilte Handlung auf. Thema und Schreibstil variieren von Roman zu Roman, sodass eine Einteilung in unterschiedliche Romantypen möglich ist: z. B. Abenteuerroman, Agentenroman, Autobiografischer Roman, Bildungsroman, Briefroman, Detektivroman, Entwicklungsroman, Fantasyroman, Gegenwartsroman, Gesellschaftsroman, Gothic Novel, Historischer Roman, Horrorroman, Kriegsroman, Kriminalroman, Liebesroman, Postmoderner Roman, Reiseroman, Ritterroman, Schauerroman, Schelmenroman, Science-Fiction-Roman, Spionageroman, Tatsachenroman, Utopischer Roman oder Zukunftsroman.

Sage Wie *Märchen* und *Legende* ist auch die Sage eine zunächst auf der mündlichen Überlieferung basierende kurze Erzählung fantastischer Ereignisse. Durch die Kombination unwirklicher Elemente mit realen Geschehnissen, belegbaren Angaben zu Figuren, Ort und Zeit des Erzählten, wird der Eindruck erweckt, die Sage berichte von einem tatsächlich eingetroffenen Ereignis.

Schwank Eine kurze Prosaerzählung, die eine komische Begegebenheit aus dem Leben des Volkes bezeichnet. Zwei Figuren, eine (z. T. scheinbar) der anderen überlegen, treten einander gegenüber. Sie unterhalten sich über lustige und unbedeutende Dinge, die sonst selten Eingang in die Literatur finden. Die Pointe wird von der geradlinigen Darstellung direkt angesteuert. Ihre Blütezeit erreichte diese Form im Spätmittelalter (Handwerkerdichtung) mit Ausläufern bis heute (Bauerntheater).

F

Dramatik

Begriff Der Name leitet sich ab vom altgriechischen Wort *dráma*, was so viel wie *Handlung* bedeutet. Das literarische Produkt der Dramatik ist das Drama. Es entfaltet seinen Konflikt mithilfe von Dialogen und Monologen des auftretenden Personals. Ursprünglich gedacht für die Darbietung auf der Theaterbühne, wendet das Drama sich weniger an ein lesendes, sondern vielmehr an ein Theaterpublikum. Über *Regienanweisungen* wird der reine Dramentext um Angaben zur Bewegung, Gestik und Mimik, zum Bühnenbild und zu den Requisiten ergänzt.

Struktur des Dramas

Auftritt Auf dem Theater eine bestimmte Konstellation der Figuren auf der Bühne; bei einem Figurenwechsel beginnt ein neuer Auftritt. Die Akte eines Theaterstücks werden nach Auftritten oder *Szenen* gegliedert und sind die kleinste strukturelle Einheit des Dramas. Das Gegenteil vom Auftritt einer Figur auf der Bühne ist der *Abgang*. Der Begriff *Auftritt* kann auch im Sinne eines Schauplatzes oder Bühnenbildes verwendet werden. In Dramen von Lessing oder Schiller erscheint die Szene in der Bedeutung des Schauplatzes, der zusätzlich noch in Auftritte eingeteilt ist.

Szene Der Begriff leitet sich von gr. *skene* ab, das ein Teil einer antiken griechischen Theateranlage war. Heute bedeutet er den Teil eines Theaterstücks oder den Abschnitt eines Films. Das Ende einer Szene wird meist durch vollständigen Personal-, Orts- oder Zeitwechsel markiert.

Akt Der Begriff leitet sich aus dem lateinischen Verb *agere* ab, bedeutet so viel wie *das Gemachte* oder *die Tat* und steht in einem dramatischen Text für den Abschnitt eines Theaterstückes oder eines Singspiels (Oper/Operette). In manchen Dramen wird der Akt auch als **Aufzug**, abgeleitet vom Aufziehen des Vorhangs beim Beginn jedes Aktes, bezeichnet.
In der Dramatik seit dem 20. Jahrhundert wird die Einteilung in Akte zumeist aufgegeben und durch Überlegungen, ob und wo eine Pause angebracht ist, ersetzt.

Bild Eine andere Art der Unterteilung von Theaterstücken (neben dem größeren Akt und der kleineren Szene), die in der Regel einen Schauplatz kennzeichnet, der sich nicht wesentlich im Verlauf des Stücks verändert.

Station Der Begriff stammt vom lateinischen *statio* für den *Stand* oder *Standort* und bezeichnet vor allen Dingen in Dramen der *offenen Form* einzelne Szenen oder Bilder, die lose aneinandergereiht und hauptsächlich nur durch den Protagonisten des Stücks miteinander verbunden sind. Die Gesamtheit aller Stationen eines Stücks wird *Stationendrama* genannt.

Typischer Dramenaufbau

Exposition (Einleitung) Die Figuren werden eingeführt, der dramatische Konflikt kündigt sich an. Der Zuschauer erhält Informationen zu den Vorbedingungen des sich später anbahnenden Konflikts.

Steigerung Steigende Handlung mit *erregendem Moment*: Die Situation verschärft sich.

Peripetie (Umschlag der Handlung, Umkehr der Glücksumstände des Helden): Die Handlung erreicht ihren Höhepunkt (*Klimax*).

Retardierung/Retardation Fallende Handlung mit *retardierendem* (aufschiebendem, hinhaltendem) *Moment*: Die Handlung verlangsamt sich, um in einer Phase der höchsten Spannung auf die bevorstehende Katastrophe hinzuarbeiten.

Katastrophe (*Dénouement*) Es kommt meist zum endgültigen Scheitern des Protagonisten bzw. der Bewältigung des dramatischen Konflikts. Der Held wird verurteilt oder verdammt. Es können aber auch alle Konflikte gelöst und die Figuren sittlich gereinigt/geläutert werden (*Katharsis*).

Figuren

Figur Der Begriff steht für eine erfundene, fiktive Person und ist nicht mit einer realen Person zu verwechseln.

Charakter Eine Figur wird differenziert in ihren Eigenschaften und Verhaltensweisen dargestellt, wobei körperliche Merkmale oder der soziale Status nicht dazugehören. Eine Figur kann auch einen gemischten Charakter mit Stärken und Schwächen aufweisen.

Typus Die Figur wird auf typische Eigenschaften und Verhaltensweisen reduziert und mit feststehenden Merkmalen versehen: der Typus des listigen Helden, des gehörnten Ehemannes, des einsamen Denkers ...

Protagonist Die zentrale Figur in einem Drama (Hauptdarsteller), sein Gegenspieler ist der *Antagonist*.

Figurenkonstellation Die sozialen, psychologischen und/oder geistigen Beziehungen der einzelnen Figuren eines Stückes zueinander. Die Eigenheiten einer Figur lassen sich gerade auch durch ihr Verhältnis zu den anderen Figuren erfahren.

Figurenrede

Monolog von gr. *monos* [allein], im Gegensatz zum Dialog ein Selbstgespräch. Indem die Figur zu sich selbst spricht, richtet sie sich zwar nicht direkt an den Zuschauer oder Leser, doch ist das Publikum der eigentliche Adressat, um Gedanken und seelische Vorgänge der Figur hörbar oder lesbar nach außen zu tragen und damit deutlich werden zu lassen.

Dialog Im Gegensatz zum Monolog eine mündlich oder schriftlich zwischen zwei oder mehreren Figuren geführte Rede und Gegenrede (Wechselrede).

Botenbericht Ein Stilmittel, das das Publikum in Kenntnis von einem bereits *vergangenen* und *abgeschlossenen* Ereignis setzt, das zum Verständnis der Handlung wichtig ist, aber nicht direkt auf der Bühne dargestellt werden kann, z. B. eine Schlacht oder eine Hinrichtung. Von besonderer Bedeutung ist der Botenbericht in der griechischen Tragödie, die an die drei Einheiten von Ort, Zeit und Handlung gebunden ist.

Teichoskopie (oder *Mauerschau*) Im Gegensatz zum Botenbericht berichtet eine Figur von erhöhter Position aus (z. B. einer Stadtmauer) über ein *gleichzeitig* stattfindendes Ereignis, das auf der Bühne nicht dargestellt und von anderen Figuren nicht gesehen werden kann, wie aufmarschierende Armeen oder Naturphänomene (Sternenhimmel/ Sonnenaufgang). Die Teichoskopie kann ein Monolog oder auch ein Dialog sein.

A parte Eine Figur spricht während eines Dialogs zum Publikum gewandt, ohne es ausdrücklich anzusprechen.

Ad spectatores Eine Figur wendet sich an die Zuschauer, wie im Volkstheater oder im epischen Theater.

Antilabe (*Widerhall*) Ein einzelner Sprechvers wird auf mehrere Figuren verteilt und durch Einrückungen im Schriftbild gekennzeichnet.

Stichomythie (Reihenrede) Schnelle, versweise wechselnde Rede und Gegenrede in einem Versdrama als Ausdrucksmittel für ein lebhaftes Gespräch.

Handlung

Haupttext Der gesamte Text, der auf der Bühne von den einzelnen Figuren gesprochen wird.

Nebentext In der Regel alle Informationen, die durch ein besonders hervorgehobenes Schriftbild (in Klammern, kursiv ...) für den Leser eines dramatischen Textes von Bedeutung sind: *Titel, Vorwort, Personenverzeichnis* und vor allen Dingen *Regieanweisungen*.

Prolog – Epilog Eine „Vorrede" in der Art einer Einleitung oder Vorgeschichte, die vom Haupttext abgegrenzt ist, im Gegensatz zum Epilog, der „Nachrede", einem Nachwort oder Nachspiel.

Dramatischer Konflikt Der Kern des Dramas, der sich aus unterschiedlichen Interessen und den sich gegenseitig ausschließenden Zielen der Pro- und Antagonisten ergibt. Dabei sind besonders drei Aspekte zu beachten:

1. Ursache und Entstehung
2. Entwicklung
3. Lösung des Konflikts

Der Konflikt kann vom Helden sowohl verschuldet als auch unverschuldet ausgelöst werden. Während in der *Tragödie* der Konflikt unweigerlich auf eine Katastrophe hinausläuft, wird er in der *Komödie* meist im guten Sinn gelöst.

Dramatische Formen (nach Volker Klotz):

	Geschlossene Dramenform	Offene Dramenform
Handlung	**Einheit der Handlung:** Einsträngigkeit; Seitenstränge dienen Haupthandlung Geschlossenheit der Handlung: Handlung in sich abgeschlossen und vollständig; keine wesentlichen Sprünge und Lücken	**Vielfalt der Handlung:** Mehrsträngigkeit; relativ eigenständige Nebenhandlungen Offenheit der Handlung: Handlung schlaglichtartig, bruchstückhaft und fortsetzbar; sprunghaft, mit vielen Aussparungen
Zeit	**Einheit der Zeit:** geringe Zeiterstreckung Zeitverlauf wichtiger als Zeiteindruck: szenische Gegenwart überlagert von Vorwärts- und Rückwärtsbezügen	**Vielfalt der Zeit:** weite, z. T. unbestimmte Zeitausdehnung Intensiv erlebter dramatischer Augenblick wichtiger als klare Abfolge
Ort	**Einheit des Ortes:** kein dramatisch wirksamer Ortswechsel Raum typisiert, nur Rahmen, kein Handlungsfaktor	**Vielfalt des Ortes:** Fülle verschiedengearteter, eigentümlicher Lebens- und Handlungsräume Raum charakteristisch, ist Mitspieler, bezeichnet Menschentyp, Stand, Milieu, Atmosphäre, Sprache
Figuren	**Einheit des Standes:** Personal sozial einheitlich, mit gemeinsamem geistigem Bezugssystem Ständeklausel: Tragödie: höfische, Komödie: bürgerliche Sphäre Klare personelle Gegnerschaften Mündige, verantwortliche, reflektiert handelnde Persönlichkeiten Antriebsmomente im Wesentlichen das Geistige und das seelisch Geläuterte	**Vielfalt des Standes:** Aufeinandertreffen verschiedener sozialer Schichten und Weltbilder Keine Standesvorbehalte: Jeder Stand kann tragisch und komisch dargestellt werden Figuren im Kampf mit allgemeinen Welt-, Klassen-, Milieuverhältnissen Auch unreife, unfreie, unfertige, dumpf getriebene Menschen Ebenbürtige Antriebsmomente, das Kreatürliche, Körperliche, Triebhafte, das Unbewusste und das Soziale
Sprache	**Einheit der Sprache:** Vers; Dichtungssprache, hoher Stil Fast ausschließliches Ausdrucksmedium: Sprache Satzbau hypotaktisch (unterordnend); Satzfolge beständig, schlüssig, grammatisch stimmig; Sprache kunstvoll, zielgerichtet, logisch folgernd, dialogisch	**Vielfalt der Sprache:** Sprechweisen nach Stand, Charakter, Situation verschieden; Prosa; auch Alltagssprache; Stilmischung; Dialekt Neben der manchmal versagenden oder aussetzenden Sprache: Mimik, Gestik, Gebärde, Körpersprache (Zunahme der Regieanweisungen) Satzbau parataktisch (nebenordnend); Satzfolge auch sprunghaft, stockend, brüchig, kreisend; Sprache auch unbeholfen, zerfahren, assoziativ, elliptisch, monologisch
Aufbau	Geschlossene, straff geordnete Komposition	Offene, lockere Komposition; reigen-, stationen-, mosaik- oder kaleidoskopartiger Charakter

Formen des Dramas

Tragödie Die Tragödie bezeichnet heute allgemein einen dramatischen Text, in welchem der Held an einem tragischen Konflikt scheitert. Der Protagonist ist dem Schicksal unterlegen und durchlebt die dargestellte Handlung schließlich auch in dem Bewusstsein, dass er scheitern muss. Auslöser der Tragödie kann eine tragische, unverantwortete Schuld des Dramenhelden oder aber eine persönliche und eigens von ihm verursachte Schuld sein. Außerdem können das Schicksal, Missverständnisse, Irrtümer und Lügen das Scheitern des Helden heraufbeschwören. Der antike Tragödienbegriff des Aristoteles sah für die Tragödie als höchste Gattung ausnahmslos Figuren von besonderem gesellschaftlichen Rang vor, da diese aufgrund ihrer hohen Stellung besonders tief fallen können. Das hohe Personal sollte so beim Publikum *Furcht* und *Mitleid* erregen und es von derartigen Affekten reinigen (*Katharsis*). Dementsprechend herrscht in Tragödien in der Regel die Hochsprache vor. Bis ins 18. Jahrhundert hinein bleibt die Tragödie adligem Personal vorbehalten (*Ständeklausel*). Mit der Entwicklung des *bürgerlichen Trauerspiels* öffnet sie sich dann auch bürgerlichem Personal und nimmt – neben der gesellschaftlichen – auch die moralische Fallhöhe in den Blick.

Komödie Wichtigstes Merkmal ist ihr Hang zur komischen Darstellung und der gute Ausgang des in ihr aufgeworfenen Konflikts. Anders als in der Tragödie ist der Konflikt in der Komödie lösbar, sodass ein gutes Ende durch Zufall, Klug- oder Torhaftigkeit des Helden oder seines Kontrahenten möglich ist. Die Dramenfiguren der Komödie entstammen zumeist dem Bürger- oder Bauerntum und kommunizieren in niederer bzw. Umgangssprache miteinander.

Passionsspiel Um für die Bevölkerung Leiden und Auferstehung Jesu Christi nacherlebbar zu machen, entstehen im Mittelalter sogenannte Passions- oder Osterspiele, die charakteristische Bibelstellen wie Auferstehung und Wächterszene zur theatralen Aufführung bringen.

Bürgerliches Trauerspiel Im 18. Jahrhundert verschafften zunächst Lessing, später auch Schiller einem neuen Dramentypus auf den deutschen Theaterbühnen Gehör. Das Personal ist trotz seines tragischen Charakters im Bürgertum angesiedelt, typisch bürgerliche Probleme (z. B. Konflikte zwischen Bürgertum und Adel) stehen im Fokus. Es kommt hiermit zu einer Aufhebung der *Ständeklausel*, welche tragische Stoffe bis dato ausschließlich hohem Personal vorbehalten hatte.

Historisches Drama wendet sich der Aufarbeitung historischer Ereignisse zu und thematisiert häufig die Auswir-kungen der Geschichte auf das einzelne Individuum.

Lyrisches Drama wird im 18. Jahrhundert als Textgrundlage für *Opern* oder *Singspiele* mit starker Gefühlsbetonung genutzt. Es bezeichnet aber gleichzeitig einen Dramentyp, der durch eine stark stilisierte Sprache und die Darstellung von tiefen Emotionen der Protagonisten gekennzeichnet ist.

Naturalistisches Drama fokussiert im Deutschland des ausgehenden 19. Jahrhunderts die möglichst naturgetreue Wiedergabe der Wirklichkeit auf der Theaterbühne. So entstammen die behandelten Stoffe dem realen Leben und beschreiben ein Milieu so exakt wie möglich. Im Fokus steht dabei immer der Mensch selbst, seine Armut, Krankheit, Neurosen, nicht so sehr die Geschichte, die sich um ihn herum abspielt. Ausführliche Regieanweisungen, die Einhaltung der Einheit von Raum und Zeit, ein auf wenige Figuren begrenztes Personal sowie ein analytischer Aufbau der Handlung mit aneinandergereihten Sequenzen sind kennzeichnend für das naturalistische Drama.

Illusionstheater Das Illusionstheater vermittelt dem Publikum den Eindruck, im Bühnengeschehen Zeuge realer Vorgänge zu werden. Das Stück wird also nicht mehr als Fiktion wahrgenommen, denn der Zuschauer erliegt der Illusion, einem sich in der Realität abspielenden Geschehen beizuwohnen. Illusionstheater wurde vor allem im Barock sowie im Naturalismus dazu genutzt, dramatische Texte möglichst real wirken zu lassen.

Episches Theater Einen radikalen Bruch mit dem Illusionstheater begeht das von Bertolt Brecht etablierte epische Theater, welches dem Zuschauer mithilfe von bestimmten *Verfremdungstechniken* stets den illusionären Charakter des Bühnengeschehens vor Augen führt und dadurch eine Distanzierung des Publikums von der Bühnendarstellung erreicht. Zu diesen Verfremdungstechniken, die den Verlauf der Haupthandlung auf der Bühne immer wieder durchbrechen, gehören der Kommentar eines Erzählers oder Ansagers, der Einsatz von Chören und der Gebrauch von Spruchbändern und Plakaten. Der Zuschauer soll zum Mitdenken und zum Auffinden alternativer Lösungen angeregt werden, indem er das auf der Bühne Dargestellte auf seine eigenen Lebensumstände überträgt und mögliche Handlungsalternativen aufdeckt.

Dokumentartheater entwickelt sich in den 1960er-Jahren in der Tradition von Brechts epischem Theater und will den Rezipienten zu politischem Einsatz anregen. Dazu bringt es Quellen oder authentische historische Szenen in mehr oder weniger starker künstlerischer Bearbeitung auf die Bühne. Auch schwierige historische Probleme, wie die Schrecken des Zweiten Weltkriegs und die sich daran anschließende Verdrängungsmentalität vieler Beteiligter, finden im dokumentarischen Theater Platz und erreichen eine breite Öffentlichkeit.

Lesedrama Texte, die zwar der Form nach dramatisch sind und mit Dialogen und Regieanweisungen arbeiten, aber vom Verfasser nicht für die Aufführung auf einer Bühne gedacht wurden. In Lesedramen erschweren oder verhindern häufige Schauplatzwechsel, schwierig zu gestaltende Bühnenbilder oder die bloße Länge des Textes, dass eine Aufführung überhaupt möglich wäre.

Einakter Ein dramatischer Text, der nur aus einem einzigen Akt besteht und kaum Szenenwechsel aufweist.

In meist vergleichsweise geringem Umfang geben Einakter keine komplexe und in sich geschlossene Handlung wieder, sondern stellen – zumeist mit offenem Anfang und Ende – einen bestimmten Ausschnitt aus dem Leben der Figuren in einer immer komplizierter werdenden Welt dar.

Sachtexte

Begriff Texte, die Informationen und Fakten liefern, auch Gebrauchs- oder pragmatische Texte genannt, z. B. Zeitungsbericht, Gebrauchsanweisung, Rezension, Kommentar, Rede, Leserbrief, Memoiren, Biorgrafie, Einladung, Schulordnung.

Funktionen von Sachtexten

Sachtexte haben verschiedene Funktionen bzw. Wirkabsichten, wobei ein Text meist nicht nur eine der folgenden Funktionen erfüllt, sondern in unterschiedlichem Maß verschiedene Wirkabsichten verfolgt.

informierend Informierende Texte dienen der Darstellung und machen Angaben zu bestimmten Sachverhalten, z. B. *Nachrichten, Meldungen, Abhandlungen, Berichte* oder *Protokolle*.

appellierend Appellative Texte sollen den Rezipienten zu einer Handlung veranlassen, z. B. *Werbetexte, Annoncen, Einladungen, Aufrufe* und *Empfehlungen*.

expressiv Bei expressiven Texten überwiegt der Ausdruck; die Selbstmitteilung des Verfassers bzw. Senders wird deutlich gegenüber den behandelten Sachinhalten, z. B. in *Traueranzeigen, Glückwunschschreiben* oder *Glossen*.

In Sachtexten wird ...

argumentiert Der Standpunkt der Verfasserin bzw. des Verfassers wird mittels diverser Argumente für den Leser/Empfänger/Hörer/Rezipienten logisch nachvollziehbar dargelegt, wie etwa in *Diskussionen* oder *Erörterungen*.

bescheinigt Durch bescheinigende Texte werden neue Fakten geschaffen bzw. eine institutionelle „Deklarationsfunktion" erfüllt, z. B. in *Zeugnissen, Gutachten, Zertifikaten* und *Ernennungen*.

instruiert Primäres Ziel ist es, die Rezipienten in die Lage zu versetzen, nach der Lektüre bestimmte Handlungen bzw. Tätigkeiten erfolgreich ausführen zu können. Dies ist der Fall etwa bei *Gebrauchsanweisungen, Bedienungsanleitungen* oder *Rezepten*.

kommentiert In Texten wie *Kommentaren* oder *Rezensionen* macht der Verfasser deutlich wertend-beurteilende Aussagen zu einem Sachverhalt oder literarischen Werk.

normiert Durch normierende Texte werden Normen bzw. Regeln festgeschrieben; dazu zählen *Spielregeln* ebenso wie *Gesetzestexte*.

verpflichtet Steht die „Obligationsfunktion" im Zentrum eines Textes, so verpflichtet sich der Verfasser (bzw. der Unterzeichnende), eine bestimmte Handlung zu vollziehen, z. B. bei *Verträgen, Einverständniserklärungen, Vereinbarungen*, aber auch bei *Haus- und Schulordnungen*.

Argumentation

Argumentation Die Verknüpfung mehrerer Argumente. Erfolgt diese in Form einer Abwägung von Pro- und Kontra-Argumenten, so spricht man von einer *Erörterung*.

These Ein Satz bzw. eine **Behauptung**, der/die des Beweises bedarf.

Argument Die **Begründung**, die dem Beweis oder der Widerlegung einer These/einer Behauptung dient. Es können fünf Typen von Argumenten unterschieden werden, zum Beispiel:

- das *Faktenargument* (Verweis auf ein allgemein bekanntes, unumstößliches Faktum),
- das *normative Argument* (Verweis auf allgemein anerkannte Grundsätze),
- das *Autoritätsargument* (Verweis auf die Aussagen von Fachleuten),
- das *analogisierende Argument* (Übertragung eines Beispiels aus einem anderen Lebensbereich auf die aktuelle Problemstellung),
- das *indirekte Argument* (Stärkung der eigenen Position durch deutliche Schwächung der Gegenposition).

Beispiel/Beleg Ein spezifischer Sachverhalt wird als musterhaft-illustrierende Erklärung für ein Argument angeführt.

Argumentationsmodelle

Sanduhrprinzip Eine Vorgehensweise bei der dialektischen Erörterung. Zuerst beginnt man mit den Argumenten, die nicht der eigenen Position entsprechen, und nennt das stärkste Argument zuerst. Dann folgt die Darstellung der eigenen Position mit dem stärksten Argument am Ende.

Reißverschlussprinzip Eine Vorgehensweise bei der dialektischen Erörterung. Argumente der Pro- und Kontraseite wechseln. Den Anfang machen jeweils die Argumente, die nicht der eigenen Position entsprechen.

Diese werden dann durch die Gegenargumente entkräftet.

Textsorten

Autobiografie Die Beschreibung der eigenen Lebensgeschichte aus der Retrospektive (Gegensatz: Tagebuch) an der Grenze zwischen Sachtext und literarischem Text.
Essay Eine subjektiv-geistreiche *Abhandlung* zu kulturellen, gesellschaftlichen oder wissenschaftlichen Themen, die nicht den strengen Regeln der Wissenschaftlichkeit folgt.
Glosse Ein meist kurzer, pointierter „Meinungsbeitrag", in dem sich der Verfasser bzw. die Verfasserin zu weltpolitisch-ernsten oder zu allgemeinen und gegebenenfalls amüsanten Themen in polemisch-satirischer Weise äußert.
Kommentar Ein sogenannter Meinungsbeitrag, in dem ein Autor bzw. eine Autorin persönlich Stellung zu einem aktuellen Thema bezieht. Dies geschieht mit expliziter Nennung des Autornamens. In Zeitungen wird darüber hinaus häufig ein Bild des Verfassers neben dem Artikel abgedruckt, im Fernsehen sprechen die Kommentatoren ihre Texte (als „Zwischenruf") meist selbst.
Kritik Subjektiv gefärbte, wohlwollende oder problematisierende *Besprechung* einer Veranstaltung (Konzert, Theaterinszenierung) oder Veröffentlichung (Bücher, CDs). Die Kritik insbesondere von Büchern wird auch als *Rezension* bezeichnet.
Leserbrief Eine persönliche *Stellungnahme* eines Lesers bzw. einer Leserin zu einem zuvor erschienenen Artikel oder auch zu einem aktuellen Problem. Der Leserbrief kann sowohl sachlich als auch ironisch oder polemisch geschrieben sein.
Nachricht Mitteilung einer für die Rezipienten potenziell wichtigen oder informativen Neuigkeit in möglichst objektiver Weise. In einer Nachricht sollten die journalistischen W-Fragen (vor allem: *Was* ist *wo, wann, warum, wozu* und *wie* passiert? *Wer* war an dem Ereignis beteiligt?) beantwortet werden.
Rede Eine für den *mündlichen* Vortrag konzipierte Mitteilung, die vom Redner bzw. von der Rednerin explizit auf den Redeanlass (*politische Rede, Preisrede, Gedenkrede, Ansprache, Vorlesung, Predigt*) und die Zuhörerschaft hin fokussiert wird.
Tagebuch (auch **Diarium**) Aufzeichnungen von Erlebnissen, Stimmungen und Gefühlen in chronologischer Form zur Selbstvergewisserung, die zu Lebzeiten des Verfassers nicht zur Veröffentlichung gedacht sind (im Gegensatz zur *Autobiografie* oder zum öffentlich einsehbaren *Blog* im Internet).

Film

Bildkomposition

Einstellungsgrößen Bildverhältnis zwischen Bildobjekt (Person/Gegenstand) und Bildraum. Das Spektrum reicht dabei von der extrem weiten Panaromaeinstellung, in der der Raumeindruck dominiert, hin zur Detailaufnahme, bei der Ausschnitte hervorgehoben werden. Die Wahl der Einstellungsgrößen (*Panorama, Totale, Halbtotale, Halbnahe, Amerikanische, Nahe, Groß, Detail*) und deren Montage entscheiden grundlegend über die Erzählhaltung eines Films und die emotionale Wirkung beim Publikum. Jede Einstellungsgröße kann theoretisch aus jeder Perspektive gedreht werden, wodurch sich das kreative Potenzial des Kamerastandpunkts vervielfacht.
Kamerabewegung Die Veränderung des Kamerastandpunkts kann zusätzlich zur Wahl von Einstellungsgröße und Perspektive narrative Intentionen verfolgen.
Beim *Kameraschwenk* wird lediglich die Kamera auf einem Stativ oder mit der Hand horizontal und/oder vertikal geschwenkt, während der Kamerastandort gleich bleibt.
Bei *Kamerafahrten* mit Kamerawagen (Dolly) oder durch den Kameramann selbst (*Handkamera*) hingegen wird die Kamera selbst durch den Raum bewegt.
Bei einem *Zoom* wird mithilfe der Veränderung der Objektivbrennweite der Kamera an einen Gegenstand oder eine Person „herangezoomt" – eine Fähigkeit, die das menschliche Auge nicht besitzt. Die Rolle der Kamera als filmischer Erzähler wird durch Kamerabewegungen deutlich, lenkt sie doch den Blick des Zuschauers besonders stark.
Mise en Scène Filmästhetische Bezeichnung in Analogie zur Bühnengestaltung im Theater oder der Bildgestaltung der Bildenden Kunst für das Arrangieren des Filmbildes, z. B. Positionierung von Personen im Bildraum, Farbkomposition, Verhältnis von Vorder- und Hintergrund, weiterhin Maske, Kostüm und Schauspiel. Die Mise en Scène beeinflusst die emotionale Haltung des Zuschauers zum Geschehen.
Perspektive Position der Kamera im Verhältnis zum Bildobjekt (Person). Als Normalsicht bezeichnet man die Kameraposition auf Augenhöhe einer Person. Aus *Untersicht/Froschperspektive* können Personen mächtig oder heldenhaft wirken. Die *Aufsicht/Vogelperspektive* kann Personen klein und verloren wirken lassen sowie Unterlegenheit suggerieren.

Montage/Schnitt

Montage Bezeichnung für den Schnitt von Filmaufnahmen – früher analog mit dem Filmmaterial, heute digital mithilfe von Schnittprogrammen. Bei der Montage wird neben dem Bild auch die Tonspur (Geräusche, Sprache, Musik) bearbeitet. Die Montage, die Zusammenfügung einzelner Filmaufnahmen, gilt auch als das wesentliche Merkmal der Filmkunst und Unterscheidungskriterium von anderen Kunstgattungen. Erst mithilfe des Schnitts entsteht aus Einzelaufnahmen eine kohärente Handlung und damit der Film. Verschiedene Montagekonzepte wie *Assoziations- u. Kontrastmontage, Ellipse, Jump Cut, Match Cut* oder *Parallelmontage* bieten vielseitige Möglichkeiten, eine Geschichte zu erzählen.
Assoziations- und Kontrastmontage Aufnahmen werden derart aneinandergeschnitten, dass diese vom Zuschauer assoziativ verbunden und so metaphorisch gedeutet werden: Der Schnitt von einem Reh in freier Wildbahn zu einem Gefangenen hinter Gittern wird so zu einem Sinnbild für Freiheit und deren Fehlen im Falle des Gefangenen.
Ellipse Kürzung einer Handlung in der filmischen Darstellung durch Auslassung von Handlungselementen in der Montage. Auslassungen können die logische, kausale und temporale Folge der Geschehnisse betreffen. Im heutigen Film stark verwendet, um den Erzählfluss zu beschleunigen
Jump Cut Schnitt zwischen zwei Bildern, die hinsichtlich Einstellungsgröße und Perspektive nahezu identisch sind, aber einen Handlungssprung vollziehen. Kann z. B. zur Dynamisierung einer Actionszene oder Verunsicherung des Zuschauers genutzt werden.
Match Cut Verbindung zweier Filmbilder im Schnitt mithilfe optischer Übereinstimmungen, z. B. Positionierung im Bildraum, Farbgebung oder Objektbewegung im Bild. Hierdurch entsteht eine narrative Klammer zwischen Szenen.
Parallelmontage Durch die Montage wird zwischen zwei zeitlich parallel verlaufenden Handlungen hin- und hergeschnitten, wodurch z. B. bei Verfolgungsjagden Spannung aufgebaut werden kann. Der Parallelmontage ist besonders effektiv in Verbindung mit Match Cuts.

Sprache

Grundlagen

Linguistik Sprachwissenschaft; Wissenschaft von Aufbau und Struktur einer Sprache; sie beschreibt Ausdrucksmöglichkeiten menschlicher Kommunikation sowie den konkreten Sprachgebrauch.
Etymologie ermittelt, ausgehend von der sprachgeschichtlichen Entwicklung, die Herkunft und Bedeutung einzelner Wörter sowie deren Veränderung im Lauf der Zeit (historisch-vergleichend).
Phonologie Die Lehre von den Sprachlauten; sie untersucht **Phoneme** (kleinste bedeutungs*unterscheidene* Lauteinheit) einer Sprache (*W*ald – *b*ald – *k*alt) und deren Beziehung zueinander.
Morphologie beschreibt Struktur und Form der Wörter; aus **Morphemen**, den kleinsten bedeutungs*tragenden* Einheiten einer Sprache (*Haus*), bildet man komplexe Wörter (*Haus-tür, Hinter-haus-tür*).
Man unterscheidet *Flexion* (des alt*en* Haus*es*, du geh*st*) und *Wortbildung* (haus-*ieren, Geh-weg*).
Semantik Lehre von der *Bedeutung* von Wörtern; zerlegbar in kleinste Bedeutungsmerkmale (*tot/lebendig, menschlich/tierisch*), die manchmal mehr oder weniger zutreffen (*Teetasse/Kaffeetasse*).
Pragmatik beschreibt jede Äußerung als Sprachhandlung mit bestimmter Absicht und zu bestimmtem Zweck.
Sprechhandlung/Sprechakt Eine sprachliche Äußerung zum Vollzug einer Handlung; die *Absicht* (Intention) des Sprechers kann direkt oder indirekt sein (je nach Zusammenhang zu erschließen).
Sprachkritik Reflektierte Auseinandersetzung mit aktuellem und früherem Sprachgebrauch ohne Wertung, sondern rein aus linguistischer Perspektive; im Gegensatz hierzu: *Sprachpflege*.

Wortebene

Wort *Selbstständige* sprachliche Einheit, gekennzeichnet durch die *Wortart* (je *nach* Sprachverwendung).
Wortbildung Komposition komplexer Wörter durch **Zusammensetzung:** (Haus-tür), mit Affixen (Präfix: *be*-enden, Suffix: Zeit-*ung*, Zirkumfix: *ge*-red-*et*) oder **Ableitung:** ausgehend vom Basiswort (sagen: sag-*bar*, das *Sagen*); Wortbildung oft mit Fugenelement (Hilf-s-mittel).
Flexion Bildung grammatischer Wortformen (nur bei flektierbaren Wörtern).
- **Deklination:** Genus, Numerus, Kasus bei Nomen/Substantiven.
- **Konjugation:** *Person, Numerus, Tempus, Genus verbi, Modus bei* Verben.
- **Komparation:** Positiv, Komparativ, Superlativ (*groß – größer – am größten*) bei Adjektiven.

Silbe Beim Sprechen zusammengefasste Lautfolge (phonologische Einheit), kein *Morphem*.

F

Lexem Basiseinheit des Wortschatzes, enthält alle Informationen zu Bedeutung, grammatischer und pragmatischer Verwendung im Zusammenhang (wie ein Wort im Wörterbuch).
Wortfamilie Wörter unterschiedlicher Wortart mit gleichem Wortstamm (morphologisch ähnlich).
Wortfeld Wörter derselben Wortart, gegebenenfalls mit unterschiedlichem Wortstamm (semantisch ähnlich).
Lautverschiebung Allmähliche Veränderung im Phonemsystem einer Sprache.
Denotation – Konnotation
Die *Denotation* ist die Relation zwischen sprachlichem Ausdruck und Bezeichnetem auf der Sachebene (*Nacht:* Zeit zwischen Sonnenunter- und -aufgang). Die *Konnotation* ist das Mit-Gemeinte, der subjektive, soziale und kulturelle Aspekt (*Nacht:* assoziiert mit Angst, Einsamkeit).

Satzebene

Syntax Lehre von der Kombination von Wörtern zu verstehbaren (grammatisch korrekten) Sätzen.
Satz Lineare, selbstständige und abgeschlossene sprachliche Einheit (meist mit Verb), die aus kleineren Einheiten bestehen und die selbst Teil einer größeren Einheit (Text) sein kann; man unterscheidet Hauptsätze von Nebensätzen (die wiederum Teil von Hauptsätzen sind).
Satzglied ist eine funktionale Einheit zur Satzgliederung; es besteht aus Wörtern oder Wortgruppen, die sich nur geschlossen verschieben und als Ganzes ersetzen (und erfragen) lassen (z. B. *Subjekt*).

Textebene

Text Eine komplex strukturierte, thematisch und inhaltlich zusammenhängende sprachliche Einheit (mündlich oder schriftlich) mit erkennbarem kommunikativem Sinn; oft: Folge von Sätzen.
Konnektor Wort, das inhaltliche, logische und/oder grammatische Bezüge zwischen Sätzen herstellt.

Rhetorik

Rhetorik ist die Kunst „gut zu reden“ (ars bene dicendi) und gehörte in der Antike zu den sieben freien Künsten (septem artes liberales). Sie wurde von Privatlehrern gelehrt, um die freien Männer darauf vorzubereiten, erfolgreich am öffentlichen und politischen Leben der griechischen Polis teilnehmen zu können. Im Mittelalter war die Rhetorik ein elementarer Teil der Ausbildung an den Universitäten. Unter Berufung auf Aristoteles unterscheiden die Rhetoriker der Antike drei Grundformen der Rede oder Redegattungen (genera orationis): Die *Streitrede* oder politische Rede (genus deliberativum) zur Klärung einer Sache, die *Gerichtsrede* (genus iudicale) zur Urteils- und Wahrheitsfindung und schließlich die *Festrede* (genus demonstrativum), die meistens als Lobrede (laudatio) zur Würdigung einer Person oder Sache gehalten wurde.
Aus diesen Grundformen haben sich im Laufe der Zeit weitere Formen ausdifferenziert: Die Toten- und Trauerrede entwickelte sich als besondere Form aus der *Lobrede*, die Predigt als Weiterentwicklung der *Streitrede* und die agitatorische Rede als Zuspitzung der *politischen Rede*. Hinzu kommt durch die Entwicklung der Universitäten der Fachvortrag zur Vermittlung von Wissen.
Heute sind vor allem Begrüßungs- und Abschiedsrede, die Jubiläumsrede, die Festrede, die Dankesrede und die spontane Stegreifrede bekannt. Die Narrenrede entwickelte sich im Mittelalter als versteckte Form der Anklage gegen Missbrauch von Herrschaft und Macht aller Art. Ihre Weiterentwicklung ist die heutige Form der Büttenrede oder der satirischen Rede.
Der Erfolg des Rhetorikers hing von seinen persönlichen Fähigkeiten (ingenium) und von seiner inhaltlichen Durchdringung des Redestoffes (intellectio) ab. Hinzu kamen die Nachahmung erlernter Redemuster (imitatio), das Erkennen der rhetorischen Regeln (doctrina) und stetiges Üben (exercitium).

Als die fünf Pflichten des Redners (officia oratoris) galten:
1. das Auffinden des Stoffes und der Argumente (inventio),
2. die Anordnung des Stoffes (dispositio),
3. das Ausformulieren der Rede und die Verwendung geeigneter Stilmittel/rhetorischer Figuren (elocutio),
4. das vollständige Auswendiglernen der Rede (memoria),
5. das Vortragen der Rede in freier Form (actio).

Aus der inhaltlichen und der argumentativen Struktur des Argumentationsganges ergeben sich oft feste Argumentationsmuster. Wurde in der Antike zu Beginn ein Baumuster in acht Schritten gelehrt, so entwickelten sich daraus verschiedene Formen in fünf Schritten.

Baumuster der *antiken Rede* in acht Schritten
1. Werben um das Wohlwollen des Publikums (captatio benevolentiae)
2. Darlegung der gegenwärtigen Situation (narratio)
3. Gliederung der Hauptpunkte des Beweises (divisio)
4. Widerlegung der gegnerischen Argumente (refutatio)
5. Vortrag der eigenen Beweise (argumentatio)
6. Zusammenfassung der Tatsachen (conclusio)
7. Anfeuern und Begeistern (motus)
8. Aufruf zur Tat (actio)

Baumuster der *theologischen Disputation* im Mittelalter in fünf Schritten
1. Ausgangsfrage (quaestio oder propositio)
2. Aufzeigen eines Mangels (videtur quod non)
3. Gegenaussage (in oppositum: contra)
4. Aussage (in oppositum: pro)
5. Ergebnis der Diskussion (solutio)

In der Rhetorik spielen Stilmittel eine zentrale Rolle. Dabei gibt es Überschneidungen mit den Stilmitteln, die Lyrik und Epik verwenden. Die folgende Aufstellung enthält nur die Stilmittel, die in der Aufstellung auf der hinteren Umschlaginnenseite nicht aufgeführt sind.

Stilmittel	Erläuterung	Beispiel
Wortfiguren (Euphemismus, Hyperbel, Klimax, Litotes auf der Umschlaginnenseite)		
Antiklimax	vom stärkeren zum schwächeren Ausdruck	„da kamen Edelmann, Bürger, Bauersmann“
Archaismus	veralteter Ausdruck	„auf dem Buche prangt“
Emphase	nachdrückliches Sprechen	„Menschen! Menschen! Heuchlerische Krokodilsbrut!“ (Schiller, Die Räuber)
Hendiadyoin	Doppelung: Verbindung zweier synonymer Wörter	„Hilfe und Beistand“ „Bitten und Flehen“
Periphrase	Verhüllung, Umschreibung	„Auge des Gesetzes“
Gedankenfiguren (Antithese, Ironie, Paradox, rhetorische Frage auf der Umschlaginnenseite)		
Akkumulation	Anhäufung: Drei oder mehr zueinander in Beziehung stehende Begriffe werden aneinandergereiht.	„Nun ruhen alle Wälder, Vieh, Menschen, Städt' und Felder“ (Paul Gerhardt)
Correctio	Verbesserung	„Sie lieben, Madame? Nein, Sie anbeten, auf Händen tragen!“ (Heinrich Heine)
Pars pro toto	ein Teil für das Ganze	„solange du die Füße unter meinem Tisch hast“
Sentenz	einprägsamer Sinnspruch	„Früher Vogel fängt den Wurm“
Suggestivfrage	Beeinflussungsfrage	„Möchten Sie etwa nicht mehr Geld verdienen?“
Wortspiel	klanggleiche Wörter mit unterschiedlicher Bedeutung	„Bin ganz gewillt ein guter Mann zu werden und nicht ein Schlächter“ (B. Brecht)
Satzfiguren (Anapher, Chiasmus, Ellipse, Epipher, Parallelismus auf der Umschlaginnenseite)		
Inversion	Umstellung der üblichen syntaktischen Reihenfolge	„Nicht aber für erforderlich wird es gehalten“
Parenthese	syntaktischer Einschub	„Ich sei, gewährt mir die Bitte, in eurem Bunde der Dritte!“
Klangfiguren		
Alliteration	gleicher Anlaut bei der betonten Silbe	„in seidenen Sesseln sitzen“
Kakophonie	Missklang einer Folge unangenehmer Laute	„Strickstrumpfstricken“
Onomatopoesie	Laut- und Klangmalerei	„Quakfrosch“, „rumpeln“
Polyptoton	Wiederholung eines Wortes mit Abwandlung der Flexionsform	„Wenn der Hass dem Hass begegnet“

Literaturgeschichte

Periodisierungsproblematik

Epoche stammt aus dem Altgriechischen und bedeutet Haltepunkt oder Einschnitt. Unter einer Literaturepoche verstehen wir heute jedoch keinen Haltepunkt in der Geschichte mehr, sondern einen Zeitabschnitt, in dem eine bestimmte Art, Literatur zu gestalten, prägend ist. Diese Abschnitte können dabei helfen, sich im Nachhinein in der – viele Jahrhunderte umfassenden – Geschichte der Kunst oder Literatur zu *orientieren*. Epochenbezeichnungen haben also eine strukturierende Funktion und erleichtern damit die Verständigung über die *Produktion* und *Rezeption* von literarischen Texten. Beispielsweise lassen sich inhaltlich und formal ähnliche Texte übersichtlicher bündeln, wenn sie einer Epoche zugeordnet werden. Ein inhaltliches Kriterium könnte ein bestimmtes Motiv – wie der *Tod* im Barock und der *Mond* in der Romantik – sein. Eine formale Gemeinsamkeit wäre z. B. die Formstrenge in der Klassik.

Bei allen Vorteilen, die die Periodisierung durch Epochen mit sich bringt, müssen Sie jedoch bedenken: Epochen sind keine natürlichen Zeitabschnitte, sondern *künstliche Konstruktionen* von Menschen.

So sind die *Kriterien*, nach denen Epochen bestimmt und unterschieden werden, sehr unterschiedlich. Hier finden sich stilgeschichtliche Kategorien neben historisch-politischen Epochenbegriffen. Stilgeschichtliche sind z. B. der Kunstgeschichte entlehnt wie *Jugendstil, Expressionismus*. Historisch-politische beziehen sich auf bestimmte historische Zeiträume und Strömungen oder auf politische Ereignisse wie z. B. *Reformation, Vormärz, Literatur der Weimarer Republik*.

Werden Epochen mit festen Grenzen versehen und auf typische Merkmale festgelegt, sind sie aber auch fragwürdig – schon aus dem Grund, weil sich bestimmte Stilrichtungen und literarische Bewegungen häufig überschneiden oder parallel zueinander verlaufen. Die folgenden Seiten werden z. B. zeigen, dass die *Aufklärung* auf ca. 1720 – 1790, die *Empfindsamkeit* auf ca. 1740 – 1790 und der *Sturm und Drang* auf ca. 1767 – 1790 datiert werden. Sie verliefen also nicht nacheinander. Auch werden viele Autoren im Nachhinein mehreren Epochen zugeordnet, Goethe z. B. dem *Sturm und Drang* und der *Klassik*, Heine dem *Vormärz* und der *Romantik*. Einige Autoren, denen wir heute bestimmte Epochen zuweisen, wussten damals noch gar nicht um die Existenz dieser Epochenbegriffe. Andere hingegen setzten sich bewusst mit der Schaffung einer neuen Epoche in Abgrenzung zur vorhergehenden auseinander. Wird dabei im Rückblick stärker die historische Zäsur herausgearbeitet, spricht man vom **Epochenumbruch**, werden dagegen im Prozess der Veränderung eher Momente der Verdichtung und des Übergangs gesehen, spricht man von **Epochenschwelle**.

Wenn Sie von Literatur(-epochen) sprechen, sollten Sie also immer die Problematik einer Periodisierung der Literaturgeschichte berücksichtigen.

Epochenüberblick

Mittelalter (ca. 500 – 1500)

Heldenepos (Nibelungenlied) • Zaubersprüche • Rittertum • Minnesang • Tagelied • Passionsspiele • Kirche • Jenseitsglauben

Begriff Der Begriff *Mittelalter* wurde im Zeitalter der Renaissance geprägt und bezeichnet den zeitlichen Abschnitt zwischen Antike und Neuzeit.

Welt- und Menschenbild Das mittelalterliche Weltbild steht stark unter dem Einfluss von Kirche und Glauben. Gott wird als Schöpfer der Welt betrachtet und greift direkt in das Leben der Menschen und ihr Schicksal ein. Die individuellen Belange des Einzelnen treten vor seinem Platz innerhalb der mittelalterlichen Gesellschaft zurück.

Geschichte und Gesellschaft Lesen und Schreiben sind Fertigkeiten, die im **Frühmittelalter** fast ausschließlich Angehörige des *Klerus* (geistlicher Stand) beherrschen. *Adel* sowie *Bauern*, die beiden übrigen Stände, müssen in der Regel auf die Auslegung der Literatur (v. a. der Bibel) vonseiten kirchlicher Würdenträger vertrauen.

Im 12. Jh. setzt mit dem Herrschergeschlecht der Staufer im deutschen Sprachraum das **Hochmittelalter** ein. Durch das stete Bevölkerungswachstum im 13. Jh. erleben landwirtschaftliche Produktion, Handwerk und Handel einen Aufschwung. Geld wird als Zahlungsmittel eingeführt und die Menschen drängen zunehmend in die Städte, werden von bäuerlichen Selbstversorgern zu Handwerkern und Kaufleuten. Gemeinsam mit der wirtschaftlichen kommt es auch zu einer kulturellen Blüte. So erlernen auch Angehörige des Adels das Lesen und Schreiben.

Sind die Könige des Hochmittelalters in Deutschland noch bedeutend und einflussreich, so wandelt sich dies im Übergang zum **Spätmittelalter**. Reichs- und Kurfürsten sowie die Städte gewinnen stetig an politischer wie wirtschaftlicher Bedeutung, wobei letztere neben den Adelshöfen zu neuen Zentren für Bildung und Kultur heranwachsen. In dem Maße, wie die Städte an Macht gewinnen, wird auch das aufstrebende Bürgertum zu einem immer einflussreicheren Teil der Bevölkerung.

Themen, Motive, Texte im Frühmittelalter Im Zuge der Völkerwanderung tragen die Germanen ihre eigene Literatur in den deutschen Sprachraum und sorgen dabei für die Verbreitung unterschiedlicher Sagenkreise.

Unter der Herrschaft der Karolinger kommt es zur Christianisierung der Germanenstämme, was sich auch in der entstehenden althochdeutschen Literatur (ca. 750 – 1060) niederschlägt. Neben germanisch-heidnischen Elementen finden sich zunehmend auch christliche Einflüsse in der Literatur. Mit dem Übergang von der *althochdeutschen* zur *mittelhochdeutschen* Sprache im 11. Jh. entwickelt sich die frühmittelhochdeutsche Literatur (ca. 1060 – 1120), die vorwiegend christlich-religiösen Inhalten treu bleibt. Zwischen 1120 und 1180 treten dann mit der vorhöfischen Literatur auch Werke weltlicher Autoren in den Vordergrund. Erstmals wird mit dem *Alexanderlied* des Pfaffen Lamprecht ein Werk geschaffen, das nicht auf eine lateinische, sondern eine volkssprachliche Quelle gründet. Bevorzugte Textsorten sind Evangelienharmonien, Fürstenpreis, Gebete, Gelöbnisse, Heldensagen, Rätsel, Segen, Spielmannsepen und Zaubersprüche.

Themen, Motive, Texte im Hochmittelalter Aufgrund der Bedeutung der ritterlichen Tugenden im Hochmittelalter – Dienst für den weltlichen Herrn, die christliche Kirche und Frauen- bzw. Minnedienst – sind die vorherrschenden literarischen Gattungen Minnesang, höfisches und Heldenepos. Häufig sind außerdem Textsorten wie Artusepos, Kreuzlied, Leich, Minnesang, Spruchdichtung und Vagantendichtung.

Themen, Motive, Texte im Spätmittelalter und in der frühen Neuzeit Die spätmittelalterliche Literatur baut auf bereits bekannte Formen wie Minnesang, höfisches und Heldenepos auf und macht sie sich in modifizierter Form nutzbar. Zudem wird das erste Schauspiel in deutscher Sprache entwickelt. Auch die geistliche Dichtung bringt Oster-, Weihnachts- oder Passionsspiele vor breiten Volksmassen auf öffentlichen Plätzen zur Aufführung. Bevorzugte Textsorten sind Fastnachtsspiel, geistliches Drama, Legende, Meistersang, Schwank, Totentanz, Volkslied.

Autoren und Werke

Pfaffe Lamprecht (12. Jh.): *Alexanderlied* (um 1120 / 1140)
Dietmar von Aist (vor 1140 – nach 1170): *Minnelieder*
Hartmann von Aue (um 1165 – 1210): *Erec* (ca. 1180)
Wolfram von Eschenbach (um 1170 – um 1220): *Minnelieder* (1200/05), *Parzival* (1200/10)
Walther von der Vogelweide (um 1170 – um 1230): *Minnelieder und Sangsprüche*
Heinrich von Morungen († um 1220): *Minnelieder* (seit 1180)
anonym: *Nibelungenlied* (ca. 1200)
Gottfried von Straßburg († um 1225): *Tristan und Isolde* (ca. 1210)

Humanismus und Reformation (ca. 1500 – 1600)

Menschlichkeit • Wiedergeburt • Buchdruck • Bibelübersetzung • Reformation • Volksbücher (Faust) • Meistersang • Diesseits

Begriff Der Begriff *Humanismus* bedeutet Menschlichkeit und lehnt sich an das antike Verständnis der *Humanitas* an. Auch die *Renaissance* (Wiedergeburt) zielt auf die Wiederbelebung der antiken Kultur ab. In der *Reformation* wird die Umwälzung kirchlicher Verhältnisse unter Reformatoren wie Martin Luther angestrebt.

Geschichte und Gesellschaft Im Gegensatz zur weitgehend auf das Jenseits ausgerichteten Weltsicht der mittelalterlichen Gesellschaft wird der Blick des Menschen zunehmend auf die irdische Existenz und die Bedingungen des Lebens im Diesseits gelenkt. Der humanistische Mensch ist selbstbewusst und schöpferisch tätig, zeigt Interesse am technischen Fortschritt, an Kriegskunst und Geschichte sowie den ästhetischen Idealen der Antike. Das Zeitalter steht ganz im Zentrum neuer wissenschaftlicher Forschungen und technischer Entwicklungen. Der von Johannes Gutenberg um 1455 entwickelte Buchdruck mit beweglichen Lettern macht Literatur für ein breiteres Publikum zugänglich. Mit der Landung in Amerika 1492 durch Christoph Kolumbus erweitert sich das Weltbild der Europäer, welches durch Kopernikus als heliozentrisch (Planeten bewegen sich um die Sonne) anerkannt wird. Luther schließlich ruft mit seinen Thesen 1517 die Reformation der katholischen Kirche hervor und übersetzt die Bibel für breite Volksschichten ins *Neuhochdeutsche*.

Themen, Motive, Texte Ausgehend von bedeutenden italienischen Schriftstellern wie Giovanni Boccaccio und Dante Alighieri kommt der Humanismus in literarischen Werken immer mehr zum Tragen. Programme deutscher Gelehrter wie Erasmus von Rotterdam und Johannes Reuchlin zur humanistischen Erziehung und Theologie bilden Grundpfeiler für die sich entwickelnde Reformation ebenso wie Übersetzungen klassischer Werke. Ihre Verbreitung wird mit Erfindung des Buchdrucks erheblich beschleunigt. Bevorzugte Textsorten sind Abenteuer-, Helden- und Ritterroman, Fabel, Fastnachtsspiel, Meistersang, Narrenliteratur, Schwank, und Streitgespräche.

Autoren und Werke

Hans Rosenplüt (um 1400 – um 1460): Fastnachtsspiele
Hermann Bote (um 1450 – 1520): *Till Eulenspiegel* (1510/11)
Sebastian Brant (1457 – 1521): *Das Narrenschiff* (1494)
Erasmus v. Rotterdam (1466 – 1536): *Das Lob der Torheit* (1511)

Martin Luther (1483 – 1546): *An den christlichen Adel deutscher Nation* / Neues Testament (übersetzt 1522)
Hans Sachs (1494 – 1576): *Die Wittenbergische Nachtigall* (1523)

Barock (ca. 1600 – 1720)

Sonett • Sprachgesellschaften • memento mori • vanitas • carpe diem • Absolutismus • Ständegesellschaft • Dreißigjähriger Krieg • Pest

Begriff Der Begriff *Barock* wird im 19. Jh. zur Bezeichnung einer Epoche gebraucht, die sich aus einem aus der italienischen Renaissance heraus entstandenen Kunststil entwickelt und an den portugiesischen Ausdruck *barroca* angelehnt ist, der so viel wie *schiefrunde Perle* bedeutet.

Geschichte und Gesellschaft Die Schrecken des Dreißigjährigen Krieges (1618–1648) und der verheerenden Pestepidemien in der ersten Hälfte des 17. Jh. kosten etwa ein Drittel der Bevölkerung des Deutschen Reichs das Leben. Für das Welt- und Menschenbild des Barock sind daher das Bewusstsein um die menschliche Vergänglichkeit, die Angst vor dem Tod sowie der christliche Glauben bestimmend. Nach Abschluss des Krieges entsteht ein Territorialabsolutismus. Die weltlichen Herrscher entscheiden über kulturelle, wirtschaftliche und kirchliche Lebensbereiche und haben Einfluss auf Erziehung und Bildung.

Themen, Motive, Texte Im Zeitalter des Barock kommt es mit Martin Opitz' Werk *Buch von der deutschen Poeterey* (1624), in der er eine *Regelpoetik* entwirft, zu einer Reform des deutschen Literaturschaffens. Die weitgehend lateinische Dichtung der Renaissance wird abgelöst durch Dichtung in deutscher Sprache, die der festgelegten Regelpoetik in stark reglementierten Formen wie Sonett, Elegie oder Ode folgt und sich mit antithetischen (gegensätzlichen) Themenfeldern wie Leben und Tod, Spiel und Ernst, Blüte und Verfall, Wolllust und Tugend sowie Reichtum und Armut beschäftigt. Weltflucht, religiöse Vorstellungen und Sinnenfreudigkeit resultieren aus dem Wissen um die Vergänglichkeit alles Lebenden, das sich in der zeitgenössichen Literatur im Motiv der *Vanitas* (Vergänglichkeit) sowie im *carpe diem* (Nutze den Tag!) und dem *memento mori* (Gedenke, dass du sterblich bist!) ausdrückt. Laienspiel, Wander-, Schul- und Hoftheater sowie die Oper bringen dramatische Werke unter strenger Beachtung der *Ständeklausel* (Tragödie: adliges Personal; Komödie: niedriger gestelltes Personal) zur Aufführung. Zu den wichtigsten Textsorten zählen Sonett, Ode, Lied, Schäferdichtung, Kirchenlied, Jesuitendrama, Epigramm und Emblem.

Autoren und Werke
Martin Opitz (1597 – 1639): *Buch von der Deutschen Poeterey* (1624)
Paul Fleming (1609 – 1640): *Teutschen Poemata* (1646), *Herr Peter Squenz oder Absurda Comica* (1658)
Andreas Gryphius (1616 – 1664): *Sonn- und Feiertagssonette* (1639), *Leo Armenius oder Fürstenmord* (1650)
Hans Jakob Christoffel von Grimmelshausen (1621/22–1676): *Der abenteuerliche Simplicissismus Teutsch* (1669)

Aufklärung (ca. 1720 – 1790)

Vernunft • Bürgertum • Mündigkeit • Buchmarkt • Belehrung • Fabel • Lesezirkel • bürgerliches Trauerspiel

Begriff Das Zeitalter der Aufklärung bezeichnet eine gesamteuropäische Epoche (wie auch die Barockzeit), die sich durch Besinnung auf Menschlichkeit und Vernunftdenken charakterisieren lässt.

Geschichte und Gesellschaft Im 18. Jahrhundert kommt es durch die Herausbildung eines neuen, wohlhabenden und dadurch immer einflussreicheren Bügertums zur Abkehr vom *Feudalismus*. Die bis dato geltende und als von Gott eingesetzt bezeichnete Vorherrschaft des Adels wird vom Bürgertum angefochten, das darauf pocht, sich mehr und mehr selbst zu bestimmen. Der Dreißigjährige Krieg hatte zu Zersplitterung und Kleinstaatlichkeit innerhalb des Heiligen Römischen Reiches deutscher Nation geführt und damit zur weitgehend selbstständigen politischen und wirtschaftlichen Entscheidungsfreiheit der über 300 Einzelstaaten. Ihre Fürsten leben zu Lasten des einfaches Volkes in Prunk- und Verschwendungssucht. Angelehnt an die Philosophie der Aufklärung beginnen aber die Bürger, sich gegen die vorherrschende Ordnung aufzulehnen. Als bedeutendster deutscher Philosoph regt Immanuel Kant die Menschen dazu an, sich des eigenen Verstandes zu bedienen.

Themen, Motive, Texte Zentrales Thema der Literatur ist nun nicht länger das Fürstenlob, sondern Leben und Aufklärung des bürgerlichen Menschen in Werken, die die Ideale der Aufklärung (Vernunft, Menschlichkeit, Nutzen für die Gesellschaft) in jedweder Gattung vertreten. Mit Gotthold Ephraim Lessing kommt es zur Überwindung der *Ständeklausel* und damit zur Überwindung feudaler Literaturtheorien in dramatischen Texten. Menschen sind in ihren Handlungen nicht mehr vom sozialen Stand abhängig, sondern aufgrund ihrer Vernunftbegabung frei, ihr entsprechend zu handeln. Literatur wird in den Dienst der Belehrung des Publikums gestellt und soll dieses über die Erregung von Furcht und Mitleid sittlich läutern (*Katharsis*). Um ein Mitfühlen möglich zu machen, muss die Abkehr vom idealen Helden hin zur Darstellung realer Persönlichkeiten mit Stärken und Schwächen auf der Bühne erfolgen.

Das *bürgerliche Trauerspiel* entsteht, von dem man sich aufgrund der Inszenierungsmöglichkeiten den größten Lerneffekt für das Publikum erhofft. Ähnliche Popularität erlangt auch der *Roman*, der ebenfalls zunehmend bürgerliche Helden einsetzt. Kleine epische Formen wie *Aphorismus* oder *Fabel* setzen sich mit Politik, Religion, Gesellschaft und Kultur auseinander, um den Rezipienten nach den Leitideen der Aufklärung zu belehren. Bevorzugte Textsorten sind Aphorismus, bürgerlicher Roman, bürgerliches Trauerspiel, Fabel und Lehrgedicht.

Autoren und Werke

Johann Christoph Gottsched (1700 – 1766): *Versuch einer Critischen Dichtkunst vor die Deutschen* (1730)

Christian Fürchtegott Gellert (1715 – 1769): Fabeln und Erzählungen (1746 – 1748)

Immanuel Kant (1724–1804): *Beantwortung der Frage: Was ist Aufklärung?* (1784)

Gotthold Ephraim Lessing (1729 – 1781): *Miß Sara Sampson* (1755), *Minna von Barnhelm oder Das Soldatenglück* (1767), *Hamburgische Dramaturgie* (1767/68), *Emilia Galotti* (1772), *Nathan der Weise* (1779)

Georg Christoph Lichtenberg (1742 – 1799): *Sudelbücher*

Empfindsamkeit (ca. 1740 – 1790)

Gefühlsüberschwang • Schwärmerei • Naturverbundenheit • bürgerliche Moralvorstellungen • Idylle • Ode • Leitideen der Aufklärung

Begriff Die *Empfindsamkeit* stellt die Leitideen der Aufklärung nicht in Frage, ergänzt die rationale Epoche aber um die Darstellung von Gefühlen, Freundschaft, Weltflucht und Naturverbundenheit.

Geschichte und Gesellschaft Das politisch und gesellschaftlich lange durch die adligen Obrigkeiten unterdrückte Bürgertum findet in Gestalt von Gefühlsüberschwang und Schwärmerei eine Möglichkeit, aus der Knechtschaft auszubrechen, und wendet sich religiösen und mystischen Bereichen zu. Fest im rationalen Gedankengut der Aufklärung verankert, werden subjektive Erfahrungen im Zusammenhang mit Tugend und Moral für den empfindsamen Menschen zum Zentrum seines Daseins. Die Empfindsamkeit gründet sich neben literarischen Vorbildern aus England und Frankreich auch auf die religions- und geistesgeschichtliche Bewegung des **Pietismus**, die in Deutschland zunehmend an Bedeutung gewinnt. Während der Pietismus einerseits den Kampf der Aufklärung gegen den vorherrschenden kirchlichen Dogmatismus unterstützt, wendet er sich andererseits gegen das einseitig rationale Denken der Aufklärung und setzt sich für die freie Entfaltung tugendhafter Gefühle ein.

Themen, Motive, Texte Die empfindsame Lyrik findet ihren prominentesten Vertreter mit Friedrich Gottlieb Klopstock, welcher in seinem Werk *Messias* vor allem den seelischen Zustand seiner Figuren hervorhebt. Auch die Dramatik zeigt empfindsame Züge und verdeutlicht bürgerliche Tugendideale. In der Epik schlägt sich die Empfindsamkeit vor allem in längeren erzählenden Texten nieder, in welchen bürgerliche Helden durch das Festhalten an typisch bürgerlichen Moralvorstellungen am Ende ihr Glück finden. Bevorzugte Textsorten sind Epos, Hymne, Ode, Idylle und Roman.

Autoren und Werke

Friedrich Gottlieb Klopstock (1724 – 1803): *Messias* (1748 – 1773), Oden (1771)

Matthias Claudius (1740 – 1815): *Der Wandsbecker Bothe* (1771/75)

Sturm und Drang (ca. 1767 – 1790)

Impulsivität • Geniekult • Subjektivität • Gefühl und Vernunft • Dramatik • Gesellschaftskritik • Scheitern an der Gesellschaft

Begriff Der Name der Epoche *Sturm und Drang* leitet sich her vom gleichnamigen Drama *Sturm und Drang* (1776) von Friedrich Maximilian Klinger. Eingeleitet wird die Epoche mit Erscheinen der *Fragmente* (1767) von Herder, abgeschlossen mit der Wendung Schillers und Goethes hin zur Klassik am Ende des 18. Jh.

Geschichte und Gesellschaft Zeitlich überschneidet sich die Epoche des Sturm und Drang mit der der Aufklärung, wobei sich die Stürmer und Dränger allerdings gegen die ausschließlich rationale Betrachtung der Welt richten.

Themen, Motive, Texte Im Gegensatz zur Aufklärung treten Verstand und Vernunft hinter Impulsivität, Spontaneität und Geniekult zurück. Gefühl und freie Entfaltung des Individuums stehen im Fokus des Interesses. Der Geniekult tritt ins Zentrum literarischen Bemühens. Die schöpferische Kraft des Künstlers, sein Genie, und ein besonderer Hang zur Subjektivität zeichnen die Werke der Epoche aus. Sie erweitern die rationalisitische Haltung der Aufklärung: Gefühle und Vernunftglaube schließen sich nicht länger aus, sondern ergänzen einander.
Dies wird vor allem im Drama, von dem man sich eine besondere erzieherische Funktion verspricht, deutlich. Die Dramen von Schiller und Goethe sorgen für einen enormen Aufschwung des deutschen Theaters. Aktuelle Gesellschaftskritik wird zum zentralen Thema des dramatischen Wirkens. Der Protagonist scheitert an den vorherrschenden gesellschaftlichen Verhältnissen und weiß sich meist nur durch Mord oder Selbstmord aus der Misere zu retten.

Auch Goethes Briefroman *Die Leiden des jungen Werthers* zeichnet sich durch die besondere Betonung der Gefühlswelt des scheiternden Helden aus. In der Lyrik nehmen neben Natur- und Lehrgedichten vor allem Liebesgedichte einen breiten Raum ein. Bevorzugte Textsorten sind bürgerliches Drama, bürgerlicher Roman und Empfindungslyrik.

Autoren und Werke

Johann Gottfried Herder (1744 – 1803): *Über die neue deutsche Literatur. Fragmente* (1767)
Gottfried August Bürger (1747 – 1794): *Gedichte* (1778); *Abenteuer des Freiherrn von Münchhausen* (1786)
Johann Wolfgang von Goethe (1749 – 1832): *Götz von Berlichingen mit der eisernen Hand* (1773), *Ganymed* (1773), *Die Leiden des jungen Werthers* (1774), *Prometheus* (1785)
Jakob Michael Reinhold Lenz (1751 – 1792): *Der Hofmeister oder Vorteile der Privaterziehung* (1774), *Die Soldaten* (1776)
Friedrich Maximilian Klinger (1752 – 1831): *Sturm und Drang* (1776)
Friedrich Schiller (1759 – 1805): *Die Räuber* (1781), *Kabale und Liebe* (1784)

Klassik (ca. 1786 – 1832)

Antike • Toleranz • Harmonie • geschlossene Formen • erzieherischer Auftrag • Bildungsroman • Ballade • Sittlichkeit • Humanität

Begriff Der Begriff *klassisch* kommt ursprünglich von dem lateinischen Wort *classicus*, welches für Mitglieder der obersten Steuerklasse genutzt und in der Bedeutung *erstklassig* nach und nach auf unterschiedliche Lebensbereiche übertragen wurde. Wenn wir heute etwas als klassisch bezeichnen, deutet dies auf dessen Zeitlosigkeit und seinen Vorbildcharakter hin.

Geschichte und Gesellschaft Die Klassik betrachtet die Welt als geordneten Organismus, der sich von Willkür- und Gewaltherrschaft befreit hat. Auch der Mensch wird als vollkommenes Wesen angesehen, welches dazu bestimmt ist, seine (schöpferischen) Kräfte *harmonisch* zu entfalten. Menschlichkeit und Toleranz sind zentrale Werte für den klassischen Menschen. 1789 kommt es zur Französischen Revolution, in deren Folge in Frankreich die Terrorherrschaft der Jakobiner einsetzt. 1799 gelangt Napoleon Bonaparte durch einen Staatsstreich an die Macht und wird 1804 zum französischen Kaiser erhoben. Unter ihm entsteht 1806 der Rheinbund, ein Zusammenschluss der rheinischen Staaten unter Napoleons Schutzherrschaft. In Preußen finden unterdessen zwischen 1807 und 1814 weitreichende Reformen statt, die zur Veränderung der Gesellschaft beitragen. So kommt es unter anderem zu Bauernbefreiung, Selbstverwaltung der Städte, Gewerbefreiheit und Judenemanzipation. Auch die Bereiche Bildung und Heer werden wichtigen Reformen unterworfen. In der Schlacht bei Waterloo wird Napoleon 1815 nach den bereits 1813 einsetzenden europäischen Befreiungskriegen endgültig geschlagen, seine Vorherrschaft in Europa endet. Es kommt zur Neuordnung innerhalb Europas durch den Wiener Kongress von 1815.

Themen, Motive, Texte Klassische Literatur zeichnet sich durch einen besonderen **Idealismus** aus und zielt dabei auf die Darstellung von Humanität, Harmonie und Sittlichkeit ab. Sowohl inhaltlich als auch formal findet ein Rückbezug auf die Antike statt, sodass z.B. geschlossene Formen vorherrschen (Formstrenge). Theoretische Schriften von Herder, Goethe und Schiller setzen sich auch mit den Möglichkeiten der Kunst auseinander, zu sittlichem Verhalten und Humanität zu erziehen. Bevorzugte Textsorten sind Ballade, Bildungsroman, Charakterdrama, Distichon, Hymne, Ideendrama, Ode, Sonett und Stanze.

Autoren und Werke

Johann Gottfried Herder (1744 – 1803): *Abhandlung über den Ursprung der Sprache* (1772), *Briefe zur Beförderung der Humanität* (1793–97)
Johann Wolfgang von Goethe (1749 – 1832): *Iphigenie auf Tauris* (1787), *Wilhelm Meisters Lehrjahre* (1795/96), *Hermann und Dorothea* (1797), *Faust I* (1806), *Dichtung und Wahrheit* (1811/14), *West-östlicher Divan* (1819), *Wilhelm Meisters Wanderjahre* (1821), *Faust II* (1831)
Friedrich Schiller (1759 – 1805): *Don Karlos* (1787), *Die Götter Griechenlands* (1788), *Über die ästhetische Erziehung des Menschen* (1795), *Über naive und sentimentale Dichtung* (1795/96), *Das Lied von der Glocke* (1797), *Wallenstein* (1798/99), *Maria Stuart* (1800)

Romantik (ca. 1790 – 1835)

(Kunst-) Märchen • Traum • Fantasie • Volkslied • Schauerroman • Mystik • Natur • Fernweh • Sehnsucht • Blaue Blume • Mond

Begriff Der Begriff *Romantik* lehnt sich an die altfränzösischen Wörter *romanz*, *romant* oder *roman* an, die für volkssprachige Dichtung stehen.

Geschichte und Gesellschaft Die Romantik entwickelt sich im Kontext des Umbruchs von der feudalen hin zur bürgerlichen Gesellschaft. Nach der Auflösung des Heiligen Römischen Reiches Deutscher Nation und der Gründung des Rheinbundes 1806 wird das bürgerliche Selbstbewusstsein durch weitgehende Reformen (s. Klassik) gestärkt.

Themen, Motive, Texte Die Epoche der Romantik findet in unterschiedlichen Städten ihre literarischen Zentren.

Die **Frühromantik** (auch Jenaer Romantik, 1798–1804): In Jena verfassen Dichter wie Novalis und die Brüder Schlegel erste programmatische Schriften. Demgegenüber entstehen in der **Hochromantik** (Heidelberger Romantik, 1804–1818) zahlreiche Gedichte, Märchen und Sagenkreise mit typisch romantischen Motiven wie Sehnsucht, Natur, Liebe und Wanderschaft. In der **Spätromantik** (in Berlin, 1816–1835) werden *Schauerromane* und *Kunstmärchen*, aber auch ganze Gedichtzyklen publiziert. Insgesamt stellt die Epoche den einzelnen Menschen als Individuum in seiner ganzen Subjektivität in den Mittelpunkt. Sein Innenleben gewinnt zunehmend an Interesse. Wunderbare, fantastische Stoffe, die sich von der wirklichen Welt ab- und zur urwüchsigen und ungezähmten Natur hinwenden, stehen im Zentrum der Dichtung. Kritik am reinen Vernunftglauben der Aufklärung und der Wille zur Verbindung von Rationalität und Gefühlswelt spiegeln sich in der romantischen Literatur. Bevorzugte Textsorten sind Bildungsroman, Entwicklungsroman, Kunstmärchen, Märchen, Sage, Schauerroman und Volkslied bzw. Gedicht und Balladen.

Autoren und Werke

Friedrich Schlegel (1772–1829): *Athenäum-Fragmente* (1798), *Lucinde* (1799)
Novalis (Georg Philipp Friedrich Freiherr von Hardenberg, 1772–1801): *Hymnen an die Nacht* (1800), *Heinrich von Ofterdingen* (1802)
Ludwig Tieck (1773–1853): *Der gestiefelte Kater* (1797), *Der blonde Eckbert* (1797)
E. T. A. Hoffmann (1776–1822): *Die Elixiere des Teufels* (1815/16), *Der Goldene Topf* (1814), *Nachtstücke* (u. a. *Der Sandmann*, 1816)
Clemens Brentano (1778–1842): *Godwi* (1801)
Achim von Arnim (1781–1831) und Clemens Brentano: *Des Knaben Wunderhorn* (1806–1808)
Jakob (1785–1863) und Wilhelm (1786–1859) Grimm: *Kinder- und Hausmärchen* (1812)
Joseph von Eichendorff (1788–1857): *Das Marmorbild* (1819), *Aus dem Leben eines Taugenichts* (1826)
Heinrich Heine (1797–1856): *Buch der Lieder* (1827)

Vormärz (ca. 1815–1848)

Märzrevolution 1848 • politische Einheit • Freiheit • Nationalismus • Restauration • Missstände • Zensur • Flugschriften • Reiseliteratur

Begriff Die Epoche des Vormärz bezeichnet das literarische Schaffen im Vorfeld der Märzrevolution von 1848. Das Junge Deutschland, welches sich nach der Neuordnung Europas auf dem Wiener Kongress 1815 herausbildet, setzt sich für einen einheitlichen deutschen Nationalstaat und die Umgestaltung des Landes in Freiheit und politischer Einheit ein. Dies spiegelt sich auch in der häufig antifeudalistisch anmutenden Literatur.

Geschichte und Gesellschaft Nach der Neuordnung Europas durch den Wiener Kongress von 1815 kommt es in Deutschland zur Auseinandersetzung zwischen den nach Restauration (Wiederherstellung der alten Ordnung) strebenden Fürsten und den Universitätsangehörigen, die unter dem Namen *Junges Deutschland* auf Freiheit und politische Einheit des Landes abzielen. Die Hoffnungen der Bewegung, die sich in Burschenschaften organisiert, erfüllen sich aber nicht. Mit Gründung des Deutschen Bundes 1815 entsteht weniger ein einheitlicher Nationalstaat als vielmehr ein Staatenbund mit weitgehend voneinander unabhängigen Mitgliedsstaaten. In den Karlsbader Beschlüssen von 1819 kommt es zum Verbot der Burschenschaften und einer zunehmenden Überwachung der Universitäten. Literatur wird der *Zensur* unterworfen. Die Enttäuschung des *Jungen Deutschland* über das Festhalten an der alten Ordnung durch die deutschen Fürsten bricht sich schließlich in der Märzrevolution von 1848 Bahn. Engagierte Autoren im *Vormärz* und im *Jungen Deutschland* wenden sich gegen absolutistische Strukturen, die Kirche sowie das idealistische Menschen- und Weltbild von Klassik und Romantik. Sie beschäftigen sich mit den zeitgenössischen Missständen und kämpfen für die Presse- und Meinungsfreiheit, den Sozialismus, die Emanzipation der Frau und die freie Entfaltung der Liebe.

Themen, Motive, Texte Die Epik wird zur bestimmenden Gattung. Weniger strengen Regeln als Lyrik und Dramatik unterlegen, eignet sich die Epik in besonderem Maße zu Politisierungen und Kritik. In Flugschriften wie Büchners *Der Hessische Landbote* wird das einfache Volk zur Revolution gegen die Obrigkeit aufgerufen. Die Reiseliteratur erlebt vor allem durch Heinrich Heine eine Blüte im 19. Jh. und vereint informierenden, unterhaltenden und politisch belehrenden Charakter in sich. Bevorzugte Textsorten sind Brief, Feuilleton, Flugblatt, Historisches Drama, Historischer Roman, Journalistische Texte, Komödie, Literarische Zeitschrift, politische Lyrik, Memoiren, Novelle, Reisebericht.

Autoren und Werke

Heinrich Heine (1797–1856): *Reisebilder* (1826/2730), *Deutschland. Ein Wintermärchen* (1844), *Die schlesischen Weber* (1844), *Romanzero* (1851)
August Heinrich Hoffmann von Fallersleben (1798–1874): *Unpolitische Lieder* (1840/41), *Das Lied der Deutschen* (1841)
Georg Büchner (1813–1837): *Der Hessische Landbote* (1834), *Dantons Tod* (1835), *Woyzeck* (1836), *Lenz* (1839)
Georg Herwegh (1817–1875): *Gedichte eines Lebendigen* (1841), *Aufruf* (1841), *Bundeslied für den Allgemeinen Deutschen Arbeiterverein* (1863)
Georg Weerth (1822–1856): *Das Hungerlied* (1844)

Biedermeier (ca. 1815–1848)

Rückzug ins Privatleben • stilles Glück • Tradition • heile Welt • Natur • Entsagung • Melancholie • Novelle

Begriff Mit dem Begriff *Biedermeier* kritisieren die Realisten im 19. Jh. die „biedere" Literatur der Restaurationszeit. Zu Beginn des 20. Jh. wird der Begriff aber positiv besetzt und steht für Häuslichkeit und den Rückzug ins Privatleben, eine Zeit, in der die Menschen sich keine Gedanken über schwierige politische Umstände und einen bevorstehenden Krieg machen müssen.

Geschichte und Gesellschaft Vgl. Vormärz.

Themen, Motive, Texte Das Weltbild des Biedermeier wird verkörpert durch die Rückbesinnung auf *Tradition* mit einem regional gefärbten Charakter. Der Mensch strebt nach dem stillen Glück innerhalb seines Privatlebens und befasst sich nicht mit komplexen politischen oder gesellschaftskritischen Themen. In kurzen literarischen Formen werden Themen wie Natur und Geschichte, der Rückzug ins Private und eine heile Welt dargestellt. Die Sprache ist schlicht bei detailgetreuer und möglichst bildlicher Darstellung. Bevorzugte Textsorten sind Ballade, Kurzgeschichte, Novelle, Skizze, Studie, Verserzählung und Volkslustspiel.

Autoren und Werke

Franz Grillparzer (1791–1872) : *Die Ahnfrau* (1817), *Der arme Spielmann* (1848)
Annette von Droste-Hülshoff (1797–1848): *Heidebilder* (1841/42), *Die Judenbuche* (1842)
Nikolaus Lenau (1802–1850): *Don Juan. Ein dramatisches Gedicht* (1851)
Eduard Mörike (1804–1875): *Maler Nolten* (1832)
Adalbert Stifter (1805–1868): *Der Hochwald* (1841), *Bunte Steine* (1853), *Der Nachsommer* (1857)

Realismus (ca. 1848–1890)

künstlerische Wiedergabe der Realität • Verklärung der Wirklichkeit • Humor • Ironie • Einfachheit in Stoff und Form • Gesellschaftsroman

Begriff Der Begriff *Realismus* stammt vom lateinischen Wort *res* und bedeutet *Ding* oder *Sache*. Die Epoche des Realismus stellt die Realität in den Vordergrund, nicht aber, ohne diese künstlerisch zu gestalten. Die „wirkliche" Realität wird im Naturalismus dargestellt.

Geschichte und Gesellschaft Die Epoche des Realismus beginnt vor dem Hintergrund zahlreicher Bevölkerungsaufstände in unterschiedlichen europäischen Staaten. Politische Mitbestimmung und Wahlrecht werden gefordert. Mit der Reichsproklamation von 1871 in Versailles wird Wilhelm I. zum deutschen Kaiser erhoben, während Bismarck als Reichskanzler des Deutschen Reiches agiert. Er strebt innenpolitisch nach sozialen Verbesserungen für die Bevölkerung, außenpolitisch setzt er sich für Frieden unter den europäischen Großmächten und die Isolation Frankreichs ein. Eine Wende der deutschen Außenpolitik hin zu Aufrüstung und Kolonialpolitik beginnt erst nach dem Rücktritt Bismarcks 1890 unter Wilhelm II.

Themen, Motive, Texte Die Literatur des Realismus stellt keine bloße Wiedergabe der Realität dar, sondern versucht, diese mit künstlerischen Mitteln zu zeigen. Detailgetreue Beschreibung der Wirklichkeit verbunden mit einer subjektiv dargestellten Handlung bestimmen die literarischen Werke. Humor und Ironie gelten als adäquate Mittel zur poetischen Gestaltung der Wirklichkeit in der Literatur. Einfache stoffliche und formale Gestaltung werden von den Dichtern in allen Gattungen bevorzugt. Während frühe realistische Werke meist noch gänzlich frei von *Gesellschaftskritik* sind, weisen spätere – wenn auch in verdeckter Form – bereits auf herrschende Missstände hin. Bevorzugte Textsorten sind Dorfgeschichte, Entwicklungsroman, Gesellschaftroman, Historischer Roman und Novelle.

Autoren und Werke

Friedrich Hebbel (1813–1863): *Maria Magdalena* (1844), *Die Nibelungen* (1861)
Gustav Freytag (1816–1895): *Soll und Haben* (1855), *Die Ahnen* (1872)
Theodor Storm (1817–1888): *Immensee* (1850), *Der Schimmelreiter* (1888)

Gottfried Keller (1819 – 1890): *Der grüne Heinrich* (1854/55 und 1897/80)
Theodor Fontane (1819 – 1898): *Irrungen, Wirrungen* (1887), *Frau Jenny Treibel* (1892), *Effi Briest* (1895)
Conrad Ferdinand Meyer (1825 – 1898): *Das Amulett* (1873), *Der Schuss von der Kanzel* (1878), *Die Füße im Feuer* (1882)

Naturalismus (ca. 1880 – 1900)

Lebenswirklichkeit • Naturwissenschaften • Vererbung • soziales Milieu • Großstadtleben • Tabuthemen • Dialekt • Industrialisierung • Fotografie

Begriff Mit dem Begriff *Naturalismus* wird eine literarische Stilrichtung bezeichnet, die die Realität ganz ohne künstlerische Ausgestaltungen so wirklichkeitsnah wie möglich abbildet. Die Epoche ist also eine spezielle Ausformung des Realismus und darf nicht mit der Darstellung der Natur verwechselt werden.

Geschichte und Gesellschaft Während des Naturalismus kommt es zu großen technischen Neuerungen wie der Erfindung der Dampfturbine 1884 und des Dieselmotors 1893. Innen- wie außenpolitisch ist Reichskanzler Bismarck die für das Deutsche Reich bestimmende Figur. Mit seiner – auf ein ausgeglichenes Mächteverhältnis in Europa bedachten – Politik sorgt er für Frieden und Stabilität. Nach seinem Rücktritt 1890 ändert sich dies unter dem neuen Kaiser Wilhelm II., der sich für Aufrüstung einsetzt und verstärkt Kolonialpolitik betreibt.

Themen, Motive, Texte Die *Natur*alisten nutzen zur Beschreibung der Welt die *Natur*wissenschaften. Ihr Weltbild erhebt den Anspruch, naturwissenschaftlich erklärbar zu sein, und wendet sich religionskritisch von allem Metaphysischen ab. Der Mensch wird in *Abhängigkeit* von seiner Umwelt wahrgenommen und durch Vererbung und soziales Milieu als determiniert (bestimmt, festgelegt) angesehen. Der Naturalismus ist die erste Stilrichtung, die sich kritisch mit den Folgen der Industrialisierung auseinandersetzt. Großstadtleben und Soziale Frage werden zu zentralen Inhalten. Naturalistische Literatur zeichnet sich durch besondere Lebensnähe, eine wissenschaftliche Fundierung, die Abwendung von Transzendentem sowie eine schmuck- und tabulose Darstellung der Lebenswirklichkeit aus. Die Aufnahme bisher tabuisierter Themen, eine sprachlich möglichst wirklichkeitsnahe Gestaltung durch Anwendung von Dialekt und Mundart und sehr detaillierte Regieanweisungen in dramatischen Texten kennzeichnen das literarische Schaffen der Naturalisten. Bevorzugte Textsorten sind Drama, experimentelle Prosa und Lyrik.

Autoren und Werke
Wilhelm Bölsche (1861 – 1939): *Die naturwissenschaftlichen Grundlagen der Poesie* (1887)
Gerhart Hauptmann (1862 – 1946): *Bahnwärter Thiel* (1888), *Vor Sonnenaufgang* (1889), *Die Weber* (1892), *Der Biberpelz* (1893), *Fuhrmann Henschel* (1898), *Die Ratten* (1911)
Johannes Schlaf (1862 – 1941): *Meister Oelze* (1892)
Arno Holz (1863 – 1929): *Die Kunst. Ihr Wesen und ihre Gesetze* (1891), *Revolution der Lyrik* (1899)
Arno Holz und Johannes Schlaf: *Papa Hamlet* (1889), *Familie Selicke* (1889)

Moderne / Epochenumbruch um 1900 (ca. 1890 – 1920)

Fließbandproduktion • Erster Weltkrieg • Kolonialismus • Frauenemanzipation • Kino • Symbolismus • Fin de Siècle • Impressionismus

Begriff Im Gegenbegriff zu *alt* oder *antik* beschreibt die Epoche der *Moderne* eine Abwendung von traditionellen Werten und Einstellungen in allen Lebensbereichen.

Geschichte und Gesellschaft Die Welt der Moderne ist weitgehend bestimmt durch technische Neuerungen, Säkularisierung sowie politische und kulturelle Revolutionen. Politisch werden Marxismus, die Emanzipation der Frau und die Arbeiterbewegung zu zentralen Thematiken. Der Mensch wird losgelöst von allem Metaphysischen gesehen und treibt mit seinen Erfindungen den technischen Fortschritt voran. Um die Jahrhundertwende kommt es unter Wilhelm II. zu einer verstärkten Kolonialpolitik und Aufrüstung des Deutschen Reichs im Wettkampf mit anderen führenden Mächten in Europa. Die entstehende Spannung zwischen den Großmächten führt schließlich zwischen 1914 und 1918 zum Ersten Weltkrieg. Darüber hinaus kommt es mit zunehmender Industrialisierung zur Verstädterung und Entwicklung eines Industrieproletariats in den Städten, das zum Nährboden sozialer Probleme wird.

Themen, Motive, Texte Die Schriftsteller folgen in ihrem Schreiben ganz unterschiedlichen geistigen Strömungen. Einerseits werden wieder verstärkt unpolitische und von Subjektivismus und Individualismus geprägte Werke geschaffen (*Impressionismus*), andererseits kommt es zur Wiederbelebung der Ideale vergangener Epochen wie dem *Neoklassizismus* oder der *Heimatliteratur*. Die *Wiener Moderne* dagegen nimmt gesellschaftskritische Themen stärker in den Blick. Sigmund Freud entwickelt in Wien die Psychoanalyse, die auch in der Literatur ihren Nachhall findet. Insgesamt werden lyrische Texte und epische Kleinformen unter Beachtung der äußeren Form und ausgeschmückt mit Klangmalerei und sprachlichen Bildern favorisiert. Bevorzugte Textsorten sind Aphorismus, Brief, Einakter, Essay, Kunstmärchen, Lyrik, Novelle, Prosagedicht, Skizze und Studie sowie Erzählung.

L

Autoren und Werke
Arthur Schnitzler (1862–1931): *Leutnant Gustl* (1900), *Fräulein Else* (1924), *Traumnovelle* (1926)
Frank Wedekind (1864–1918): *Frühlings Erwachen* (1891)
Stefan George (1868–1933): *Das Jahr der Seele* (1897), *Der siebente Ring* (1907)
Heinrich Mann (1871–1950): *Professor Unrat* (1905), *Der Untertan* (1918)
Christian Morgenstern (1871–1914): *Galgenlieder* (1905), *Palmström* (1910)
Hugo von Hofmannsthal (1874–1929): *Ein Brief* („Chandos"-Brief, 1902), *Das Bergwerk zu Falun* (1906)
Thomas Mann (1875–1955): *Buddenbrooks* (1901), *Der Tod in Venedig* (1912)
Rainer Maria Rilke (1875–1926): *Die Aufzeichnungen des Malte Laurids Brigge* (1910), *Duineser Elegien* (1923), *Sonette an Orpheus* (1923)
Hermann Hesse (1877–1962): *Peter Camenzind* (1904), *Unterm Rad* (1906), *Demian* (1919)
Stefan Zweig (1881–1942): *Sternstunden der Menschheit* (1927), *Schachnovelle* (1942), *Die Welt von Gestern* (1942)

Expressionismus (ca. 1890–1920)

Entfremdung • Film • Jazz • Bruch traditioneller Formen • Krisen • Verfall • Großstadtelend • Die Brücke • Der Blaue Reiter

Begriff Der Name der Epoche leitet sich vom lateinischen Begriff für Ausdruck *expressio* ab und steht für besondere ausdrucksstarke, subjektivistische und skeptizistische literarische Ausdrucksformen.
Geschichte und Gesellschaft Historisch fällt die Zeit des Ersten Weltkriegs in die Epoche des *Expressionismus*. Die Deutschen stehen unter dem Eindruck von Krieg und Moderne. Das menschliche Individuum geht im Zuge zunehmender Industrialisierung in der Masse unter und zieht sich oft mit selbstzweiflerischen und pessimistischen Gedanken in sich selbst zurück. Mit der Novemberrevolution 1918 kommt es in Deutschland zum Aufbau einer parlamentarischen Republik und so zur Beseitigung der Monarchie.
Themen, Motive, Texte Expressionistische Literatur ist geprägt von einer starken Subjektivität und Darstellung des ekstatischen oder leidenden Menschen. Es kommt zur Verletzung grammatikalischer Regeln und der häufigen Verwendung von sprachlichen Bildern wie Metaphern und Symbolen. Dies wird besonders in der expressionistischen Lyrik deutlich. Auch der Ausdruck des Hässlichen, Krankhaften und Schockierenden findet Einzug in die expressionistische Literatur. In der Dramatik nutzen die Autoren das Stationendrama, um mit klassischen Formen zu brechen. Anstelle einer geschlossenen Handlung werden einzelne Szenen oder Bilder in zum Teil wahlloser Reihenfolge und unabhängig voneinander aufgereiht. Bevorzugte Textsorten sind Erzählung, neue Formen der Lyrik, Novelle, Roman und Stationendrama.
Autoren und Werke
Else Lasker-Schüler (1869–1945): *Styx* (1902), *Der Siebente Tag* (1905)
Robert Musil (1880–1942): *Die Verwirrungen des Zöglings Törleß* (1906)
Franz Kafka (1883–1924): *Die Verwandlung* (1915)
Gottfried Benn (1886–1956): *Morgue* (1912), *Gehirne* (1915), *Spaltung* (1925)
Jakob van Hoddis (1887–1942): *Weltende* (1918)
Ernst Toller (1893–1939): *Masse Mensch* (1920), *Die Maschinenstürmer* (1922)
Bertolt Brecht (1898–1956): *Baal* (1919), *Trommeln in der Nacht* (1922)

Avantgarde / Dadaismus (ca. 1915–1925)

Collagetechnik • Montageprinzip • Kabarett / Varieté • Lautgedicht • Inflation • Futurismus • Radio • Sprachkrise • Naivität

Begriff Der Begriff *Avantgarde* stammt aus dem französischen Militärvokabular und bedeutet so viel wie *Vorhut*. Neben *Futurismus* und *Surrealismus* zeichnet sich vor allem der *Dadaismus* als wichtige avangardistische Richtung aus. Er weist sowohl expressionistische als auch futuristische Merkmale auf und hat seinen Namen von dem kindlichen Ausdruck „dada", mit dem er sich gegen traditionelle Strömungen und ihre klassischen Formen abgrenzt.
Geschichte und Gesellschaft Die Welt des Dadaismus wendet sich auch wegen der Erfahrung des Ersten Weltkriegs gegen das Vernunftdenken. Der Mensch soll zurückkehren zur kindlichen Naivität und auf logische Erklärungsmuster verzichten. Erst die Vernunft und die aus ihr resultierenden technischen Neuerungen hätten es dazu kommen lassen, dass Völker sich im Krieg gegenseitig vernichten, so die Kritik der Dadaisten.
Themen, Motive, Texte Dadaistische Literatur lehnt Krieg und traditionelle Literaturprogramme gattungsübergreifend ab. Sie bricht mit den Gesetzen der Logik und stiftet in ihren Texten damit eine besondere Abstrusität und Verwirrung. *Montageprinzip* und *Collagetechnik* sind ebenso typisch für dadaistische Werke wie die Aufhebung der Syntax und der Einsatz unterschiedlichster Textsorten innerhalb eines Gesamtwerkes. Laut- und Buchstabengedichte, in denen Wörter bis zur Unverständlichkeit zersetzt werden, gelten als bekann-

teste Werke der Epoche. Bevorzugte Textsorten sind Aphorismus, Buchstaben-/Laut-/Zufallsgedicht und Collage.

Autoren und Werke

Hugo Ball (1886–1927): *Cabaret Voltaire* (1916), *Die Karawane* (1917)
Hans Arp (1886–1966): *Der Vogel selbdritt* (1920), *Kaspar ist tot* (1920)
Kurt Schwitters (1887–1948): *An Anna Blume* (1919), *Die Ursonate* (1922/23)
Richard Huelsenbeck (1892–1974): *Dadaistisches Manifest* (u. a. 1918), *Dada-Almanach* (1920), *En Avant Dada. Geschichte des Dadismus* (1920)

Literatur in der Weimarer Republik / Neue Sachlichkeit (ca. 1919–1932)

Weltwirtschaftskrise • politische Unruhen • Inflation • Verelendung in den Großstädten • episches Theater • Montage • Reportage • Goldene Zwanziger • Arbeitslosigkeit

Begriff Der Name *Neue Sachlichkeit* resultiert aus dem Bemühen, eine möglichst objektive Darstellung der sozialen und wirtschaftlichen Verhältnisse der Zeit abzubilden.

Geschichte und Gesellschaft Die Epoche ist geprägt von den Eindrücken des Ersten Weltkriegs und der Gründung der ersten deutschen Republik. Dabei steht die erste Phase der Weimarer Republik (1919–1923) zahlreichen Krisen gegenüber, muss sich gegen Putschversuche, wirtschaftliche Probleme und die Auswirkungen der Inflation behaupten. Erst mit Beginn der zweiten Phase (1924–1928), den sogenannten „Goldenen Zwanzigern“, verbessert sich die Lage. Wirtschaftswachstum, soziale und technische Errungenschaften erleichtern der Bevölkerung das Leben. Dennoch scheitert das Modell der Weimarer Republik letztlich in seiner dritten Phase (1929–1933) unter den verheerenden wirtschaftlichen, politischen und gesellschaftlichen Folgen der Weltwirtschaftskrise von 1929 und dem Erstarken der republikfeindlichen Kräfte von rechts und links.

Themen, Motive, Texte Die Literatur der *Neuen Sachlichkeit* beschäftigt sich mit Themenkomplexen wie Großstadt, Industrie und Technik, Wirtschaft und Arbeit. Sie beleuchtet das Alltagsleben der Menschen. In der Epik werden neben Romanen vor allem Werke mit dokumentarischem Charakter geschrieben. Auch der Einfluss von Psychologie, Geschichte und Philosophie ist bemerkenswert. In der Lyrik entsteht eine sogenannte Gebrauchslyrik, welche genaue Anweisungen darüber gibt, wie sie vom Leser nach Ansicht des Autors rezipiert werden soll. Die Dramatik wendet sich wieder verstärkt politischen Themen zu, hebt sich jedoch in Form des epischen Theaters vom traditionellen Illusionstheater ab. Durch bestimmte *Verfremdungseffekte* – z. B. direkte Ansprache des Publikums durch einen Erzähler, eingeschobene Chorgesänge, Spruchbänder, Plakate oder Lieder – wird dem Zuschauer immer wieder vor Augen geführt, dass das Bühnengeschehen nicht real ist. Die so erreichte Distanz des Dargestellten zum Zuschauer soll ihn dazu anregen, vergleichbare Missstände in seinem eigenen Umfeld zu reflektieren. Bevorzugte Textsorten sind Dokumentation, Gebrauchslyrik, Montage, Roman, Reportage, Sachbericht und Zeitroman.

Autoren und Werke

Gerhart Hauptmann (1862–1946): *Vor Sonnenuntergang* (1932)
Thomas Mann (1875–1955): *Der Zauberberg* (1924)
Hermann Hesse (1877–1962): *Der Steppenwolf* (1927)
Alfred Döblin (1878–1957): *Berlin Alexanderplatz* (1929)
Franz Kafka (1883–1924): *Der Prozess* (1925)
Hans Fallada (1893–1947): *Kleiner Mann – was nun?* (1932)
Erich Maria Remarque (1898–1970): *Im Westen nichts Neues* (1929)
Bertolt Brecht (1898–1956): *Aufstieg und Fall der Stadt Mahagonny* (1930)
Ödön von Horváth (1901–1938): *Geschichten aus dem Wiener Wald* (1931)

Exilliteratur (ca. 1933–1945)

Heimweh • Widerstand • Flugblatt • Radioansprachen • Bücherverbrennung • Verfolgung • innere Emigration • Exilexistenz • Publikationsverbot

Begriff Exilliteratur meint alle Werke, die aufgrund politischer Verfolgung des Autors im Exil entstanden sind.

Geschichte und Gesellschaft Nach dem Machtantritt Hitlers im Januar 1933 kommt es am 10. Mai in Deutschland zur Verbrennung regimekritischer literarischer Werke durch die Nationalsozialisten, von der weit mehr als zweihundert Autoren betroffen sind. Mit den Nürnberger Gesetzen von 1935 werden außerdem scharfe Sanktionen gegenüber jüdischen Bürgern getroffen, die deren Leben extrem einschränken und unmenschliche Folgen haben. Als Reaktion auf diese Ereignisse verlassen zahlreiche Schriftsteller das nationalsozialistische Deutschland und setzen ihr literarisches Schaffen im Ausland fort.

Themen, Motive, Texte Das Welt- und Menschenbild der Exilliteraten ist sowohl von ihren Eindrücken im ausländischen Exil und der Sehnsucht nach der Heimat als auch von der Kritik an den politischen und gesellschaftlichen Verhältnissen in NS-Deutschland geprägt. Die Exilliteratur ist in erster Linie *antifaschistische* Literatur, die zur Aufklärung über die Vorgänge in Nazideutschland beitragen und den Widerstand gegen die Hitlerdidaktur vorantreiben will. In der Epik gibt es neben der vorherrschenden Tendenz, das alltägliche Leben im NS-Regime darzustellen, auch Bestrebungen, in historischen Romanen und Gesellschaftsromanen an die literarische Tradition der Weimarer Republik anzuknüpfen. Lyrische Texte werden unter anderem dazu genutzt, das Heimweh ihrer Verfasser zu verarbeiten. Neben politischer Lyrik entstehen deshalb auch Liebes- oder Naturgedichte. Für die Dramatik bestimmend wird Bertolt Brechts *episches Theater* (vgl. Neue Sachlichkeit). Bevorzugte Textsorten sind Flugblatt, Gesellschaftsroman, Historischer Roman, Lehrstück, Manifest, Radiorede, Tarnschrift und Zeitroman.

Autoren und Werke

Heinrich Mann (1871 – 1950): *Henri Quatre* (1935 – 38)
Thomas Mann (1875 – 1955): *Joseph und seine Brüder* (1933–43), *Doktor Faustus* (1947)
Lion Feuchtwanger (1884 – 1958): *Wartesaaltrilogie* (*Erfolg* 1930; *Geschwister Oppermann* 1933, *Exil* 1940)
Johannes R. Becher (1891 – 1958): *Abschied* (1940)
Bertolt Brecht (1898 – 1956): *Der gute Mensch von Sezuan* (1938-42), *Leben des Galilei* (1938 – 53), *Mutter Courage und ihre Kinder* (1939), *An die Nachgeborenen* (1939)
Anna Seghers (1900 – 1983): *Das siebte Kreuz* (1942/47)

Literatur nach dem Krieg (ca. 1945 – 1950)

Stunde Null • Wiederaufbau • Holocaust • Deutsche Teilung • Entmilitarisierung • Trümmerliteratur • Gruppe 47 • Heimkehrer

Begriff Der Begriff *Trümmerliteratur* bezieht sich auf das Leben der Menschen in den Trümmern der vom Krieg zerstörten Städte sowie auf die zerschlagenen Ideale der Bevölkerung in den ersten Nachkriegsjahren.
Geschichte und Gesellschaft Das Welt- und Menschenbild ist geprägt von den traumatischen Erlebnissen im Krieg und nach der Heimkehr. Mit der bedingungslosen Kapitulation Deutschlands endet am 8. Mai 1945 der Zweite Weltkrieg. Deutschland wird unter den Siegermächten USA, Großbritannien, Frankreich und UdSSR in vier Besatzungszonen aufgeteilt und verliert damit sein Selbstbestimmungsrecht. Die Entmilitarisierung, Entnazifizierung und Demokratisierung Deutschlands steht für kurze Zeit (1945 – 47) im Fokus der Siegermächte. 1949 kommt es aufgrund von unüberwindbaren Interessens- und ideologischen Gegensätzen zwischen den Westmächen (USA, Großbritannien, Frankreich) und der UdSSR zur Herausbildung zweier deutscher Staaten, der DDR auf sowjetischem Einflussgebiet und der BRD in enger Orientierung an den Westen.
Themen, Motive, Texte Die Autoren versuchen, sich inhaltlich, formal und sprachlich von vorherigen Strömungen abzuheben, indem sie die durch den Nationalsozialismus ideologisch eingefärbte Sprache „reinigen". Sie rücken davon ab, Emotionen in ihren Texten widerzuspiegeln. Dafür nutzen sie vor allem die bis dahin weitgehend unbekannte Gattung der *Kurzgeschichte*. Ziel ist eine möglichst realistische und nicht psychologisierende Abbildung von Vergangenheit und Gegenwart. Gemein ist allen Werken der Trümmerliteratur der Hang zur lakonischen (treffend, knapp und schmucklos) Ausdrucksweise und zu häufigen Wiederholungen. Figuren, Raum und Zeit werden meist nur in Form von kurzen Episoden dargestellt, auf eine genaue Beschreibung wird weitgehend verzichtet. Im Mittelpunkt stehen das Leben in den zerbombten Städten, die Heimkehr aus der Kriegsgefangenschaft, die kollektive Kriegsschuld und der Holocaust. Bevorzugte Textsorten sind Erzählung, Kurzgeschichte, Lyrik und Drama.

Autoren und Werke

Johannes R. Becher (1891 – 1958): *Heimkehr* (1946)
Nelly Sachs (1891 – 1970): *In den Wohnungen des Todes* (1947)
Werner Bergengruen (1892 – 1964): *Der letzte Rittmeister* (1952)
Hans Fallada (1893 – 1947): *Jeder stirbt für sich allein* (1947)
Wolfgang Koeppen (1906 – 1996): *Tauben im Gras* (1951), *Das Treibhaus* (1953)
Paul Celan (1920 – 1970): *Der Sand aus den Urnen* (1948), *Mohn und Gedächtnis* (1952), *Todesfuge* (1947)
Wolfgang Borchert (1921 – 1947): *An diesem Dienstag* (1946), *Draußen vor der Tür* (1947)

Literatur in der DDR (ca. 1949 – 1990)

Antifaschismus • Sozialismus • Mauerbau • Flucht in den Westen • SED • Bitterfelder Weg • Zensur • Volkserziehung • Ausbürgerung

Geschichte und Gesellschaft Das Welt- und Menschenbild der Literatur in der DDR ist von einem deutlichen Einfluss der Sowjetunion geprägt und sieht den Sozialismus als einzig richtige und dauerhaft erfolgreiche Gesellschaftsform an, um die Welt vom Faschismus zu reinigen und allen Menschen ein gleichsam glückliches und zufriedenes Leben zu ermöglichen. Aber es werden auch kritische Stimmen laut, die die Utopie des Sozialismus in der DDR hervorheben. Nach der Aufteilung Deutschlands in vier Besatzungszonen 1945 kommt es am 23. Mai 1949 zur Gründung der Bundesrepublik

Deutschland (BRD) und am 7. Oktober 1949 innerhalb der Sowjetischen Besatzungszone zur Gründung der Deutschen Demokratischen Republik (DDR) mit der Hauptstadt Ostberlin – zwei deutsche Staaten entstehen. Zementiert wird die Teilung mit dem 1961 einsetzenden Bau der Berliner Mauer, um die starke Abwanderung der DDR-Bevölkerung in den Westen einzudämmen. Die politische Macht liegt beim Generalsekretär der Sozialistischen Einheitspartei Deutschlands (SED). Mitte der 1980er-Jahre zeigen sich schwerwiegende wirtschaftliche Probleme, die Bevölkerung wird zunehmend unzufriedener. Massenflucht und gewaltlose Demonstrationen Ende 1989 führen schließlich zur Öffnung der Berliner Mauer am 9. November 1989 – ein entscheidender Schritt hin zur Wiedervereinigung Deutschlands am 3. Oktober 1990.

Themen, Motive, Texte Das literarische Schaffen in der DDR lässt sich in drei Phasen unterteilen: Die *Aufbauliteratur* (1950–1961) zeichnet sich durch ihren Hang zum Antifaschismus und eine starke Hinwendung zum Sozialismus aus. Sie soll die Rezipienten zum Sozialismus erziehen und unterliegt einem starken Einfluss vonseiten der SED-Regierung. Was geschrieben und gelesen werden darf, wird durch den Staat vorgegeben. Mit dem sogenannten Bitterfelder Weg wird im Anschluss an eine Autorenkonferenz in Bitterfeld außerdem der Versuch unternommen, der arbeitenden Bevölkerung einen aktiven Zugang zur Kunst zu ermöglichen. Die Trennung von Kunst und Lebenswirklichkeit soll aufgehoben, der Werktätige soll Teil des künstlerischen Schaffens werden. Ab dem Bau der Berliner Mauer beschäftigen sich die DDR-Autoren zwischen 1961 und 1971 dann zunehmend mit dem Alltagsleben innerhalb der DDR. Beispielhaft zeigt die *Ankunftsliteratur* (1961–1971), mit welchen Problemen sich der Einzelne während seiner Erziehung zum Sozialismus konfrontiert sieht. Sie stellt einen Helden in den Mittelpunkt, der in Konflikt zu den im Sozialismus vorherrschenden Lebensbedingungen gerät, am Ende aber seine Ansichten ändert und im Sozialismus ankommt. *Kritik am Sozialismus* (1971–1990): Erst nach dem Machtwechsel von 1971, der Erich Honecker die Leitung des DDR-Staates überträgt, kommt es innerhalb der DDR-Literatur zur kritischen Auseinandersetzung mit dem Sozialismus und den vorherrschenden Lebensumständen. Autoren, die in ihren Werken offen Kritik am System äußern, werden mit Aufführungsverboten oder Ausbürgerung bestraft. Viele von ihnen siedeln aus eigenem Antrieb in den Westen um und veröffentlichen dort ihre Werke. Nach der Wiedervereinigung 1990 thematisieren sie ihre Erfahrungen und Konflikte als Schriftsteller in der DDR. Bevorzugte Textsorten sind Ankunftsroman, Aufbauroman, Erzählung, Lyrik und Schauspiel.

Autoren und Werke

Erwin Strittmatter (1912–1994): *Tinko* (1954), *Ole Bienkopp* (1963)
Johannes Bobrowski (1917–1965): *Sarmatische Zeit* (1961)
Hermann Kant (*1926): *Die Aula* (1965)
Günter Kunert (1929–2019): *Wegschilder und Mauerschriften* (1950)
Heiner Müller (1929–1995): *Ödipus Tyrann* (1967)
Christa Wolf (1929–2011): *Der geteilte Himmel* (1963), *Nachdenken über Christa T.* (1968), *Kindheitsmuster* (1976), *Kein Ort. Nirgends* (1979), *Kassandra* (1983)
Reiner Kunze (*1933): *Die wunderbaren Jahre* (1976)
Ulrich Plenzdorf (1934–2007): *Die neuen Leiden des jungen W.* (1972)
Wolf Biermann (*1936): *Die Drahtharfe* (1965), *Deutschland. Ein Wintermärchen* (1965)
Jurek Becker (1937–1997): *Jakob der Lügner* (1968)
Volker Braun (*1939): *Hinze und Kunze* (1973)

Literatur in der BRD (ca. 1949–1990)

Wirtschaftswunder • Dokumentarisches Theater • Studentenrevolte (68er) • Happenings • Innerlichkeit • Neue Subjektivität • Popliteratur

Geschichte und Gesellschaft Welt- und Menschenbild der BRD stehen stark unter dem Einfluss der deutschen Teilung und des Konflikts zwischen den Ost- und Westmächten im Kalten Krieg. Die schrecklichen Geschehnisse des Zweiten Weltkriegs müssen verarbeitet, Schuldfragen thematisiert werden. Nach Gründung der Bundesrepublik Deutschland 1949 auf dem Gebiet der westlichen Besatzungsmächte erreicht der noch junge Staat 1955 den Beitritt zur NATO und 1973 zur UNO. In der Entspannungsphase während der 1980er-Jahre nehmen BRD und DDR einen entscheidenden Platz in der Annäherungspolitik zwischen der UdSSR und den Westmächten ein.

Themen, Motive, Texte Das literarische Schaffen in der BRD in der Zeit lässt sich in unterschiedliche Phasen einteilen. Die 1950er-Jahre sind bestimmt von zeitkritischen Themen wie der Aufarbeitung der NS-Vergangenheit und der atomaren Bedrohung durch den Kalten Krieg. Lyrik und Epik werden zu den bevorzugten Gattungen. In den 1960er-Jahren erlebt die Literatur eine *Politisierung*. Schriftsteller wenden sich gegenwärtig vorherrschenden Konflikten zu, die zuvor bestehende strikte Trennung von Kunst und Politik wird aufgehoben. Kennzeichnend für die westdeutsche Literatur wird der Einsatz authentischer Dokumente: Über das Stilmittel der *Montage* werden z. B. Protokolle oder Zeitungsartikel in Werke integriert. Das *Dokumentarische Theater* mit herausragenden Vertretern wie Peter Weiss und

L

Heinar Kipphardt entwickelt sich. Autoren wie Heinrich Böll und Günter Grass beschäftigen sich in erzählenden Texten mit der Aufarbeitung der Vergangenheit. Die Bestrebungen der Autoren, mit ihren Werken einen Einfluss auf politische Entscheidungen zu erwirken, bleiben aber weitgehend unerfüllt. Mit der Desillusionierung der 68er-Bewegung und dem sich ausbreitenden RAF-Terroismus kommt es unter den westdeutschen Autoren der 1970er-Jahre häufiger zur Abwendung vom politischen Geschehen zugunsten einer verstärkten Hinwendung zur eigenen Subjektivität und Identität. Demgegenüber streben die Schriftsteller der 1980er-Jahre im Zusammenhang mit den Entspannungstendenzen im Kalten Krieg eine erneute Erweiterung des schriftstellerischen Horizonts über die eigene Subjektivität hinaus an. Die Trennung zwischen west- und ostdeutscher Literatur wird durch einen regen Austausch von BRD- und DDR-Literaten außerdem mehr und mehr aufgehoben. Bevorzugte Textsorten sind Alltagslyrik, Autobiografie, Dokumentarisches Theater, Novelle, politische Lyrik und Roman.

Autoren und Werke

Alfred Andersch (1914 – 1980): *Sansibar oder Der letzte Grund* (1957)

Heinrich Böll (1917 – 1985): *Billard um halbzehn* (1959), *Ansichten eines Clowns* (1963), *Die verlorene Ehre der Katharina Blum* (1974)

Heinar Kipphardt (1922 – 1982): *In der Sache J. Robert Oppenheimer* (1964)

Ingeborg Drewitz (1923 – 1986): *Gestern war Heute. Hundert Jahre Gegenwart* (1978)

Siegfried Lenz (1926 – 2014): *So zärtlich war Suleyken* (1955), *Deutschstunde* (1968), *Schweigeminute* (2008)

Günter Grass (1927 – 2015): *Die Blechtrommel* (1959), *Aus dem Tagebuch einer Schnecke* (1972), *Die Rättin* (1986), *Im Krebsgang* (2002)

Martin Walser (*1927): *Ehen in Philippsburg* (1957), *Ein fliehendes Pferd* (1978)

Hans Magnus Enzensberger (*1929): *Die Verteidigung der Wölfe* (1957)

Günter Kunert (1929 – 2019): *Stilleben* (1983)

Rolf Hochhuth (1931 – 2020): *Der Stellvertreter* (1963)

Uwe Johnson (1934 – 1984): *Ingrid Babendererde. Reifeprüfung 1953* (ersch. 1985), *Jahrestage* (1968 ff.)

Rolf Dieter Brinkmann (1940 – 1975): *Keiner weiß mehr* (1968), *Westwärts 1 & 2* (1975)

Patrick Süskind (1949): *Das Parfüm* (1985), *Die Taube* (1987)

Textquellen

Alt, Peter-André: Aufklärung. Stuttgart: Metzler 2007. *43*

Aristoteles: Poetik. Übersetzt und herausgegeben von Manfred Fuhrmann. Bibliografisch ergänzte Ausgabe. Stuttgart: Reclam 1994. *23*

Blass, Ernst: An Gladys. Aus: Die Straße komme ich entlang geweht. Sämtliche Gedichte. Hürth: edition memoria 2008. *134*

Bohr, Felix; Lisa Duhm, Silke Fokken, Dietmar Pieper: Krieg der Sterne. DER SPIEGEL 10/2021. *270*

Brecht, Bertolt: Der gute Mensch von Sezuan. Bild 10 – Gerichtslokal. Edition Suhrkamp 73. 1. Auflage. Berlin: Suhrkamp Verlag 1964, S. 139–143. *85*

Brecht, Bertolt: Gedanken über die Dauer des Exils. In: Gesammelte Werke. Frankfurt am Main: Suhrkamp Verlag 1982, S. 719f. *139*

Brecht, Bertolt: Radwechsel. In: Gesammelt Werke. Band 11. Frankfurt am Main: Suhrkamp Verlag 1982. *141*

Brecht, Bertolt: Rückkehr. In: Gesammelte Werke. Frankfurt am Main: Suhrkamp Verlag 1982. *140*

Bruckert, Ingeborg: Leserbrief. In: Der SPIEGEL NR. 11 vom 13.3.2021, S. 128. *273*

Büchner, Georg: An die Familie. Aus Gießen nach Darmstadt. Zit. nach: https://www.projekt-gutenberg.org/buechner/briefe1/chap004.html. *78*

Büchner, Georg: Woyzeck. Der Hessische Landbote. Schroedel Lektüren. Braunschweig: Westermann Bildungsmedien Verlag 2021, S. 12–13. *17*

Büchner, Georg: Woyzeck. Der Hessische Landbote. Schroedel Lektüren. Braunschweig: Westermann Bildungsmedien Verlag 2021, S. 11–12. *25*

Büchner, Georg: Woyzeck. Der Hessische Landbote. Schroedel Lektüren. Braunschweig: Westermann Bildungsmedien Verlag 2021, S. 28–29. *28*

Büchner, Georg: Zitat aus: Brief an die Braut, Gießen, 1833, S. 372, DTA. *11*

Büchner, Georg: Zitat aus: Brief an die Familie, Gießen, Februar 1834, S. 335, DTA. *11*

Bühler, Karl (nach): Organon-Modell. Sprachtheorie. Die Darstellungsfunktion der Sprache (1934). Jena: Fischer 1934 (unveränderter Nachdruck Stuttgart 1984). *230*

Butter, Michael (verändert): Die Corona-Impfung ist ein Traum für Verschwörungstheoretiker. In: ZEIT Online vom 23.1.2021. URL: https://www.zeit.de/digital/internet/2021-01/michael-butter-verschwoerungstheorien-corona-impfung-soziale-medien-querdenken. (letzter Abruf: 9.5.2022) *291*

Butter, Michael: 1. Verschwörungstheorien. 2. Corona. In: Aus Politik und Zeitgeschichte vom 27.8.2021, S. 10–13, Bonn: Bundeszentrale für politische Bildung. *298*

Carambellas, Ulrike: Leserbrief. In: Der SPIEGEL NR. 11 vom 13.3.2021, S. 128. *273*

Conrad, David: Leserbrief. In: Der SPIEGEL NR. 11 vom 13.3.2021, S. 128. *273*

Cumart, Nevfel: Zwei Welten. In: Gedichte. Düsseldorf: Grupello Verlag Bruno Kehrein, 1996. *144*

Döblin, Alfred: Berlin Alexanderplatz. München: Deutscher Taschenbuch Verlag, 9. Auflage 1970. *171*

Döhl, Reinhard: Vormärz. In: Günther und Irmgard Schweikle [Hrsg.]: Metzler Lexikon Literatur. Stichwörter zur Weltliteratur. 2. überarb. Aufl. Stuttgart: J.B. Metzlersche Verlagsbuchhandlung und Carl Ernst Poeschel Verlag GmbH 1990, S. 494. *51*

Domin, Hilde: Mit leichtem Gepäck. In: Sämtliche Gedichte. Frankfurt: S. Fischer Verlag 2009. *147*

dpa: Beatrix von Storch empört mit Aussagen über Transgender-Abgeordnete. In: ZEIT Online, 17.2.2022. URL: https://www.zeit.de/politik/deutschland/2022-02/tessa-ganserer-beatrix-von-storch-abgeordnete-bundestag. (letzter Abruf: 9.5.2022) (C) dpa *277*

Eichendorff, Joseph von: Aus dem Leben eines Taugenichts. Stuttgart: Reclam 2012. *102*

Eichendorff, Joseph von: Die zwei Gesellen. Aus: Sämtliche Gedichte. Text und Kommentar. Frankfurt: Deutscher Klassiker Verlag 2006. *108*

Eichendorff, Joseph von: Heimweh. Aus: Gedichte. Stuttgart: Reclam 1986. *100*

Eichendorff, Joseph von: Sehnsucht. Aus: Sämtliche Gedichte. Text und Kommentar. Frankfurt: Deutscher Klassiker Verlag 2006. *154*

Elger, Katrin, Alexander Kühn, Jurek Skrobala, Sara Wess: Irrsinn: Die Pandemie ist ein Konjunkturprogramm für Verschwörungstheoretiker. DER SPIEGEL 21/2020. *296*

Esslin, Martin: Was ist ein Drama? Eine Einführung. München: Piper 1978, S. 18. *21*

Franzos, Karl Emil: Wozzek. Ein Trauerspiel-Fragment von Georg Büchner. Mitgeteilt von Karl Emil Franzos. (Einleitung.) (1878). In: Mehr Licht! Eine deutsche

Wochenschrift für Literatur und Kunst. Nr. 1. 5. Oktober 1878, S. 6f. *88*

Freytag, Gustav: Die Technik des Dramas. Norderstedt: Hansebooks GmbH 2018 *64*

Frisch, Luisa: Leserbrief. In: Der SPIEGEL NR. 11 vom 13.3.2021, S. 128. *274*

Fuchs, Michael: Pflicht und Neigung – eine kurze Zusammenfassung der Ethik Kants. *210*

Gauß, Karl-Markus: Woyzeck war kein Opfer. Er war Täter. © Die ZEIT vom 21.8.2003 Nr. 35. *82*

Gellert, Christian Fürchtegott: Freundschaft (1754). Aus: Ders.: Gesammelte Schriften. Hrsg. von Bernd Witte. Berlin, New York 1988. *43*

Gleichstellungsbüro der RWTH Aachen (Hrg.): Gendergerechte Sprache. Aachen 2021, S. 8–12. *274*

Goebbels, Joseph: Rede anlässlich der Bücherverbrennung auf dem Berliner Opernplatz, 1933: Überlieferung der Rede: DRA (Deutsches Rundfunkarchiv), Nr. C 1144 (15 Minuten, 15 Sekunden). *254*

Goebbels, Joseph: Rede im Berliner Sportpalast. Hier nach: Kundgebung der NSDAP, Gau Berlin, im Berliner Sportpalast, Joseph Goebbels, 18. Februar 1943, Auszug aus der Rundfunkübertragung, DRA-Nr. 2600052. Link zur Rede: https://de.wikipedia.org/wiki/Datei:Joseph_Goebbels_Rede_im_Berliner_Sportpalast_1943.ogg (Abruf: 4.5.2022). *265*

Goethe, Johann Wolfgang von: Mignons Lied. Aus: Wilhelm Meisters Lehrjahre. München: Deutscher Taschenbuch Verlag, 10. Aufl. 1994. *107*

Goethe, Johann Wolfgang von: Natur und Kunst. Aus: Goethe Werke. Bd. 1. Gedichte Versepen. Gedichte ausgewählt von Walter Höllerer. Frankfurt a.M.: Insel-Verlag 1965, S. 152f. *45*

Goethe, Johann Wolfgang von: Nur wer die Sehnsucht kennt. Aus: Wilhelm Meisters Lehrjahre. Aus: Wilhelm Meisters Lehrjahre. München: Deutscher Taschenbuch Verlag, 10. Aufl. 1994. *106*

Goethe, Johann Wolfgang: 1. Willkommen und Abschied (1771). 1. Willkommen und Abschied (1785). Aus: ders.: Sämtliche Gedichte. Berlin: Insel Verlag 2007. *117*

Goethe, Johann Wolfgang: Bericht April 1788. Aus: Italienische Reise. Zit. nach URL: https://www.projekt-gutenberg.org/goethe/italien/ital2e21.html. *119*

Goethe, Johann Wolfgang: Erlkönig. Aus: ders.: Sämtliche Gedichte. Berlin: Insel Verlag 2007. *119*

Goethe, Johann Wolfgang: Wandrers Nachtlied I und II. Aus: ders.: Sämtliche Gedichte. Berlin: Insel Verlag, 2. Auflage 2007. *116*

Grimm, Jakob und Wilhelm: Die Sterntaler. In: Kinder- und Hausmärchen. Bd. I. Stuttgart 1984, S. 269. *52*

Grimm, Reinhold: Zum Verständnis moderner Lyrik. Göttingen: Sachse und Pohl 1967, S. 15–17. *149*

Grünbein, Durs: Alba. In: Nach den Satiren. Frankfurt am Main: Suhrkamp Verlag 1999. *152*

Grünbein, Durs: Kosmopolit. In: Nach den Satiren. Frankfurt am Main: Suhrkamp Verlag 1999. *152*

Hahn, Ulla: Sehnsucht. In: Gesammelte Gedichte. Deutsche Verlags-Anstalt 2013. *154*

Hansen, Helga: Leserbrief. In: Der SPIEGEL NR. 11 vom 13.3.2021, S. 128. *273*

Heine, Heinrich: Das Loreleylied. Aus: ders.: Sämtliche Gedichte. Stuttgart: Reclam 2006. *123*

Heine, Heinrich: Lebensgruß. Aus: ders.: Sämtliche Gedichte. Stuttgart: Reclam 2006. *127*

Heine, Heinrich: Philister in Sonntagsröcklein. Aus: ders.: Sämtliche Gedichte. Stuttgart: Reclam 2006. *128*

Heine, Heinrich: Wo? Aus: ders.: Sämtliche Gedichte. Stuttgart: Reclam 2006. *126*

Helbig, Ludwig: Sprachverhalten und soziale Schichtzugehörigkeit – die frühen Untersuchungen Basil Bernsteins. In: Sozialisation. Eine Einführung. Frankfurt am Main: Verlag Moritz Diesterweg 1979, S. 82ff. *243*

Henckell, Karl: Straßenbild. Aus: Gipfel und Grunde. Neue Gedichte. 1901–1904. Montana: Kessinger Publishing 2010. *129*

Herrmann-Neisse, Max: Die bürgerliche Literaturgeschichte und das Proletariat. In: Gesammelte Werke. Hrsg. von Klaus Völer bei Zweitausendeins. (Bd. 10) Die neue Entscheidung. Aufsätze und Kritiken. Frankfurt am Main: Zweitausendeins 1988, S. 228 – 230. *89*

Hickethier, Knut: Semiotik oder Semiologie. In: Einführung in die Medienwissenschaft. Stuttgart, Weimar: Verlag J.B. Metzler 2003, S. 59f. *242*

Hoffmann, E.T.A.: Der Sandmann. Schroedel Lektüre. Braunschweig: Westermann Bildungsverlag GmbH, 2015. *214–223*

Hofmann, Michael und Julian Kanning: Woyzeck: Voraussetzungen und Entstehung. In: Georg Büchner. Epoche-Werk-Wirkung. Arbeitsbücher zur Literaturgeschichte. Hrsg. Von Wilfried Barner und Gunter E. Grimm. München: Verlag C.H. Beck 2013, S. 153f. *31*

Hofmann, Michael: Der Hessische Landbote. In: Roland Borgards und Harald Neumeyer (Hrg.): Büchner Handbuch. Leben – Werk – Wirkung. Stuttgart: Verlag J.B. Metzler 2015, S. 7–9. *14*

Hurrelmann, Klaus und Quenzel, Gudrun: Die Entwicklung von Individuation und Identität. In: Lebensphase Jugend. Eine Einführung in die sozialwissenschaftliche Jugendforschung. 13. Aufl. Weinheim, München: Beltz Juventa 2016, S. 36f. *205*

Jahoda, Marie: Die Vorgeschichte des Anschlusses Österreichs. Die gewaltsame Etablierung des Austrofaschismus. Angriff – Annexion – Anschluss. Aus: Otto Bauer Institut (Hrsg.): Unterrichtsmaterialien zur Zwischenkriegszeit. Linz o. J., S. 5ff. *179*

Jakobson, Roman: Poetik. Ausgewählte Aufsätze 1921–1971. Herausgegeben von Elkmar Holenstein und Tarcisius Scheibert. Frankfurt am Main: Suhrkamp Verlag 1979, S. 88, S. 90ff., S. 92f., S. 93, 93f., 94, 84, 96. *231–236*

Jandl, Ernst: wanderung. In: Sprechblasen. 3. Auflage. Stuttgart: Reclam 1997, S. 74. *145*

Jütte, Christopher: Der Pauperismus. © Deutsches Historisches Museum, Berlin. 30.3.2015. URL: https://www.dhm.de/lemo/kapitel/vormaerz-und-revolution/alltagsleben/pauperismus.html. (letzter Abruf: 9.5.2022) *12*

Kaléko, Mascha: Emigranten-Monolog. In: Verse für Zeitgenossen. 30. Auflage. Reinbek: Rowohlt Taschenbuch Verlag 1945. *138*

Kant, Immanuel: Beantwortung der Frage: Was ist Aufklärung? (1784). Aus: Berlinische Monatsschrift, Dezember 1784. *41*

Kästner, Erich: Dankrede. Zur Verleihung des Georg-Büchner-Preises. Deutsche Akademie für Sprache und Dichtung. Darmstadt 1957. URL: https://www.deutscheakademie.de/de/auszeichnungen/georg-buechner-preis/erich-kaestner/dankrede. (letzter Abruf: 9.5.2022) *90*

Kästner, Erich: Fabian. Die Geschichte eines Moralisten. Frankfurt am Main; Berlin; Wien: Ullstein 1982, S. 8f. *172*

Keller, Jost: Einladung zur Literaturwissenschaft: Bertolt Brecht: Der gute Mensch von Sezuan. Ein Vertiefungsprogramm zum Selbststudium. Universität Duisburg 2009. URL: http://www.einladung-zur-literaturwissenschaft.de/index827b.html?option=com_content&view=article&id=318:7-4-der-gute-mensch-vn-sezuan&catid=42:kapitel-7. (letzter Abruf: 9.5.2022) *84*

Kerner, Justinus: Im Eisenbahnhofe. Zit. nach URL: https://www.projekt-gutenberg.org/kernerj/gedichte/chap044.html. (letzter Abruf: 9.5.2022) *121*

Kerner, Justinus: Wanderung. Aus: Die lyrischen Gedichte. Berlin: Edition Holzinger 2013, S. 128. *99*

Kerr, Alfred: Georg Büchner: Woyzeck (Berliner Tageblatt vom 6. April 1921). Aus: Hans Mayer: Georg Büchner. Woyzeck. Vollständiger Text und Paralipomena, Dokumentation. Dichtung und Wirklichkeit. Frankfurt/Main – Berlin: Ullstein Verlag 1987, S. 157f. *81*

Kindlers Neues Literatur Lexikon: Heinrich Leopold Wagner: Die Kindermörderin. Stuttgart: Metzler 2004. *75*

Klein, Stefan: Mit der Traumdeutung in die Tiefen der Seele. DIE ZEIT / ZEIT Magazin, 38/2014 – 11.09.2014. URL: https://www.zeit.de/zeit-magazin/2014/38/sigmund-freud-psychoanalyse-traumdeutung-stefan-klein/komplettansicht (Abruf: 24.2.2022) *198*

Klemperer, Victor: Das schleichende Gift der nationalsozialistischen Propaganda. In: LTI. Notizbuch eines Philologen. Nach der Ausgabe letzter Hand hrsg. und kommentiert von Elke Fröhlich. Stuttgart: Reclam Verlag 2020, S. 25f. *250*

Klemperer, Victor: Die (eigentliche) Sprache des Dritten Reichs. In: LTI. Notizbuch eines Philologen. Nach der Ausgabe letzter Hand hrsg. und kommentiert von Elke Fröhlich. Stuttgart: Reclam Verlag 2020, S. 20f. *249*

Klotz, Volker: Geschlossene und offene Form im Drama. München: Hanser Verlag 1969. *67*

Kneuer, Marianne: Politische Kommunikation und digitale Medien in der Demokratie. Bundeszentrale für politische Bildung, Bonn. URL: https://www.bpb.de/system/files/dokument_pdf/1_2_Kneuer_Politische_Kommunikation_ba_0.pdf (letzter Abruf: 9.5.2022) *283*

Koeppen, Wolfgang: Tauben im Gras. Frankfurt am Main: Suhrkamp Verlag, 38. Auflage 2012, S. 26f. *173*

Koopmann, Helmut: Biedermeierzeit. In: Horst Brunner und Rainer Moritz (Hrg.): Literaturwissenschaftliches Lexikon. 2. Auflage. Berlin: Erich Schmidt Verlag 2006, S. 57. *50*

Krause, Robert: Leserbrief. In: Der SPIEGEL NR. 11 vom 13.3.2021, S. 128. *273*

Kutsch, Axel: Gang durch ein Gedicht. In: poetenladen.de. Hrsg.: Andreas Heitmann. Leipzig, 3.2.2008. URL: http://www.poetenladen.de/axel-kutsch-lyrik6.htm. (letzter Abruf: 9.5.2022) *153*

Laages, Michael: Woyzeck quält der Wahnsinn aus dem Schützengraben. Welt online, 8.9.2014. URL: https://www.welt.de/kultur/theater/article132020163/Woyzeck-quaelt-der-Wahnsinn-aus-dem-Schuetzengraben.html (letzter Abruf: 9.5.2022) *57*

Lehmann, Johannes F.: Einladung zur Literaturwissenschaft. Ein Vertiefungsprogramm zum Selbststudium. Georg Büchner. Universität Duisburg 2009. URL: http://www.einladung-zur-literaturwissenschaft.de/index983a.html?option=com_content&view=article&id=77:3-5-buechner&catid=38:kapitel-3. (letzter Abruf: 9.5.2022) *13*

Lessing, Gotthold Ephraim: Emilia Galotti. 5. Aufzug. 7. und 8. Auftritt. Aus: Schroedel Lektüren. Braunschweig: Schroedel 2015, S. 91–96. *73*

Löschburg, Winfried: Von Reiselust und Reiseleid. Eine Kulturgeschichte. Frankfurt: Insel Verlag 1977. *112*

Lotz, Ernst Wilhelm: Aufbruch der Jugend. Aus: Gedichte, Prosa, Briefe. Edition Text und Kritik. Hrsg. von Jürgen von Esenwein. München 1994. *131*

Lotz, Ernst Wilhelm: Da sind die Straßen. Zit. nach: https://www.projekt-gutenberg.org/lotz/raubtier/chap010.html. *135*

Matt, Peter von: Zitat aus: Liebesverrat. Die Treulosen in der Literatur. Deutscher Taschenbuchverlag 1991, S. 166f. *29*

Mayer, Hans: Das Thema. In: Georg Büchner und seine Zeit. Frankfurt am Main: Suhrkamp 1972, S. 339–341. *80*

Mayer, Hans: Die literarische Bedeutung Heinrich Heines. In: Heinrich Heine Werke. Band 1. Gedichte. Frankfurt am Main: Suhrkamp 1968, S. 7ff. *124*

Merkel, Johannes: Märchen und deren gesellschaftliche Bedeutung. In: Siegfried Schöedel (Hrg.): Arbeitstexte für den Unterricht. Märchenanalysen. Stuttgart: Reclam 1995, S. 55f. *53*

Migner, Karl: Theorien des modernen Romans. Stuttgart: Kröner Verlag 1970, S. 38ff. *208*

Müller, Claus: Gesteuerte Kommunikation. In: Politik und Kommunikation. Zur Politischen Soziologie von Sprache, Sozialisation und Legitimation. München: Paul List Verlag 1975, S. 36. *245*

Müller, Claus: Grundlagen der Sprachmanipulation im Dritten Reich. In: Politik und Kommunikation. Zur Politischen Soziologie von Sprache, Sozialisation und Legitimation. München: Paul List Verlag 1975, S. 37f. *246*

Müller, Johann Ludwig Wilhelm: Der Wegweiser. Aus: Gedichte. Berliner Ausgabe, 3. Auflage. Berlin: Edition Holzinger 2013, S. 115. *101*

Mumot, André: Der Aff ist Soldat. In: Nachtkritik Kulturnetz gGmbH, Berlin, 6.9.2014. URL: https://nachtkritik.de/index.php?option=com_content&view=article&id=9943:2014-09-07-07-00-54&catid=50:berliner-ensemble&Itemid=100476. (letzter Abruf: 9.5.2022) *38*

Neumeyer, Harald: Analysefelder. In: Büchner Handbuch. Leben – Werk – Wirkung. Stuttgart: Verlag J.B. Metzler 2015, S. 108. *31*

Neumeyer, Harald: Armut und Arbeit. In: Büchner Handbuch. Leben – Werk – Wirkung. Stuttgart: Verlag J.B. Metzler 2015, S. 108. *54*

Neumeyer, Harald: Das Menschenexperiment. In: Büchner Handbuch. Leben – Werk – Wirkung. Stuttgart: Verlag J.B. Metzler 2015, S. 111–113. *35*

Neumeyer, Harald: Der historische Fall und die Geschichte seiner Auswertung. In: Büchner Handbuch. Leben – Werk – Wirkung. Stuttgart: Verlag J.B. Metzler 2015, S. 104f. *32*

Neumeyer, Harald: Gattungsbestimmungen. In: Büchner Handbuch. Leben – Werk – Wirkung. Stuttgart: Verlag J.B. Metzler 2015, S. 103f. *68*

Neumeyer, Harald: Militär. In: Büchner Handbuch. Leben – Werk – Wirkung. Stuttgart: Verlag J.B. Metzler 2015, S. 108–110. *33*

Neumeyer, Harald: Philosophische und religiöse Paradigmen. In: Büchner Handbuch. Leben – Werk – Wirkung. Stuttgart: Verlag J.B. Metzler 2015, S. 110. *55*

Neumeyer, Harald: Sexualität. In: Büchner Handbuch. Leben – Werk – Wirkung. Stuttgart: Verlag J.B. Metzler 2015, S. 110f. *55*

Neumeyer, Harald: Zu Gerichtsprozess und Hinrichtung. In: Büchner Handbuch. Leben – Werk – Wirkung. Stuttgart: Verlag J.B. Metzler 2015, S. 105. *79*

Novalis: Wenn nicht mehr Zahlen und Figuren. Aus: Romantik Lyrik. Hrsg. von Dietrich Steinbach. Stuttgart: Ernst Klett Verlag 2002, S.74. *48*

Orde, Heike vom und Alexandra Durner (Zusammenstellung): Grunddaten Jugend und Medien, 2022, Aktuelle Ergebnisse von Mediennutzung Jugendlicher in Deutschland. Zusammengestellt aus verschiedenen deutschen Erhebungen. © Internationales Zentralinstitut für das Jugend- und Bildungsfernsehen, S. 36. *279*

Otten, Karl: Die Thronerhebung des Herzens. Für Martinet. In: Ahnung und Aufbruch – Expressionistische Prosa. Neuwied: Luchterhand 1977. *137*

Pia Lamberty/Jonas H. Rees: Gefährliche Mythen: Verschwörungserzählungen als Bedrohung für die Gesellschaft. In: Andreas Zick/Beate Küpper (Hrg.): Die geforderte Mitte. Rechtsextreme und demokratiegefährdende Einstellungen in Deutschland 2020/2021. Bonn 2021, S. 290f. In: Michael Butter: Verschwörungstheorien. Aus Politik und Zeitgeschichte (APuZ) vom 27.8.2021, S. 6, 10, 12. URL: https://www.bpb.de/shop/zeitschriften/apuz/verschwoerungstheorien-2021/339276/verschwoerungstheorien-eine-einfuehrung/. (letzter Abruf: 9.5.2022) *300*

Pinthus, Kurt: Zitat aus: Menschheitsdämmerung. Köln: Anaconda 2008. *132*

Politycki, Matthias: Ein gewisser Eichendorff bläst den Blues von der prästabilierten Harmonie. In: Im Schatten der Schrift hier. München: Weismann (Kunstmann) 1988. *150*

Pörksen, Bernd: Der Fall Lisa. Die große Gereiztheit. Wege aus der kollektiven Erregung. München: Carl Hanser Verlag 2018, S. 9–12, 12. f., 46ff. *286–290*

Pörksen, Bernhard: Clash der Codes – oder das Zeitalter der indiskreten Medien. In: Die große Gereiztheit. Wege aus der kollektiven Erregung. München: Carl Hanser Verlag 2018, S. 7. *297*

Projekt Literaturwissenschaft, Christian-Albrechts-Universität zu Kiel: Symbol. URL: http://www.literaturwissenschaft-online.uni-kiel.de/glossary/symbol/ (Abruf: 24.02.2022) *201*

Reinhardt-Becker, Elke: Einladung zur Literaturwissenschaft: Dialog. Ein Vertiefungsprogramm zum Selbststudium. Universität Duisburg, 2009. URL: http://www.einladung-zur-literaturwissenschaft.de/index275e.html?option=com_content&view=article&id=346%3A7-3-dialog&catid=42%3Akapitel-7&Itemid=53. (letzter Abruf: 9.5.2022) *26*

Reinhardt-Becker, Elke: Einladung zur Literaturwissenschaft: Komödie. Ein Vertiefungsprogamm zum Selbststudium. Universtität Duisburg 2009. URL: http://www.einladung-zur-literaturwissenschaft.de/index976f.html?option=com_content&view=article&id=363%3A7-2-komoedie&catid=42%3Akapitel-7&Itemid=55. (letzter Abruf: 9.5.2022) *23*

Reinhardt-Becker, Elke: Einladung zur Literaturwissenschaft: Monolog. Ein Vertiefungsprogramm zum Selbststudium. Universität Duisburg, 2009. URL: http://www.einladung-zur-literaturwissenschaft.de/index275e.html?option=com_content&view=article&id=346%3A7-3-dialog&catid=42%3Akapitel-7&Itemid=53. (letzter Abruf: 9.5.2022) *27*

Reinhardt-Becker, Elke: Einladung zur Literaturwissenschaft: Tragödie. Ein Vertiefungsprogamm zum Selbststudium. Universität Duisburg 2009. URL: http://www.einladung-zur-literaturwissenschaft.de/index659a.html?option=com_content&view=article&id=364%3A7-2-tragoedie&catid=42%3Akapitel-7&Itemid=55. (letzter Abruf: 9.5.2022) *22*

Rilke, Rainer Maria: Die Sonette an Orpheus XVIII. In: Rainer Maria Rilke: Gedichte. Berlin: Insel Verlag. *136*

Rinne, Yannick: Leserbrief. In: Der SPIEGEL NR. 11 vom 13.3.2021, S. 128. *273*

Ritzmann, Kai: Leserbrief. In: Der SPIEGEL NR. 11 vom 13.3.2021, S. 128. *273*

Römer, Felix: Wie ich einmal fast so wie die anderen geworden wäre oder: Alltag 2. Klasse. In: Verhinderter Held. Lyrische Alltagsbewältigung. Satyr Verlag, Berlin 2015, S. 15–17. *148*

Schiller, Friedrich: Ankündigung aus „Die Horen“. Aus: Ders.: Gesamtausgabe. Band 20. Hrsg. v. Gerhard Fricke. München: Deutscher Taschenbuch Verlag, 1966, S. 62ff. *46*

Schirach, Baldur von: Rede zum Fest der Sonnenwende auf der Zugspitze. In: Revolution der Erziehung. München: 2. Auflage 1939. Zitiert nach: Hans-Jochen Gamm: Führung und Verführung. Pädagogik des Nationalsozialismus. München: 3. Auflage, Paul List Verlag 1990, S. 99–101. *256*

Schlaffer, Heinz: Geistersprache. Zweck und Mittel der Lyrik. © dtv Verlagsgesellschaft, München. *110*

Schlaffer, Heinz: Kurze Geschichte der deutschen Literatur. Kurze Geschichte der deutschen Literatur. © dtv Verlagsgesellschaft, München. *127*

Schlaffer, Heinz: Kurze Geschichte der deutschen Literatur. © dtv Verlagsgesellschaft, München. *115*

Schmitz, Julia: Mein Montag ist gelb und rund. Zeit Online 16.09.2019. URL: https://www.zeit.de/kultur/2019-09/synaesthesie-neurologie-wahrnehmung-sinnewissenschaft. (Abruf: 24.02.2022) *165*

Schößler, Franziska: Soziales Drama. In: Büchner Handbuch. Leben – Werk – Wirkung. Stuttgart: Verlag J.B. Metzler 2015, S. 118–123. *69*

Schreiner, Manfred: Leserbrief. In: Der SPIEGEL NR. 11 vom 13.3.2021, S. 128. *273*

Simmel, Georg: Die Großstädte und das Geistesleben. In: Georg Simmel: Gesamtausgabe. Herausgegeben von Otthein Rammstedt. Band 7: Aufsätze und Abhandlungen. 1901–1908. Band I. Herausgegeben von Rüdiger Kramme, Angela Rammstedt und Otthein Rammstedt. Suhrkamp, Frankfurt am Main 1995, S. 116–131 *166*

Sorensen, Bengt Algot: Deutsche Romantik. In: Geschichte der deutschen Literatur. 1. Vom Mittelalter bis zur Romantik. München: C.H. Beck, 2. Auflage 2003, S. 290–310. *49*

Spirgi, Dominique: Dieser „Woyzeck" ist eine umwerfende Zumutung. Tageswoche, 18.9.2017. URL: https://www.deutscheakademie.de/de/auszeichnungen/georg-buechner-preis/erich-kaestner/dankrede. (letzter Abruf: 9.5.2022) *90*

Spolders, Sascha: Modell des Erzählens nach Petersen. Originalbeitrag. *168*

Stadler, Ernst: Heimkehr. Aus: Der Aufbruch und andere Gedichte. Stuttgart: Reclam 2014. *134*

Steiner, Anne: Editionsgeschichte von „Woyzeck". In: Materialien zur Inszenierung am Volkstheater München. URL: https://silo.tips/download/georg-bchner-woyzeck-in-der-regie-von-abdullah-kenan-karaca. (letzter Abruf: 9.5.2022) *16*

Steinmeier, Frank-Walter. Festakt zum Tag der Deutschen Einheit 2017. URL: http://www.bundespraesident.de/SharedDocs/Reden/DE/Frank-Walter-Steinmeier/Reden/2017/10/171003-TdDE-Rede-Mainz.html (letzter Abruf: 9.5.2022) *142*

Stephan, Inge: Faschistische Kunst: monumental, ornamental und kultisch. In: Wolfgang Beutin u.a.: Deutsche Literaturgeschicht. Von den Anfängen bis zur Gegenwart. Stuttgart, Weimar: 5., überarbeitete Auflage, Metzler Verlag 1994, S. 391 f. *258*

Stephan, Inge: Nationalsozialistische Kulturpolitik. Literatur im Dritten Reich. In: Wolfgang Beutin u. a.: Deutsche Literaturgeschichte – von den Anfängen bis zur Gegenwart. 5. überarb. Aufl. Stuttgart, Weimar: Metzler 1994. S. 387–390. *194*

Stokowski, Margarete: Hate Speech. In: Der SPIEGEL NR. 2 vom 8.1.2022, S. 70 f. *280*

Stramm, August: Patrouille. Aus: August Stramm: Das Werk. Hrsg. von Radrizzani, R. Wiesbaden: Limes 1963, S. 86. *135*

Swift, Jonathan: Gullivers Reisen. München: Anaconda Verlag 2020, S. 235 ff. Übersetzt von Franz Kottenkamp. *237*

Tekinay, Alec: Dazwischen. Robert-Bosch-Stiftung, Stuttgart 2001. *144*

Thalheimer, Michael: Zitat aus einem Interview mit Elisabeth Mildschuh am 26.7.2003. Salzburger Nachrichten. URL: http://www.salzburg.com/sn/sonderbeilagen/artikel/477298.html. (letzter Abruf: 9.5.2022) *18*

Tholl, Egbert: Diese entsetzliche Gleichheit. Süddeutsche Zeitung, 2.2.2020. URL: https://www.sueddeutsche.de/kultur/kritik-diese-entsetzliche-gleichheit-1.4781224 (letzter Abruf: 9.5.2022) *93*

Trost, Karl: Junges Deutschland. In: Günther und Irmgard Schweikle [Hrsg.]: Metzler Lexikon Literatur. Stichwörter zur Weltliteratur. 2. überarb. Aufl. Stuttgart: J. B. Metzlersche Verlagsbuchhandlung und Carl Ernst Poeschel Verlag GmbH 1990, S. 228. *50*

Tucholsky, Kurt: Zitat aus: Kurt Tucholsky: Büchner. In: Die Schaubühne, 9. Jahrgang, Nummer 42, 16. Oktober 1913, Verlag der Schaubühne, Charlottenburg, S. 997, Internet Archive. *11*

Vischer, Friedrich Theodor: Auf der Eisenbahn. Aus: Lyrishe Gänge. Norderstedt: Hansebooks 2016. *120*

Wagner, Heinrich Leopold: Die Kindermörderin: Sechster Akt. Zit. nach: https://www.projekt-gutenberg.org/wagnerhl/kindmord/kindmo6.html. *76*

Weisband, Marina: Digitalisierung: Wie retten wir das Internet und machen jungen Menschen wieder Lust auf die Demokratie? In: ZEIT Online vom 24.7.2021. URL: https://www.zeit.de/2021/30/digitalisierung-schule-demokratie-mitbestimmung-plattform. (letzter Abruf: 9.5.2022) *294*

Wilpert, Gero von: Bürgerliches Trauerspiel. Sachwörterbuch der Literatur. 7., verbesserte Auflage. Stuttgart: Kröner 1989, S. 129 f. *70*

Wondratschek, Wolf: In den Autos. In: Chuck's Zimmer. Alle Gedichte und Lieder. München: Heyne 1982, S. 82. *151*

Zuckmayer, Karl: Die Elegie von Abschied und Wiederkehr. In: Abschied und Wiederkehr. Frankfurt am Main: Fischer Taschenbuch 1997. *141*

Zweig, Stefan: Sonnenaufgang in Venedig. Aus: Die Fahrten. Plausch Verlag 2003. *130*

Stichwortverzeichnis

Bildquellenverzeichnis

|akg-images GmbH, Berlin: 12.1, 37.1, 40.1, 40.2, 40.5, 40.6, 43.1, 45.1, 48.1, 50.1, 53.1, 70.1, 72.1, 76.1, 81.1, 100.1, 102.1, 104.1, 108.1, 114.1, 118.1, 118.2, 121.2, 124.1, 136.2, 139.2, 165.1, 171.2, 172.2, 181.1, 182.1, 197.3, 213.2, 233.1, 238.1, 246.1; Barbier, Bruno 129.2; De Agostini/Biblioteca Ambrosiana 35.1; Held, André 80.1; Lessing, Erich 134.1; Lessing, Erich / © Succession Picasso / VG Bild-Kunst, Bonn 2022 149.1; Martin, Joseph 33.1, 221.1; Musée du Pétit Palais, Genf 137.1; Pictures From History 197.2; Pirozzi/Vatikanische Museen 40.3; Poklekowski, Doris 125.1; Schleyer, Susanne 242.1; © VG Bild-Kunst, Bonn 2022 288.2. |Alamy Stock Photo, Abingdon/Oxfordshire: Bercan, Radu 241.2; buteo 236.6; History and Art Collection 122.3; imageBROKER/Weitzel, Holger 241.4; Natural Visions/Angel, Heather 241.5; Pascopix / © VG Bild-Kunst, Bonn 2022 236.5; REDA &CO srl 236.3; robertharding/Treadway, Alex 241.1; Smith Collection/Gado Images 234.2; Tetra Images, LLC 241.3; The Artchives 236.1; The Granger Collection 237.1; The Print Collector/Ann Ronan Picture Library/Heritage-Images 239.1; tommybarba 241.6; Torres, Rachel 236.2. |Alamy Stock Photo (RMB), Abingdon/Oxfordshire: Arterra Picture Library 97.8; colaimages 64.1; Granger Historical Picture Archive 100.2; INSADCO Photography / © VG Bild-Kunst, Bonn 2022 236.4; Photo 12 213.1. |APA-PictureDesk GmbH, Wien: Imagno/Setzer, Franz Xaver 130.1; Sammlung Hubmann/Imagno 185.1. |Artothek, Fürth: © Salvador Dalí, Fundació Gala-Salvador Dalí / VG Bild-Kunst, Bonn 2022 199.1. |Berghahn, Matthias, Bielefeld: 230.2. |Birkner, Nicola, Hannover: 307.1. |bpk-Bildagentur, Berlin: 105.1, 113.2, 180.1, 197.1, 253.1, 256.1, 265.1, 267.1; Bayerische Staatsbibliothek / Archiv Heinrich Hoffmann 185.4; Bayerische Staatsbibliothek|Archiv Heinrich Hoffmann 204.1; Bildarchiv Foto Marburg 185.6; Deutsches Historisches Museum / Psille, Arne 114.3; Gewande, Herbert Werner 185.5; Hamburger Kunsthalle / Irrgang, Christoph 40.4; Hoffmann, Heinrich 180.2; Ludwig Meidner: Barrikadenkampf 1913/Nationalgalerie SMB / Jörg P. Anders / © Ludwig Meidner-Archiv, Jüdisches Museum der Stadt Frankfurt am Main 132.1; Staatsbibliothek zu Berlin 135.3. |CartoonStock.com, Bath: Schwadron, Harley 212.1. |Colourbox.com, Odense: 98.1, 311.1, 314.1. |ddp images GmbH, Hamburg: Kaiser, Henning 153.1. |Declair, Arno, Berlin: 77.1. |DER SPIEGEL, Hamburg: DER SPIEGEL 10/2021 270.1. |Domke, Franz-Josef, Wunstorf: 188.2. |Dr. med. Ante, Dieter, Ludwigshafen: Dieter Ante / Unbekannter Künstler, Sicherheits-Trachten für Eisenbahn-Reisende, 1847, Holzstich, Slg. D. Ante. 122.2. |FFL Film- und Fernseh-Labor Ludwigsburg GmbH & Co. KG, Ludwigsburg: 215.1. |fotolia.com, New York: euthymia 97.7; Kara 97.1; M.Rosenwirth 97.3; mirpic 114.2; photo 5000 185.3; Syda Productions 316.1; Trueffelpix 312.1; World travel images 188.1. |Getty Images, München: Fred Stein Archive 90.1. |Getty Images (RF), München: Blend Images 97.9. |Glory Film / Epo-Film, München: 226.1, 227.1, 227.2; Tobis Film GmbH / Der Trafikant 227.3. |Hoppe, Sebastian, Dresden: 11.3. |http://www.zeno.org - Contumax GmbH & Co.KG, Berlin: 97.5. |Imago, Berlin: Rust 114.6. |Interfoto, München: Archiv Friedrich 171.1; Friedrich 140.1; IMAGNO / Austrian Archives 159.2, 159.3; Sammlung Rauch 119.1; Science & Society 122.1. |iStockphoto.com, Calgary: Grafissimo 41.1; Klemm, Alexander 97.11; mikolajn 107.3; ollo 113.1, 177.1; PepeLaguarda 313.1; Stevenson, Don 97.4; thebroker 305.1. |Jüdisches Museum der Stadt Frankfurt am Main, Frankfurt/M.: © Ludwig Meidner-Archiv 131.1, 135.1. |Kassing, Reinhild, Kassel: 243.1. |Klaiber, Steffen, Greifswald: Woyzeck. Plakat Ballett Vorpommern, 2012 56.1. |Klassik Stiftung Weimar (Goethe- und Schiller-Archiv), Weimar: GSA 10/3,1 16.2. |Ludwigsburg Museum, Ludwigsburg: Inv.-Nr. 1755 W 86 120.1. |mauritius images GmbH, Mittenwald: age fotostock 203.3; age fotostock/ Emilio Ereza 107.2. |Ohlbaum, Isolde, München: 173.2. |Österreichische Nationalbibliothek, Wien: Foto: Georg Fayer, Wien (1892-1950) / 03.1927 230.1. |PantherMedia GmbH (panthermedia.net), München: leesr 310.1; pantusc11 308.1. |peitschphoto.com - Peitsch, Peter, Hamburg: 152.1. |Philipp Reclam jun. Verlag GmbH, Ditzingen: 251.1. |Picture-Alliance GmbH, Frankfurt a.M.: 17.1; akg-images 99.1, 101.1, 103.1, 103.2, 121.1, 266.1; Baumgarten, Ulrich 280.1; dpa 97.2, 249.1; dpa / bifab 129.1; dpa / Brandt, Marcus 31.1; dpa / Gabbert, Klaus-Dietmar 287.1; dpa / Gambarini, Federico 252.4; dpa / Hiekel, Matthias 250.1; dpa / Hormann, Frank 292.1; dpa / Schreiner, Tobias 252.2; dpa/Ebener, David 147.2; dpa/Kleefeld 147.1; dpa/Kolbe, Jörg 139.1; dpa/Persch, Stephan 286.1; dpa/Röhnert 138.1; dpa/ Sulejmanovic, Koca 142.1; dpa/Young, David 126.1, 126.2; Eventpress Hoensch 25.1, 38.1, 39.1; Everett Collection / Tavin, Jerry 234.1; Flashpic / Krick, Jens 278.1; Geisler-Fotopress / Gabsch, Sebastian 277.1; Geisler-Fotopress / Hardt, Christoph 252.1; HERBERT NEUBAUER / APA / picturedesk.com 29.1, 30.1, 30.2, 85.1, 87.1; Imagno / Franz Hubmann 177.3; Imagno / Sammlung Hubmann 163.2; IMAGNO/ Sammlung Hubmann 185.2; IMAGNO/Schostal Archiv 255.1; IMAGNO/Sigmund Freud Privatstiftung 203.1; Jazzarchiv 146.1; Mary Evans Picture Library 203.4; newscom/Unimedia Usa 114.4; Photoshot 252.3; picture alliance 172.1; prisma/Fuste, Raga Jose 167.2; Scheriau, Erwin 97.12; SZ Photo / Schülke, Olaf 291.2; ZB/Esch-Kenkel, Claudia 11.2. |Pizka, Erich, Ebersberg: 126.3, 126.4, 126.5. |Reinhard, Josef, Sachseln: 141.2. |Reisebüro Feyhl GmbH, Ludwigsburg: 114.5. |Res Publica Verlags GmbH, Berlin: Cicero / Olaf Hajek 88.1. |Ribbe, Katrin, Hannover: 82.1, 83.1, 83.2. |Rowohlt Verlag GmbH, Hamburg: 282.1. |Ruppert, Marvin, Köln: 148.1. |S. Fischer Verlag GmbH, Frankfurt/Main: 288.1. |Schede, Hans-Georg, Freiburg: 13.1. |Schwarz, Thies, Hannover: 163.1. |Schwarzstein, Yaroslav, Hannover: 330.1, 331.1, 332.1, 332.2, 333.1, 333.2, 334.1, 334.2, 335.1, 336.1, 336.2, 337.1, 337.2, 338.1, 338.2, 339.1, 339.2, 340.1, 340.2, 341.1. |Shutterstock.com, New York: Alice-D 123.1; andreiuc88 116.1; Peshkova 97.6; Quka 97.13; Stelzel, Lisa 177.2. |stock.adobe.com, Dublin: ah_fotobox 159.1; Aleksei 284.1; allvision 290.1; dihard 291.1; Elroi 229.3; engel.ac 275.1; Kollidas, Georgios 46.1; krissikunterbunt 269.1; Link, Nikolai 286.2; Medir 22.1; Mickis Fotowelt 229.1; Morgan Studio 107.1; New Africa 270.2; pit24 130.2; Sasint 97.10. |Süddeutsche Zeitung - Photo, München: Scherl 183.1, 195.1; Shepard/Rue des Archives 203.2. |Then, Sandra, Bonn: 11.1, 91.1, 92.1, 93.1, 94.1. |Titzenthaler, Waldemar, Berlin: 167.1. |ullstein bild, Berlin: 135.2, 141.1, 166.1; Buhs/Remmler 145.1; Ehlert, Max 180.3; Frederic 151.1; Hauke, Paul 229.2; Imagno 136.1, 173.1; Keystone 181.2; Mai, Paul 254.1; P/F/H 110.1; Teutopress 25.2; ullstein bild 16.1; Zitzow 195.2. |VG BILD-KUNST, Bonn: 2022 / © Pollock-Krasner Foundation 150.1. |Volkstheater Ges.m.b.H., Wien: Foto: Martin Vukovits 24.1.